선화 상인

법화경 강설 上

불광출판사

일러두기

- 이 책은 선화 상인(宣化上人)이 귀의한 제자 다섯 명(처음에는 두 명)을 대상으로 미국의 샌프란시스코에 있는 불교강당에서 진행한 『법화경』 강의를 편역한 것이다.
  (강의 중간에 일반인도 종종 법회에 참석한 것으로 보인다.)
- 1968년 10월 16일 「관세음보살보문품」을 시작하였고 같은 해 11월 9일 마쳤다.
  전체 『법화경』 강의가 다시 시작된 것으로 「관세음보살보문품」 강의가 끝난 다음날(11월 10일)이다.
  이후 정확히 2년 만인 1970년 11월 10일 모든 강의가 끝났다.
  (이 책은 강의 순서가 아닌 『법화경』의 목차에 따랐다.)
- 선화 상인(宣化上人)의 법화경 강의는 『묘법연화경천석*妙法蓮華經淺釋*』(이하 「천석」)이라는 제목으로 엮여 출판되었으며(총 10권), 몇 차례에 걸쳐 수정·증보되었는데 이 책의 저본은 2008년 판이다.
- 『법화경』 원문은 「천석」에 나온 것을 따랐으나 우리나라에서 사용하지 않는 한자 등은 교체하였으며 명백한 오탈자라고 생각되는 부분은 다른 판본과 대조하며 바로 잡았다.

선화 상인 법화경 강설

上

서문

선화상인께서 말씀하셨다. "『법화경』을 듣는 사람이라면 장래에 부처를 이루지 못할 사람이 한 사람도 없을 것이다. 석가모니 부처님께서는 이미 2500여 년 전에 사람들에게 수기를 하셨다. 그렇기 때문에 『법화경』을 들을 기회가 있는 사람이라면 모두 자기를 작게 보지 말아야 하며, 자기가 장래에 성불할 수 있을 것이라고 믿어야 한다."

이 말씀은 절대로 세상 사람들을 놀라게 하려고 한 것이 아니다. 또한 환심을 사려고 한 것도 아니다. 진실이다. 세간에서 불법을 배우는 사람은, 『법화경』은 글이 간단명료하여 이해하기 쉽다고 말하지만, 왜 부처님께서 좀 더 빨리 이 경을 설하지 않으셨는지에 대해서는 이해하지 못한다. 세상 사람들은 단시 경을 읽을 줄만 알았지 마음은 도리어 미혹하여 유일한 불승(佛乘)의 경전에 대하여 의심을 품고 있으며, 자기가 견성성불(見性成佛)할 수 있다는 것을 진심으로 믿지 못한다. 이런 연유로 부처님께서는 『법화경』이 '믿기도 어렵고 이해하기도 어렵다'고 말씀하신 것이다.

하지만 비록 일시적으로 믿고 이해하기 힘들지라도 모두 조만간 법화회상으로 되돌아 올 것이다. 마치 경에서 이야기한 '오천 비구가 자리에서 물러난 것[五千退席]과 같다. 비록 일시적으로 바른 지견을 잃었더라도 마침내는 성불할 것이다. 다만 쓸데없이 자기의 성불 시기를 늦출 따름이다.

그러면 무엇 때문에 법화회상에 참석한 사람마다 모두 성불하려고 하는가?

『법화경』에서는 "제불 세존은 '한 가지 큰 인연[一大事因緣]'을 위하여 세상에 출현하신다."고 하였다. 이 일대사인연은 바로 『법화경』을 설하기 위함이니, 부처의 지견을 열어서[開] 일체중생에게 보여[示] 모두 다함께 깨달아[悟] 부처의 지견으로 들어가게[入] 하려고 하신 것이다. 그러면 부처의 지견은 무엇인가? 부처의 지견은 바로 '바른 지견'으로서, 중생은 모두 불성을 가지고 있으며, 모두 부처의 지혜를 갖추고 있으며, 모두 부처가 될 수 있다는 것이다.

그러므로 일대사인연은 세상의 생사대사를 벗어나는 일이라고 할 수 있으며, 중생이 모두 생멸 없는 대반열반을 얻어 궁극에는 부처를 이루는 것이다. 이른바 "이치로는 비록 문득 깨달았을지라도 현상(일)에서는 점차 닦아야 한다.[理雖頓悟 事須漸修]"고 하였다. 부처의 지견을 깨달아도 단지 이치상으로는 부처이지만 아직 진정한 부처는 아니라는 말이다. 중생이 아직 부처를 이루지 못하는 것은, 오로지 망상집착으로 인하여 세간지견으로 잘못 들어가기 때문이다. 그래서 송경(誦經)을 오래 하여도 이해하지 못한다. 마치 개미가 수박의 겉을 돌고 돌아도 수박 속의 달콤함은 결코 맛보지 못하는 것과 같다. 이것은 이치에 편차가 있어서가 아니라, 아직 자성(自性)에서 통절하게 공부를 하지 않았기 때문이다. 일체의 법이 공하다는 것을 체득하여 생각 생각마다 항상 정념(正念), 선념(善念)을 간직하여야 하며, 유화(柔和)와 인욕(忍辱)의 옷을 입고 계·정·혜를 부지런히 닦아서 탐·진·치를 끊어야 한다. 그래야 비로소 부처의 지견으로 들어가 마음을 깨닫고 『법화경』을 굴릴 수 있게 된다. 이때가 되면 자연히 마음이 열리고 뜻이 이해가 되어 견성성불하게 되는 것이다.

부처님께서 경을 설하신 49년간을 살펴보면, 최초의 21일간 법신으로서 많은 보살을 위하여 『대방광불화엄경』을 설한 것을 제외하고는 모두 응화신(應化身)으로서 경을 설하셨다. 먼저 아함부(阿含部)의 여러 경을 설하여 중생이 세간에서 겪는 괴로움을 알게 하고, 널리 중생들이 수도하여 괴로움을 그치게 하고 이고득락(離苦得樂)의 열반을 증득하게 하였다. 그 후 순서에 따라 점차로 방등부(方等部)의 경을 설하여 널리 대승의 복덕을 닦게 하였다. 이어서 더욱 깊이 반야부(般若部)의 여러 경을 설하여 중생들에게 대승의 지혜를 깨닫게 하였다. 최후로 부처님께서 열반하시기 전 8년간은 『법화경』을 설하셨다. 그것은 바로 삼승(三乘)을 일불승(一佛乘)으로 돌아오게 하는 것으로서, 중생에게 일체의 법이 공함을 밝혀 본래 갖춘 불성을 돈오(頓悟)하고 곧바로 최상승의 일불승으로 들어가게 하려 한 것이다.

그러므로 『법화경』은 경 가운데 왕이며, 경 가운데 가장 궁극의 진리를 밝힌 경이며, 또한 원돈(圓頓)의 가르침을 밝힌 지극히 높고 보배로운 경이다. 중생이 이러한 묘법을 들으면 즉시 묘과(妙果)인 성불의 인(因)을 심는다. 묘한 연꽃은 꽃과 열매가 동시에 나타난다. 그러나 꽃이 피는 것은 바로 열매를 맺기 위한 것이다. 비유하자면 과거 부처님께서 설하신 경법은 모두 방편법으로, 단지 진실법을 설하기 위해 사용하신 것이다. 법화회상에 이르러서야 방편법을 그만두고 진실법을 세우셨으니, 방편을 열어 진실을 드러내신 것이다. 사실 만법은 하나로 돌아가는데, 이러한 방편이 바로 진실이며, 둘이면서 둘이 아니며, 단지 일불승의 묘법일 뿐이다. 그러므로 일체의 경은 모두 『법화경』을 설하기 위하여 길을 열어놓으신 것이다.

『법화경』은 7권 28품으로 나뉘는데, 「서품」으로 시작하여 「보현보살권발품」에서 끝난다. 「서품」은 경의 인연을 서술한다. 보통의 작은 인연이 아니라 모두에게 성불의 큰 인연이 있음을 가르치고 있다. 마지막 「보현보살권발품」에서, 보현보살은 대행으로 그의 수행문은 가장 크며, 아울러 그가 발한 열 가지 원(願)과 그의 신분과 지위로써 일체중생에게 보리심을 발할 것을 권하며, 일체중생은 보현보살을 믿고 큰 보리심을 내야 한다고 하였다.

고덕(古德)이 이르기를, "지혜를 여는 경은 『능엄경』이며, 성불하는 경은 『법화경』이다.[開慧的楞嚴 成佛的法華]"라고 하였다. 『법화경』과 『능엄경』은 불교에서 가장 중요한 위치를 차지하고 있다. 만약 지혜를 열지 못하면 『법화경』의 정수(精髓)를 돈오할 방법이 없다. 따라서 선화 상인께서는 1968년 미국 샌프란시스코에 있는 불교강당에서 먼저 96일간 하계(夏季) 『능엄경』 강습반을 열었다. 이에 서방 학자들의 귀의가 날로 늘어나고 두 명이 출가하였다. 뒤이어 같은 해 10월 6일부터 『법화경』 가운데 가장 널리 알려진 「관세음보살보문품」을 강설하여 11월 9일에 마치셨다. 그리고 그 다음날 정식으로 『법화경』 전체의 강설을 시작하셨다. 상인께서는 경전 현담에서 말씀하시기를, "이제 내가 『능엄경』 강의를 마쳤으니, 비로소 여러분에게 더욱 진실한 법을 조금이나마 강설하려고 한다. 왜냐하면 여러분은 이제 들을 수준이 되었기 때문이다. 만약 들을 수준이 되지 않았는데 내가 여러분에게 진실한 법을 강의한다면, 여러분은 놀라 도망갈 것이며 다시 오려고 하지 않을 것이다."라고 하였다.

다음 해인 1969년 하계반에서 『법화경』「견보탑품」을 강의하면서, 멀리서 온 여러 학자들이 함께 다보고불(多寶古佛)을 보게 하고, 다 같이 『법화경』의 묘함을 체득하게 하였다. 그 당시 이미 출가한 사람이 다섯 명에 달하였다. 1969년 10월 초 다섯 분의 출가승이 대만에 가서 구족계를 받는 동안 잠시 강의를 중단하셨다가, 1970년 봄에 다섯 분이 계를 받고 돌아오자 다시 『법화경』 강의를 계속하셨다. 이것으로 보건대, 상인께서 얼마나 『법화경』을 중요하게 생각하셨는지를 알 수 있다. 대략 25개월 만인 1970년 11월 10일에 『법화경』 강의를 원만히 마치게 되었다.

상인께서는 강의를 마치실 때 간곡하고 의미심장한 말씀을 하셨으니, 일체중생은 이 말씀에 따라 힘쓰기를 원한다.

"이것은 서방에서 처음으로 연 긴 시간의 법회였으며, 이렇게 긴 경을 강설한 것도 처음이다. 여러분은 모두 이 경을 공부하여 이후에 도처로 가서 중생을 교화하고 일체중생이 모두 『법화경』의 불가사의한 묘함을 얻도록 하길 바란다. 여러분이 이러한 묘한 점을 얻고, 다시 다른 사람들이 그러한 묘한 점을 얻을 수 있도록 해야 한다. 이것이 교화하는 것이며, 불법을 홍양하는 것이다. 또한 법륜을 크게 굴리는 것이며, 법고를 크게 울리는 것이며, 법의 고동을 크게 부는 것이며, 널리 법의 비를 내리는 것이다. 이러한 일을 여기 앉아 있는 우리가 짊어지고 행하여 일체중생이 모두 법의 기쁨에 충만하도록 해야 한다."

처음에 경을 강의하실 때는 법을 배우는 사람들 대부분이 초심자임을 감안하여 역대 대덕 스님들이 강의하던 방식을 바꾸어 구절 구절을 따라 해석하셨으니, 천석(淺釋)이라고 하였다. 그 후 서방의 학자들이 중국어를 알게 될 즈음에는 그 가운데서 불법의 정수를 드러내어 깊이 들어가 얕은 곳으로 나왔다. 그러나 애석하게도 당시 녹음기의 질이 좋지 않아서 녹음이 중간에 끊어지거나 잡음이 들어가 전체 내용을 엿보기에 어려움이 있었다. 그리고 최초에 출판한 『법화경 천석』도 편집이 적절하지 못하여 구술을 빠뜨리는 잘못을 면하기 어려웠다.

그래서 그 후에 제자들이 상인을 청하여 다시 보충 강의를 들었으며, 이를 다시 편집하여 큰 활자본의 『법화경 천석』을 출판하게 되었다. 10여 년이 흘러 편집부 인력 부족으로 바다 건너 다른 나라에서 업무를 나누어 진행하였으며, 처음 상인께서 하신 강의 녹음테이프를 다시 듣고 자세히 필사하고 조심스럽게 윤문하였다. 오직 상인의 풍모를 회복하고 그의 정수를 보존하기를 원하며, 아울러 오늘날 우리가 읽는 데 편리하기를 바랄 뿐이었다.

이번에 새롭게 내는 『법화경 천석』은 상인께서 보강한 내용이 원래의 강의에 원융하게 삽입되었을 뿐 아니라, 상인의 자비로운 가르침에 의지하여 교판을 참작하고 맥락을 분명하게 하여 처음과 끝이 일관되도록 하였다. 아직도 상세하지 못한 곳이 있다면 각 방면의 대덕께서 가르침을 내려주시기를 바란다. 이것으로 서문을 삼는다.

서기 2008년 3월 초
미국 캘리포니아주에서
손과수(孫果秀)

상권(上卷)

하권(下卷)

개경게(開經偈)

무상의 매우 깊고 미묘한 법이여
백천만겁에도 만나기 어렵습니다.
저는 지금 듣고 보아 받들어 지니면서
여래의 진실한 뜻 이해하기를 원하옵니다.

無上甚深微妙法
百千萬劫難遭遇
我今聞見得受持
願解如來眞實義

현담

(懸談)

1. 오시팔교(五時八教)

가. 오시(五時)

경을 강의하는 데 어떤 분은 천태종(天台宗)에 따라 해석하고, 어떤 분은 현수종(賢首宗)에 근거하여 해석한다. 천태 지자 대사가 창립한 천태종은 여래의 모든 가르침을 오시팔교로 구분한다. 오시(五時)는 여래께서 설하신 법의 순서로 구분하고, 팔교(八教)는 설하신 법문과 설법의 의식으로 구분한다.

오시는 첫째 화엄시, 둘째 아함시, 셋째 방등시, 넷째 반야시, 다섯째 법화열반시이다. 이 오시에서 다시 팔교를 구분한다. 장교(藏教)·통교(通教)·별교(別教)·원교(圓教)로 구분하는 것은 화법사교(化法四教)이며, 돈교(頓教)·점교(漸教)·비밀교(秘密教)·부정교(不定教)로 구분하는 것은 화의사교(化儀四教)이다. 이것을 모두 합쳐서 팔교라고 한다. 이 팔교는 부처님께서 다섯의 다른 시기에 분별하여 설하신 것이다.

이 다섯 시기는 또 다섯 때[五時]와 다섯 가지 맛[五味]의 비유가 있다. 이것은 부처님께서 가르친 법과 교화하신 근기를 분별하여 말한다. 해가 떠서 높은 산을 비추고, 그 다음에 깊은 골짜기를 비추고, 그 후에 평지를 비추는데, 평지를 비추는 해는 다시 아침 먹을 때, 점심이 가까워오는 때, 해가 정중앙에 이른 때로 나뉜다. 이것이 다섯 때이다. 그리고 다섯 가지 맛[五味]은 우유[乳], 낙(酪), 생소(生酥), 숙소(熟酥), 제호(醍醐)를 말한다.

그러므로 오시오미는 부처님의 가르침의 순서와 교화하실 중생의 근기도 다섯 가지로 차례차례 순숙되는 것을 비유한다. 따라서 우리는 오시팔교를 설명할 때, 이러한 오시와 오미에 대해서도 알아야 한다.

1) 화엄시(華嚴時)

부처님께서는 성불하신 후 맨 먼저 『화엄경』을 설하셨다. 『화엄경』에는 상·중·하 세 가지 본(本)이 있는데, 우리 인간세계에는 단지 하본만이 전하며, 상본과 중본은 용궁 안에 보존되어 있다. 용수보살은 인간의 모든 문자를 다 익힌 후에 용궁에 가서 장경을 열람하였다. 용수보살은 눈으로 한 번 훑어본 것은 절대로 잊지 않는 재능을 가지고 있었는데, 이 하본은 그가 용궁에 가서 외워 가지고 온 것이다.

부처님께서는 21일간 『화엄경』을 설하셨는데, 이 화엄법회를 크게 열 때 단지 보살들만 볼 수 있고 들을 수 있었으며, 소승과 아라한, 비구들은 모두 볼 수 없고 들을 수 없었다. 이른바 '눈이 있어도 노사나불을 볼 수 없는[有眼不見盧舍那]' 것이다. 비록 눈이 있어도 석가모니 부처님께서 나타내는 천 길이나 되는 노사나불의 보신(報身)은 볼 수 없다는 뜻이다. 우리는 천 길이나 되는 노사나불을 매우 크다고 생각하지만, 사실 아미타불과 비교하면 큰 것도 아니다. 아미타불의 미간 백호상은 다섯 개의 수미산만큼이나 크며, 아미타불의 눈은 사대해(四大海)만큼이나 크다. 우리가 하나의 대해도 얼마나 큰지 모르는데 네 개의 대해만큼이나 크다고 하니, 정말로 큰 눈이 아닐 수 없다.

> 백호광명 수미산을 가득하게 뻗치시며
> 검푸른 눈 맑은 눈빛 사대해를 밝혀주네
> 白毫宛轉五須彌 紺目澄淸四大海

이 게송은 누가 지은 것인가? 이것은 과거에 깨달은 조사 스님께서 아미타불의 장엄한 상호를 보고 지은 것이다. 만약 아미타불의 백호상과 검푸른 눈을 노사나불과 비교한다면, 노사나불의 몸은 작고 또 작은 것이다. 따라서 이 천 길 노사나불의 몸은 결코 큰 것이 아니다. 그러나 이승(二乘)에게는 노사나불의 몸이 보이지 않는다. 그래서 말하기를, "귀가 있어도 원돈의 가르침은 듣지 못한다."고 한 것이다. 이것은 이승의 성문과 연각은 귀가 있어도 부처님께서 설하시는 화엄의 큰 법은 듣지 못한다는 뜻이다. 그러므로 이 시기에 석가모니 부처님은 『화엄경』을 설하여 시방세계의 대보살마하살들을 교화하신 것이다. 그래서 화엄시는 교화하신 법 가운데 원교(圓教)와 별교(別教)에 속한다 그리고 교화하신 의식 가운데 돈교에 속하나 점교를 겸하였다.

그렇다면 오미(五味)에서는 화엄을 설하신 시기를 무엇에 비유할 수 있을까? 소의 몸에서 나온 우유와 같다고 할 수 있다. 왜냐하면 방금 소에서 나온 우유는 에너지가 매우 크며 보양의 성질이 충분하기 때문이다.

오시(五時)로 말할 때는, 마치 태양이 막 떠서 먼저 높은 산을 비추는 것과 같다. 높은 산은 높기 때문에 태양이 먼저 비추게 된다. 부처님이 설하신 법은 태양과 같아서 먼저 보살에게 법을 설하신 것이다. 보살은 마치 높은 산과 같으며, 보살은 일체중생 가운데서 가장 높은 분이기 때문이다. 이것이 최초에 설하신 법으로서, 바로 『대방광불화엄경』이다.

2) 아함시(阿含時)

두 번째 시기에 설하신 것은 『아함경』이다. 아함은 범어이며, 번역하면 비교할 수 없는 법[無比法]으로서 '이 법과 비교할 법이 없다'는 뜻이다.

모든 외도의 법은 이 법과는 비교할 수 없으며, 일체의 외도의 법을 능가한다는 것이다. 아함시에 부처님께서 설하신 법은 경·율·논 삼장의 교리와 관련이 있다. 생멸의 인연법과 사제법(四諦法)을 설하였기 때문에 아함시는 삼장교(三藏教)에 속하며, 또한 장교(藏教)라고 부른다.

오미로 논한다면, 아함시는 우유에서 나온 낙(酪: 요구르트)과 같으며, 아이에게 먹이면 상당히 좋다. 오시로 말한다면, 마치 태양이 떠서 높은 산을 비추고 난 후 깊은 산골짜기를 비추는 것과 같다. 이것은 소승인도 불법을 이해할 수 있게 되고, 가장 어리석은 사람도 불법을 이해하게 된 것을 말한다.

3) 방등시(方等時)

세 번째 시기에 설하신 것은 『방등경』이다. 방(方)은 사방, 등(等)은 평등이라는 뜻이다. 방등시에 설한 경전은 모두 방등부에 속한다. 방등시는 교화의 법 가운데 통교(通教)에 속한다. 왜 통교라고 하는가? 전과 후를 통하고 대승과 소승을 통하기[通前通後 通大通小] 때문이다. 앞의 소승의 장교와 통하고 뒤의 대승의 별교와 통하며, 앞의 아함과 통하고, 뒤의 반야와 통한다. 통교는 대승의 시초의 문으로서 막 대승에 도달한 것이다. 그러므로 방등은 삼승을 융통하여 함께 배우는 것이다.

오미로 말하자면, 낙에서 만들어낸 생소(生酥: 연유)에 해당한다. 어린이와 어른이 모두 먹어도 아무런 해가 없다. 오시로 비유하자면, 아침밥 먹는 때[食時]로서 태양이 오전 9시에서 10시 사이에 평지를 비추는 때이다. 소승인도 배울 수 있고 대승인도 배울 수 있는 가르침을 비유한다. 즉 소승과 대승의 사람이 모두 이 경전을 연구할 수 있는 것이다.

4) 반야시(般若時)

네 번째 시기에 설하신 것은 반야부이며, 별교(別教)에 속한다. 별교는 대승의 초문으로서 대승의 안에 이른 것이다. 무엇을 별교라고 하는가? 전과 후와 구별된다는 뜻이다. 앞의 아함·방등과 구별되며, 뒤의 법화·열반과 구별된다. 또한 소승과 대승과도 구별된다. 앞의 장교·통교와 구별되며 뒤의 원교와도 구별되기 때문에 별(別)이라고 부르는 것이다. 따라서 별교는 대승의 마지막이며, 또한 삼승의 방편의 가르침을 돌려서 법화의 원만한 일불승의 가르침을 설하기 위하여 준비하는 단계이다.

오미로 말하자면, 생소에서 만들어낸 숙소(熟酥: 치즈)에 해당한다. 이 숙소는 어른에게 먹이면 적당하기 때문에, 대승의 근성을 갖춘 권교보살이라야 비로소 이 돈교의 반야법문을 배울 수 있다. 오시로 말한다면, 오전 10시부터 11시 사이에 태양이 널리 대지를 비추기는 하나 아직 정오에는 이르지 못한 때이다.

그렇다면 궁극에 무엇을 반야라고 하는가? 반야는 범어로서 세 가지 뜻을 가지고 있는데, 존귀한 것이기 때문에 번역하지 않고 범어 그대로 사용한다. 문자반야·관조반야·실상반야가 그것이다.

가) 문자(文字)반야

일체의 경·율·논은 모두 문자반야에 속한다. 이것은 출세간의 문자이며, 결코 세간의 문자는 아니다. 세간의 문자는 반야를 담론할 수 없으며, 단지 세간의 지혜만을 말할 수 있을 뿐이다.

나) 관조(觀照)반야

관상하며 지혜로써 관조하여 일체의 법을 비추는 것이다. 마치 『반야심경』에서 "관자재보살이 깊은 반야바라밀다를 행할 때 오온이 모두 공함을 비추어 본다."는 것과 같이 '비춘다[照]'는 것은 관조(觀照)하는 것으로서 실상의 이치를 관조하는 지혜이다.

다) 실상(實相)반야

실상은 본래 상이 없는 것이나 또한 일체의 모든 상을 구족하고 있으며, 일체의 모든 상을 포함하고 있다. 일체의 모든 상은 무상(無相)에서 흘러나오는 것이니, 이것이 바로 실상반야이다. 따라서 문자반야로써 관조반야를 일으키며, 관조반야로써 자기의 자성 속에 본래 가지고 있는 실상반야에 도달하게 된다.

5) 법화열반시(法華涅槃時)

다섯 번째 시기는 법화열반시이며, 또한 지금 강의하는 『법화경』을 설하신 시기이다. 부처님께서는 8년간 『법화경』을 설하시고, 만 하루 동안 『열반경』을 설하셨다. 따라서 여러분은 『법화경』을 가볍게 보아서는 안 된다. 이 경전은 부처님의 궁극의 지극한 말씀이며, 궁극의 법문이기 때문이다.

부처님께서 『화엄경』, 『아함경』, 『방등경』, 『반야경』을 설하신 것은 모두 『법화경』을 설하기 위하여 길을 열어 놓으신 것이다. 그러므로 다른 경전은 모두 장래 『법화경』을 설하려고 준비하신 것이므로, 『법화경』은 '방편을 열어 진실을 드러낸 것[開權顯實]'이라고 할 수 있다. 또한 앞의 화엄, 아함, 방등, 반야 등의 경전은 모두 '진실을 위하여 방편을 설하신 것[爲實施權]'이다. 법화회상에 이르러 비로소 이전의 권교방편의 법문을 모두 버리고 진실만을 남기신 것이다.

『법화경』은 부처님의 진심(眞心)이며, 부처님의 진신(眞身)이며, 부처님의 법신(法身)이며, 부처님의 응신(應身)이며, 부처님의 보신(報身)이다. 그러므로 불법을 연구하는 사람이 『법화경』을 연구하여 통하지 않으면, 아직 불법의 진정한 맛을 얻지 못한 것이다. 진정한 불법의 묘한 뜻은 바로 『법화경』 속에 있다. 그래서 이 법을 묘법(妙法)이라고 부르며, 이 경을 연꽃[蓮華]에 비유하는 것이다.

연꽃은 꽃 중의 왕으로, 꽃 가운데 가장 귀한 꽃이다. 연꽃은 진흙에서 나와서도 오염되지 않으며, 비록 뿌리는 진흙 속에서 자라지만 물과 거리를 두므로 '세속에서 세속을 벗어난 것[在塵出塵]'이라고 한다. 연꽃이 꽃 중에서 가장 귀하고 묘하듯이, 『법화경』도 경 중에서 궁극의 경이다. 불교에 이러한 격언이 있다.

지혜를 여는 능엄, 부처를 이루는 법화[開慧的楞嚴 成佛的法華]

『능엄경』은 지혜를 여는 경이며, 부처를 이루고자 하면 반드시 『법화경』을 배워야 한다는 뜻이다. 그러므로 『법화경』과 『능엄경』이 불교에서 점하는 위치는 매우 중요하다. 더욱이 『법화경』은 경 가운데 왕이므로, 우리가 지금 『법화경』을 연구할 수 있다는 것은 말로 다할 수 없을 정도로 묘한 것이라고 할 수 있다.

법화열반시는 태양이 중천에 떠올라 높은 산이나 계곡, 평지 어떤 곳이든 두루 비추는 때로서, 심지어 사람의 그림자도 생기지 않는다. 이것은 소승과 이승, 그리고 대승의 초심자들을 교화한 후 대승근기의 보살을 섭수하는 것을 비유한다. 그래서 『법화경』 법문을 들은 적이 있는 사람은 말할 것도 없고, 『법화경』이라는 이름만 들은 자도 이미 선근을 심은 것이다. 그러나 『법화경』이라는 이름도 쉽게 들을 수 있는 것이 아니다. '방편을 열어 진실을 드러낸[開權顯實]' 법문이기 때문이다.

부처님께서 이 세상에 나오신 일대사인연은 무엇 때문인가? 바로 『법화경』을 설하기 위해서다. 그러므로 지금 우리가 『법화경』을 들을 수 있고 장래 『법화경』의 묘한 뜻을 이해할 수 있는 것은, 정말로 무량겁 이전에 선근을 심었기 때문이다. 그래서 이제 그 미묘하고 불가사의한 경전과 이 법회를 만날 수 있게 된 것이다. 그러므로 지금 『법화경』을 들을 수 있는 것에 마땅히 큰 환희심을 내고, 매우 희유하다는 생각을 가져야 할 것이다.

생각해 보라. 미국이 개국한 이래, 어떤 사람이 정식으로 『법화경』을 들었으며 『능엄경』을 들었는가? 아무도 없다. 단지 번역문을 보는 것은 마치 개미가 수박의 겉껍질을 돌기만 할 뿐 진정한 수박의 맛은 보지 못하는 것과 같다. 우리가 경전을 보는 것도 이와 같다. 바깥 껍질을 아무리 맛본다 하더라도 다디단 수박 속 맛을 알 방법이 없다. 지금 이 수박을 쪼개야 그 안의 달콤한 맛을 느낄 수 있다.

『법화경』을 오미로 논하면, 바로 제호(醍醐)이며, 무상의 묘한 맛이다. 제호는 세간에서 가장 희유하고 가장 묘한 맛이다. 이제 우리는 『법화경』을 열며 사람마다 이 맛을 느끼기를 기다린다.

부처님 일생의 목적은 『법화경』을 설하는 것이었다. 『법화경』은 장교, 통교, 별교의 가르침이 없는 오직 순수하고 원융한 가르침[圓教]이다. 따라서 불교에서 『법화경』은 가장 중요한 경전이다. 그러므로 불법을 배우는 사람이 만약 『법화경』을 독송한 적이 없거나 들은 적이 없다면, 근본적으로 불법을 이해하였다고 말할 수 없을 것이다. 무엇 때문인가? 부처님의 최종 목적이 바로 『법화경』이기 때문이며, 이 경이 가장 중요하고도 중요한 경전이기 때문이다. 너희가 불교도로서 이 경을 모른다면, 어찌 불법을 안다고 하겠는가?

마치 태양이 중천에 떠서 그 광명이 모든 산과 강, 대지, 삼라만상을 골고루 비추듯이, 법화회상에서는 모든 사람이 다 성불할 수 있다. 경에서 "만약 어떤 사람이 산란한 마음으로 불탑이나 절에 가서 한 번 '나무불'이라고 칭하면 모두 불도를 이룬다."라고 한 것은, 석가모니 부처님께서 우리 모두에게 수기를 주신 것이다. 이전에 『능엄경』을 강의할 때도 이와 같이 말한 바 있다.

"어떤 사람이 예배하는데 두 손으로 합장하든 한 손으로 합장하든, 혹은 한 손을 들거나 혹은 약간 고개를 숙이거나, 이렇게 불상에 공양하면 점차 무량한 부처님을 뵙고 자연히 무상도(無上道)를 이루어 널리 무수한 중생을 제도할 것이다."

한 손으로 합장하거나 한 손을 들고 부처님께 예배하는 것은 공경스럽지 못한 짓인데, 비록 이렇게 공경스럽지 못하게 예배를 해도 반드시 부처를 이룬다는 것이다. 그러므로 우리는 지금 이곳에 와서 예배하고 염불하므로 장래 반드시 성불할 것이다. 그러나 여러분은 교만심이나 자만심을 내서는 안 된다. 우리는 지금 불법을 이해하여 성심에 다시 성심을 더하고, 공경에 다시 공경을 더해야 비로소 불교에 대하여 용맹정진을 하는 것이다.

법화회상에서 설하신 『법화경』은 천태종의 관점으로는 원돈(圓頓: 원융하고 문득 깨우치는)의 가르침이다. 원교는 가장 원융한 가르침이며, 여기에 다시 돈(頓)을 더한 것은 바로 즉시 성불하는 가르침이라는 뜻이다. 돈근(頓根)의 중생은 문득 깨달으며 매우 빨리 깨닫는다. 육조 혜능 대사는 돈(頓)을 중시하였으며, 신수 대사는 점(漸)을 중시하였다.

나. 팔교(八敎)

장교·통교·별교·원교는 화법(化法)의 네 가지 가르침이며, 돈교·점교·비밀교·부정교는 화의(化儀)의 네 가지 가르침이다. 모두 합하여 여덟 가지 가르침[八敎]이라고 한다. 이 팔교는 오시(五時) 안에서 말하는 것이다. 화법의 네 가지와 화의의 네 가지 가르침은 약방문과 약의 맛과 같은 것이다. 형식면에서 화의라고 칭하며, 비유하면 의사의 처방과 같다. 내용면에서 화법이라고 칭하며, 비유하면 처방한 약의 맛과 같다. 따라서 네 가지 처방약을 받았더라도 약을 먹지 않으면 병은 낫지 않을 것이다. 약을 복용해야 비로소 병이 낫는다.

1) 화법(化法)의 네 가지 가르침

① 장교(藏敎) : 경·율·논 삼장을 가리키며, 생멸의 인연법과 사제법을 설한 것이다. 이승을 가르치고 아울러 보살을 교화하는 가르침이다.

② 통교(通敎) : 대승의 시작으로서, 생멸이 없는 네 가지의 진제(眞諦)와 육바라밀을 설한다. 삼승(성문, 연각, 보살)이 공통으로 배울 수 있으며, 삼승이 함께 닦는 법이다. 통교보살을 바른 근기로 삼으며, 이승을 가까운 근기로 삼는다.

③ 별교(別敎) : 대승의 마지막이다. 대승의 무량한 법으로 일체가 공하다는 반야법문을 설하며, 별교의 보살을 가르친다.

④ 원교(圓敎) : 순수하게 원융하며 홀로 묘하여 이사원융(理事圓融)의 중도실상의 도리를 설하는데, 다른 세 가지의 가르침이 섞이지 않는 일불승의 가르침이다. 원교는 동원(同圓)과 별원(別圓)의 두 가지로 구분한다. 삼승의 근기와 함께하는 일승법은 동원이라고 하는데, 마치 『법화경』과 같이 최상의 날카로운 근기를 가르치며, 아울러 삼승의 성인을 교화한다. 이와 달리 홀로 원돈의 큰 근기의 일승법을 별원이라고 하며, 마치 『화엄경』과 같이 최상의 날카로운 보살을 근기로 삼는다.

2) 화의(化儀)의 네 가지 가르침

① 돈교(頓敎) : 원교는 가장 원융한 가르침이며, 만약 여기에 돈교를 더하면 기다릴 필요 없이 즉시 성불한다. 이 돈(頓)은 어리석은 둔(鈍)이 아니라 '즉시', '매우 빨리'라는 뜻으로서, 문득 깨닫는다는 것이다. 육조 대사는 돈을 중시하고, 신수 대사는 점을 중시하였다. 『법화경』은 돈교의 가르침이며, 『화엄경』은 돈과 점의 가르침이다.

② 점교(漸敎) : 점(漸)은 한 걸음 한 걸음씩 점차적으로 수행하여 천천히 깨닫는 것이다. 『법화경』 이전의 아함, 방등, 반야의 가르침은 모두 점교에 속한다.

③ 비밀교(秘密敎) : 부처님께서 말씀하신 비밀한 가르침이다. 무엇이 비밀한 가르침인가? 설하신 모든 주(呪)는 비밀한 가르침이다. 비밀이란 이른바 너를 위해 설해서 다른 사람은 모르는 것이다. 어떤 한 사람을 위하여 설한 법은 다른 사람은 모르는 법이다. 서로가 모르는 법이다.

④ 부정교(不定教) : 설하신 법에 일정하게 정해진 것이 없다는 것이다. 『금강경』에서 "법도 마땅히 버려야 하는데, 하물며 법 아닌 것이랴?[法尙應捨 何況非法]"라고 하셨다. 따라서 일정한 법이 없다. 기왕 일정함이 없으므로 법은 바로 활동하는 것이다. 활동하는 법은 일체의 집착을 떠난다. 이른바 "사람에 따라 가르침을 내리고, 병에 따라 약을 처방한다."는 것이다. 이 사람은 이러한 방법으로 교화하고, 저 사람은 저러한 병이 있으므로 그러한 약을 복용하게 하는 것과 같다.

부처님께서 설하신 법은 모두 오시와 팔교의 가르침을 벗어나지 않는다. 부처님께서 성불하신 후 49년간 법을 설하시고 삼백여 회 경을 강설하신 것은 온전히 『법화경』을 설하기 위함이었다. 부처님께서 맨 처음에 『화엄경』을 설하시자 소승 근기의 사람들은 받아들일 수가 없었다. 이후 부처님께서는 큰 법을 감추고 작은 법으로 설하셨다. 즉 깊고 어려운 이론을 설하지 않고 매우 얕고 알기 쉬운 도리를 설하셨는데, 그것이 『아함경』이다. 이승의 근기를 인도하여 발심하게 하기 위하여 『아함경』을 설하셨으며, 그런 후 다시 『방등경』을 설하시고, 그 후 『반야경』을 설하여 인생의 지혜를 가르치셨다. 지혜가 있게 되자 비로소 『법화경』의 묘법을 얻을 수 있는 단계에 도달하게 되었으며, 비로소 『법화경』을 들을 수 있는 수준에 이른 것이다.

그러나 『법화경』은 가장 듣기 어려우며, 가장 만나기 어려운 경이다. 석가모니 부처님 당시 『법화경』을 설하실 때 오천 명의 비구가 이 법을 듣고, "이것은 너무나 믿을 수 없구나! 너무나 믿을 수가 없구나!"라고 하면서 법회에서 물러나 가 버렸다. 오천 명의 제자가 가 버린 것이다. 이처럼 이 경은 믿기가 쉽지 않은 것이다.

부처님께서는 "그만두자, 그만두자, 그만두자!"라고 세 번이나 말씀하셨는데, 무엇을 '그만두자'는 것인가? 부처님께서는 말씀하셨다.

"나는 설하지 않겠다, 나는 설하지 않겠다, 나는 『법화경』을 설하지 않겠다. 무엇 때문인가? 나의 이 『법화경』의 법은 매우 묘하며 생각하기 어려워서 사람들이 믿기가 쉽지 않다. 나는 설하지 않는 것이 좋겠다. 나는 설하지 않으려고 한다."

그러나 사리불 존자는 반드시 석가모니 부처님께서 『법화경』을 설하실 것을 요청하였다.

석가모니 부처님께서 몇십 년을 고생하신 것이 바로 이 『법화경』을 설하려고 준비한 것이며, 『법화경』의 원융한 가르침과 실상의 묘한 이치를 설하기 위하여 『아함경』, 『방등경』, 『반야경』을 설하신 것이다. 이전의 법회는 모두 『법화경』을 위하여 길을 놓으신 것이니, 비유하자면 마치 뉴욕으로 가기 위하여 길을 닦는 것과 같다. 그러나 몇 년간 길을 닦아야 비로소 도달할 수 있으며, 비록 길을 닦았을지라도 어떤 사람들은 그곳으로 가기를 원하지 않기도 한다. "당신이 이 길을 닦았지만, 나는 가지 않겠다." 오천 명의 비구들이 법석에서 물러난 것도 이와 같은 것이다.

지금 우리는 『법화경』을 강의하고 있는데, 이것은 정말로 삼천대천세계 모두에 방광할 것이며, 시방의 제불보살께서 특별히 기뻐하실 것이다. 불법을 연구하는 사람은 반드시 바쁜 가운데서 짬을 내어 가장 묘한 이 경을 들어야 한다. 만약 들을 기회를 놓친다면 묘법을 얻을 수 없다. 묘함을 얻지 못하면, 묘하지 않음으로 변하고 말 것이다. 따라서 사람마다 묘하지 않음을 원해서는 안 되며, 묘함을 찾으려고 해야 한다. 이 묘함을 찾으려고 한다면 한 번 힘든 공부를 해야 하며, 견고한 마음으로 바쁜 가운데서 이러한 묘법을 연구해야 한다. 그러므로 반드시 견고한 마음으로 노력해야 비로소 이 묘법을 이해할 수 있을 것이다.

2. 경전 이름을 짓는 일곱 가지 법

경을 강의하기 전에 먼저 경의 이름을 짓는 일곱 가지 방법[七種立題]과 오중현의(五重玄義)를 설명하겠다. 이것은 천태종의 규칙이다. 이름을 짓는 일곱 가지 방법은 바로 단삼(單三), 복삼(複三), 구족일(具足一)이다. 무엇이 단삼인가? 단(單)이란 홑으로 이루어진 것으로서 사람, 법, 비유 세 가지가 있다. 복삼이란 무엇인가? 복(複)이란 두 개의 뜻이 함께 합쳐진다는 것으로, 복삼은 쌍삼(雙三)이라고도 한다. 구족일(具足一)이란 경전 이름 속에 사람과 법과 비유가 모두 들어 있는 것이다.

가. 단삼(單三)

단삼은 무엇인가? 단인입제(單人立題), 단법입제(單法立題), 단유입제(單喩立題)를 말한다.

1) 단인입제(單人立題)

예를 들면 『불설아미타경(佛說阿彌陀經)』과 같은 것이다. '불설아미타'에서 '불'은 사람이고 '아미타'도 사람으로서, 이 모두 사람을 가리킨다. 그래서 '오직 사람으로 제목을 세운다[單人立題]'라고 하는 것이다.

2) 단법입제(單法立題)

예를 들면 『열반경(涅槃經)』과 같은 것이다. '열반'은 오직 법을 가리키므로, 법으로 제목을 세운 것이다.

3) 단유입제(單喩立題)

유(喩)는 비유이다. 오직 비유로 제목을 세운 것이다. 예를 들면 『범망경(梵網經)』과 같은 것이다. '범망'은 비유로서, 대범천왕의 궁전 앞에 있는 망라당(網羅幢)으로 이 경을 비유한 것이다. 『범망경』은 바로 보살계경으로서, 보살계를 설명한다. 왜 범망으로 그것을 대표하는 이름을 삼았는가? 계는 마치 한 알의 보배 구슬이 방광하는 것과 같아서 네가 만약 계를 지킨다면 광명이 생기므로 『범망경』이라고 부른 것이다.

이처럼 오직 사람, 법, 비유로 제목을 세웠으므로 단삼입제(單三立題)라고 부르는 것이다.

나. 복삼(複三)

복삼(複三)은 무엇인가? 인법입제(人法立題), 인유입제(人喩立題), 법유입제(法喩立題)를 말한다.

1) 인법입제(人法立題)

예를 들면 『문수문반야경(文殊問般若經)』과 같은 것이다. '문수'는 사람, '반야'는 법이다. 즉 사람과 법으로 제목을 세우는 것이다.

2) 인유입제(人喩立題)

예를 들면 『여래사자후경(如來獅子吼經)』과 같은 것이다. '여래'는 부처님의 열 가지 명호 가운데 하나이며, '사자후'는 비유이다. 부처님께서 법을 설하는 것을 비유할 때 사자후와 같다고 한다. 이처럼 사람과 비유로 제목을 세우는 것이다.

3) 법유입제(法喩立題)

예를 들면 『묘법연화경(妙法蓮華經)』과 같은 것이다. '묘법'은 법이며, '연화'는 비유이다. 이처럼 법과 비유로 제목을 세우는 것이다.

다. 구족일(具足一)

구족일(具足一)은 사람과 법과 비유로 제목을 세우는 것이다. 예를 들면 『대방광불화엄경(大方廣佛華嚴經)』과 같은 것이다. '대방광'은 법이며, '불'은 사람이며, '화엄'은 비유이다. 이것은 만행의 인(因)의 꽃이 무상(無上)의 과(果)의 덕을 장엄하는 것이다. 이렇듯 『대방광불화엄경』은 법과 사람과 비유를 모두 구족하고 있다. 그래서 '구족일(具足一)'이라고 부르는 것이다.

불법을 연구하는 사람은 제목을 세우는 이러한 일곱 가지 방법에 대하여 반드시 기억해야 하며, 최소한으로 설명할 수 있어야 한다. 만약 이런 법을 설명하지 못하면 불법을 연구하는 사람이라고 할 수 없을 것이다.

경전은 매우 많지만 제목을 짓는 방법은 이 일곱 가지를 벗어나지 않는다. 따라서 경전을 볼 때는, 이 경은 어떤 방법으로 제목을 지었는지를 마땅히 알아야 한다. 너희가 그것을 인식하면 자연히 경장에 깊이 들어갈 수 있으며, 경장에 깊이 들어가면 비로소 지혜가 바다와 같이 깊어질 것이다. 너희가 만약 제목조차도 알지 못하면, 어떤 것을 『열반경』이라고 하는지 모를 것이다. 그렇다면 『열반경』을 본들 무슨 소용이 있겠는가?

비유해서 말하자면, 내가 어떤 사람을 만나 우정이 깊어져 좋은 친구가 되었는데 친구의 성이 무엇인지, 이름이 무엇인지도 모른다면 좋은 친구라고 할 수 있겠는가? 경전에 대해서도 마찬가지다. 경전의 이름조차도 잘 모르면 경장에 깊이 들어갈 수 없을 것이며, 그러면 지혜가 깊어지지도 않을 것이다. 그러면 평생 불법을 배워도 건성으로 배운 것이며 여전히 어리석을 것이다. 따라서 경전의 이름을 짓는 일곱 가지 방법은 매우 중요하며, 이것을 알 수 있으면 불법을 연구할 수 있을 것이다.

3. 오중현의(五重玄義)

오중현의란 무엇인가? 경의 이름을 해석하고[釋名], 법체를 판별하고[辨體], 종지를 밝히며[明宗], 쓰임을 논하고[論用], 교상을 판단하는[判教] 것을 말한다. 먼저 경은 무엇으로 이름을 삼았는가, 즉 경의 제목을 해석해야 한다. 그리고 경의 법체(法體)가 무엇인가를 판별해야 한다. 법체를 알려면, 경의 종지(宗旨)를 알아야 한다. 종지를 알려면, 경의 용도(用途)를 알아야 한다. 용도를 안 연후에야 경의 교상(教相)이 왜 그러한가를 알 수 있다. 그렇다면 『법화경』, 즉 『묘법연화경』의 오중현의는 어떠한가?

가. 경의 이름

1) '묘법(妙法)'의 해석

묘법(妙法)이란 도대체 어떤 뜻인가? 묘한 것은 어떤 정도인가? 묘함이란, 마음으로 사량할 수 없고 말로 논의할 수 없다. 마음으로 사량할 수 없다는 것은, 너의 마음으로 아무리 생각해도 이해할 수 없다는 것이다. 네가 만약 이해하려고 한다면, 그것 자체가 바로 묘함이라고 논할 수 없다. 생각해도 생각이 미치지 못한다. 생각이 미치지 못하므로 더욱 말로 표현할 수 없다. 결론적으로 말하자면, 말할 수 없고 말로 표현할 수 없는 것이 바로 묘함이다. 그러나 여전히 말로 표현해야 한다. 그렇다면 말하는 것은 무엇인가? 말하는 것은, 이 묘함을 형용하며 이 묘함의 뜻을 설명하는 것이다.

그렇다면 이 묘함은 진정으로 무엇인가? 그것은 오직 부처님만이 비로소 이 경계를 이해할 수 있다는 것이다. 우리 범부들은 말하기를, "나는 『법화경』을 이해한다."고 하는데, 너희는 무엇을 이해하였단 말인가? 『법화경』의 법은 이해할 수 없으며, 그래서 묘법이라는 것이다. 이해할 수 없는데 우리는 무엇을 어떻게 강설하려는가? 우리가 설명하려는 것은 아주 적은 뜻이며, 많으면 설명할 방법이 없다. 만약 묘함의 전체를 설명하려고 한다면 설명할 수가 없다.

나는 지금 이 『법화경』 중 아주 적은 부분을 강의하려고 한다. 그러나 이렇게 적은 부분도 며칠을 설명해야 할지 모른다. 천태 지자 대사는 90일이 지나도 묘(妙) 자 한 자를 다 설명하지 못했다. 그러므로 지금 이 묘 자를 먼저 설명하는 데 며칠이 걸릴지 알 수가 없다.

무엇이 묘한 것인가? 묘법이 바로 묘한 것이다. 중생이 묘한 것이며, 부처도 묘한 것이다. 천지의 어떤 것도 묘하지 않은 것이 없다. 너희는 묘하지 않은 것이 무엇인지 말해 보아라. 무엇이든 묘법이다. 따라서 묘 자를 설명하려고 하면 무궁무진하다. 흔히들 이것도 묘하고 저것도 묘하다고 하는데, 이 묘함은 어느 곳으로부터 오는가? 묘함은 바로 마음으로부터 오는 것이다. 너에게 마음이 있으므로 마음법[心法]이 묘하다. 심법이 묘한 연후에 중생법도 묘하며, 중생법이 묘한 연후에 불법이 묘한 것이다.

가) 심법이 묘하다

심법이 어떻게 묘한가? 산하대지, 삼라만상, 건물 등 일체의 모든 것은 어느 곳으로부터 나오는가? 모두 각 사람의 현전하는 마음으로부터 나오는 것이며, 중생의 마음에서 나오는 것이다. 그 마음에서 어떻게 나오는가? 너희는 말하기를, "나는 모르겠다.", "이것이 묘한 것이다.", "나는 안다."라고 한다. 너희가 아는 것도 묘하고, 너희가 모르는 것도 묘하다. 왜 그런가? 너는 왜 모르는가? 이 어찌 묘하지 않은가? 너는 또 왜 아는가? 이 어찌 묘하지 않은가? 이것이 심법이 묘한 것이다.

이 마음은 어째서 묘한가? 너희는 가슴을 가리키며 "나의 마음은 이곳에 있다."고 한다. 네 마음이 그곳에 있는가? 너희는 마음을 잘못 인식하고 있다. 그것은 도적을 자식으로 삼는 것과 같다. 『능엄경』에서 아난 존자가 "마음이 몸 안에 있다."고 말하였는데, 이것은 무슨 말인가? 바로 육단심(肉團心)을 말한다. 이 육단심은 소용이 없다. 어째서 소용이 없는가? 그것은 단지 한 덩어리의 고깃덩어리일 뿐이다. 너희는 이 육단심이 무슨 쓸모가 있다고 말하는가? 쓸모가 없다.

이 마음(육단심)은 바로 '모여서 일어나는 마음[集起心]'이다. 집은 고집멸도의 집(集)으로서 번뇌가 모여 일어나는 마음이다. 또 연려심(緣慮心)이라고도 하는데, 연은 반연한다는 뜻이고, 여는 사려한다는 뜻이다. 그것은 반연하고 사려하는 능력을 가지고 있으며, 단지 너희가 망상을 일으키는 것을 돕는다. 망상을 돕고 잡념을 일으키는 제6의식을 돕는 게 바로 연려심이다. 따라서 마음은 육단심, 연려심, 망상심, 집기심 등 이렇게 많은 명칭을 가지고 있다. 그러므로 너희는 심법을 이러한 명칭을 가진 마음으로 생각해서는 안 된다.

그럼 그 밖에 다른 마음이 있는가? 너희는 모르는가? 이것이 묘하지 않은가? 너희가 자기 마음조차도 모르는데, 이것이 바로 묘한 것이다. 너희는 자기 마음조차도 모르고, 자기의 생명조차도 이해하지 못한다. 그리하여 올 때도 흐리멍덩하여 어느 곳으로부터 오는지 모르며, 갈 때도 흐리멍덩하여 어디로 가는지 모른다. 이것도 묘한 것이다. 태어남과 죽음 모두 묘하다. "스님께서는 올 때와 갈 때를 모르는 것을 묘하다고 말씀하시는데, 그러면 저희가 살아 있을 때는 아마도 묘하지 않겠죠?" 이것은 더욱 묘하다! 어째서 더욱 묘한가? 너희는 부지불식간에 어린아이에서 큰 아이로 변하고, 큰 아이에서 어른으로 변하며, 어른이 된 후에도 너희는 너희가 어떻게 변한지 모른다. 또한 어떻게 여러 자녀를 낳으며, 어떻게 노인으로 변하는지 모른다. 이것이 묘하지 않은가? 만약 묘하지 않다면, 너희가 모르는 사이에 어떻게 이렇게 많은 변화가 있었겠는가? 이 모두가 묘한 법이다.

그러나 내가 지금 이 묘법을 설명하자 너희는 "아, 약간 재미있군. 그런 것 같아."라고 하지만 역시 또 모른다. "이 스님께서 묘법이라고 하시니, 그것을 묘법이라고 치자." 할 뿐, 설명하지 않을 때는 그것이 묘법이라는 것을 모른다. 그렇지 않은가? 따라서 이 묘법은 너희가 느끼지 못하는 사이에 일종의 작용을 내는데, 이것이 바로 묘한 것이다.

이러한 묘함을 말하려면 많고도 많다. 눈앞에서 볼 수 있는 것은 모두 묘하다. 무엇 때문인가? 만약 묘하지 않다면, 너희가 어떻게 볼 수 있겠는가? 너희는 또 말하기를, "보이지 않으면 묘하지 않은가?"라고 한다. 보이지 않는 것은 더욱 묘하다. 볼 수 있는 것도 묘하고, 볼 수 없는 것도 묘하다. 들을 수 있는 것도 묘하고, 들을 수 없는 것도 묘하다.

예를 하나 들어 보자. 내가 황색 천에 '아미타불'이라고 써서 앞에 걸어 두었는데, 과전(果前)이 밑에서 보고 돌아오길래 그에게 물었다. "무엇을 보았느냐?" 그가 말하였다. "매우 묘합니다." 그는 어째서 자신이 본 것이 묘하다고 아는가? 이것도 묘한 것이다.

단지 볼 수 있는 것만 묘한 것이 아니다. 너희는 어떻게 볼 수 있는가? "볼 수 있는 것은 누구인가? 누가 너와 같이 보는가?" 이것은 바로 『능엄경』에서 설하신 것이다. 이것이 묘한 것이 아닌가? 만약 볼 수 없다면, 너희는 어째서 또 볼 수 없는가? 이것은 묘하지 않은가? 왜 가까운 것은 볼 수 있고 먼 것은 볼 수 없는가? 이 모두가 묘한 것이다.

너희가 황색 물건을 본다면 너희는 황색 그림자를 가지고 있으며, 푸른색 물건을 본다면 푸른색 그림자를 가지고 있다. 청색, 황색, 적색, 백색, 흑색 등 어떤 색을 보면 너희의 팔식(八識)의 밭에서는 일종의 그러한 그림자를 일으킨다. 어떻게 일어나는가? 무엇이 너희에게 그러한 그림자를 생기게 하는가? 이것이 어찌 묘한 것이 아니겠는가? 너희가 황색의 물건을 보면 다른 사람이 시켜서가 아니라 자기 스스로 마음속에서 그림자를 만들어 낸다. 너희가 이러한 그림자를 만들어 낼 수 있는 것이 어찌 묘하지 않은가? 이것이 바로 묘한 것이다.

듣는 것도 이와 같다. 너희는 왜 어떤 소리는 듣기 좋아하고, 어떤 소리는 듣기 싫어하는가? 누가 그렇게 시키는가? 어떤 것을 보면 너희는 왜 좋고 싫은 마음을 내는가? 이런 마음을 누가 너희에게 시키는가? 너희는 이렇게 말한다. "저희는 누가 저희에게 시키는지 모릅니다. 하지만 저희는 그렇게 생각합니다." 너희가 이렇게 생각하는 것이 묘한 것이다.

따라서 모든 것은 묘하며, 이것이 묘법이다. 그리고 이것이 바로 심법이 묘한 것이다. 이 마음에서 천 가지 만 가지로 변화를 만들어 낸다. 만약 묘하지 않다면, 어떻게 이러한 수많은 변화를 낼 수 있겠는가? 이러한 묘함은 너무나 많다. 내가 만약 설명하려고 하면 몇백 년을 해도 다 말할 수 없을 것이다. 만약 다 말할 수 있다면 그것은 묘한 것이 아니다. 다 말할 수 없기 때문에 묘한 것이다.

석가모니 부처님께서 49년간 설하신 모든 법문도 모두 이 묘(妙) 자를 벗어나지 않는다. 이 묘 자는 삼장십이부(三藏十二部)의 경전을 포함하며, 일체의 불법을 포괄한다. 이것이 묘하지 않은가? 내가 지금 경을 강의하는 것도 어떻게 이 묘함을 떠날 수 있겠는가? 이 묘함을 떠나면 묘하지 않은 것이며, 떠나지 않으면 이것이 묘함이다.

수행, 참선, 좌선은 이 묘함을 추구하는 것이다. 석가모니 부처님께서 설산으로 가서 6년간 고행을 하신 것도 이 묘함을 구하기 위함이며, 일체의 보살들이 보살도를 행하는 것도 이 묘함을 구하기 위함이다. 일체의 아라한이 모든 것을 원하지 않은 것도 이 묘함을 찾기 위함이며, 일체의 범부가 수행을 하려고 한 것도 이 묘함을 추구하기 위함이며,

일체의 성인이 수행을 하려고 한 것도 이 묘함을 추구하기 위함이다.

부처의 과위를 묘각(妙覺)이라고 부른다. 그러나 성불 직전의 보살은 등각(等覺)이라고 하며 묘각을 논하지 않는데, 오직 부처라야 비로소 묘각을 이룰 수 있기 때문이다. 따라서 우리는 먼저 이러한 묘함을 이해해야 한다.

눈앞의 모든 것이 묘하지 않은가? 이 등도 묘하고, 이 탁자도 묘하고, 모든 것은 다 묘법의 나타남이다. 너희가 만약 이 묘법을 이해한다면, 일체의 모든 법이 묘하다. 만약 이 묘법을 이해하지 못한다면, 일체는 거친 것이다. 너희는 거칠다는 것을 이해한다고 느끼겠지만, 사실은 이해하지 못한다. 너희가 그것의 본체를 세밀하게 연구하면, 모두 하나의 묘함으로부터 생하는 것임을 알 것이다.

어떤 사람은 불법을 연구하고 불법을 수습(修習)한다고 말하면서도 입으로만 하고 실제로는 행하지 않으며, 부처님께서 가르친 방법에 따라 실천하지 않는다. 이것은 마구니[魔]와 같으며, 불교도의 범주에 포함시킬 수 없다. 이들은 부처님(즉 불상)을 봐도 절하지 않는다. 그들은 스스로 불교를 믿는다고 말하면서도 부처님께 예배하지 않는다. 이들은 과보가 커서 장래에 축생도로 갈지, 지옥으로 떨어질지, 아귀 세계로 갈지 알 수가 없다. 무엇 때문인가? 이것은 크게 잘못되었기 때문이다. 여러분이 불법을 배우는 것은 바로 부처님의 법을 실천하기 위해서다. 그러므로 자기를 부처님보다 크게 여겨서는 안 된다.

불교를 배우는 사람은 부처님뿐 아니라 보살을 보아도 절하고, 아라한을 보아도 절해야 하며, 크게 착한 사람과 큰 수행인을 만나면 모두 그를 공경하고 숭배해야 한다. 아만의 마음을 가져서는 안 될 것이다. 중국어에 '자대(自大)'라는 글자가 있다. '자기를 크게 본다'는 뜻으로, 이 두 글자를 합치면 '취'(臭: 냄새난다는 뜻)가 된다. 따라서 우리는 어떤 사람을 막론하고 자기를 크게 보아서는 안 될 것이며, 반드시 어떤 사람을 대하여도 겸손하게 공경해야 할 것이다.

지금 『법화경』의 제목을 해설하면서, 첫 번째로 묘(妙) 자를 해석하고 있다. 이 묘 자는 그 뜻이 너무나 넓다. 가로로 설명해도 묘하고 세로로 설명해도 묘하며, 길게 설명해도 묘하고 짧게 설명해도 묘하다. 부처님께서 설하신 법은 모두 묘법이다. 이 묘법은 일체의 법을 포괄하며, 삼장십이부의 경전 모두가 다 이 묘법 안에 포함된다.

불법도 마찬가지다. 여러분이 하나를 알게 되면 하나를 행해야 비로소 실천하는 사람이다. 만약 알아도 행하지 않으면, 불법과 자기 자신에 대하여 이익이 없다. 불법을 배우는 사람은 반드시 말할 수 있고 행할 수 있어야 한다. 이른바 "말하는 것은 법이며, 행하는 것은 도이다.", "말하는 것도 좋고 설하는 것도 묘하지만, 실행하지 않으면 도가 없는 것이다."라고 하는데, 반드시 실제로 행해야 한다.

묘함에는 심법(心法)이 묘하고, 중생법이 묘하며, 불법이 묘함이 들어 있다. 심법은 중생법이며, 중생법은 불법이며, 불법은 심법이다. 이 세 가지의 법은 하나의 법이며, 하나의 법은 세 가지의 법이다. 왜 이렇게 말하는가? 묘하기 때문이다. 그러므로 셋이라고 해도 되고, 하나라고 해도 된다. 심법이 묘함에 대하여 이상으로 개략적인 뜻을 설명하였다.

나) 중생법이 묘하다

어째서 중생이라고 하는가? 갖가지 인연이 서로 모였기 때문에 중생이라고 부르는 것이다. 얼마나 많은 종류가 있는가? 태생(胎生), 난생(卵生), 습생(濕生), 화생(化生), 유색(有色), 무색(無色), 유상(有相), 무상(無相),

비유상(非有相), 비무상(非無相), 비유색(非有色), 비무색(非無色) 등 모두 열두 종류의 중생이 있다. 이 열두 종류의 중생도 각각의 종류마다 갖가지의 서로 다른 종류가 있다.

난생(卵生)으로 말하자면, 날아다니는 것과 날지 못하는 것이 있다. 날아다니는 것에도 종류가 수없이 많다. 어떤 사람도 이러한 종류를 완전히 알지 못하고 분별하지 못할 것이다. 이것이 묘한 것이 아닌가? 난생의 중생이 이와 같듯이 태생, 습생, 화생 등 모든 중생도 마찬가지다.

사람은 태생이며, 일체의 축생도 태생이다. 그렇다면 난생은 어떻게 나오는가? 『능엄경』에서는 "난생은 생각으로부터 나온다.[卵因想成]"고 했다. 이러한 생각이 있기 때문에 난생이 있게 되었다. 태생은 "애정이 있기 때문에 생긴다.[胎因情有]"고 했다. 애정은 사람마다 가장 즐거운 일로 여기며, 실제로는 가장 즐거운 가운데 바로 가장 고통스러운 일이기도 하다.

지금 미국의 많은 사람들은 애정이 부자유스럽다는 것을 깨달았다. 그럼에도 도리어 자유를 잘못 이해하여 이러한 깨달음이 엉뚱한 방향으로 가버렸다. 어떤 뜻인가 하면, 흔히 젊은 남녀들은 마음껏 연애를 하면서 마음대로 헤어지는 것을 '자유'라고 말한다. 사실 이것은 자유를 잘못 이해한 것이다. 남자나 여자나 결혼도 하지 않고 도처로 다니면서 어지럽게 연애를 하는데, 이것은 자유가 아닐 뿐 아니라 잘못된 가운데 더욱 잘못된 것이다. 여러분이 만약 결혼을 한다면 비록 자유롭지 않아도 이것은 인륜지대사로서 천지의 당연한 도리이다. 그런데 만약 결혼하지 않는 것을 자유라고 말한다면, 이것은 자유를 오해한 것이다.

마음대로 연애하는 것은 바로 빨리 죽으려고 하는 짓이며, 자기의 신체를 빨리 파괴하려는 짓이다. 어떤 젊은이들은 장발에 함부로 이러한 행위를 하는데, 나는 그런 사람들을 욕하려는 게 아니다. 이런 짓은 그야말로 개나 돼지보다도 못한 모습이기 때문이다. 이러한 사람은 낮이나 밤이나 자기 방으로 들어가서 사음을 하며, 심지어 공개적으로 연출하기도 한다. 이것이 어찌 세상의 풍속이 날로 파괴되어 가고 있는 것이 아니겠는가? 따라서 이 모두 잘못된 것이다. 이러한 상황을 빨리 구하지 않으면 그 해로움은 너무나 클 것이다.

사람이든 축생이든 모두 애정을 가지고 있다. 축생은 왜 애정을 가지고 있는가? 그것은 무량한 겁 이래로 전도되어 그러한 습기(習氣: 습관적으로 형성되어 온 기운)가 너무 깊기 때문이다. 사람이 되었을 때 정욕의 마음이 무거웠기 때문에 축생으로 떨어졌으며, 축생이 되었어도 여전히 깨닫지 못하고 정욕을 매우 중하게 여긴 것이다. 그러한 사람은 개, 돼지보다도 못하며, 장래의 해로움으로 인해 어느 곳으로 갈지 모른다.

습생과 화생의 중생은 어떻게 생기는가? 그들도 모두 음욕심을 가지고 있으며, 음욕심이 너무나 무겁기 때문에 어떤 중생 속으로도 들어간다. 이 모두 정을 가지고 있기 때문이다. 이른바 "업이 다하고 정이 텅 비면 참된 부처이며, 업이 중하고 정에 미혹하면 범부이다."라는 말이다. 정에 미혹하면 바로 범부이며, 정을 헛된 것으로 보면 바로 성인이다. 따라서 중생 가운데 인류도 천차만별이며, 각각의 축생도 천차만별이다. 중생 모두 묘법의 밖을 벗어나지 않으며, 모두 묘법으로부터 생하며, 묘법 안에 포함된다.

그러므로 중생의 법도 묘한 것이다. 그것을 연구해 보면 각각의 종류에 모두 그러한 종류의 도리가 있음을 알 수 있다. 왜 사람이 되고, 왜 개가 되며, 왜 소·말·돼지가 되는가? 여기에 모두 묘법이 있다. 무슨 묘법이 있는가? 이 도리는 이해하기가 쉽지 않지만, 이해하기가 쉽지 않은 것도 묘법이다. 너희가 이해한다고 해도 묘법이다. 따라서 묘법은 일종의 불가사의한 경계이다. 이러한 불가사의한 경계는 중생의 분상에서도 그러하다.

다) 불법이 묘하다

무엇이 불법인가? 또한 무엇이 불법이 아닌가? 일체의 법은 불법이다. 모든 일체의 법은 불법이 아닌 것이 없다. 이 불법은 얼마나 되는가? 모두 합치면 팔만사천의 법문이라고 한다. 팔만사천의 법문 가운데 어떤 법문이 가장 묘한 것인가? 어떤 법문도 모두 가장 묘한 것이다. 이것은 여러분의 근기와 성품[根性]을 보아야 한다. 부처님께서 설하신 팔만사천의 법문은 중생의 팔만사천 가지의 잘못을 대치하는 것이다. 여러분에게 잘못이 없으면 어떤 법문도 소용이 없다. 여러분에게 잘못이 존재한다면 어떤 법문도 여러분의 잘못을 고칠 수 있다. 그 법문이 바로 제일의 법문이다. 따라서 팔만사천의 법문은 각각 모두 제일이며, 최상이며, 최고이다.

왜 이렇게 말하는가? 이른바 "법은 평등하며, 높고 낮음이 없다."라고 한다. 법문마다 모두 약방문이다. 여러분에게 무슨 병이 있으면, 그에 맞는 약을 먹으면 된다. 그 약은 바로 너희의 병을 치료할 것이다. 병이 좋아지면 그것이 좋은 약이다. 너희가 만약 약을 잘못 먹으면 좋은 약이라도 독약으로 변할 것이다.

누군가 이렇게 물었다. "고기를 먹어도 깨달을 수 있습니까?"

나는 이렇게 답하였다. "만약 당신이 한 입에 돼지 한 마리, 양 한 마리, 소 한 마리를 삼키려면, 그러한 큰 입이 있으면 가능합니다. 그러한 큰 입이 없으면 아무도 보장할 수 없습니다. 당신이 만약 한 입에 돼지

한 마리, 양 한 마리, 소 한 마리를 삼킬 수 있다면, 나는 당신이 깨달을 것이라고 보장할 수 있습니다."

고기를 먹는 것에 대하여 이야기하자면, 육조 대사는 사냥하는 사람들과 몇십 년 동안을 함께 생활하면서 고기도 먹었다. 어떤 고기냐면, 육변채(肉邊菜)를 먹었다. 사냥하는 사람들과 같이 생활하였기 때문에 고기 아니면 먹을 것이 없었기 때문에, 육조 대사는 손수 채소를 심어 그 채소를 고기 삶은 솥에 넣어 데쳐 먹었다. 이것을 육변채라고 부른다. 비록 대사께서는 육변채를 먹었지만, 이미 깨달은 조사(祖師)였기 때문에 고기를 먹든지 무엇을 먹든지 모두 괜찮았다. 우리가 만약 육조 대사와 같은 지혜가 없고 깨닫지도 못했다면, 여전히 구복(口福)을 탐해서는 안 될 것이다. 먹는 것이 아무리 좋아도 뱃속으로 들어가면 더러운 것으로 변하므로 별로 의미가 없다.

이른바 "심법은 묘하며, 중생법도 묘하고, 불법도 묘하다."고 한다. 사람의 마음은 열 가지 법계[十法界]를 만들 수 있다. 그러나 십법계는 모두 우리의 현전하는 마음을 벗어나지 않는다. 비유하면 우리가 나쁜 생각을 내면 지옥의 인(因)을 심으며, 다시 나쁜 생각을 내면 아귀의 인을 심으며, 다시 진한(嗔恨)의 마음을 내면 아수라의 인을 심으며, 어리석은 나쁜 마음을 내면 축생의 인을 심는다. 여러분이 착한 생각을 내면 인간에 태어나고, 오계를 지키고 십선의 마음을 닦으면 천상의 인이 만들어져 천상에 태어날 수 있을 것이다. 그리고 발심하여 고집멸도(苦集滅道)의 네 가지 진리를 수행하면 성문의 인이 되며, 십이인연의 법문을 닦으면 연각의 인이 되며, 육바라밀의 만행을 닦으면 보살의 인이 되며, 일체의 불법을 닦으면서 성불을 희망하면 성불의 인이 된다.

부처·보살·연각·성문을 네 성인의 법계라고 하며, 천상·인간·아수라·지옥·아귀·축생을 여섯 범부의 법계라고 한다. 이것을 모두 합하여 십법계라고 한다. 십법계는 무엇으로 조성되는가? 바로 우리의 현전하는 한 생각의 마음으로 만들어진다. 그러므로 이 심법은 묘한 것이다. 심법이 묘하지 않으면 중생법도 묘하지 않으며, 중생법이 묘하지 않으면 불법도 묘하지 않다. 심법이 묘하므로 중생법도 묘하며, 불법도 묘한 것이다. 시방의 제불은 우리의 현전하는 한 생각을 벗어나지 않으며, 시방의 보살도, 성문과 연각도 우리의 현전하는 한 마음을 벗어나지 않는다. 천상·인간·아수라·지옥·아귀·축생의 여섯 범부계도 이 마음을 벗어나지 않는다.

이 묘법은 법마다 모두 묘하며, 묘하지 않은 법은 하나도 없다. 여러분이 아는 것도 묘법이고, 모르는 것도 묘법이다. 이 묘법은 바로 '모른다'는 것이다. 그러면 누군가는 이렇게 말할 것이다. "모른다는 것이 묘법이라면 나는 배울 수 있을까?" 우리가 지금 배우는 것은 바로 '모른다'는 것을 배우는 것이다. 무엇을 모르는가? 망상 지을 줄을 모르며, 진한(嗔恨)의 마음을 낼 줄 모르며, 탐하는 마음을 낼 줄 모르며, 어리석은 마음을 낼 줄 모른다. 이 '모른다'를 배우려면 탐진치를 버리고 이를 요구하지 말아야 하는데, 그것이 바로 묘한 것이다. 여러분이 자기의 탐진치를 버리기 아까워하면 그것은 묘하면서 묘하지 않은 것이며, 탐진치를 버릴 수 있으면 묘하지 않으면서 묘한 것이다.

묘법을 며칠간 해설하고 여러 차례 설명하였지만, 아직도 설명을 다하지 못하였다. 왜냐하면 이 묘법은 다 설명할 방법이 없기 때문이다. 만약 다 설명할 수 있다면 그것은 묘법이라 할 수 없다. 지자(智者) 대사도 남경에서 90일간 묘(妙) 자 하나를 설명하였다. 만약 내가 계속 몇 년간 오직 묘법에 대해서만 설명한다고 해도 할 수 있을 것이다. 그래서 이제 하나의 예를 들어 묘법을 형용하려고 한다. 이러한 형용은 본래 그다지 합당하지 않지만, 묘법의 일부분이나마 이해할 수 있게 될 것이다.

이전에 관리를 하던 분이 있었다. 그는 부처님을 믿고 또한 『법화경』을 암송하였다. 그가 가진 『법화경』은 상하 두 책이었는데, 상권은 일목요연하게 경장에 깊이 들어가 그 도리를 이해했는데, 하권은 도무지 이해도 안 되고 외워지지도 않았다. 그는 이런 사실이 아무래도 이상하다고 느껴서 부근의 절에 계신 방장 스님을 찾아가 가르침을 청하였다.

"저는 불법을 믿으며, 특히 『법화경』에 흥미가 많습니다. 그러나 무슨 문제인지 상권은 한 번 독송하고 외울 수 있었지만, 하권은 아무리 해도 기억할 수가 없습니다. 이것은 도대체 무슨 도리입니까? 스님, 가르침을 주십시오."

방장 스님은 오안(五眼)이 열린 깨달은 분이었다.

"당신에게 알려줄 수는 있지만 화를 내서는 안 됩니다. 내가 하는 말은 진실이며, 당신을 속이는 것이 아닙니다."

"당연합니다. 스님께서 전후의 인과를 말씀하시는데, 제가 어찌 화를 내겠습니까."

"당신은 전생에 절에서 일하던 소였습니다. 절의 힘든 일을 돕고, 또 절에 큰 공로를 세웠습니다. 절에서는 매년 6월 6일에 경전에 벌레가 생기지 않도록 하기 위하여 모든 경전을 건물 바깥으로 옮겨서 햇볕에 쏘였습니다. 그러던 어느 날, 그 소는 햇볕을 쏘이던 경전 가까이 와서 코로 『법화경』의 냄새를 맡았습니다. 그 소는 절에서 밭을 갈고 힘든 일을 한 공덕으로 금생에 관리가 되었습니다."

"그럼 저는 왜 『법화경』의 전반부에 대해서만 그렇게 잘 기억합니까?"

"왜냐하면 그 소가 단지 『법화경』의 전반부만 냄새 맡고 후반부는 냄새 맡지 않았기 때문입니다. 그래서 『법화경』의 상권에 대해서는 익숙하지만, 하권은 이해되지도 않고 기억하기도 어려운 것입니다. 바로 이러한 인과가 있습니다."

방장 스님의 이야기를 들은 후, 그는 더욱 열심히 정진하여 불법을 옹호하고 도량을 보호하였다.

나는 이 관리가 장래에 다시는 소가 되지 않을 것이라고 믿는다. 이것도 묘법의 하나이다. 보라. 이 소는 단지 경전의 냄새만 맡았을 뿐인데, 윤회하여 사람이 되었을 때 냄새 맡은 부분을 쉽게 기억할 수 있었다. 이것은 무슨 도리인가? 이것을 묘법이라고 한다. 그러나 이것은 화학 같은 것이 아니어서 시험해 볼 방법은 없다. 여러분이 만약 이 원리를 알고자 한다면, 그 마음을 전일하게 하여 열심히 수행해서 오안육통을 얻으면 그러한 원리를 알게 되고, 그러한 묘법을 알게 될 것이다.

여러분은 또 종종 "이 능엄주는 나에게는 큰 장애로군. 아무리 독송을 해도 기억할 수가 없네."라고 말하곤 한다. 그러나 능력이 부족하다고 한탄할 필요가 없으며, 그것이 끝없는 바다라고 생각하지 않아야 한다. "아이고 이렇게 길다니, 어떻게 외우나?" 하고 포기하지 말라. 내가 하나의 방법을 가르쳐 주겠다. 처음에는 능엄주 전체를 읽지 말고 한 구 한 구씩 읽고, 한 행 한 행씩 독송한다. 즉 한 구를 기억하면 다시 다음 구를 읽는다. 만약 기억하지 못하면 다음 구를 읽지 말고 그 구를 계속해서 독송한다. 이렇게 하면 쉽게 외울 수 있다. 하지만 처음에 너무 많은 구를 외우려고 탐하지 말라. 한꺼번에 너무 많이 외우려고 하면 도리어 외울 수 없게 되고 만다.

나는 고기를 좋아하면서 또 깨닫기를 바라는 어느 노인에게 "만약 당신이 한 입에 한 마리의 소를 삼킬 수 있다면 깨달을 수 있을 것이다. 만약 그렇게 삼킬 수 없는데도 고기를 먹는다면 영원히 깨닫지 못할 것이다."라고 하였다. 그는 여전히 내가 한 말을 이해하지 못하고 "그렇다면 나는 방법이 없네요."라고 하였다. 그렇다면 도대체 어떻게 깨달으려고 하는가?

어떤 부처님께서 고기를 먹고 깨달았는가? 어떤 조사께서 고기를 먹고 깨달았는가? 그런 분은 없다. 그런데도 너희는 어째서 특별하기를 요구하는가? 고기를 먹으면서 깨달으려고 한다면 어떤 깨달음을 연다고 하겠는가? 바로 고기를 먹는 깨달음을 여는 것이다. 이것은 탐하는 마음이다. 다른 중생의 고기를 먹으면, 그 과보가 장래 대단할 것이다. 생각해 보라. 그가 다른 중생의 고기를 좋아하면 장래 그 중생도 그의 고기를 좋아할 것이며, 마찬가지로 그들도 고기를 먹고 깨달으려고 할 것이다. 그는 이러한 위험을 여전히 모르고 있는 것이다.

그러므로 여러분이 능엄주를 독송할 때는 많이 하는 것을 탐하지 않아야 한다. 많이 탐하면 다 소화시키지 못한다. 한 입에 소 한 마리를 삼키려고 하면 씹을 수가 없으며, 소의 뼈를 부술 수가 없다. 능엄주를 배우는 것도 천천히 배워야 하며, 능력이 부족하다고 한탄하지 말고, 바다가 그렇게 크다고 생각하지 않아야 한다. 그렇게 많은 바닷물을 다 마실 어떤 방법이 있는가? 능엄주가 비록 매우 길지만 너희가 마음을 집중하면 외울 수 있을 것이다.

너희는 지금 이미 나의 문하에서 출가하였다. 내가 받아들이는 제자는 반드시 능엄주와 대비주를 외워야 한다. 외우지 못하면 출가를 받아주지 않는다. 내가 사람마다 능엄주 시험을 친 것도 이와 같은 이유에서다. 너희가 만약 능엄주를 배워 외운다면, 나는 너희에게 조금이라도 성심(誠心)이 있다고 생각할 것이다. '능반년(愣半年)'이라고 하듯이, 멍청하게 반년은 외워야 비로소 외울 수 있는 것이다.

라) 육즉불(六卽佛)로 묘법을 해석하다

"심법이 묘하고, 중생법이 묘하고, 불법이 묘하다."는 것을 논하면서 이제는 천태종이 정한 '육즉불(六卽佛)'에 근거하여 이 묘법을 해석하려고 한다. 육즉불이란, 이즉불(理卽佛), 명자즉불(名字卽佛), 관행즉불(觀行卽佛), 상사즉불(相似卽佛), 분증즉불(分證卽佛), 구경즉불(究竟卽佛)을 말한다.

무엇을 묘법이라고 하는가? 바로 너희의 마음으로 사량할 방법이 없고, 말할 방법이 없는 것이다. 말하려고 해도 다 말할 수 없고 생각하려고 해도 다 생각할 수 없는 것을 '사의(思議)할 수 없는 것'이라고 한다. 이른바 묘법이란, 부처의 분상에서 조금도 증가하지 않고 중생의 분상에서도 조금도 감소하지 않으며, 제불의 분상에서도 청정하지 않고 중생의 분상에서도 더러워지지 않으며, 제불의 분상에서도 멸하지 않고 중생의 분상에서도 생하지 않는다. 이러한 불생불멸(不生不滅)하고 불구부정(不垢不淨)하며 부증불감(不增不減)하는 모든 것이 묘법의 본체이다.

이러한 묘법은 사람마다 본래 갖추고 있으며 모든 존재에게 없는 것이 아니나, 우리는 도리어 그것을 모른다. 이것을 부처[佛]라고 하기도 하는데, 이것이 이즉불(理卽佛)이다. 즉 모든 중생은 불성을 구족하고 있다는 이치로서, 지금 현재 부처라는 것을 말하는 것은 아니다. 이러한 이치는 사의할 수 없는 이성(理性)이다. 여래장은 변하지 않으면서 인연을 따르고[不變隨緣], 인연을 따르면서 변하지 않는[隨緣不變] 것이다. 하나의 법을 집어도 법계 아닌 것이 없다. 마음, 부처, 중생 이 세 가지는 차별이 없으며, 범부라고 감소하지 않고 성인이라고 증가하지 않는다.

사람마다 부처라고 말하는 것은 바로 이 이즉불(理卽佛)을 뜻하는 것으로서, 이를 바로 부처라고 말할 수는 없다. 우리가 경을 듣고 경의 도리를 이해하면 부처님께서 말씀하신 법을 이해할 수 있고, 마음이 곧 부처이며 부처가 곧 마음이라는 것을 이해하게 된다. 부처님께서 설법하신 까닭은 중생이 마음을 가지고 있기 때문이며, 만약 중생에게 마음이 없다면 부처님도 법을 설하지 않는다. 그런데 마음이 곧 부처라는 것을 아는 것은 부처라는 이름을 가지고 있다는 것을 아는 것으로서 이것을 명자즉불(名字卽佛)이라고 한다.

너희가 마음이 곧 부처이며 부처가 곧 마음이라는 것을 알아도 힘써 수행해야 한다. 만약 힘써 수행하지 않고 단지 '이즉불, 명자즉불'이 부처라는 것만 안다면 아무런 소용이 없다. 너희는 여전히 닦아야 한다. 닦아야 한다는 것은 무슨 도리인가? 우리의 자성 가운데 불성이 있으며, 이 불성은 광석 속에 들어 있는 금과 같은 것이다. 광석 속의 금은 불로써 제련하여 추출해야 한다. 제련한 후에야 비로소 정금(精金)이 되며, 진정한 금으로 변할 수 있는 것이다.

'사람마다 부처야!' 이 말은 틀리지 않다. 비유하면 광석 속의 금은 '이즉불'이다. 광석 속에서 금을 추출하는 것은 '명자즉불'이다. 그러면 불로써 금을 제련하는 과정을 사람의 수행에 비유하면 관행즉불(觀行卽佛)이라고 한다. 여러분이 수행을 하는 것은 금을 제련하는 것과 같다. 그러나 아직은 정식으로 성취한 것이 아니다. 여러분은 계속해서 힘써 수행해야 한다. 어떤 사람은 참선과 좌선을 하고 어떤 사람은 염불, 경전 독송 등을 하는데, 무슨 공부를 하든지를 막론하고 전일하게 수행해야 한다. 이것이 관행즉불이다.

전일함이 어떤 정도에 이르러야 하는가? 닦아서 안으로 육근(六根)

이 없으며, 밖으로 육진(六塵)이 없어야 한다. 안으로 육근의 경계가 모두 없어지고 밖으로 육진의 경계도 공해지면, 이때 안으로 몸과 마음이 없어지고 밖으로 세계가 없어져서 완연히 육근과 육진을 벗어난다. 육근과 육진이 탈락(脫落)되면 육근과 육진이 없어진다. 그러면 아상(我相), 인상(人相), 중생상(衆生相), 수자상(壽者相)이 없어지며, 또한 과거심(過去心), 현재심(現在心), 미래심(未來心)이 없어진다. 이 세 가지 마음을 조금도 얻을 수 없으므로 네 가지의 상도 공해진다. 이때 약간이나마 묘법의 맛을 얻게 된다. 그러나 아직은 묘법의 진정한 맛을 느끼지는 못한다. 이러한 단계를 상사즉불(相似卽佛)이라고 한다.

이러한 경지에 이르러서도 아직 멈추면 안 되고 더욱 힘써 수행하여 본래의 면목을 보아야 한다. 선종(禪宗)에서는 본래면목(本來面目)이라고 하는데, 너희가 본래 어떤 모습인가를 아는 것이다. 천태종에서는 이것을 일심삼제(一心三諦)의 경계라고 한다. 삼제는 곧 진제(眞諦), 속제(俗諦), 중제(中諦)를 말한다. 정토법문으로 말하자면, 염불 수행이 일심불란(一心不亂)의 경지에 이를 것을 주장하는데, 이것도 사(事) 일심불란과 이(理) 일심불란으로 나눈다. 일심삼제를 얻은 것은 이(理) 일심불란에 해당한다.

일심불란의 경계는 여러분이 '나무아미타불'을 염불하면서 바람도 뚫지 못하고 비도 새지 않을 정도로 일념이 되어 삼천대천세계가 모두 염불의 일념 속에 포함되는 것이다. 이때에 이르면 산하대지와 건물도 없게 되고, 나와 남, 중생, 수자의 상도 없게 되어 무엇이든 모두 공하고, 염불을 멈추려고 해도 불가능하다. '나무아미타불'을 염하는 마음이 마치 쏟아지는 폭포수와 같아서, 정지하려고 해도 정지할 수가 없다. 이것을 일심불란이라고 하며 염불삼매를 얻은 것이다. 염불이 염하지 않아도 저절로 염해지며, 염불을 멈출 수가 없다. 아무리 염불하지 않으려고 해도 마음속에서는 '나무아미타불, 나무아미타불, 나무아미타불…' 하면서 마치 흐르는 물과 같이 정지할 수 없게 된다. 이때 나는 여러분에게 비로소 묘하다고 말한다. 이 묘함이 어떤 정도인가? 남들이 하는 말도 염불하는 소리이며, 부는 바람소리도 염불하는 소리요, 흐르는 물소리도 염불하는 소리다. 이른바 "물 흐르고 바람 부는 것이 마하반야를 연출하네.[水流風動演摩訶]"라고 한다. 즉 물 흐르고 바람 부는 것이 모두 마하의 대법을 연출하는 것이다. 이러한 경계가 묘하지 않은가? 매우 묘하다. 이것을 이(理) 일심불란이라고 한다.

여러분이 염불로써 이(理) 일심불란에 이르게 되면, 아미타불을 친견하며 또한 칠보의 연꽃을 보게 된다. 청색의 연꽃은 푸른빛을 발하고, 백색은 흰빛을, 황색은 노란빛을, 홍색은 빨간빛을 발한다. 이러한 네 가지 색의 연꽃이 네 종류의 광명을 발하는 것을 모두 볼 수 있다. 이때 백 세계가 성불할 수 있다. 단지 하나의 세계만 성불하는 것이 아니라, 어떤 세계로 가서 성불하려고 해도 모두 가능하다. 불법을 이해하지 못하는 사람은 소리를 듣고 일종의 경계라고 생각하는데, 사실 이런 것은 매우 평상(平常)한 것이다. 마치 여기에 온 나이 드신 거사는 '땅' 하는 종소리를 들었다고 하면서 옆 사람에게 듣지 못했느냐고 물었는데, 그는 이것을 하나의 경계라고 여기지만, 사실 이것은 매우 평상한 것이다. 여러분이 만약 열심히 수행하면, 그러한 이상한 경계는 많이 일어나지만, 절대로 집착해서는 안 된다. 선종(禪宗)에서는 "부처가 오면 부처를 베고, 마(魔)가 오면 마를 벤다."라고 하는데, 부처가 와도 마음이 움직이면 안 된다. 여러분이 수행하다가 선정력이 생겨서 '아, 부처님께서 오셨구나. 기쁘구나'라고 하면서 환희심을 내면 안 된다.

무릇 상이 있는 모든 것은 허망하다.

만약 모든 상을 상이 아닌 것으로 보면 즉 여래를 볼 것이다.

凡所有相 皆是虛妄 若見諸相非相 卽見如來

무슨 환희심을 낼 것인가? 환희심을 내어서 무엇을 할 것인가? 일체의 상은 모두 허망하다. 그러한 상에서 공함을 본다면, 이것은 진공(眞空)이다. 그러한 공한 곳에서 다시 있음[有]을 볼 수 있으면, 이것은 묘유(妙有)이다. 이른바 "진공은 본래 공하지 않으며, 묘유도 유가 아니네.[眞空本不空 妙有也非有]"라고 하였다. 이것이 묘하지 않은가? 이러한 단계에 이르면, 이것을 분증즉불(分證卽佛)이라고 한다. 하나의 분량을 증득했음을 뜻한다.

비록 분증즉불이라고 해도 아직 궁극의 도에는 이르지 못하였으니, 반드시 석가모니 부처님과 같이 철저하게 깨달아야 비로소 궁극의 도를 증득한 것이다. 이것을 구경즉불(究竟卽佛)이라고 한다. 이때에 이르러 비로소 친히 묘법의 본체를 증득한 것이다. 이상으로 '육즉불(六卽佛)'의 이론으로써 묘법을 설명하였다.

묘법은 사량할 수 없고 분별할 수 없는 경계이다. 만약 누군가 능엄주를 배우는데 사량과 분별에 떨어진다면, 사량할수록 더욱 외울 수 없고 분별할수록 더욱 이해하기 어렵다. 그러므로 여러분은 왜 능엄주를 기억할 수 없는가를 생각하지 말아야 한다. 아무것도 생각하지 말고 오직 능엄주만 생각해야 한다. 능엄주를 염송하는 것이 자신의 본분이라고 생각해야 한다. 분별하고 사량하는 마음으로 독송하지 말아야 한다. 분별은 제6식이며, 사량하는 것은 제7식이다. 제6식은 전문적으로 분별하는 것이며, 제7식은 전문적으로 사량하는 것이다. 이것이 바로 아난 존자가 범한 잘못이다. 아난은 왜 이러한 잘못을 범하였는가? 오로지 많이 듣기만 하고 도력을 온전하게 닦지 못하였기 때문이다. 여러분이 만약 능엄주를 기억하려면 사량하고 분별하는 마음을 쫓아 버려야 한다. 그러한 마음을 남겨 두어서는 안 된다. 식심(識心)으로 불법을 배우지 말고, 진심(眞心)으로 배워야 한다. 진심은 바로 사량하지 않는 것이다.

중국 청나라 시절에 옥림(玉琳) 국사가 있었는데 매우 총명하였다. 어느 날 스승이 그를 불러 하루 밤낮 사이에 『법화경』을 외워 오게 하였다. 그리고 옥림 국사의 사형인 옥람(玉嵐) 스님에게도 『법화경』을 외워 오게 하였다. 스승은 두 사람 가운데 먼저 『법화경』을 외우는 사람에게 법을 전하려고 하였다. 그런데 옥람 스님은 하루 종일 잠만 자고 있었다. 옥림 국사는 '반드시 내가 먼저 『법화경』을 외워야지' 하고 생각하였다. 그런데 예상보다 일찍 다 외워서 스승에게 점검을 받고 난 후에 물었다. "사형은 어떻습니까?" 스승은 말하였다. "네 사형은 어제 저녁에 벌써 다 외웠어."

옥람 스님은 어떻게 그렇게 할 수 있었는가? 그는 비록 잠을 잤지만 결코 잠잔 것이 아니다. 그는 그곳에서 정(定)에 든 것이다. 공부할 줄 아는 사람은 행주좌와(行住坐臥)에 모두 공부하는데, 누워 있어도 정에 들며, 앉아 있어도 정에 들고, 길을 걸어갈 때도 정에 들 수 있다. 여러분이 만약 마음이 청정하면 어디에 가도 모두 청정하다. 그러므로 배고프면 밥 먹고 곤하면 잠자는 모든 것이 묘법의 표현이다.

앞에서 설명하기를 제6식은 분별하는 것이고, 제7식은 사량하는 것이라고 하였다. 『능엄경』에서 부처님이 아난에게 말씀하시기를, "네가 성불하는 것도 너의 육근으로 하며, 타락하는 것도 너의 육근이 하는 것이다."라고 하였다. 육근, 육진, 육식을 합하여 십팔계(十八界)라고 한다. 이 십팔계는 모두 묘법이며, 여래장성(如來藏性)의 표현이다. 그러나 여러분은 사량하거나 분별하지 않아야 한다. 만약 사량하고 분별하면 곧 의식의 소굴로 떨어진다. 그런데 일반사람에게 사량하지 말라고 하면 그는 더욱 사량이 많아지고, 분별하지 말라고 하면 더욱 분별이 많아진다. 그 마음을 전일하게 할 수 없으며, 식(識)을 바꾸어 지혜를 이룰 수가 없다. 이 지혜는 식의 변화이며, 식으로부터 지혜로 바꾸는 것이다. 이 지혜는 또한 묘법이다. 중생의 분상에서는, 본래 가지고 있던 지혜가 식으로 바뀐 것이다. 따라서 묘함이 거침으로 변한 것이다. 모든 부처님은 식을 지혜로 바꾼 것이다. 그러므로 거침에서 묘함으로 변한 것이다. 거침은 묘하지 않은 것이며, 묘함은 거친 것이 아니다. 제불은 식을 지혜로 바꾼 것이므로, 의식의 소굴에서 비로소 진정한 지혜를 얻고 이러한 묘법을 증득한 것이다.

이 묘법은 말하자면 무궁무진한 것이다. 석가모니 부처님의 본래의 문[本門]에 열 가지의 묘함이 있으며, 적문(跡門)에도 열 가지의 묘함이 있다. 본이란 본각(本覺)을 뜻하며, 적이란 발자취를 나툰 것으로서 일종의 흔적을 뜻한다. 이러한 묘함은 말하자면 너무나 많으므로, 천태 지자 대사는 90일간 묘함을 설명하였다고 한다. 이 묘(妙) 자는 상대적인 묘[相待妙], 절대적인 묘[絶待妙], 현상의 묘[事妙], 이치의 묘[理妙]가 있다. 이 묘 자를 이리 설명하고 저리 설명해도 이 묘 자는 불가사의하다고 말하게 되며, 여전히 알 수 없고 이해할 수가 없다. 이제 다시 하나의 고사(故事)로 묘법의 묘한 점을 들려주겠다.

이전에 북방에 어떤 스님이 계셨다. 그는 매일 하루 한 부의 『법화경』을 독송하였다. 『법화경』은 7권으로 이루어졌는데, 나도 이전에 독송해 보니 하루에 다만 한 부의 『법화경』을 독송할 수 있었다. 이 스님은 『법화경』에서 "『법화경』을 서사하는 공덕은 불가사의하다."는 것을 보고, 붓으로 『법화경』을 공경하게 한 자 한 획씩 쓰면서 한 획도 함부로 쓰지 않고 경 전체의 사경(寫經)을 원만히 완성하였다.

그가 사경을 완성한 시기는 겨울이다. 북방의 기후는 매우 추웠다. 그는 붓을 물에 담가 두었는데 물에서 한 송이의 얼음 연꽃이 피어났으며, 그 얼음 연꽃은 갈수록 자라났다. 그래서 그는 자신의 이름을 빙연(冰蓮)이라고 지었다. 이러한 일이 어찌 묘하지 않는가? 『법화경』 사경을 완성한 후에 그 붓을 물에 담가 두었더니 물에서 한 송이의 얼음 연꽃이 나왔다. 누가 그렇게 생하게 하였는가? 어떻게 이런 얼음 연꽃이 피게 되었는가? 이 연꽃은 계속 자라 당시 많은 사람들이 이 모습을 볼 수 있었다고 한다. 이것이 묘법이 아닌가?

그리고 또 하나의 고사가 있다. 이것도 묘법에 관한 이야기이며, 『법화경』을 독송한 스님의 일이다. 이 스님은 출가하기 전 지위가 높은 조정의 관리였다. 그는 가마 대신 말을 타고 절에서 황궁으로 가곤 하였다. 그는 말을 타고 가면서 『법화경』을 외웠는데, 황궁에 도착하면 공교롭게도 제1권을 다 외웠다고 한다. 매일 그러한 상황이었다.

어느 날 이 말이 돌연히 죽었다. 그리고 그 절의 건너편에 있는 어떤 거사의 집에서 막 남자아이가 태어났다. 아이가 태어나기 전에 그의 엄마는 이상한 꿈을 꾸었다. 그 스님이 타던 말이 그녀의 집으로 와서 자기의 품에 안기는 꿈을 꾼 후에 아이를 낳은 것이다. 이 엄마는 생각하였다. '어째서 내가 그 말이 나에게로 오는 것을 보고 이 아기를 낳았을까?' 그리하여 집안의 다른 사람에게 시켜서 스님이 타던 말이 아직 있는지 보고 오게 하였다. 그들이 가서 보니, 그 말이 방금 죽었다고 하였다. 그녀는 아이가 그 말이 환생한 것임을 알았다. 그래서 아이가 자란 후에 그녀는 아이를 절로 보내서 스님이 되게 하였다.

그러나 이 아이는 매우 아둔하여 글자를 가르쳐도 읽을 줄도 모르고 쓸 줄도 몰랐다. 그러나 그 스님이 아이에게 『법화경』을 가르치자 그는 도리어 매우 빨리 기억하였으며, 제1권을 외우게 되었다. 그런데 제2권부터는 읽지도 못하고 기억하지도 못하였다. 겨우 제1권만 기억할 뿐이었다. 무엇 때문인가? 바로 그 스님이 말 위에서 매일 『법화경』 제1권을 외웠기 때문에, 금생에 그 어린 스님은 제1권만 쉽게 기억할 수 있었던 것이다. 그 말은 스님이 매일 『법화경』 독송하는 소리를 들어서 사람이 될 수 있었다. 생각해 보라. 이 『법화경』의 공덕이 얼마나 불가사의한지를.

비슷한 이야기가 또 있다. 중국 진(晉)나라 시대 운남성에 진동연(陳東淵)이라는 분이 있었다. 그는 관세음보살을 믿어 남해 보타산으로 관세음보살을 참배하러 갔다. 참배를 마친 후에 한 스님께서 『법화경』을 독송하는 것을 보고, 곧 그 스님께 『법화경』 독송을 청하여 돌아가신 어머니의 이고득락(離苦得樂)을 위하여 천도하려고 생각하였다.

그의 집에는 소 한 마리가 있었다. 그 소는 힘이 대단하였는데 갑자기 죽어버렸다. 소가 죽는 일은 그리 특별한 일도 아니지만 그날 저녁에 소가 꿈에 나타나 말하였다.

"나는 바로 너의 엄마가 소로 태어난 것이다. 내가 구업(口業)이 너무 중하고 지은 죄업이 매우 깊었기 때문에 소로 태어났다. 최근 네가 법사를 청하여 나에게 『법화경』을 독송해 주었기 때문에 나는 이미 소의 몸을 떠났다. 그러나 아직 괴로움을 떠나지 못하고 저승에 있다. 너는 다시 그 스님을 청하여 경을 독송하게 하여라."

진동연은 이러한 꿈을 꾼 후 매우 이상하게 생각되어 다시 보타산으로 가서 그 스님에게 『법화경』 독송을 청하였다. 그런데 이 스님은 술의 습기를 끊지 못하여 어떤 때는 함부로 술을 마시곤 했다. 하지만 스님은 진동연의 꿈 이야기를 듣고는 독경에 매우 정성을 들였다. 스님은 불전에 꿇어앉아 그의 모친에게 『법화경』을 독송해 주었다. 대략 『법화경』 제4권에 이르렀을 때 입이 말라 차를 마시려고 하였으나, 차가 없어서 평소 마시던 술이 보이자 한 모금을 마셨다. 그러고 나서 남은 부분을 독송한 연후에 독경을 마쳤다.

그런데 진동연이 또다시 이상한 꿈을 꾸었다. 꿈속에서 소 엄마가 다시 와서 말하기를, "법사께서 『법화경』 제1권부터 제4권까지 독송할 때는 저승에 금빛 광명이 비치고 금색의 연꽃이 나와서 괴로움을 벗어나는가 생각했는데, 그 후 갑자기 술 냄새가 나면서 제5권부터 마지막까지 독송할 때는 그렇게 큰 영험이 없었다. 너는 그 스님에게 다시 설명하고 나를 위하여 다시 한 번 독송해 주기를 청하여라." 하였다. 그는 어머니가 시키는 대로 다시 청하였다.

이 스님은 이전에는 술 한 잔 마시는 것을 별로 대수롭지 않게 생각하였는데, 이러한 일이 있은 후에 비로소 알게 되었다. 술을 마시지 않고 독경하면 금빛이 나오고, 술을 마신 후에는 은빛조차 나오지 않는다는 것을 알게 된 것이다. 그런 후부터 그 스님은 절대로 술을 마시지 않고 진지하게 수행하였다고 한다.

이런 두 가지의 일로써 살펴보면, 『법화경』의 묘한 점을 사의할 수 있지 않겠는가? 따라서 이러한 묘법은 정말 말로 표현할 수 없을 정도로 묘한 것이다. 불법을 배우는 우리는 『법화경』에 이런 묘한 점이 있고 이익이 있다는 것을 알기 때문에 경전의 방법에 따라 독송하고 수행해야 한다. 그러나 이때 자만하는 마음을 내서는 안 될 것이다. 자기가 경을 읽어 공덕이 많다고 생각하면서 도처에서 자만하지 않아야 한다. 만약 여러분이 자만심을 내면 그것은 공덕이 없을 뿐 아니라 헛되이 수행한 것이며, 단지 약간의 선근을 심었을 따름이라고 말할 수 있다. 따라서 우리 수도하는 사람은 절대로 자만심을 내서는 안 되며, 곳곳에서 겸손하게 공경하며 친절하게 사람을 대해야 할 것이다.

『육조단경(六祖壇經)』에 이런 이야기가 있다. 법달(法達)이라는 스님이 『법화경』을 삼천 부를 독송했다. 그래서 그는 교만한 마음이 일어났다. 그는 남화사에 가서 육조 혜능 대사를 만나 뵈었다. 원래 모든 스님들은 주지나 방장 스님을 뵐 때는 마땅히 가사, 장삼을 갖춰 입고 공경스럽게 예를 갖추어야 한다. 그러나 그는 『법화경』을 그렇게 많이 독송하였기 때문에 일종의 장애가 생긴 것이다. '나는 『법화경』을 삼천 부나 독송하였으니 공덕이 작지 않을 것이야!' 그래서 그는 육조 대사를 친견하여 절을 할 때 이마가 땅에 닿지 않을 정도로 대충 한 것이다. 육조 대사가 물었다.

"절을 그렇게 하니, 어찌 예를 하지 않는 것보다 못하는가? 네 마음에 반드시 한 물건이 있을 것인데, 평소 어떤 것을 닦고 익혔는가?"

법달 스님도 솔직하게 말하였다.

"저는 평소 『법화경』을 염송하며, 이미 삼천 부를 독송하였습니다."

육조 대사가 말하였다.

> 절을 하는 것은 본래 아만의 깃발을 꺾는 것인데,
> 어찌 머리가 땅에 닿지 않는가?
> 아상(我相)이 있으면 죄가 생기며,

공덕을 잊으면 복은 비할 데 없으리.
禮本折慢幢 頭奚不至地
有我罪卽生 亡功福無比

육조 대사는 다시 말하였다.

마음이 미혹하면 법화경에 굴림을 당하고
마음을 깨달으면 법화경을 굴리네.
경을 오래 독송해도 이해하지 못하면
경의 뜻과는 원수를 짓네.
心迷法華轉 心悟轉法華
誦經久不解 與義作仇家

마음이 미혹하면 『법화경』에게 굴림을 당하고, 마음을 깨달으면 『법화경』을 굴릴 수 있다. 『법화경』을 굴리면 이것이 비로소 묘법이며, 묘하지 않으면서 묘한 것이다. 『법화경』에 굴림을 당하면 그것은 묘하면서 묘하지 않은 것이다. 오랫동안 경전을 독송하여 이미 삼천 부의 『법화경』을 독송해도 그것을 이해하지 못하고 그 속의 도리를 깨닫지 못하면, 경의 뜻과는 원수를 짓게 된다는 뜻이다. 원래 경과 너의 마음은 하나인데, 지금 너는 두 개가 되어 버렸다는 것이다. '아, 내가 그렇게 많이 『법화경』을 독송했으니 공덕이 있을 것이야'라는 마음이 장애가 된 것이다. 이것은 『법화경』의 도리를 이해하지 못한 것이며, 그가 아만심을 제거하지 못한 것이다.

그러므로 앞으로 우리는 무슨 공덕이 있든지 교만심, 자만심을 내서는 안 될 것이다. 불법을 배우는 사람은 반드시 겸손하고 공경스럽고 친절하여야 하며, 어떤 사람을 대해도 교만하지 않아야 한다. 이것은 불법을 배우는 데 매우 중요하다. 당부하노니, 너희는 각자 내가 한 말을 귓가에 스치는 바람처럼 여기지 않고 반드시 기억하기를 바란다.

2) '연화(蓮華)'의 해석

연화(蓮華)는 가장 희유한 꽃으로서 꽃과 열매가 동시에 생긴다. 이른바 "꽃이 피면 열매가 나타나고, 꽃이 떨어지면 열매가 이루어진다[華開蓮現 華落蓮成]"고 한다. 연화의 뿌리는 진흙 속에 있으며, 줄기는 물속에 있다. 꽃은 물속에도 있지 않고 진흙 속에도 있지 않으며, 물위에 있다. 이것은 무엇을 뜻하는가? 꽃의 뿌리가 진흙 속에 있는 것은 일반의 범부를 표시하고, 유(有: 존재)를 비유한다. 범부는 유에 집착한다. 줄기가 물속에 있는 것은 이승(二乘)을 표시하고, 공(空)을 비유한다. 이승인은 공에 집착한다. 그러나 연화는 공과 유를 초월하며, 중도요의(中道了義)를 표시한다. 공에도 떨어지지 않고 유에도 기울지 않아 공과 유의 양변에 치우치지 않으니 이것이 바로 중도요의다.

연화가 어째서 중도요의, 즉 원돈(圓頓)의 가르침을 나타내는가? 연(蓮)은 열매이고, 화(華)는 꽃이다. 연화가 피면 동시에 연실(蓮實)이 생기므로 이것을 화과동시(花果同時)라고 한다. 이것은 인과(因果)가 둘이 아님을 표시한다. 인이 과이고, 과가 인이라는 뜻이다. 이와 같은 인으로 이와 같은 과가 생긴다[如是因 如是果]는 것이다. 인은 부처의 인을 심는 것이며, 과는 부처의 과를 이루는 것이다. 화과동시는 또한 방편을 열어 진실을 드러내는 것[開權顯實]을 표시한다. 연꽃이 피는 것은 방편을 연다는 뜻으로서, 권교방편의 가르침을 설하는 것이다. 연의 열매를 나타내는 것은 실상의 법을 드러낸 것이다.

부처님께서 세상에 나타나시는 것은, 우리 일체중생을 가르쳐 깨닫게 하고 생사를 벗어나게 하기 위함이다. 부처님은 바로 중생의 생사 문제를 해결하기 위하여 세상에 출현하신 것이다. 따라서 이 경에서 말씀하시기를, "부처님은 한 가지 큰 인연으로 세상에 출현하신다."고 하였다.

무엇이 하나의 큰일인가? 바로 중생의 생사 문제가 큰일이다. 어떤 사람은 말할 것이다. "생과 사는 사람마다 모두 겪는 일인데 그것이 무슨 큰일이라고 할 수 있는가?" 맞다! 사람마다 생사가 있으며, 생이 있으면 죽음이 있다. 이것은 천지자연의 당연한 일이며, 매우 공정한 일이다. 그러나 나고 죽으며 죽고 다시 나고, 이렇게 되풀이하는 것이 궁극에 무슨 소용이 있는가? 도대체 또 무슨 좋은 점이 있는가?

무엇이 근본 문제인가? 사람은 바로 정욕으로 인하여 태어나고, 정욕으로 인하여 죽는다. 너희가 만약 정욕이 없으면 태어남도 없을 것이며, 죽음도 없을 것이다. 중생에게 생사가 있는 까닭은 이러한 음욕심이 있기 때문이다. 만약 음욕심을 끊으면 생사도 그친다. 그러나 자로(子路)는 아직 이런 문제를 알지 못하여, 공자께서도 이 문제를 제기하지 않고 단지 두루뭉술한 말로 "아직 생도 모르는데 어찌 죽음을 알겠는가?[未知生 焉知死]"라고 하였다. 어떻게 태어나는가도 모르는데 어떻게 죽음을 알 수 있겠는가라는 뜻이다. 그런데 이제 나는 이것이 매우 중요한 문제라는 것을 여러분에게 이야기하려 한다. 부처님께서는 바로 이 중생의 생사 문제를 위하여 이 세상에 오셨다.

우리가 죽을 때는 아무리 아름다운 부인도 같이 가지 않으려고 하며, 금지옥엽같이 귀한 자식도 따라가지 않으려고 한다. 오직 자기의 업장만 따라간다. 그래서 이렇게 말하는 것이다.

모든 것도 가지고 갈 수 없으며
단지 업이 몸을 따르네.
오직 아미타불을 염하면
극락세계에 왕생하네.
萬般將不去 只有業隨身
但念阿彌陀 往生極樂國

아무리 많은 금은보화도 가지고 갈 수 없으며, 단지 금생에 지은 업장, 우리가 지은 선업과 악업만이 마치 형상에 그림자가 따르듯이 우리를 따른다. 만약 이 업이 몸을 따르면 우리는 마땅히 어떻게 해야 하는가? 단지 '나무아미타불'을 염하여 극락세계에 왕생하면 육도윤회의 괴로움은 없을 것이다. 더욱이 재물을 원하는 사람은 극락세계에 가면 땅이 황금으로 되었으니 원하던 것을 모두 가질 수 있다. 보라. 그곳에 가면 다시는 가난한 사람이 없으며, 황금이 흙과 같이 그렇게 많으니 부귀가 극에 이른 것이 아니겠는가? 노인이 만약 깨달아 아미타불을 염하여 극락세계에 가면 금이며 은이 따라가서 그렇게 적막하고 고통스럽지 않을 것이다.

무엇 때문에 이런 이야기를 하는가? 우리가 사람으로 세상에 태어났으면 때맞추어 좋은 일을 지어야 한다는 것이다. 숨이 남아 있고 힘이 있을 때 착한 일을 해야 한다. 힘이 없고 기운이 없을 때는 좋은 일을 하려고 해도 이미 늦다. 따라서 우리는 전생에 심은 선근을 빌려 금생의 복과 지혜를 배양해야 할 것이다.

다시 연화(蓮華)에 대한 설명으로 돌아오면, 이 꽃에는 갖가지의 서로 다름이 있다. 먼저 광화무과(誑花無果)라는 것이 있다. 이것은 단지 꽃만 있고 열매가 없는 것을 뜻한다. 꽃이 피어도 열매를 맺지 못하는 것이다. 어떻게 이런 꽃이 피는가? 사람이 거짓말을 힘써 하기 때문이다. 즉 단지 말로만 하고 행하지 않는 것을 가리킨다. 비유하면 "나는 불상을 조성하려고 발원한다!"고 말만 하고 불상을 조성하지 않는 것이다. 이것이 바로 꽃이 피어도 열매를 맺지 못하는 것이다. 이것은 외도(外道)를 비유하는 것이다. 외도는 보기에는 매우 성하여 많은 사람들이 오리처럼 떼를 지어 몰려가지만, 그들이 열심히 범행을 닦고 고행을 닦아도 그 결과는 보잘것없어 이루는 게 하나도 없다. 이것이 바로 광화무과와 같은 것으로서, 단지 꽃만 있고 열매는 없는 것이다.

다음은 일화다과(一花多果)다. 하나의 꽃에 여러 가지의 열매가 맺히는 것이며, 이것은 범부를 비유한다. 범부중생은 부모와 스승, 어른에게 공양하며 갖가지로 부모에게 효순한다. 부모에게 공양하기 때문에 많은 공을 세우고 장래 많은 열매를 맺을 것이며, 혹은 천상에 나거나 인간 세상에서 부귀한 사람이 된다. 이것을 일화다과라고 한다.

그리고 다화일과(多花一果)가 있는데, 많은 꽃이 피지만 하나의 열매를 맺는 것을 말한다. 이것은 성문승(聲聞乘)을 비유한다. 성문의 수행인은 갖가지 고행을 닦지만 단지 유여열반(有餘涅槃)을 얻을 뿐이므로 다화일과라고 한다. 또 일화일과(一花一果)도 있는데, 이것은 연각(緣覺)을 비유한다. 연각의 수행인은 원리행(遠離行)을 닦으며, 깊은 산이나 계곡에 머물기를 좋아한다. 그들은 이러한 행문을 닦아서 연각의 과위를 얻는다.

또한 선과후화(先果後花)라는 것이 있는데, 이것은 수다원(초과의 아라한)을 나타낸다. 그는 과위를 얻기 전에 있으며, 여전히 더 수행해야 한다. 그리고 선화후과(先花後果)라는 것이 있는데, 이것은 보살승을 나타낸다. 보살은 먼저 수행한 연후에 보살의 과위를 얻는다.

그러나 지금까지 설명한 갖가지 꽃은 모두 묘법을 비유할 수 없으며, 오직 연화만이 진정으로 묘법을 비유할 수 있다. 왜냐하면 연꽃은 화과동시(花果同時)로서, 꽃이 있으면 곧 열매가 있기 때문이다. 이것은 실상의 법[卽實]이면서 권교방편의 법[卽權]이다. 권(權)은 꽃이며, 실(實)은 열매다. 비록 연화는 꽃이 있고 열매도 있지만, 어떻게 이런 꽃이 있는가? 꽃은 바로 열매를 위한 것이다. 이것은 방편이 곧 실상이며, 실상을 위하여 방편을 베푸는 것을 비유한다.

부처님께서 아함, 방등, 반야의 경을 설하신 것은 모두 『법화경』을 설하기 위함이었다. 이전에 설하신 것은 모두 방편의 법이고, 실상의 법은 아니다. 법화회상에 이르러 비로소 실상의 법, 진실한 가르침을 설하셨다. 법화회상에 이르러 방편의 법을 모두 열고 실상의 법을 드러낸 것이다. 실상을 위하여 먼저 방편의 법을 설하고, 이어서 방편을 거두고 실상을 드러냈다. 꽃이 떨어지고 연자가 이루어진 것은 곧 방편을 폐하고 실상을 세운 것이다. 방편의 법은 버리고 실상의 법만 남기신 것이다.

그리고 본문(本門), 적문(跡門)이 있다. 본문이란 근본을 뜻하고, 적문이란 말초(末梢)를 뜻한다. 무엇을 본이라고 하는가? 하나의 비유를 들면, 허공 가운데 있는 달은 본을 비유하고, 물속에 비친 달은 적을 뜻한다. 본은 단지 하나이지만, 적은 무량무변하게 많다. 근본을 위하여 흔적, 종적, 사적(事跡)을 나타낸다. 사적을 여는 것은 근본을 드러내는 것이다. 이것은 실상을 위하여 방편을 베풀고, 방편을 열어 실상을 드러내며, 방편을 폐하고 실상을 세우는 것과 같은 도리이다.

부처님께서 설하신 법, 즉 『법화경』에는 본과 적이 있다. 본은 언제인가? 이 경문 속에서 본은 '열여섯 왕자가 발심하여 출가 수도하는' 때이다. 그러나 사실 '열여섯 왕자가 발심하여 출가 수도하는' 것도 본이라고 할 수 없으며, 그 이전의 이전, 매우 오랜 이전, 얼마나 먼 시기인지 모른다.

석가모니 부처님께서 이 세상에 오신 것은 부처님의 몸을 시현하여 중생을 위한 법을 설하기 위함이었다. 이것을 적(跡)이라고 한다. 사실 석가모니 부처님은 이 사바세계에서 성불하신 것이 아니며, 오랜 구원겁 이전에 이미 성불하셨다. 따라서 『범망경』에서 이르시기를, "내가 지금 이 세계에 온 것은 팔천 번이나 된다."고 하였다. 즉 내가 이 사바세계에 온 것은 지금까지 이미 팔천 번이라는 뜻이다. 따라서 불법을 말하려면 무궁무진하다. 우리 중생의 지견, 견해로써 측량할 방법이 없다. 그러므로 이것도 묘법의 하나이다.

종합적으로 말하면 이 연화는 묘법을 표시하는 것으로서, 연화가 곧 묘법이며 묘법도 바로 연화이다. 이것이 『법화경』의 비유이다. 묘법연화는 이 경의 별명(別名)으로서 별은 특별하다는 뜻이다. 왜 특별한가? 다른 경전의 이름과 같지 않기 때문이다. 경은 공통된 이름[通名]이고, 모든 경전을 경이라고 부르기 때문이다.

3) '경(經)'의 해석

경(經)의 뜻은 무엇인가?

① 경은 길이다. 범부에서 부처의 과위에 이르는 길이다.

② 경은 법의 근본이다.

③ 경은 드러내는 것이다. 명백하게 드러내어 알려주고 표현한 것이다.

④ 경은 솟아나오는 샘이다. 마치 땅속에서 용출하는 샘과 같아서 물이 도도하게 끊이지 않고 흐르는 것이다.

⑤ 경은 먹줄이다. 즉 경은 일종의 규구(規矩: 네모나 원을 그리는 도구)이다. 원을 그리려면 반드시 원을 그리는 도구가 있어야 한다.

⑥ 경은 화만을 꿰는 것이다. 화만이란 여러 개의 꽃을 실에 꿰어 몸에 걸치는 것이다.

그리고 경에는 다음 네 가지의 뜻이 있다.

① 관(貫) : 설하는 도리를 관통하는 것이다. 경의 뜻을 꿴다는 것은 마치 하나의 실로 꿰어 전후가 연관되게 하면 중간에 빠지지 않는 것과 같다. 우리가 문장을 지을 때 기승전결(起承轉結)이 있는 것과 같은 것이다.

② 섭(攝) : 교화할 근기를 거두어들이는 것이다. 중생이 달고 쓰고 시고 짜고 매운 여러 가지 맛을 원하는 대로 먹는 것과 같이, 경도 여러분이 좋아하는 모든 법문이 다 들어 있다. 참선을 좋아하는 사람은 경에 참선의 도리를 논하는 법문이 있으므로 그것을 배우면 되고, 법을 설하기를 좋아하면 경에 있는 그러한 법문을 공부하면 된다.

③ 상(常) : 영원불변한 것을 뜻한다. 부처님께서 설하신 경전은 바꿀 수 없는 것으로서, 영원히 지속된다는 것이다.

④ 법(法) : 일종의 방법이다. 경에서 말씀하신 방법은 과거, 현재, 미래의 모든 부처님께서 설하신 방법이다. 그래서 과거, 현재, 미래의 모든 중생도 그러한 방법을 따라 배우는 것이다.

경은 범어로 수다라(sūtra, 修多羅)라고 하며, 번역하면 계경(契經)이다. 계란 계합한다는 뜻이다. 위로는 부처님의 마음과 계합하고, 아래로는 중생의 마음과도 계합한다. 따라서 부처와 중생 그리고 마음에 차별이 없다. 심법, 중생법, 불법이 조금도 차별이 없다. 이상으로 『법화경』의 이름에 대한 설명을 마치고자 한다.

나. 경의 체(體)

『법화경』은 무엇으로 체를 삼는가? 만약 우리가 이 경의 체를 모르면 어떻게 이 경의 뜻을 이해하겠는가? 따라서 이 경의 체를 알아야 한다.

『법화경』은 바로 실상(實相)을 체로 삼는다. 일체의 상은 실상으로부터 나올 뿐 아니라 일체의 제불, 보살, 성문, 연각도 실상으로부터 나오지 않는 분이 없다. 실상은 누가 만든 것인가? 만든 사람은 없으며 본래 있는 것이다. 실상은 제불, 보살, 일체의 모든 만물에 앞선 것이며, 일체의 모체(母體)이다. 모든 만사만물은 실상으로부터 나오는 것이라고 할 수 있다.

이 경의 체는 실상이다. 따라서 일체의 제불, 보살, 연각, 성문, 그리고 일체의 중생은 모두 이 경으로부터 나온 것이다. 하지만 우리는 시간이 너무 지나 본래의 집을 잊었으며, 본래의 모친도 잊어버려 이 경에 대하여 생소하다. 따라서 지금 우리가 이 경의 해설을 듣는 것은 집으로 돌아가는 길을 찾는 것이라고 할 수 있다.

다. 경의 종지

경의 이름도 알았으며, 경의 체도 이해하였는데, 도대체 『법화경』의 종지는 무엇인가? 이 경은 '일승인과(一乘因果)'를 종지로 삼는다. 원래 성문승, 연각승, 보살승이 삼승인데, 다시 여기에 인승(人乘)과 천승(天乘)을 더하여 오승(五乘)이 된다. 『법화경』은 이 다섯 가지 승에는 속하지 않고 오직 일승(一乘)이 있을 따름이다. 바로 불승(佛乘)이다.

경에서도 이르기를, "오직 하나의 불승만 있고 다른 승은 없다.[唯一佛乘 更無餘乘]"고 하였다. 따라서 천상, 인간에도 속하지 않고, 성문, 연각, 보살에도 속하지 않는다. 이 일승은 곧 불승을 뜻한다. 왜 연꽃으로 비유하는가? 바로 인이 곧 과이며, 과가 곧 인이기 때문이다. 연화는 꽃이 피면 곧 열매인 연자(蓮子)가 생긴다. 이것을 인과동시(因果同時)라고 한다. 『법화경』은 일승인과를 종지로 삼으므로 인(因)은 부처의 인이며, 과(果)도 부처의 과이다. 이것을 일승인과라고 한다.

라. 경의 용도

그럼 이 경은 무슨 용도가 있는가? 『법화경』의 용도는 바로 의심을 끊고 믿음을 생하게 하는 것이다. 중생의 의혹심을 끊고 신심을 일어나게 하는 것이다.

중국의 지자 대사는 『법화경』을 독송하여 깨달았으며, 일선다라니(一旋陀羅尼)를 증득하였다. 지자 대사는 『법화경』을 연구하여 깨달은 분으로서, 법화의 현묘한 도리를 종지로 하여 천태종을 창립하였다. 여러분은 『법화경』을 간단하게 보아서는 안 된다. 모든 부처, 조사, 보살들이 모두 『법화경』으로부터 나왔기 때문이다.

마. 경의 교상(教相)

『법화경』의 종지와 용도를 알았는데, 그렇다면 이 경의 교상은 무엇인가? 『법화경』은 제호(醍醐)로써 교상을 삼는다. 우유에서 낙(酪)이 나오며, 낙에서 소(酥)가 나오고, 생소(生酥)에서 숙소(熟酥)가 나오며, 숙소에서 제호가 나온다. 이 제호의 맛이 최상이다. 내가 이렇게 말하니 어떤 사람은 '그렇게 맛있는 것을 나는 먹어본 적이 없어!'라고 생각하면서도 입에서 침이 흘러나올 것이다. 너희는 맛보지 못할 것을 걱정할 필요가 없다. 이제 『법화경』 강의를 들으면 제호가 너희의 입안으로 들어갈 것이다. 그때 너희는 이 맛이 말할 수 없이 너무나 묘하다는 것을 알게 될 것이다. 『법화경』의 오중현의(五重玄義)의 개략적인 뜻은 이와 같다.

4. 구마라집 법사에 대하여

다음은 『법화경』을 한문으로 번역한 요진(姚秦)의 삼장법사(三藏法師) 구마라집(鳩摩羅什)(Kumārajīva, 344~413)에 대하여 설명하려고 한다.

가. 구마라집 법사와 중국의 인연

요진은 부진(符秦)과 영진(嬴秦)과는 다르다. 한 시대의 이름으로서 요흥(姚興)이 집권하여 황제라고 칭한 시대를 일컫는다. 중국의 역사에 따르면, 요진은 동진(東晋) 시대에 장안 지역에서 건립하여 국호를 진(秦)이라고 했던 나라를 가리킨다. 이 진나라는 전국(戰國) 시대 진시황의 진나라가 아니다.

전국 시대에 7국이 쟁패를 겨루던 국면에서 진시황에 이르러 진나라가 다른 6국을 멸하고 천하를 통일하였다. 역사상 진시황의 시대를 영진(嬴秦)이라고 부른다. 이후 한(漢) 고조 유방(劉邦)이 진나라를 멸망시켰다. 동한 말년에 이르러 한나라는 삼국으로 나뉘었다. 삼국시대 이후에 진(晉)나라에 이르러 민심이 상당히 진나라를 좋아해서, 부견(符堅)은 장안에서 나라를 건립하고 다시 진(秦)이라고 하면서 스스로 진시황의 후인이라고 생각하였다. 이 나라가 바로 부진(符秦)이다.

당시 천문을 관장하는 흠천감(欽天監)이 서쪽 하늘에서 지성(智星)을 보게 되었다. 이 별은 지혜를 가진 별이다. 그는 부견에게 말하였다. "지금 서쪽에 큰 지혜를 가진 분이 있으며, 장래 중국으로 와서 중국을 옹호할 것입니다." 부견이 말하였다. "그래, 나는 그 사람이 누구인지 안다. 그분은 반드시 구마라집 법사일 것이다. 우리가 출병하여 그분을 빼앗아 와야지!" 그래서 대장군 여광(呂光)을 파견하여 7만의 병사로 구자국(龜茲國)을 정벌하고 법사를 모셔오게 하였다. 구자국은 지금의 중국 신강(新疆)자치구 쿠차 지역에 해당하며, 그 당시에는 작은 나라였다.

여광이 구자국에 이르기 전에 구마라집 법사는 구자국 왕에게 말하였다. "지금 부견이 출병하여 우리나라를 정벌하려고 옵니다. 왕께서는 그와 대적하지 마십시오. 그들의 목적은 영토를 빼앗기 위함도 아니고, 우리나라를 점령하려고 오는 것도 아닙니다. 그들은 요구하는 것이 있을 것이며, 당신은 마땅히 강화를 하여 그들이 무슨 조건을 요구하든지 허락하십시오!" 그러나 구자국 왕은 법사의 건의를 듣지 않고 여광의 군대와 전쟁을 하였다.

그 당시 부견의 군대는 매우 강하였으며, 구자국은 소국이었다. 전쟁을 시작하자 구자국은 곧 패하고 왕도 여광의 군대에게 죽임을 당하였다. 결국 부견은 구마라집 법사를 모시게 되었다. 원래 구자국의 왕은 불교를 신봉하였는데, 무엇 때문에 중국의 군사에게 피살되었는가? 바로 구자국 왕의 전생에 살생의 업이 매우 중하여 그러한 업보를 피할 수가 없었던 것이다.

여광은 구자국을 멸하고 구마라집 법사를 모시고 중국의 서량(西涼), 즉 지금의 간쑤(甘肅) 성 둔황 일대에 이르렀다. 그곳에 도착하여 소식을 들으니, 나라에 정변이 발생하여 부견 왕이 요장(姚萇)에게 피살되었으며, 요장이 그 뒤를 이어서 진의 황제가 되었다는 것이다. 황제의 성이 요 씨였기 때문에 사람들은 부진을 요진으로 바꿔 부르게 되었다. 요진(姚秦)이라는 나라의 명칭은 이러한 내력으로 생긴 것이다.

여광은 국내에 정변이 발생하여 요장이 황제가 되었다는 소식을 듣고는 본국으로 돌아가지 않고 서량에 군대를 주둔시켰다. 군대가 주둔한 곳은 지대가 낮은 곳이었다. 이에 구마라집 법사는 여광 장군에게 말하기를, "이곳은 매우 위험합니다. 이곳에 주둔하면 안 됩니다. 만약 큰물이 내려오면 심지어 전군이 물에 잠길 수 있습니다."라고 하였다. 그러나 여광 장군은 원래 구마라집 법사에게 믿음이 생기지 않아서 그의 말을 믿지 않았다. 장군이 말하였다. "당신이 무엇을 안다고 그러시오? 당신은 출가인인데 군사를 배치하고 진을 치는 일을 어떻게 이해합니까? 당신은 관여하지 마시오! 어떻게 물에 빠져 죽겠습니까?" 그렇게 결국 법사의 건의를 듣지 않았다.

그런데 한밤중에 이르렀을 때 공교롭게도 과연 산에 홍수가 나서 물이 밀려 내려왔다. 산에서 큰물이 내려와 군사 5, 6천 명이 죽었다. 그런 일이 발생한 이후 여광은 비로소 법사가 보통 분이 아니며, 신통을 가진 불가사의한 분이라는 것을 알게 되었다. 이후 그는 법사를 얕보지 않고 믿게 되었다.

여광이 서량에 주둔한 지 몇 년이 흘러 요장이 죽고, 그의 아들 요흥(姚興)이 황위를 계승하였다. 요흥은 이전에 부견이 여광을 파견하여 구마라집 법사를 빼앗아 오게 한 일을 알고 있었다. 그래서 그는 곧 여광에게 법사를 넘겨 달라고 요구하였으나 여광은 응하지 않았다. 그래서 요흥은 군대를 보내 여광을 정벌하려고 하였다. 이때 여광이 죽고 그의 아들 여융(呂隆)이 그곳에서 황제가 되었는데, 서로 전쟁을 하여 여융이 패하였다. 그리하여 요흥은 비로소 구마라집 법사를 모시고 장안으로 돌아왔으며, 그에게 경전 번역 작업에 종사하게 하였다. 경전의 번역 작업은 매우 힘든 일이었다.

여광과 요흥은 왜 군대까지 파견하여 법사를 모시려고 하였는가? 당시 구마라집 법사는 덕과 명망이 높아서 일반인이 그를 숭배하고 믿었기 때문이다. 이것이 구마라집 법사가 중국으로 오게 된 인연이다.

법사가 중국으로 오게 되자 요흥은 '이 법사의 지혜는 너무나 크며 비교할 분이 없다. 만약 이런 지혜를 갖춘 분이 자손을 남기지 않으면 실로 매우 애석한 일이다'라고 생각했다. 그래서 그는 법사에게 결혼을 강요하여 궁중의 아름다운 여자 두 명을 법사의 부인으로 삼게 하였다. 그의 목적은 법사에게 지혜로운 아들을 낳게 하여 계속 그의 학문을 계승하는 것이었다.

법사는 황제의 압박 하에 그 조건을 받아들였다. 법사는 항상 출가인은 부인을 두면 안 된다고 주장하였는데, 지금 자기가 부인을 두게 된 것이다. 당시 팔백여 명의 출가인이 함께 모여 번역 작업을 돕고 있었는데, 이들은 법사에게 승복하지 않았다. "흥, 당신은 그렇게 말해 놓고 우리를 속여! 우리에게는 여인을 가까이하면 안 된다고 가르치면서 자기는 부인을 두다니!" 그 스님들은 황제의 압박으로 법사가 부득이하게 받아들인 것은 몰랐다.

하루는 식당에서 공양을 할 때, 각 스님 앞에 먹을 음식은 없고 단지 종이로 싼 바늘이 놓여 있었다. 법사가 모든 스님들에게 말하였다. "오늘 우리는 먹을 밥이 없으므로 이 바늘을 먹어야 한다." 스님들은 감히 먹을 수가 없어 서로를 쳐다보기만 할 뿐이었다. '어떻게 바늘을 먹어? 저분은 정말로 터무니없이 구네. 정말로 미쳤어! 어떻게 우리에게 바늘을 먹으라고 하는가?' 어떤 스님은 화를 내면서 말하였다. "이 바늘을 어떻게 먹을 수 있어? 우리에게 바늘을 먹으라고? 당신이 먼저 먹어봐!"

구마라집 법사가 말하였다. "그럼 당신들은 먹지 못하니 좋아, 내가 먹지!" 다른 스님들의 바늘까지도 가지고 와서 마치 국수를 먹는 것처럼 먹는 것이었다. 그러자 어떤 스님들은 '허참, 저분은 무얼 하는가? 마술을 부리는 건가? 이 바늘을 정말로 먹다니!' 하고 생각했다.

바늘을 다 먹고 난 후 법사가 말하였다. "여러분 모두 바늘을 먹을 수 없는가? 이제 내가 여러분에게 말하노니, 바늘을 먹을 수 있다면 결혼할 수 있으며, 바늘을 먹을 수 없다면 결혼할 수 없다. 누구든 결혼하려고 하면 먼저 바늘을 먹어야 한다." 팔백여 명의 스님들은 이것을 보고 놀랐다. 자기들에게는 그러한 큰 도가 없으니 모두 결혼할 수가 없는 것이다. 그래서 다시는 법사를 얕보지 않았으며, 다시 존경하지 않을 수 없었다.

법사는 자기 방으로 돌아와서 두 명의 시자에게 말하였다. "너희가 나를 좀 도와주어야겠다." 시자가 물었다. "무엇을 도와드릴까요?" "너희는 나에게서 바늘을 좀 빼주어야겠다." 그러더니 법사의 모공에서는 바늘이 계속 빠져나왔다. 마치 마술과 같았다.

구마라집 법사에게는 두 명의 아들이 있었다. 그러나 그의 신통묘용은 불가사의하여, 그에게 부인과 아들이 있었다 해도 법사를 얕볼 수 없다. 법사는 정말로 보살이 시현하신 분이다.

나. 구마라집 법사의 출생과 출가

구마라집 법사의 인연을 이야기하자면 매우 길다. 그의 부친은 구마라염(鳩摩羅炎)이다. 구마라염의 부친은 인도 중천국의 승상이었다. 당시의 제도에 따라 구마라염은 승상의 직위를 계승할 수 있었지만 그는 관리가 되는 것을 원하지 않았다. 구마라염은 수도하기 위하여 출가하려고 생각하고 각지로 배우러 다니면서 선지식을 참방하였다.

부친이 높은 지위의 관리였기 때문에 구마라염은 도처에서 사람들의 환영을 받았다. 그렇게 다니다가 구자국에 이르렀는데, 구자국 왕은 교외까지 나가서 그를 환영하였으며, 궁으로 초청하여 연회를 베풀었다. 식사를 할 때 구자국 왕의 여동생인 기바(耆婆)는 구마라염을 한 번 보고 정을 품게 되었다. 그녀는 태어날 때부터 매우 총명하여 그 나라의 모든 남자는 마음에 들지 않았으며 자기와는 어울리지 않는다고 생각하였다. 그런데 구마라염을 한 번 만나보고는 마음이 기운 것이다. 비록 그녀는 오빠인 왕에게 아무런 말을 하진 않았지만, 왕도 총명한 사람이라 그녀가 구마라염에게 호감을 갖고 있음을 알고 그에게 시집가게 하였다.

구마라염에게 시집간 지 얼마 지나지 않아서 임신을 하였는데, 이상한 일이 발생하였다. 기바는 본래 인도의 언어를 알지 못했는데 아이를 임신한 후로부터 인도 말을 할 수 있게 된 것이다. 그뿐만 아니라 변재가 무애하고 지혜가 크게 증장하였다.

그 당시 한 분의 나한이 있었는데, 사람들에게 말하였다. "저 여자의 뱃속에 든 아이는 보통사람이 아니다. 반드시 큰 지혜를 갖춘 사람이다. 석가모니 부처님의 제자인 사리불 존자같이 어머니 뱃속에서 엄마의 지혜가 증가하는 것을 도와줄 것이다."

기바가 구마라집 법사를 낳은 후 3년이 지나 두 번째 아들을 낳았다. 그런 후에 법사의 모친은 자주 교려대시(巧黎大寺)라는 절에 가서 법문을 듣곤 하였다. 그녀는 근기가 매우 좋았기 때문에 스님들의 법문을 듣고는 곧 이 세상의 모든 것은 괴로움이고 공(空)하며, 무상(無常)하고 무아(無我)라는 진리를 알게 되었다. 그리고 곧 발심하여 출가하려고 생각하였다. 이때 구마라집 법사는 겨우 일곱 살이었다.

원래 법사의 아버지 구마라염은 이전에 출가하려고 하였으나, 기바와 결혼한 후에는 출가할 생각을 하지 않았다. 그는 아름다운 부인에 마음이 빼앗겼으며, 부인이 돈도 있고 지위도 있어 부귀를 다 갖췄기 때문에 출가할 생각이 나지 않았다. 『사십이장경(四十二章經)』에 이르기를, "빈궁하면 보시하기 어렵고, 부귀하면 도를 배우기 어렵다."고 한 것과 같았다. 그래서 구마라염은 부귀에 미혹되어 자기도 출가하지 않을 뿐 아니라 부인이 출가하려는 것도 허락하지 않았다.

기바는 결심하였다. "내가 만약 출가할 수 없다면 차라리 죽을지언정 집에 있지 않을 것이며 오직 죽을 따름이다." 그래서 그녀는 밥을 먹지 않았다. 구마라염은 처음에는 대수롭지 않게 생각하였으나, 하루, 이틀이 지나고 6일째가 되어도 기바가 밥을 먹지 않고 심지어 물조차도 마시지 않자, 안 되겠다고 생각해서 그녀에게 항복하고 말았다. "좋소! 출가를 허락할 테니, 무엇이라도 드시오!"

기바가 말하였다. "당신이 허락한다고? 그럼 당신이 먼저 법사를 청하여 내 머리를 깎게 한 후에야 비로소 음식을 먹겠다. 만약 머리를 깎지 않고 밥을 먹었는데 당신이 또 출가를 허락하지 않으면 나는 어떡하는가?" 구마라염은 이러한 상황을 보고는 더 이상 다른 방법이 없음을 알고 절의 방장 스님을 청하여 그녀의 머리를 깎게 하였다. 기바는 머리를 깎은 후에야 비로소 음식을 먹었다.

그녀는 출가한 후 불법을 배웠으며, 얼마 지나지 않아서 과(果)를 증득하였다. 왜 그녀는 얼마 지나지 않아 과를 증득하였는가? 그녀가 불법을 배우려는 마음이 너무나 진실하였기 때문이다. 우리는 불법에 대하여 반드시 진정한 성심을 가져야 한다. 만약 성심이 없으면 아무리 오래 배워도 얻는 것이 없다. 그녀는 정성이 지극하였다. "출가를 허락하지 않으면 차라리 죽어버리겠다!"는 마음으로 생사를 도외시하였기 때문에 무엇이든 모두 내려놓을 수 있었던 것이다. 이른바 "청정이 지극하면 광명이 통달한다.[淨極光通達]"고 하듯이, 이때 그녀의 신령스러운 광명이 나타나서 초과(初果)의 아라한을 증득한 것이다.

초과를 증득한 후 어느 날, 기바는 아들 구마라집을 데리고 어느 절에 들어가 참배를 하였다. 구마라집 법사는 그때 일곱 살의 어린아이로서 남들이 절을 하는 것을 보고 자기도 절을 하고, 남들이 향을 피우는 것을 보고 향을 피우기도 하였다. 그 절 불전에는 매우 큰 바루가 놓여 있었는데, 가장 가벼운 것도 대략 50킬로그램 정도 되었다. 그런데 구마라집은 가지고 놀기 좋은 것이라는 생각이 들어 별다른 생각 없이 그 바루를 머리 위로 번쩍 들어올렸다. 머리 위로 들어올린 후에야 '어, 나는 일곱 살 어린애인데, 이 무거운 것을 어떻게 들었지?' 하는 사량분별이 마음속에 일어났다. 그러자 그 바루가 갑자기 무겁게 느껴지면서 즉시 "아야!"라고 놀라 소리치면서 땅에 떨어뜨리게 되었다. 바루가 바닥에 떨어지는 순간 그는 깨달았다. 무엇을 깨달았는가? 이 세간의 모든 일이 원래 이와 같구나! 모두가 마음으로 이루어지는 것[一切唯心造]임을 깨달았다. 분별이 없을 때는 무거워도 무겁지 않았는데, 분별심이 일어나니 무겁지 않던 것이 무거운 것으로 변한 것이다. 그는 이러한 일로부터 깨달았다. 아, 이 모든 것은 원래 오직 마음이 짓는 것이며, 만법은 오직 마음[萬法唯心]이라는 진리를 알게 된 것이다. 사량분별하는 마음이 나올 때는 진심(眞心)이 아닌 것이다.

구마라집 법사는 일체유심조의 도리를 깨달은 후 발심하여 어머니를 따라 출가하려고 생각하였다. 부친은 아들의 출가를 아쉬워하였지만, 막아서 될 일이 아니란 것을 알고는 출가를 허락하였다. 이것이 구마라집 법사와 모친의 출가 인연이다.

다. 구마라집 법사의 수행과 교화

구마라집 법사는 출가 후 소승의 교법을 배웠다. 그는 반두달다(槃頭達多)라는 분을 스승으로 모셨다. 그리고 매일 일천 수의 게송을 독송하였다. 매 한 수의 게송은 36자로 되어 있어, 일천 수의 게송은 모두 삼만 육천 자나 되었다. 능엄주가 일천이백삼십여 글자인데, 어린아이가 하루에 삼만 육천 자를 독송한 것이다. 그분의 총명과 지혜를 우리 각자와 비교해 보라. 우리는 지금 매일 24자의 한자를 배우고 있는데, 다음날 물어보면 아무것도 모른다. 법사는 하루에 삼만 육천 자를 배웠으니, 우리를 어떻게 구마라집 법사와 비교할 수 있겠는가?

그리하여 법사는 매우 빨리 부처님께서 설하신 소승의 경전을 다 배웠다. 다 배우고 난 후에 그는 다시 세간의 모든 학문, 즉 의술, 점복, 천문, 관상 등의 지식을 배웠다. 소승의 경전과 세간의 지식을 다 배운 후 법사는 또다시 모친과 함께 인도로 가서 대승경전을 배웠다. 그의 모친은 왕의 누이동생이었으므로 출가 후에도 많은 사람들의 공양을 받으면서 복을 누렸는데, 그녀는 그러한 복 누리기를 원하지 않고 부처님의 탄생지인 인도로 가서 불법을 배우려고 발원하였다. 그래서 아들 구마라집을 데리고 인도로 갔다.

구마라집은 인도에 도착한 후 곧 대승불법을 배웠으며, 비로소 묘한 가운데 더욱 묘하고 불가사의한 대승불법의 경계를 알게 되었다. 원래 총명했던 법사는 출가한 이후로도 게으르지 않았기 때문에 매우 빨리 많은 학문을 배웠다. 법사는 대승의 경전을 원만하게 배운 후 구자국으로 돌아와 법을 펴고 중생을 교화하였다. 당시 어느 나라에 한 논사(論師)가 있었는데, 그는 전문적으로 다른 사람과 도리를 토론하기를 즐기는 사람으로서 변론에서 자기를 이길 사람이 없다고 생각하였다. 그래서 그는 국가의 큰북을 쳤으며, 많은 사람들은 반드시 무슨 일이 있을 것이라고 생각하고 모여들었다. 마침 법사가 그 나라를 지나가게 되어 그 논사와 변론을 하였는데, 법사가 이기자 그 논사는 법사를 스승으로 삼았다.

구마라집 법사가 구자국에 도착하자 그의 외숙부인 구자국 왕은 불법을 신봉하고 생질인 법사를 매우 공경하였다. 왕은 법사가 구자국에 오래 머물기를 원하였다. 그때 법사는 다른 목적이 하나 있었다. 그의 옛 스승을 제도하는 것이었다. 그의 스승은 소승이었으며, 많은 사람들이 그를 존경하고 있었다. 만약 스승을 제도하면 많은 사람들이 대승불법을 배울 수 있을 것이라고 생각하였다.

그래서 법사는 스승이 계신 나라로 가려고 하였는데, 스승이 구자국으로 온다는 소문이 들렸다. 스승도 제자인 구마라집 법사의 소문을 듣고 만나려고 온 것이다. 법사는 스승을 만나 대승불교의 도리가 담긴 『덕녀소문경(德女所問經)』을 해설해 주었다. 그러자 스승이 물었다.

"너는 소승을 버리고 대승을 배웠는데, 대승불법에 어떤 좋은 점이 있으며 어떤 특이한 점이 있나고 생각하느냐? 대승의 교의는 공(空)을 중시하며, 공은 아무것도 없는 것인데, 너는 그것을 배워 무엇하겠는가?"

"이 공(空) 속에는 유(有)가 있으며, 진공(眞空) 안에는 묘유(妙有)가 있습니다. 묘유도 바로 진공입니다. 대승불법이 비로소 궁극의 철저한 불법입니다. 소승불법처럼 그렇게 많은 명상(名相)이 없으며, 그렇게 고지식하고 구속되어 해탈을 얻지 못하는 것이 아닙니다."

"네가 그런 도리를 말하는데, 하나의 비유를 들어 보겠다. 어떤 미친 사람이 비단 짜는 사람을 청하여 비단을 짜게 하였다. 한 필을 짜고 난 후 그가 보더니 매우 거칠다고 하면서 다시 짜라고 하였다. 장인(匠人)은 다시 짜고 하기를 여러 번 하여 그 정밀함이 극에 이를 정도로 세밀하게 비단을 짰다. 그러나 그는 여전히 만족하지 못하고 계속 거칠다고 말하면서 장인이 기술이 부족하다고 하였다. 그러자 장인은 그를 속이기로 생각하고 허공을 가리키면서 말하였다. '이것이 거칠다고? 내가 짠 가장 세밀한 비단은 허공에 있어.' 그러자 그는 허공을 보면서 말하기를, '없는데, 허공에는 비단이 없는데!' 하였다. 장인은 '허공 속에 있는 비단은 가장 세밀한 것으로서 우리 비단 짜는 사람도 눈으로 볼 수 없는데, 비단을 짤 줄 모르는 당신에게는 당연히 보이지 않지!'라고 하였다. 그러자 그는 그 말에 일리가 있다고 생각하고는 장인에게 많은 돈을 주고 사례를 하였다. 그러자 다른 비단 짜는 사람도 그러한 방법으로 그를 속여 돈을 갈취하였다. 네가 이야기한 대승불법도 이와 같은 것이다. 공하다고 말하면서 공 가운데 묘유가 있다고 하는데, 보이지 않는다. 이것은 내가 이야기한 비단의 비유와 같다."

"그렇지 않습니다."

구마라집 법사는 스승에게 다시 대승의 묘한 이치를 두루 설명하면서 토론하기를 한 달이 넘게 하였다. 그리하여 결국에는 스승을 납득시켰다. 스승은 비로소 대승의 '진공묘유'의 도리를 알아차리고 이렇게 말하였다.

"나는 이제부터 너를 스승으로 삼겠다."

"그것은 안 됩니다. 이전에 제가 당신을 스승으로 모셨는데, 어떻게 지금 저를 스승으로 삼을 수 있겠습니까?"

"나는 너의 소승의 스승이고, 너는 나의 대승의 스승이다. 각각 그 스승이 있는 것이니 관계가 없어!"

스승이 이렇게 말하자 법사도 할 말이 없어 스승을 제자로 삼았다. 보라. 옛날에는 근본적으로 아상(我相)이 없었다. 아상이 없다는 것은 그 스승이 정말로 이해한 것임을 말한다. 만약 그가 이해하지 못했으면 여전히 "네가 설명하는 것이 아무리 높아도 너는 나의 제자이다."라고 했을 것이다. 이것은 그분이 아상이 없었으며, 도로써 스승으로 삼음을 증명하는 것이다. 이전의 수행자는 이렇게 계급의 관념이 없고 아상, 인상(人相)의 관념이 없었다.

그 후 법사는 구자국의 각처에서 불법을 홍양하였고, 인도에 가서도 설법하였으며, 가는 나라마다 사람들에게 많은 공경을 받았다. 법사가 어렸을 때 어머니를 따라 각처로 배우러 다닐 때, 한 번은 깨달은 아라한을 만나게 되었다. 그 아라한은 법사를 한 번 보고 그의 모친에게 말하였다.

"이 어린 사미를 잘 보호하세요. 그는 보통의 사미가 아닙니다. 만약 저 아이가 36세가 지나도 파계하지 않는다면, 그가 교화하는 사람은 인도의 제4조 우바국다(優波麴多) 존자가 교화한 중생보다도 많을 것입니다."

우바국다 존자께서 수행하실 당시에 동굴 안에 머물렀는데, 한 사람을 제도하면 대나무 막대 하나를 동굴 속으로 던져 최후에는 동굴 안에 대나무 막대가 꽉 찼다고 하니, 그가 제도한 사람이 얼마나 많았는가를 알 수 있다.

그 아라한이 모친에게 이렇게 말하자 그녀는 법사에게 말하였으며, 그도 그 아라한의 말을 믿게 되었다. 이후 그는 어머니를 모시고 각지로 다녔다. 그의 모친이 삼과(三果)의 아라한을 증득하고 인연을 관찰해 보니, 법사의 인연이 중국에 있다는 것을 알고는 말하였다.

"네가 제도할 중생은 동쪽의 진단(震旦: 중국)에 있구나. 그러나 너에게는 매우 좋지 않구나."

"저는 단지 불법을 진단에 전해 줄 수만 있다면 몸이 가루가 되더라도, 제 자신에게 아무리 불리하더라도, 저는 갈 것입니다. 왜냐하면 보살의 발심은 자기를 위함이 아니며, 중생을 위하는 것이기 때문입니다. 단지 불법에 대하여 공헌이 되고 불교에 대하여 이익이 있다면, 저의 생명도 개의치 않을 것입니다. 저는 생명의 희생도 원합니다. 아무리 어려운 문제가 있더라도 저는 할 것입니다."

그 후 과연 여광이 목숨을 바쳐 구마라집 법사를 중국으로 모셔오게 되었으니, 이것이 요진의 삼장법사 구마라집 법사께서 『법화경』을 번역한 인연이다.

라. 구마라집 법사의 경전 번역

구마라집 법사가 일생 동안 번역한 경전은 삼백여 권이다. 그는 원적에 들면서 이렇게 말했다.

"나는 이번 생에 많은 경전을 번역하였는데, 번역이 정확한지 아닌지는 나도 모르겠다. 만약 나의 번역이 틀림이 없다면, 내가 죽은 후 다비할 때 나의 몸은 재로 변할 테지만 나의 혀는 타지 않을 것이다. 만약 그렇게 된다면, 그것은 나의 번역은 틀림이 없고 완전히 맞다는 것을 증명하는 것이다. 그러나 만약 나의 혀가 탄다면, 나의 번역은 틀렸다는 것을 증명하는 것이다."

구마라집 법사가 원적하신 후에 다비를 하니, 그의 혀는 조금도 타지 않고 그대로 있었다. 따라서 법사께서 번역하신 경전은 완전히 정확하다는 것이 증명되었다.(편역자 주: 구마라집 법사의 사리탑은 산시성 후셴(戶縣) 초당사(草堂寺)에 있으며, 법사의 혀 사리는 간쑤성 우웨이시(武威市) 베이다제(北大街)에 아직도 남아 있다.)

그리고 또 하나의 증명이 있다. 중국 당나라 때 종남산(終南山)에 도선 율사(道宣律師)가 계셨는데, 그분은 전문적으로 계율을 수지하였다. 종남산은 서안 부근에 있는 산으로 중국에서 유명한 산이다. 이 산에는 많은 사람들이 수도하고 있으며, 허운(虛雲) 노스님께서도 이곳에 토굴을 짓고 수행하신 적이 있다. 도선 율사는 지계(持戒)에 열심히 정진하여 천상인을 감동시켜 천상에서 공양을 보냈었다.

어느 날 연로한 도선 율사가 길을 가다가 넘어지려고 하는데, 북방을 관장하는 다문천왕의 아들이 율사를 부축하여 넘어지지 않게 하였다. 율사가 보니 천인이 와서 자기를 보호하기에 곧 물었다.

"세간 사람들이 구마라집 법사께서 번역하신 경전을 좋아하는데, 무슨 이유에서입니까?"

"구마라집 법사는 과거 일곱 부처님의 역경사로서 일곱 부처님께서 설하신 경전을 모두 번역하였습니다. 그는 세세생생 발원하기를, '부처님께서 세상에 나오시면 나는 경전을 번역하겠다' 하였습니다. 그래서 과거 일곱 부처님으로부터 지금까지 경전을 번역하신 것입니다. 따라서 그분이 번역하신 경전은 조금도 틀린 것이 없습니다."

과거 일곱 부처님은 다음과 같다. 첫 번째는 비바시불(毘婆尸佛), 두 번째는 시기불(尸棄佛), 세 번째는 비사부불(毘舍浮佛), 네 번째는 구류손불(拘留孫佛), 다섯 번째는 구나함모니불(拘那含牟尼佛), 여섯 번째는 가섭불(迦葉佛), 일곱 번째는 바로 우리의 본사이신 석가모니 부처님이다. 이러한 증명으로 살펴보면, 구마라집 법사께서 번역하신 경전은 매우 정확하다는 것을 알 수 있다.

우리가 지금 『법화경』을 배우고 듣고 이해하는데, 이것도 다 구마라집 법사의 공덕이다. 만약 그분이 번역하지 않았다면, 우리가 불법을 듣는 것이 쉽지 않았을 것이다. 그러므로 우리는 경을 배우기에 앞서 구마라집 법사에게 감사하고 보은하는 마음을 가져야 한다. 어떻게 은혜에 감사하고, 어떻게 그 덕에 보답할 것인가? 그것은 바로 불법을 홍양할 것을 발원하며, 또한 경전을 범어에서 영어로 더 많이 번역할 것을 발원하는 것이다. 더 많은 경전을 번역하는 것이 곧 구마라집 법사의 뜻을 계승하는 것이다.(편역자 주: 구마라집 법사는 지금의 중국 간쑤성(甘肅省) 량저우(涼州)에서 17년간 불법을 널리 홍양하면서 중국어를 공부하였으며, 서기 401년에 장안으로 들어와 번역작업에 몰두하였다. 법사가 번역한 경론은 『대품반야경』, 『법화경』, 『유마힐경』, 『아미타경』, 『금강경』 등과 『중론』, 『백론』, 『십이문론』, 『대지도론』 등 94부 425권에 달한다. 유명한 제자로는 도생(道生), 승조(僧肇), 도융(道融), 승예(僧叡)가 있으며, 이 제자를 '집문사성(什門四聖)'이라고 부른다.)

번역자를 왜 경전 앞에 놓는가? 만약 당시에 구마라집 법사가 중국에 와서 경전을 번역하지 않았더라면, 불교가 그렇게 빨리 중국에 전해지지 않았을 것이다. 그러한 구마라집 법사의 공덕을 기념하기 위하여 경전 앞에 그의 이름을 기재하는 것이다. 한편으로는 그분의 덕행을 기념하고, 한편으로는 번역에 잘못이 있으면 구마라집 법사가 책임을 져야 한다는 것이기도 하다. 따라서 번역자의 이름을 경전 앞에 기재하여 후학들의 영원한 기념으로 삼으며, 법사의 공덕을 영원히 잊지 않으려는 것이다.

본문 해설

서품
(序品)
경을 설한 인연

『법화경』은 모두 28품으로 되어 있다. 제1품은 「서품(序品)」으로, 경의 인연을 서술하고 있다. 모든 경전이 「서품」으로 시작하는 건 아니지만, 『법화경』에는 특별하게 「서품」이 있다.

가. 통서(通序)

1) 경을 설할 인연이 갖춰지다

가) 믿음과 들음의 성취

이와 같이 내가 들었다.
如是我聞•。

여시아문(如是我聞)• 여시(如是)는 믿음의 성취[信成就]이며, 아문(我聞)은 들음의 성취[聞成就]이다. 이와 같은 법이므로 비로소 믿을 수 있으며, 이와 같지 않은 법은 믿을 수 없다. 무릇 부처님께서 설하신 경전은 모두 여섯 종류의 성취[六成就]를 갖는다. ① 믿음의 성취[信成就], ② 들음의 성취[聞成就], ③ 때의 성취[時成就], ④ 주인공의 성취[主成就], ⑤ 장소의 성취[處成就], ⑥ 듣는 대중의 성취[衆成就]이다. 이 중 아문(我聞)은 들음의 성취다. 이 아(我)는 어떤 나인가? 범부의 거짓된 '나', 외도의 신성한 '나'가 있는데, 이 아는 거짓된 나이며, 참된 나가 아니다.

'내가 들었다[我聞]'는 것은 실제로 귀로 들었음을 뜻하는 것은 아닌데, 어째서 "내가 들었다."고 말하는가? 왜냐하면 귀는 단지 신체의 일부분이며, 나는 신체의 총칭이기 때문에 "내가 들었다."고 말한 것이다. '여시아문(如是我聞)' 네 글자에는 많은 뜻이 들어 있다.

① 대중의 의심을 끊다

부처님의 제자 아난이 경장을 결집할 때, 처음 법석에 올라 부처님의 상호에 감응하여 부처님과 같은 모습을 나타냈다. 그러자 대중은 세 가지 의혹이 일어났다.

첫 번째의 의혹 : 보살, 아라한, 비구들은 석가모니 부처님이 열반에 들었는데 가시지 않고 다시 오셔서 경을 설하시는 것은 아닌가라고 생각하였다.

두 번째의 의혹 : 어떤 사람은 분명 다른 곳의 부처님께서 이곳에 오셔서 법을 설하는 것이라 생각하였다.

세 번째의 의혹 : 대중은 아난이 이미 몸을 바꾸어 성불하였다고 생각하였다. 그렇지 않으면 그가 어떻게 삼십이상 팔십종호 상호와 광명을 가지고 있는가라고 생각한 것이다.

그러나 아난이 법석에 올라 첫 번째로 "이와 같이 내가 들었다.[如是我聞]"라고 말하자, 세 가지 의혹이 일시에 해소되었다. 대중은 비로소 알게 된 것이다. 이것은 아난이 친히 부처님께 들은 법이며, 아난 스스로 설하는 것이 아니라는 것을 알게 된 것이다.

② 부처님의 유촉을 따르다

부처님께서 열반에 들어가실 때 아난에게 분부하시기를, "일체의 경전 앞에는 모두 '이와 같이 내가 들었다[如是我聞]'라는 말을 넣으라."고 하신 것이다. 그래서 아난은 부처님의 유촉에 따라 경을 결집할 때 그렇게 한 것이다.

③ 논쟁을 멈추게 하다

아난은 부처님의 제자 가운데 가장 나이가 젊었다. 만약 그가 "이 경은 내가 부처님께서 설하시는 것을 들은 것이다."라고 말하지 않는다면, 모두는 논쟁을 할 것이다. 네가 그렇게 말할 수 있다면 나도 말할 수 있다고 하면서 서로 논쟁이 그치질 않을 것이다. 아난이 '이 경은 부처님께서 설하신 것'이라고 말하자, 일체의 대중은 할 말이 없는 것이다. 무엇 때문인가? 경전은 부처님이 설한 것이지 아난이 스스로 지은 것이 아니기 때문이다. 따라서 "이와 같이 내가 들었다.[如是我聞]"라는 말을 사용하여 모두의 쟁론을 그치게 한 것이다.

④ 외도와 다르다

외도의 경전은 앞에 모두 '아구(阿歐)'라는 두 글자를 사용한다. 아(阿)는 없다[無]라는 뜻이고, 구(歐)는 있다[有]라는 뜻이다. 왜 이 두 글자를 사용하는가? 외도가 설하는 모든 만법은 무가 아니면 유이며, 유가 아니면 무이기 때문이다. "이와 같이 내가 들었다.[如是我聞]"로 경전을 시작하는 것은 외도의 그러한 도리와는 같지 않다는 것을 나타내려는 것이다.

부처님께서 열반에 드실 때 아난은 네 가지의 일을 부처님께 물었으며, 부처님께서는 아난의 물음에 답하셨다.

첫 번째는, 경전을 결집할 때 그 앞에 "이와 같이 내가 들었다.[如是我聞]"라는 말을 사용하는 것이다.

두 번째는, 부처님께서 열반하신 후 비구는 사념처(四念處)에 따라 머물러야 한다는 것이다. 사념처는 바로 신(身), 수(受), 심(心), 법(法)이다. 설명하자면 다음과 같다.

① 관신부정(觀身不淨)

이 몸을 관찰하면 깨끗하지 못하다. 우리의 신체는 아무리 깨끗하게 씻어도 땀이 흘러나온다. 만약 씻지 않으면 냄새가 날 것이다. 이른바 "아홉 구멍에서 항상 부정한 것이 흘러나온다."라고 하는데, 보라. 두 눈에서는 눈물과 눈곱이 나오고, 두 귀에서는 귀지가 나오며, 두 콧구멍에서는 콧물이, 입에서는 침과 가래가 나온다. 이 모두 청정하지 못하다. 여러분이 그것을 어떻게 수습하든지 그 속에는 언제나 더러운 것이 들어 있다. 이러한 일곱 구멍에 다시 대소변을 더하면 아홉 구멍인데, 이곳에서 항상 더러운 것이 흘러나온다는 것이다. 따라서 몸은 청정하지 못하다고 관하는 것이다.

탐하는 마음이 많은 사람은 부정관(不淨觀)을 닦아야 한다. 몸은 깨끗하지 않으며 청정하지 않은 법이라고 보는 것이다. 무엇을 많이 탐한다는 것인가? 바로 음욕을 탐하는 것이다. 음욕을 탐하는 사람은 이러한 부정관으로 음욕을 제지해야 한다. 어떻게 제지하는가? 바로 몸을 부정한 것으로 관하는 것이다. 아무리 아름다운 남녀라도 모두 깨끗하지 못하다. 이미 깨끗하지 못하다면 다시 탐할 무엇이 있는가? 따라서 탐심이 많은 중생은 부정관을 하라는 것이다. 몸이 부정하다는 것을 알면 탐착하지 않을 것이며, 탐착하지 않으면 그렇게 큰 음욕심은 없을 것이다.

② 관수시고(觀受是苦)

수(受)는 받아들인다는 뜻이다. 너희가 받아들이는 모든 경계는 좋은 경계인가, 나쁜 경계인가? 너희에게 받아들이는 것이 있으면 너희의 마음을 동요시킨다. 마음이 동요되면 그것은 곧 괴로움이다. 이 괴로움을 말하자면 매우 많다. 고고(苦苦), 괴고(壞苦), 행고(行苦)를 세 가지 괴로움이라고 한다. 고고, 괴고, 행고는 욕계, 색계, 무색계를 포괄한다. 그리고 애별리고(愛別離苦), 원증회고(怨憎會苦), 구부득고(求不得苦), 오성음고(五盛陰苦)가 있으며, 여기에 더하여 생(生), 노(老), 병(病), 사(死)의 괴로움 등 모두 여덟 가지의 괴로움이 있다. 너희가 받아들이는 모든 경계는 괴로운 것이다. 너희가 만약 그것이 괴로움이라고 안다면 일종의 누리려는 감각을 갖지 않으려고 할 것이다. 쾌락을 탐하는 감각을 구하지 않으면, 이것이 바로 괴로움이 없는 것이다.

③ 관심무상(觀心無常)

사람의 마음은 후념(後念)이 생하면 전념(前念)은 멸하며, 전념이 멸하면 후념이 생한다. 마치 큰 바다의 파도와 같이 한 생각 한 생각이 생하기를 그치지 않는다. 그러나 매 일념은 모두 무상한 것이며, 허망한 것이다.

④ 관법무아(觀法無我)

법에는 색법(色法)과 심법(心法)이 있다. 『백법명문론(百法明文論)』에서 다음과 같이 말하였다.

> 색법이 열한 가지, 심법은 여덟 가지
> 오십한 개의 심소법

스물네 개의 불상응법과 여섯 개의 무위법
모두 백 가지의 법이 되네.
色法十一心法八 五十一個心所法
二十四個不相應 六個無爲成百法

색법은 열한 가지, 심법은 여덟 가지가 있으며, 쉰한 개의 심소법에 스물네 개의 불상응법을 더하고, 다시 여섯 개의 무위법을 더하면 모두 백법이 된다. 비록 이렇게 많은 법이 있지만, 나[我]가 없으며, 나와 나의 것[我所]도 없다. 『금강경』에서 말씀하시기를, "법도 마땅히 버려야 하는데, 하물며 법이 아닌 것이랴?"라고 하였다. 이것이 바로 진정한 법이다. 법이 있다고 집착하지 않아야 한다. 만약 법이 있다고 집착한다면, 법에 대한 집착으로 변할 것이다. 너희가 수행이 극점에 이르면 사람도 공하고 법도 공할 것이다.

우리가 불법을 이해하기 전에는 아집을 갖게 되며, 모든 것이 나에 속하거나 나의 것이 되면서 집착이 생기게 된다. 집착을 갖게 되면 걸림이 있게 되며, 걸림이 있으면 전도(顚倒)되고, 전도가 되면 몽상(夢想)이 있게 된다. 불법을 이해하지 못할 때는 아집이 있으며, 불법을 이해한 후에는 다시 변하여 법집(法執)을 이루게 된다. 즉 법이 있다고 집착하는 것이다. 따라서 부처님께서 사념처로써 일체의 법은 '나가 없다[無我]'는 것을 관해야 한다고 말씀하셨다. 나가 이미 없다면 다시 어느 곳에 법이 있겠는가?

몸이 부정하다고 관하는데, 받아들임·마음·법도 모두 청정하지 못하다. 받아들이는 것도 부정하고, 마음도 부정하며, 법도 부정하다. 받아들이는 것은 괴로움이라고 관하는데, 받아들임이 고통임을 알면 몸도 마음도 법도 모두 고통으로 변한다. 마음이 무상하다고 관하는데, 이 몸과 법과 받아들임도 모두 무상한 것이다. 법이 무아라고 관하는데, 이 몸과 마음과 받아들임도 모두 나가 없다. 그러므로 비록 사념처로 몸·받아들임·마음·법을 말하지만, 그들은 모두 연결관계가 있다. 부처님께서 열반에 드실 때 '각 비구는 사념처에 의지하여 머물러야 하며 시시각각 사념처를 떠나지 않아야 한다'고 말씀하셨다. 석가모니 부처님께서 모든 제자들에게 이렇게 부촉하였으므로 많은 비구들은 사념처를 닦았다.

부처님께서 열반에 드실 때 아난의 물음에 답변하신 세 번째는, 계로써 스승으로 삼으라고 하셨다. 모든 비구, 비구니는 반드시 계율에 따라 수행해야 한다. 만약 계율에 따라 수행하지 않으면 불법은 멸망할 것이며, 계율에 따라 수행하면 불법은 세상에 머물 것이다. 한 사람이 계율에 따라 불법을 수행하면 불교는 한 분량의 광명이 있을 것이며, 열 사람이 계율에 따라 수행하면 열 분량의 광명을 발할 것이다. 만약 백 명, 천 명, 만 명의 사람이 계율에 따라 수행하면서 계율을 범하지 않으면, 무량무변의 광명이 세계의 어두움을 모두 소멸시킬 것이다. 따라서 계율을 지니면서 수행하는 것이 가장 중요하다.

네 번째는, 악성(惡性) 비구를 대하면 묵묵히 아무런 응대도 하지 말고 그를 물리치라는 것이다. 악성 비구와는 도리를 이야기할 방법이 없으며, 그와 말을 하지 않고 변론하지 않아야 한다. 그렇게 함으로써 그가 스스로 참회의 마음을 내게 하며 또한 규칙을 준수하게 하는 것이다. 따라서 이것이 가장 좋은 방법이다.

아난은 네 가지를 부처님께 물었으며, 부처님께서는 이렇게 답변하셨다. 따라서 모든 경전의 맨 앞에는 모두 '여시아문(如是我聞)'이라는 네 글자를 말한 것이다. '여시'란 법을 가리키는 말로써 이것은 일종의 믿음의 성취이다. 너희가 그것을 믿으므로 '이와 같다'는 것이다. 그것을 믿지 않으면 이와 같지 않은 것이다. 또한 변하지 않은 것을 여(如)라고 하며, 인연을 따르는 것을 시(是)라고 한다. 비록 인연을 따르지만 변하지 않고, 변하지 않으면서 인연을 따르며, 여여부동(如如不動)하고 또렷하여 항상 밝은[了了常明] 것을 '여시'라고 부른다. 그리고 '여시'는 인가(印可)의 뜻이다. 즉 네가 맞다면 너는 부처님의 마음과 같으니 '여시'라고 하며, 부처님의 마음과 같지 않으면 '이와 같지 않다[不如是]'는 것이다.

아난이 '여시아문'이라고 한 것은, "이와 같은 법은 나 아난이 친히 부처님께서 하신 말씀을 들은 것이지, 나 자신이 지어낸 것이 아니다."라고 말하는 것이다. 아난은 부처님보다 나이가 많이 어린데, 부처님께서 성불하시던 날에 태어났다. 아난은 25세에 비로소 출가하여 부처님의 시자가 되었으며, 그 전에는 부처님께서 설하신 경을 들은 적이 없었다. 그런데 어떻게 경을 결집할 때 모든 경을 암송할 수 있었는가?

아난은 부처님의 사촌동생으로 25세에 출가하였지만, 출가하기 전에 설해진 것이라 들은 적이 없는 경은 부처님께 다시 말씀해 주실 것을 청했다. 부처님께서는 비밀스럽게 이전에 설한 경을 모두 아난에게 설해 주셨다. 아난은 한 번 들으면 영원히 기억하였다. 그래서 이른바 "불법의 대해수가 아난의 마음에 흘러들어갔다.[佛法大海水 流入阿難心]"고 하는 것이다.

그리고 아난은 큰 방편을 나타냈다. 아난은 과거에 모든 부처님이 설하신 경을 모두 결집하였다. 그는 깨달은 후에 과거 모든 부처님께서 설하셨던 법장을 모두 기억해 낼 수 있었다. 각 부처님께서 설하신 법은 모두 같은 것이다. 지금 그는 석가모니 부처님의 법회에서 이전에 받았던 가르침을 모두 기억할 수 있었던 것이다.

나) 경을 설한 때, 주인공, 장소의 성취

한때 부처님께서는 왕사성 기사굴산에 머무셨다.
一時•佛•住王舍城•耆闍崛山中•。

일시(一時)• 일시(一時)는 때의 성취[時成就]를 나타낸다. 시(時)는 일정한 시기가 없다는 뜻이다. 만약 모년 모월 모일 모시에 설하였다고 한다면, 역수(曆數)로 인하여 인도의 시간과 중국의 시간이 같지 않다. 예전에는 각각의 국가가 모두 그 나라만의 역수를 가지고 있었다. 만약 구체적인 일시를 말해야 한다면 많은 힘을 들이지 않을 수 없을 것이다. 따라서 불경을 번역할 때 '한때'라고 말하는 것이다. 어떤 때인가 하면, 바로 석가모니 부처님께서 『법화경』을 설하신 그때를 말한다.

불(佛)• 불(佛)은 주인공의 성취[主成就]를 나타낸다. 불은 반(半) 범어로 구족해서 말하면 '불타야(佛陀耶)'라고 하며, 또 '포달야(布達耶)'라고도 부른다. 중국인은 글자를 줄여 부르기를 좋아해서 한 글자로 불(佛)이라고 부르는 것이다. 중국인은 사람마다 불 자의 뜻을 알지만, 구체적으로 설명하라고 하면 무슨 뜻인지 말하지 못한다. 중국에는 원래 불이라는 글자가 없었는데, 후대의 사람이 만들어낸 것이다. 불은 각(覺)이라고도 하는데, 즉 깨달음[覺悟]이라는 뜻이다. 각에는 세 가지가 있다.

① 본각(本覺)

본래의 불성은 깨달아 있는 것으로서 수행을 거칠 필요가 없다.

② 시각(始覺)

방금 깨닫기 시작한 것이다. 우리는 본래 불성을 가지고 있으며, 사람마다 모두 성불할 수 있지만 깨달음이 없다. 본각은 있는데 시각은 없는 것이다. 이렇게 우리가 발심하여 불법을 배우고 불교의 도리를 연구해야겠다고 처음 깨닫기 시작할 때를 시각이라고 한다.

③ 구경각(究竟覺)

처음 깨달은 후 나날이 더 많이 깨달아서 완전하게 깨달은 것을 말하며, 부처를 이루면 이것을 구경각이라고 한다.

그리고 또 다른 세 가지 설명이 있다. 바로 자각(自覺), 각타(覺他), 각행원만(覺行圓滿)이다.

① 자각(自覺)

자기 스스로 깨닫는 것이다. 범부는 깨달음이 없다. 어떤 사람이 자각하는가? 이승인(二乘人)이다. 즉 성문(聲聞)·연각(緣覺)을 말한다. 이러한 이승인은 다만 자각은 할 수 있지만 다른 사람을 깨닫게 할 수는 없다.

② 각타(覺他)

자기의 깨달음으로 다른 중생을 깨닫게 하는 것이다. 보살은 자기가 깨달은 도리를 다른 사람에게 설명하여 깨닫게 한다. 보살의 자리이타(自

利利他)의 정신을 가리킨다.

③ 각행원만(覺行圓滿)

보살은 비록 다른 사람을 깨닫게 할 수 있을지라도 아직 깨달음과 수행이 원만하지 못하다. 깨달음이 원만한 분은 바로 부처님이다. 부처님은 세 가지 깨달음이 원만하고 만덕을 갖추신 분이다.

여기에서의 불은 인도에서 출생하신 석가모니 부처님을 가리킨다. 정반왕의 태자인 실달타로서 19세에 출가하여 30세에 성불하였으며, 49년간 법을 설하고 300여 회의 법회를 가졌다.

주왕사성(住王舍城)• 어떤 경전에서는 주(住)를 재(在)라고 하는데, 주와 재는 같은 뜻이다. 왕사성은 사위국(舍衛國)에 있는 도시 이름이다.

기사굴산중(耆闍崛山中)• 기사굴산은 영취산(靈鷲山)이라고도 한다.

다) 경을 듣는 대중의 성취

큰 비구의 대중 일만 이천 명과 함께하였다.

與大比丘•衆萬二千人俱•。

대비구(大比丘)• 장래 아라한의 과위를 증득할 비구이므로 대비구라고 한다. 비구란 무엇인가? 비구는 세 가지 뜻을 구족하고 있는데, 세 가지 뜻이란 무엇인가?

① 걸사(乞士)

걸식하는 사람이란 뜻이다. 비구는 불을 지펴 밥을 짓지 않기 때문이다. 부처님께서는 비구들에게 일중일식(日中一食)이나 오후불식(午後不食)을 하게 하였다. 이것도 두타행을 수행하는 것이다. 매일 식사를 할 때는 발우를 들고 걸식하게 하였다. 일반 재가인은 비구들에게 깨끗한 밥을 공양하였으며, 그래서 걸사라고 부른다.

② 포마(怖魔)

마왕을 두렵게 한다는 뜻이다. 출가인이 비구계를 받을 때, 증명 법사가 물으면 답한다. "너는 장부인가?" "나는 장부이다." "너는 이미 보리심을 발하였는가?" "이미 보리심을 발하였다." 이렇게 묻고 답할 때, 땅으로 다니는 지행야차(地行夜叉)는 이러한 사실을 공중으로 다니는 공행야차(空行夜叉)에게 전하고, 공행야차는 다시 육욕천의 천마(天魔)에게 전하면서 말한다. "인간 세계에 또 어떤 사람이 출가하였다. 부처님의 권속은 늘어났으며, 우리 마왕의 권속은 줄어들었다." 이러한 보고를 받은 마왕은 곧 질투심이 나면서 공포를 느끼게 된다. 그래서 포마(怖魔)라고 한다.

③ 파악(破惡)

번뇌의 악을 부수고, 무명의 악을 깨뜨리고, 탐·진·치 삼독의 악을 파괴한다는 뜻이다.

만이천인구(萬二千人俱)• 일만 이천 명의 비구들이 같이 모여 있다는 뜻이다. 즉 '대비구중만이천인구'는 듣는 대중의 성취를 가리킨다. 한 부의 경을 설하려면 여섯 종류의 성취가 구비되어야 비로소 원만한 법회가 이루어진다. 믿음의 성취, 들음의 성취, 때의 성취, 주인공(설법주)의 성취, 장소의 성취, 듣는 대중의 성취가 구비되어야 부처님께서는 비로소 법을 설하시며, 만약 하나라도 이루어지지 않으면 법을 설할 수 없다.

이들은 모두 아라한으로서, 이미 모든 누가 다하여 다시는 번뇌가 없어서 자기 스스로 이로움을 얻었으며, 모든 번뇌의 매듭이 다하여 마음에 자재함을 얻었다.

皆是阿羅漢•，諸漏已盡•，無復煩惱•，逮得已利•，盡諸有結•，心得自在•。

아라한(阿羅漢)• 아라한은 범어로서 비구와 같이 세 가지 뜻이 있다. 비구는 아라한의 원인이며, 아라한은 비구의 결과이다. 원인 가운데서 비구가 되어 수행하여 아라한의 과를 증득하는 것이다.

① 응공(應供)

인지(因地)에서 비구는 걸사로서 밥을 빌며, 과지(果地)에서 아라한은 응공으로서 인간과 천상의 공양에 응한다. 인간과 천상의 사람은 마땅히 공양을 해야 할 분이다. 그래서 응공이라고 한다. 부처님께서 세상에 계실 때 모든 비구와 사람은 부처님께 공양해야 한다. 부처님이 한 번은 수도하는 사람으로 변하여 다른 사람을 공양하는 비구로 변하였는데, 이것도 응공이라고 한다.

② 살적(殺賊)

무슨 적을 죽인다는 것인가? 무명의 적을 죽이고, 번뇌의 적을 죽이며, 육근의 여섯 도적을 죽인다. 너희가 만약 아라한의 과를 증득하면 그들을 모두 죽인다. 그러면 도적이 아닌 것도 죽여야 하는가? 그것도 죽여야 한다. 적을 죽여야 할 뿐 아니라 적이 아닌 것도 죽여야 한다. 어째서 적이 아닌 것도 죽여야 하는가? 왜냐하면 소승(小乘)의 성문·연각은 적이 아니라고 생각하지만, 보살의 경계에 이르면 그것도 적이기 때문이다. 따라서 아라한의 단계에서는 적이 아니지만 보살의 경계에서는 적이므로, 적이 아닌 것도 죽여야 한다.

③ 무생(無生)

생함도 없고 멸함도 없다. 아라한을 증득하여 무생법인(無生法忍)을 깨달으면, 삼천대천세계에서 하나의 법도 생함을 볼 수 없고 하나의 법도 멸함을 볼 수 없다. 이러한 경계는 말하려고 해도 말할 수 없으며, 단지 마음에서 참을 수밖에 없으므로 무생법인이라 부른다.

제루이진(諸漏已盡)• 아라한의 과를 증득하면 비로소 모든 누가 다한다. 제루(諸漏)란 한 종류의 누가 아니라 많은 종류의 누이다. 팔만사천의 번뇌가 있으므로 팔만사천의 누가 있다. 번뇌가 곧 누(漏)다. 너희는 번뇌를 내기 원하는가? 그러면 아래로 새는 것이다. 어느 곳으로 새는가? 욕계, 색계, 무색계로 새어 나간다. 모든 결점, 모든 욕심을 누(漏)라고 부른다. 맛있는 것을 먹기 좋아하는 것도 새는 것이며, 좋은 음성을 듣기 좋아하는 것도 새는 것이며, 좋은 집에 거주하기 원하는 것도 새는 것이며, 좋은 침대에서 잠자기를 좋아하는 것도 새는 것이다. 원하는 것, 탐하는 것은 모두 새는 것이며, 당신이 놓지 못하는 것도 모두 새는 것이다.

보라. 여러분이 놓지 못하는 것이 얼마나 되는가? 이렇게 새는 것은 마치 물을 담은 병의 밑바닥에 구멍이 나서 물이 새는 것과 같아서, 물을 얼마나 담든지 간에 모두 새어 버린다. 그래서 여러분의 공덕을 담아둘 수 없는 것이다. 너희가 약간의 공덕을 지었는데 그것이 새어 나가면 언제나 공덕을 유지할 수 없다.

우리 사람의 몸은 새는 몸이다. 눈에서도 새고, 귀에서도 새고, 코에서도 새고, 입에서도 새고, 대·소변에서도 샌다. 너희가 마음속에 망상을 짓는 모든 것이 다 새는 것이다. 새는 것은 너무나 많다. 모든 새는 것은 바로 너희의 모든 습기와 결점이다. 괴상한 습기, 나쁜 습기 모두 새는 것이다.

그러나 아라한은 이미 모든 누가 다하였다. 다하였다는 것은 없다는 것이다. 이 경문의 뜻은 명확히 알 필요가 있다. 새는 것이 없다는 것을 누진이라고 하는 것이 아니라, 이미 완전히 새지 않으며 근본적으로 새지 않는 것을 누진이라고 한다. 이른바 누진통(漏盡通)이라는 것은 사과(四果)의 아라한을 증득해야 비로소 얻을 수 있다. 누진통이 바로 '모든 누가 이미 다한 것[諸漏已盡]'이다. 이들은 모두 조금의 결점도 없는 성인(聖人)이다.

무부번뇌(無復煩惱)• 대아라한, 대비구들은 이미 누진통을 얻었기 때문에 번뇌가 없다. 만약 누진통을 얻지 못하면 번뇌는 여전히 있을 것이다. 그래서 무부(無復)라고 한 것이다. 할 일을 이미 마치고 뒷몸을 받지 않으며 생사를 모두 마쳤기 때문에 번뇌가 없다.

번뇌는 도대체 얼마나 많은가? 다하면 팔만사천 가지나 많은 번뇌가 있다고 하는데, 그것을 모으면 바로 하나의 무명(無明)이다. 번뇌는 모두 무명에서 나온다. 무명에서 나오는 번뇌는 세 가지가 있다. 삼독이라고도 부르는데, 우리의 불성을 덮는다. 우리가 무시이래로 지금까지 성불하지 못한 원인은 바로 이러한 세 가지 번뇌가 있기 때문이다. 이 세 가지 독은 우리를 취생몽사(醉生夢死)하게 하고, 언제나 반본환원(返本還原)하지 못하게 하며, 우리의 본래면목(本來面目)을 회복하지 못하게 한다. 이 삼독은 바로 탐욕, 성냄, 어리석음이다.

① 탐욕

탐심이라는 것은 탐하면서 싫어할 줄을 모르는 것이다. 무엇이든지 좀 더 많기를 바라며, 남의 물건이 자기의 것이 되기를 탐한다. 탐하는 데에도 사람마다 각자 탐하는 것이 있으며, 국가도 탐하는 것이 있다. 국가의 집권자는 언제나 다른 나라를 삼켜서 자기 나라의 영토로 삼고자 하는데, 이것은 국가의 탐욕이다. 개인의 탐욕은 일체의 재산을 탐하는 것인데, 한 칸의 집이 부족하여 두 칸의 집을 사려고 하며, 두 칸의 집이 부족하여 세 칸의 집을 사려고 하며, 그것도 부족하여 하늘 높이 솟은 빌딩을 사려고 한다. 이렇게 특별한 것을 내세우면서 언제나 다른 사람을 이기려고 한다. "아, 당신 보세요! 나의 모든 재산은 누구보다도 많아!" 그러나 재산이 다른 사람보다 많아도 자기의 생명은 보존하지 못한다. 당신에게 돈이 아무리 많아도 생사를 멈출 수 없으며, 염라대왕에게 뇌물을 주어 영원히 죽지 않게 할 수도 없다. 이것은 불가능한 일이다. 탐심은 본래 총명한 사람을 중독시켜서 멍청하게 만들며, 본래 좋은 사람을 중독시켜서 나쁜 길로 가게 만든다.

② 성냄

성내는 마음도 바꾸기가 쉽지 않다. 이른바 "작은 불씨가 공덕의 숲을 태운다.", "천일 간 모은 땔감도 하나의 불로 타버린다."라고 하는 것이다. 당신이 비록 많은 공덕을 지었을지라도 어떤 때 한 번 화가 나면 공덕을 모두 태워버린다.

무엇을 삼보에 공양하는 것이라고 하는가? 여러분의 얼굴에 성내는 마음이 없는 것이 바로 삼보에 공양하는 것이다. "얼굴에 화를 내지 않음이 공양을 갖춘 것이다.[面上無瞋供養具]"라는 말이 있다. 부처님을 대하여 즐거운 것도 부처님께 공양하는 것과 같다. 만약 부처님께 공양하고 삼보에 공양하면서 얼굴을 치켜들고 화를 내면, 아무리 좋은 공양을 올리더라도 부처님은 좋아하시지 않을 것이다. 무엇 때문인가? 여러분이 화를 내면서 공양을 올리기 때문이다.

그리고 "입에서 화를 내지 않으면 미묘한 향을 토하네.[口裏無瞋吐妙香]"라고 하였다. 입에서 성내는 말을 하지 않으면, 즉 사람을 욕하지 않는 것도 입에서 향기가 나오는 것과 같다. 또한 "마음속에 성내는 마음이 없는 것이 참된 보배로다.[心裏無瞋是眞寶]"라는 말도 있다. 마음속에 성내는 마음이 없으면, 이것이야말로 진정한 보배다. 이 성내는 마음을 말하자면, 항복시키기가 쉽지 않다. 『금강경』에서 이르시기를, "그 마음을 항복시키다.[降伏其心]"라는 것은 곧 번뇌를 항복시키는 것이며, 또한 망상을 항복시키는 것이다.

③ 어리석음

성냄과 탐냄은 사람들이 쉽게 범하며 또한 쉽게 겉으로 드러난다. 그러나 오직 어리석은 마음은 속에 잠복되어 있어 쉽게 드러나지 않는다. 어리석음이란 이치에 밝지 못한 것으로서, 일체의 사리를 명료하게 인식하지 못하는 것이다. 옳은 것을 그르다고 여기며, 검은 것을 희다고 여긴다. 이러한 어리석은 사람은 일종의 망상심을 가지고 있다. 즉 마치 공부를 하지 않고 박사학위를 얻으려고 생각하며, 밭을 갈지 않고 곡식을 수확하려고 하는 것과 같다. 또한 수행을 하지 않고 성불하려고 생각하는데, 이것도 어리석음이 극에 달한 것이다.

우리 각자의 삼독은 우리를 전도되게 하고 멍청하게 하여 머리도 맑게 하지 못하고 지혜도 나타나지 못하게 한다. 그러면 어떻게 해야 되는가? 탐심을 내지 않고, 성을 내지 않고, 어리석은 마음을 내지 않아야 한다. 탐진치를 소멸하려면, 계·정·혜를 부지런히 닦아야 한다. 그럼 이 계·정·혜는 무엇인가?

① 계(戒)

계는 악을 그치고 잘못을 방비하며, 너희의 탐심을 다스리는 것이다. 탐심은 일종의 나쁜 생각을 생기게 하여 마땅히 얻지 않아야 할 재물을 탐하게 한다. 왜 이러한 탐심이 나오는가? 즉 계를 이해하지 못하기 때문이다. 계는 너희로 하여금 만족을 알게 하고 그침을 알게 하여, 허망하게 탐하지 않게 한다. 너희가 계율을 지킬 줄 알면 탐심을 물리칠 수 있으며, 탐심을 이길 수 있다.

② 정(定)

선정력(禪定力)을 말한다. 만약 선정력이 없으면 성내는 마음이 나오며, 남을 옳지 않다고 보며, 일하는 것도 옳지 않다고 본다. 무슨 일이 있어도 옳지 않다고 생각한다. 모든 사람이 잘못되었다고 본다. 자기도 옳지 않다고 보면서 자기에게도 화를 낸다. 심지어 자기가 자기를 때린다. 스스로 생각하기를, '내 오른쪽 뺨도 맞아야 해. 그렇지 않으면 질투할[吃醋: 식초를 먹다] 거야'라고 한다. 중국에서는 어떻게 해서 식초를 마시는 것[吃醋]이 질투한다는 뜻으로 쓰이게 되었는가?

중국에 매우 재미있는 이야기가 있다. 당나라 태종 때 어떤 대신이 있었는데, 그는 부인을 매우 두려워하였다. 저녁에 늦게 집에 돌아가면 부인은 그를 침상 앞에 꿇어앉게 하였다. 원래 대신이 황제를 알현할 때는 황제에게 꿇어앉아 절을 하는데, 집에 늦게 들어가면 또 부인 앞에 꿇어앉아야 했다. 그리고 부인이 일어나라고 해야 비로소 일어날 수 있었다.

이 대신은 황제와 사이가 매우 좋았으며, 그래서 이러한 자기 사정을 황제에게 고하였다. 그러자 황제는 말하였다. "나에게 당신의 부인을 다스릴 방법이 있으니, 이후에는 부인이 당신을 관리하지 못할 것입니다." "황상께 무슨 방법이 있습니까?" "당신은 물을 필요가 없습니다. 내 반드시 방법이 있으니, 당신이 부인을 다스리도록 도울 겁니다."

그러고 나서 황제는 성지(聖旨)를 내려 그의 부인에게 입궁하게 하였다. 호랑이 같은 부인이 궁중에 들어가 황제를 뵙자, 황제가 말하였다. "당신은 왜 남편이 조금 늦게 집에 들어가면 침상 앞에 꿇어앉게 합니까? 그러는 것은 옳지 않습니다. 하물며 남편은 다른 여인과 이상한 일도 없습니다. 만약 앞으로 그런 태도를 고쳐 남편을 관리하지 않는다면 아무 일 없이 당신을 석방할 테지만, 가령 이후에도 그렇게 남편에게 자유를 주지 않는다면 당신에게 한 잔의 독약을 내려 죽게 할 것입니다."

그러자 그녀는 정말로 매우 용감하게 말하였다. "좋습니다. 저는 지금 당신의 면전에서 죽기를 원합니다." 그래서 독약이라고 내놓은 잔을 마셔버렸다. 원래 그것은 독약을 담은 것이 아니라 식초를 넣어둔 잔이었다. 황제는 일부러 그것을 독약이라고 말하면서 그녀가 감히 마시는지 안 마시는지를 본 것이다. 이 여인은 아주 용감하여 아무런 망설임도 없이 마신 것이다. 차라리 죽을지언정 남편을 관리하지 못하는 것을 원하지 않았다. 결과적으로 다행스럽게도 한 잔의 식초를 마신 것뿐이어서, 다만 뱃속이 시큼할 뿐 아무런 생명의 위험이 없었다.

이런 일이 있은 이후로 중국에서는 식초를 마시는 것[吃醋]이 질투한다는 뜻으로 바뀐 것이다. 그렇게 성질이 있는 사람은 다른 사람이 아니라 자기가 자기를 넘어서지 못하고, 자기가 자기를 때린다. 무엇 때문인가? 성질이 너무 크기 때문이다. 바로 선정력이 없기 때문이므로 선정을 닦아야 한다. 선정력이 생기면 화내는 마음이 생기지 않는다.

③ 혜(慧)

왜 당신은 어리석은가? 바로 지혜가 없기 때문이다. 하루 종일 망상을 지으면서 이 마음을 쉬지 못하게 지배한다. 지혜가 없기 때문에 무슨 일이든지 명료하게 인식하지 못한다. 지혜가 있는 사람은 "일이 오면 응하고 일이 가면 고요하다." 이렇게 하면 마음은 휴식하게 되며, 언제나 마음을 지배하지 않는다. 마음은 몸의 심부름꾼이라고 한다. 이 마음이 언제나 신체의 노예가 되지 말아야 한다. 무엇 때문인가? 지혜가 없기 때문에 이 몸을 지배하지 못하고 신체의 지배를 받는 것이다. 만약 진정한 지혜가 있으면 일체의 일을 만나도 자연스럽게 해결된다. 마치 날카로운 칼처럼, 무슨 일이 와도 날카로운 칼날로 베어버린다.

불법을 배우는 사람은 일체의 일에 대하여 명확하게 인식해야 한다. 오늘 나는 제자 과장(果章)이 우리에게 중국어를 가르치면서 말하는 것을 들었다. "불법을 이해하지 못하는 사람은 가장 어리석은 사람이며, 불법을 이해하는 사람은 지혜가 있습니다." 이것은 정말로 격언이며, 정말로 도리가 있는 말이다. 그러므로 지혜가 있는 사람은 어리석지 않으며, 어리석은 사람은 지혜가 없는 것이다.

그런데 나는 다시 여러분에게 참된 말을 하고자 한다. 이 어리석음은 어디에 있는가? 바로 지혜이다. 이렇게 말하면 나를 멍청하다고 할 것이다. 어리석음이 바로 지혜이며, 지혜가 바로 어리석음인가? 그러면 어떻게 지혜를 배우고 어리석음을 버리는가? 여러분은 나의 이러한 설법을 두루뭉술하게 이해하면 안 된다. 내가 말하는 것은 어리석음의 본체로서, 이것은 언제든 지혜로 변할 수 있다. 어리석음을 떠나서 다른 곳에서 지혜를 찾아야 한다고 말하는 것이 아니다. 지혜는 본래 너의 어리석음 안에 있으며, 다만 너는 그것을 사용할 수 없었던 것이다. 만약 그것을 사용할 수 있으면 바로 지혜이며, 사용할 수 없으면 어리석음이다. 중요한 점은 여기에 있다.

선정도 성냄이며, 성냄도 선정이다. 너희가 만약 정말로 선정을 가지려고 한다면, 성냄 안에서 그것을 선정력으로 바뀌게 할 수 있다. 만약 정말로 계를 지니려고 한다면, 탐하는 마음에서 계로 변화시킬 수 있다. 바깥으로 가서 찾을 게 아니다. 이러한 모든 것은 너희의 자성 속에 있으며, 그것을 사용하면 바로 계·정·혜이고, 사용할 줄 모르면 탐·진·치이다. 묘함은 여기에 있다. 너희가 이해하지 못하는 것도 여기에 있다.

체득기리(逮得己利)• 체(逮)는 급(及) 자와 같은 뜻이며, 이르다·도달하다의 뜻이다. 그래서 이 구절을 해석하면, 그 자신이 이익을 얻는 정도에 이르렀다는 뜻이다. 그 자신의 이익을 어떻게 얻게 되는가? 아라한들은 이미 모든 새는 것이 다하여 다시는 번뇌가 없게 되었기 때문이다.

우리는 왜 자기의 이익을 얻지 못하는가? 그것은 바로 얻는 대로 잃어버리기 때문이며, 얻는 것이 모두 새어 나가 버리기 때문이다. 그러면 지금 일체의 새는 것이 없고 번뇌가 없는 이때에 비로소 자기의 이익을 얻게 된다고 한다. 진정한 이익은 무엇인가? 자기가 진정으로 이해하는 것이 진정한 지혜를 얻는 것이다. 지혜가 없는 사람은 진정한 이익을 얻지 못한다. 지혜를 얻어 아라한과를 증득해야 비로소 자기의 이익을 얻는 것이라고 한다.

기리(己利)란 자기가 깨닫는 것이다. 이른바 자각(自覺)하는 것이 바로 자리(自利)이다. 그리고 다시 자기의 깨달은 도리로 일체중생을 교화하는 것을 이타(利他)라고 하며 각타(覺他)라고도 한다. 따라서 자리이타란 자각각타이다. 지금 대아라한들은 모두 자각하였으나 각타를 할 수 없으므로, 단지 자기의 이익만 얻고 다른 사람을 이롭게 하지 못하는 것이다.

진제유결(盡諸有結)• 진(盡)은 없다는 뜻이다. 무엇이 없는가? 모든 유(有)의 결(結: 마음속의 번뇌)이 없다는 것이다. 제유(諸有)란 바로 욕계유(欲界有), 색계유(色界有), 무색계유(無色界有)를 말한다. 이 삼계를 삼유(三有)라고도 한다. 이 삼유를 나누어 말하자면 25유(二十五有)가 있다. 삼계 25유는 다음과 같다.

네 가지 주와 네 가지 악도(악취)
여섯의 천상과 범천
색계 사선천과 네 가지의 공처천
무상천과 다섯의 불환천
四洲四惡趣 六欲竝梵天
四禪四空處 無想五不還

네 주는 동승신주(東勝身州), 남섬부주(南贍部州), 서우화주(西牛貨州), 북구로주(北俱盧州)를 말하며, 네 악취는 아수라, 축생, 아귀, 지옥을 말한다. 이곳은 가장 나쁜 곳이라 악취라고 부른다. 어째서 유(有)라고 하는가? 지은 업이 있기 때문이며, 이러한 죄업이 있기 때문이다. 이 여덟 곳은 욕계 속에 있다.

육욕(六欲)은 욕계의 여섯 천상(사왕천, 도리천, 야마천, 도솔천, 화락천, 타화자재천)을 말하며, 범천은 대범천을 가리킨다. 이 일곱 곳에 다시 네 주와 네 악취를 더하여 모두 열다섯 곳이다.

사선(四禪)은 색계의 초선천, 이선천, 삼선천, 사선천을 말한다. 불법을 이해하지 못하는 사람은 이 사선천에 이르면 대단한 것으로 생각하는데, 사실 이것은 아직 삼계 안에 있는 것으로서 근본적으로 수도의 과정에서는 아직 요원하다. 그러나 어떤 멍청한 스승은 사람들에게 말하기를, 이것이 가장 높은 경계라고 한다. 마치 무문(無聞) 비구와 같이 사선천을 네 가지 아라한의 과위로 생각하여, 사선천에 이르면 아라한을 증득한 것으로 잘못 생각한다. 그런 연후에 그가 타락할 때 부처님을 비방하면서 말하기를, "부처님은 아라한을 증득하면 생사가 없다고 말씀하였는데, 나는 지금 어째서 여전히 타락하는가?"라고 한다. 그가 이렇게 부처님을 비방하면 더욱 네 악취 속으로 떨어져 오래도록 빠져나오지 못한다. 그리고 단지 그 한 사람만 지옥으로 떨어지는 것이 아니라 많은 제자들도 그를 따라 지옥으로 떨어진다. 그러니 정말로 가련한 일이다.

사공처(四空處)는 무색계의 공무변처천(空無邊處天), 식무변처천(識無邊處天), 무소유처천(無所有處天), 비상비비상처천(非想非非想處天)을 말한다. 무상오불환(無想五不還)은 색계의 무상천과 다섯의 불환천(不還天)을 가리킨다. 오불환천은 사선천 안에 있는 것으로서 성인(聖人)들이 거주하며, 하나의 하늘로 간주한다.

모든 유의 결이 다하면 바로 삼계를 벗어난다. 이른바 '삼계의 밖을 벗어나며, 오행(五行) 가운데 있지 않아야' 비로소 진정한 생사해탈이라고 할 수 있다.

심득자재(心得自在)• 이때 대아라한들은 마음속에 즐거움이 무변하다. 자재하다는 것은 즐겁다는 뜻이다. 다시 이보다 더 자재한 것이 없고, 이보다 더 즐거운 것이 없다. 관자재보살을 왜 '관자재(觀自在)'라고 하는가? 그곳에서 하루 종일 모두 즐거우며, 매우 자재하여 조금의 번뇌도 없으며, 마음이 진정으로 자유를 얻었기 때문이다. 진정한 지혜를 얻었으므로 매우 즐거운 것이다. 이러한 즐거움은 일부러 드러내는 즐거움이 아니라 진정한 즐거움이다. 진정한 즐거움은 안에 있으며, 바깥에 있는 것이 아니다.

그 이름은 다음과 같다. 아야교진여, 마하가섭, 우루빈나가섭, 가야가섭, 나제가섭, 사리불, 대목건련, 마하가전연, 아누루타, 겁빈나, 교범바제, 이바다, 필릉가파차, 박구라, 마하구치라, 난타, 손타라난타, 부루나미다라니자, 수보리, 아난, 라후라 등 이와 같이 여러 지식을 가진 대아라한이었다. 다시 유학과 무학의 비구 이천 명과 마하파사파제 비구니와 그의 권속 육천 명이 함께하였으며, 라후라의 모친 야수다라 비구니와 그의 권속이 함께하였다.

其名曰: 阿若憍陳如·摩訶迦葉·優樓頻螺迦葉·伽耶迦葉·那提迦葉·舍利弗·大目犍連·摩訶迦旃延·阿㝹樓馱·劫賓那·憍梵波提·離婆多·畢陵伽婆蹉·薄拘羅·摩訶拘絺羅·難陀·孫陀羅難陀·富樓那彌多羅尼子·須菩提·阿難·羅睺羅, 如是衆所知識大阿羅漢等。復有學無學二千人, 摩訶波闍波提比丘尼, 與眷屬六千人俱。羅睺羅母, 耶輸陀羅比丘尼, 亦與眷屬俱。

그리고 보살마하살 팔만 명이 함께하였다. 모두 아뇩다라삼막삼보리에서 물러나지 않으며, 모두 다라니를 얻어 법 설하기를 좋아하고 변재가 있어 물러나지 않는 법륜을 굴리며, 무량의 백천 부처님을 공양하고 모든 부처님 계신 곳에서 많은 덕의 근본을 심었으며, 항상 모든 부처님의 칭찬을 받았다. 자비의 마음으로 몸을 닦고 부처의 지혜에 잘 들어가 큰 지혜를 통달하여 피안에 도달하였으며, 그들의 이름이 무량세계에 널리 들려서 무수한 백천의 중생을 제도할 수 있었다.

菩薩摩訶薩 八萬人。皆於阿耨多羅三藐三菩提不退轉, 皆得陀羅尼, 樂說辯才, 轉不退轉法輪, 供養無量百千諸佛, 於諸佛所殖衆德本, 常爲諸佛之所稱歎, 以慈修身, 善入佛慧, 通達大智, 到於彼岸•, 名稱普聞無量世界, 能度無數百千衆生。

보살마하살(菩薩摩訶薩)• 보살(菩薩)은 각유정(覺有情: 깨달은 중생)이며, 마하살(摩訶薩)은 대보살이라는 뜻이다. 보살은 보리살타(菩提薩埵)의 줄인 말로서, 보리는 깨달음이며 살타는 유정이라는 뜻이다. 즉 깨달은 유정이 보살이며, 또한 깨달음의 도리와 방법으로 다시 와서 유정을 깨닫게 하는 분을 보살이라고 부른다. 또 큰 도심(道心)의 중생이라고도 하는데, 그도 중생의 하나이지만 그의 도심이 크다는 것이다. 그리고 개사(開士)라고 부르기도 한다. 보살마하살은 대보살로서 일곱 가지 큰 것을 가지고 있다. 즉 큰 선근을 갖추고[具大根], 큰 지혜를 가지며[有大智], 큰 법을 믿으며[信大法], 큰 이치를 이해하며[解大理], 큰 행을 닦고[修大行], 대겁을 거치며[經大劫], 큰 과를 구한다[求大果].

① 큰 선근을 갖추다[具大根]

보살의 근기는 매우 깊다. 깊다는 것은 또한 크다는 것이다. 보살은 많은 덕의 근본을 심었다[植衆德本]. 다생겁 동안에 심은 선근이 매우 깊다. 이렇게 덕행의 근본을 심은 것이 무량무변하다. 『금강경』에서 말씀하시기를, "한 부처님, 두 부처님, 셋·넷·다섯 부처님께 선근을 심은 것이 아니라 이미 무량의 천만 부처님 계신 곳에서 많은 선근을 심었다."고 하였다. 따라서 큰 선근을 갖췄다고 하는 것이다.

② 큰 지혜를 가지다[有大智]

보살은 큰 지혜를 가지고 있으므로 큰 보리심을 발할 수 있다. 왜냐하면 큰 보리심을 발해야 하므로 큰 지혜를 가지려고 한다. 일체의 중생을 널리 제도하려고 하지만 제도한다는 상을 가지지는 않는다. 비록 많은 중생을 제도하지만 부처님이 제도하는 중생은 하나도 없으며, 모두 중생 스스로 제도하는 것이다. 이것을 "비록 중생을 제도하지만, 중생을 제도한다는 상에 집착하지 않는다."고 하는 것이다. 어떤 이들은 "나는 많은 사람을 출가시키고, 많은 사람에게 불교를 믿게 하였다."라고 하면서 상에 집착한다. 왜 상에 집착하는가? 어리석기 때문이다. 큰 지혜를 가지고 있으면 일체의 상에 집착하지 않는다. 보살은 일체의 상을 떠나야 아뇩다라삼막삼보리를 얻는다. 만약 너희가 상을 떠나지 못하면 보살이 아니다. 따라서 보살은 큰 지혜를 갖춰야 한다.

③ 큰 법을 믿다[信大法]

큰 법이란 대승(大乘)의 법을 말한다. 너희는 반야를 깊이 믿고, 인과를 깊이 믿고, 대승실상의 법문을 깊이 믿어야 한다. 불법은 마치 큰 바다와 같아서 믿음을 가져야 비로소 불법 속으로 들어갈 수 있다. 만약 신심이 없으면 불법이 비록 광대하다고 하더라도 제도할 수 없다. 무엇 때문인가? 믿는 마음이 없기 때문이다. 따라서 "믿음은 도의 근원이며 공덕의 어머니로서, 일체의 선근을 기른다.[信爲道元功德母 長養一切諸善根]"라고 하는 것이다. 이러한 선근은 어디로부터 오는 것인가? 바로 믿는 마음으로부터 온다. 이 믿음은 우리가 닦는 공덕의 어머니다. 따라서 세 번째는 큰 법을 믿어야 한다. 보살마하살은 일체의 대법, 무상의 묘법을 믿는다. 더욱이 『법화경』에 대하여 특별하게 깊이 믿는다. 우리가 불법에 대하여 진정으로 큰 신심을 가지면, 우리도 마하살이며 보리살타이다.

『금강경』에서 이르시기를, "일념이라도 청정한 믿음을 내는 자는 그 복덕이 일곱 가지 보배로 삼천대천세계에 보시하는 것보다 수승하다."라고 하였다. 따라서 불법을 배우는 우리는 각자 진정한 믿음을 내야 비로소 이러한 상응을 얻을 수 있다. 이번 법회에 참석하신 분 가운데 몇몇 분은 심한 감기로 기침을 해서 나는 그들이 휴식하기를 권했지만, 어떤 사람은 그래도 기운을 차려서 물러나지 않고 강의를 들으려고 왔다. 그들의 진정한 신심을 볼 수 있다. 나도 예전에 경전을 배우고 불법을 공부할 때 몸이 아파도 물러나지 않고 법회에 참석하였다. 생각지도 않게 지금 이러한 지음(知音)을 만나게 될 줄이야. 하지만 억지로 하면 안 되고, 만약 실제로 견디기 힘들면 휴식을 해도 좋다.

④ 큰 이치를 이해하다[解大理]

『화엄경』에서는 믿음, 이해, 실행, 증득을 이야기하였다. 반드시 믿는 마음을 의지한 연후에 이해해야 한다. 이해를 하였으면 실행해야 하며, 그런 연후에 비로소 증득할 수 있다. 이것을 신해행증(信解行證)이라고 한다. 큰 이치를 이해한다는 것은 무엇인가? 일체중생이 본래 부처라는 것을 이해한다는 것이다. 이것이 큰 이치이며, 또한 육즉불(六卽佛) 가운데 이즉불(理卽佛)이다. 이치에 따르면, 우리 각각은 모두 부처이다. 그러나 수행을 해야 비로소 부처가 될 수 있다. 만약 수행하지 않으면서 "내가 부처다."라고 말하는 것은 소용없는 짓이다. 그것은 마치 자기가 자기를 황제에 봉하여 "아, 내가 황제다, 내가 황제야!"라고 하는 것과 같다. 백성이 지지하지 않고 보좌하는 신하가 없는 혼자만의 황제가 무슨 쓸모가 있겠는가? 그러면 왜 일체중생은 본래 부처라는 것을 이해해야 하는가? 왜냐하면 실상의 지혜는 중생의 마음을 떠나지 않으며, 각자의 자성에 구족되어 있기 때문이다.

⑤ 큰 행을 닦다[修大行]

보살은 육바라밀의 만행을 열심히 닦는다. 바로 보시(布施), 지계(持戒), 인욕(忍辱), 정진(精進), 선정(禪定), 반야(般若)를 닦는 것이다.

첫 번째는 보시(布施)이다. 보시에는 세 가지가 있는데, 재물의 보시, 법의 보시, 두려움을 없애는 보시이다. 재물에는 안의 재물[內財]과 바깥의 재물[外財]이 있다. 바깥의 재물은 일체의 주보(珠寶), 국토, 처자를 가리킨다. 보살도를 행하는 것에는 근본적으로 나도 없고 너도 없다. 그래서 나의 것도 너희의 것이고, 너희의 것도 너희만의 것이 아니다. 보살은 아상(我相)도 없고 인상(人相)도 없다. 따라서 국가도 버릴 수 있고 가정도 버릴 수 있으며, 심지어 처자도 버린다. 마치 석가모니 부처님처럼 본래 왕이 되실 분인데 출가승이 된 것과 같다. 본래 아름다운 세 부인이 있었지만 모두 버렸다. 국가의 영화도 버리고 설산에 가서 도를 닦으셨다. 그리고 안의 재물이란 자기가 본래 가지고 있는 것으로서 신체의 모든 부분을 가리키는데, 이를테면 어떤 사람이 눈을 요구하면 눈을 보시하는 것이다.

법시(法施)는 법을 설하여 중생을 이롭게 하는 것이다. 불법을 강설하여 일체중생을 교화하는 것이다. "모든 공양 가운데 법공양이 최고이다."라고 한다. 법공양은 일체중생에게 불법을 선양하는 것이다. 그러므로 불법을 배우는 사람은, 경을 강의하고 법을 설하는 것을 배워야 한다. 보배를 간직하고 가난한 사람을 구제하지 않아서는 안 된다. 불법을 배우는 사람은 불법을 남들에게 소개해야 하며, 내가 조금 알았으면 그것을 남들에게 설명해야 한다. 자기가 아는 만큼 불법을 남들에게 설명하는 것이 바로 법보시다.

무외시(無畏施)는 재난을 만나 매우 두려울 때 위로하는 것이다. "당신은 두려워하지 마세요. 괜찮습니다. 당신의 마음이 이렇게 좋은데 장래 반드시 나쁜 결과는 없을 것입니다." 그가 공포심을 가지지 않게 하는 것을 무외시라고 한다.

두 번째는 지계(持戒)이다. 계에는 오계, 팔계, 십계, 십중사십팔경계(十重四十八輕戒), 비구 250계, 비구니 348계가 있다. 각자가 받은 계는 잘 지녀야 한다.

세 번째는 인욕(忍辱)이다. 인욕은 가장 좋은 수행 방법 중 하나이다. 여러분이 인욕할 수 있으면 곧 보배를 가진 것이다. 그래서 인욕은 가치를 알 수 없는 보배다. 하지만 사람마다 그것을 사용할 줄 모른다. 무엇 때문인가? 바로 한 번 참는 것은 그래도 참을 수 있고, 두 번 참는 것도 억지로라도 할 수 있는데, 세 번 참으려면 곧 화가 치밀어 오르기 때문이다. "흥, 왜 나를 괴롭혀? 내가 정말로 너를 겁내는 줄 알아? 내가 참는 것이야! 나를 이렇게 매정하게 대하다니, 너무하는 것 아냐!" 그러면서 화를 내고 싸우기 시작한다. 이것은 바로 인욕을 쓸 줄 모르기 때문이다. 만약 참을 '인(忍)' 자를 사용할 줄 알면, 무슨 일이든지 좋게 될 것이다.

네 번째는 정진(精進)이다. 정진에는 몸의 정진과 마음의 정진이 있다. 몸의 정진은 부처님께 절하고, 경을 읽고, 주(呪)를 지송하는 등 열심히 수행하면서 언제나 게으르지 않으며, 잠도 많이 자지 않는 것이다. 마음의 정진은 자나깨나 생각하면서 마음에서 잊지 않는 것이다. 정진을 해야 비로소 수행할 수 있고, 참선·좌선을 할 수 있다. 스님이 되는 것은 쉬운 일이 아니다. 매일 잠자지 않고 주야로 정진해야 진정한 정진이라고 할 수 있다. 정진은 남들에게 보여주기 위한 것이 아니다. 남들이 보지 않더라도 열심히 정진해야 한다. 수행정진은 자기에게 주는 것이지 남에게 보여주는 것이 아니다.

다섯 번째는 선정(禪定)이다. 참선·좌선을 하면서 선정의 공부를 닦는 것이다. 참선과 좌선은 반드시 정진으로써 그것을 도와주어야 한다. 만약 하루 열심히 정진하고 열흘 쉰다면 무슨 소용이 있겠는가? 이것은 곧 닦을 수(修: xiu)가 아니라 쉴 휴(休: xiu)이다. 이렇게 하면 선정의 공부를 얻을 수 없다.

여섯 번째는 반야(般若)이다. 우리가 수행하려면 반드시 지혜가 있어야 한다. 만약 지혜가 없으면 수행할 방법이 없다. 어리석은 사람은 어떻게 수련해도 공부가 잘 되지 않는다. 반면 지혜로운 사람은 언제 어디서라도 수행하며 또 진정한 반야를 볼 수 있다. 이런 까닭에 '푸른 대나무와 노란 꽃들이 반야가 아닌 것이 없다'고 한 것이다. 무엇을 보든지 모두 지혜이다.

『사십이장경(四十二章經)』에 이런 대목이 나온다. 어떤 사람이 부처님께 욕을 하자 부처님께서는 그를 응대하지 않았다. 그러면서 부처님은 말씀하셨다. "너희가 나를 욕하는데 내가 대답하지 않으면, 너희가 욕한 것은 다 너희에게 돌아갈 것이다. 마치 하늘을 향하여 침을 뱉으면 다시 네 얼굴에 떨어지는 것과 같다." 다른 사람이 욕을 하더라도 받아들이지 않으면 그 욕은 없어진다. 누군가 너희에게 욕을 할 때 그 욕을 듣고 '아, 나에게 노래를 불러주는구나' 혹은 '아, 나는 그가 욕하는 말을 알아들을 수가 없구나. 일본말을 하나, 중국말을 하나, 불어를 하나?'라고 생각하는 것이다. 그가 하는 말을 이해하지 못하면 아무 일도 없다. 이렇게 대하는 것이 바로 진정한 지혜이다. 만약 이 말을 이해한다면, 나를 욕하는 '너'는 도대체 누구인가 할 필요가 없다. 보살은 아상도 없고, 인상도 없고, 중생상과 수자상도 없는데, 어떻게 아직 '나'가 있겠는가? 출가인은 이 '나'를 태평양에 버려야 하며, 이 '나'를 없애야 한다.

행의 문은 매우 많다. 상세하게 설명하자면 만 가지에 그치지 않고, 팔만사천 가지의 행문이 있다. 그리고 보살은 사섭법(四攝法)을 행해야 한다. 그것은 보시, 애어(愛語), 이행(利行), 동사(同事)를 말한다.

⑥ 대겁을 거치다[經大劫]

얼마나 많은 대겁을 거치는가? 1겁은 13만 9천6백 년이다. 일천 개의 겁이 모여 하나의 소겁(小劫)이 되며, 이십의 소겁이 모여 중겁(中劫)이 되며, 네 개의 중겁을 합하여 하나의 대겁이라고 한다. 대겁을 거친다는 것은, 이 많은 겁을 거치는 것이다. 생각해 보라. 이것은 얼마나 많은 숫자인가? 세 아승기의 겁을 경과하는 것이다. 아승기(阿僧祇)는 인도어로서 무량수를 말한다. 무량수의 대겁은 정상적인 시간으로 얼마나 오랫동안 경과해야 하는지 말해 보라. 보살이 되는 것은 그렇게 쉬운 일이 아니다. 너무나 많은 대겁을 경과하면서 보살행을 해야 하는 것이다.

⑦ 큰 과를 구하다[求大果]

보살이 구하는 것은 큰 과, 즉 아뇩다라삼먁삼보리의 과, 무상정등정각(無上正等正覺)을 구하며, 또한 성불의 과를 구한다.

보살마하살은 이와 같은 일곱 가지의 큰 뜻을 가지고 있다. 그래서 마하살이라고 부른다.

개어아뇩다라삼먁삼보리불퇴전(皆於阿耨多羅三藐三菩提不退轉)• 모두 무상정등정각을 구하는 길에서 줄곧 앞으로 나아가며 물러나지 않았다. 불퇴전에는 세 가지가 있다.

① 위불퇴(位不退)

대승보살의 지위에서 이승(二乘)으로 물러나지 않는다는 것이다.

② 염불퇴(念不退)

보살마하살은 언제나 마음속에서 단지 보살행을 행하고 육바라밀을 행하는 것만 생각한다.

③ 행불퇴(行不退)

보살은 단지 앞으로 전진하며 뒤로 물러나지 않는다.

개득다라니(皆得陁羅尼) 요설변재(樂說辯才)• 다라니는 범어로서 총지(總持)라고 번역한다. 일체의 법을 모두 총괄하며[總一切法] 무량의 뜻을 지닌다[持無量義]. 다라니는 또 차지(遮持)라고도 번역한다. 이것은 선을 생기게 하고 악을 소멸시켜서, 악을 막고 선을 행한다는 뜻이다. 이 또한 '모든 악을 짓지 말고 많은 선을 받들어 행한다[諸惡莫作衆善奉行]'는 뜻이다. 이것은 계의 뜻과 대동소이하다. 하지만 계율은 스스로 지켜야 한다. 다라니는 주(呪)라고도 번역한다. 하나의 주를 송하면 악을 끊고 선을 닦는 것을 돕는데, 주의 힘은 돕는 것이다. 다라니는 많은 종류가 있으며, 설법을 좋아하고 변재를 얻을 수 있다.

전불퇴전법륜(轉不退轉法輪)• 보살은 법륜을 굴려 중생을 교화하는 분이다. 무엇을 법륜을 굴린다고 하는가? 이 법당에 '법륜상전

(法輪常轉)'이라는 글자가 걸려 있는데, 이것이 바로 불퇴전의 법륜을 굴리는 것이다. 또 우리가 지금 여기서 경전을 강의하고 있는데, 이것이 법륜을 굴리는 것이다. 경전을 영문으로 번역하는 것도 법륜을 굴리는 것이다. 법륜을 굴리는 것은 어떤 특정한 것이 아니라 갖가지의 홍법 작업이다. 홍법의 일을 하는 것은 모두 법륜을 굴려서 중생을 교화하는 것이다.

따라서 우리 불교도는 모두 법륜 굴리는 것을 자기의 일로 삼아야 하며, 이것이 우리의 책임을 다하는 것이다. 우리가 할 수 있는 일을 불교 안에서 하는 것이 법륜을 굴리는 것이다. 영문으로 번역한 경전을 타자기로 치고, 인쇄기에 돌려 인쇄하여, 각자에게 하나씩 나누어 주는 이 모든 것이 법륜을 굴리는 것이다. 법륜을 굴리는 것은 또한 불법을 유통시키는 것이다. 유통된다는 것은 마치 구불구불 흘러가는 물과 같아서 영원히 끊어지지 않는다.

내가 젊었을 때 한 홍법 작업을 다시 이야기하고자 한다. 나는 처음에는 경을 강의할 줄 몰랐지만 무작정 경을 인쇄하였다. 어떤 사람이 경을 인쇄하는 데 얼마의 돈이 든다고 하면 나는 돈을 내어 인쇄하였다. 많은 경을 인쇄한 후에 천천히 친척·친구들에게 보냈으며, 명절을 맞이하거나 생일이나 기쁜 일이 있을 때마다 불경을 선물하였다. 중국인은 붉은 종이를 좋아하는데, 나는 불경을 붉은 종이로 보기 좋게 포장하여 그들에게 몇 부씩 보냈다.

"내가 너에게 보내는 것은 가장 소중한 선물이다. 이것은 너의 법신혜명을 구하는 것이다. 나는 너의 친구이므로 특별히 내가 가장 좋아하는 불법을 보낸다!"

내가 이렇게 간절하게 말하면 사람마다 반드시 경전을 보려고 한다. 한 번 보아서 만약 불법에 흥미가 생기면, 그는 나에게 와서 말하기를, "네가 보낸 이 경전이 또 있는가? 내 친구가 요청하는데 한 권 더 보내줄 수 있는가?"라고 한다. 이렇게 나는 누가 불경을 인쇄하든지 간에 모두 참가하여 더 많이 인쇄하였다.

따라서 내가 동북에 있을 때, 나의 재산은 다른 것은 없고 바로 불경이었다. 내 방에 있던 불경은 아마도 이 불교강당의 불경보다도 많았을 것이다. 나는 어디로 가든지 불경이 많았다. 홍콩에서 불경을 인쇄하는 데 가장 많은 돈이 들었는데, 홍콩 돈으로 대략 일백만 원 이상이었을 것이다. 미국으로 가려고 할 즈음에는 십만 원 정도 상당의 불경이 남아 있어서 모두 다른 사람들에게 보냈다. 이렇게 내가 가장 좋아한 것이 바로 불경 인쇄였다. 지금 내가 강의한 내용을 출간하는 것도 가장 좋은 홍법이다. 내가 법륜을 굴리는 일은 이와 같다. 여러분들 모두 이러한 일에 마음을 다하여 노력하기 바란다.

이자수신(以慈修身) 선입불혜(善入佛慧) 통달대지(通達大智) 도어피안(到於彼岸)• 자비심으로 중생을 교화하고 자기의 몸을 닦으며, 부처님의 지혜를 잘 얻을 수 있으며, 가장 큰 지혜를 통달하여 피안에 도달하였다. 무엇이 가장 큰 지혜인가? 바로 부처님의 지혜이다. 부처님의 지혜를 얻으면 비로소 피안에 도달할 수 있으며, 바라밀을 얻을 수 있다. 도피안은 곧 바라밀이다.

그분들의 이름은 다음과 같다. 문수사리보살, 관세음보살, 대세지보살, 상정진보살, 불휴식보살, 보장보살, 약왕보살, 용시보살, 보월보살, 월광보살, 만월보살, 대력보살, 무량력보살, 월삼계보살, 발타바라보살,

미륵보살, 보적보살, 도사보살 등인데, 이와 같은 보살마하살 팔만 명이 함께하였다.

其名曰: 文殊師利菩薩·觀世音菩薩·得大勢菩薩·常精進菩薩·不休息菩薩·寶掌菩薩·藥王菩薩·勇施菩薩·寶月菩薩·月光菩薩·滿月菩薩·大力菩薩·無量力菩薩·越三界菩薩·跋陁婆羅菩薩·彌勒菩薩·寶積菩薩·導師 菩薩。如是等菩薩摩訶薩八萬人俱。

그때 석제환인이 그의 권속 이만 천자와 함께하였으며, 다시 명월천자, 보향천자, 보광천자, 사대천왕이 그의 권속 만 천자와 함께하였으며, 자재천자, 대자재천자가 그의 권속 삼만 천자와 함께하였으며, 사바세계를 주관하는 대범천왕인 시기대범과 광명대범 등이 그의 권속 만 이천 천자와 함께하였다.

爾時釋提桓因, 與其眷屬二萬天子俱。復有明月天子·普香天子·寶光天子·四大天王, 與其眷屬萬天子俱。自在天子·大自在天子, 與其眷屬三萬天子俱。娑婆世界主梵天王, 尸棄大梵·光明大梵等, 與其眷屬萬二千天子俱。

여덟 명의 용왕, 즉 난타용왕, 발난타용왕, 사가라용왕, 화수길용왕, 덕차가용왕, 아나바달다용왕, 마나사용왕, 우바라용왕 등이 각각 백천 권속과 함께하였다. 네 긴나라왕, 즉 법긴나라왕, 묘법긴나라왕, 대법긴나라왕, 지법긴나라왕이 각각 백천 권속과 함께하였다. 네 건달바왕, 즉 낙건달바왕, 낙음건달바왕, 미건달바왕, 미음건달바왕이 각각 백천 권속과 함께하였다. 네 아수라왕, 즉 바치아수라왕, 거라건타아수라왕, 비마질다아수라왕, 라후아수라왕이 각각 백천 권속과 함께하였다. 네 가루라왕, 즉 대위덕가루라왕, 대신가루라왕, 대만가루라왕, 여의가루라왕이 각각 백천 권속과 함께하였다. 위제희의 아들 아사세왕이 여러 백천 권속과 함께하였다. 그들은 각각 부처님의 발에 예배하고 한쪽으로 물러나 앉았다.

有八龍 王: 難陀龍王·跋難陀龍王·娑伽羅龍王·和脩吉龍王·德叉迦龍王·阿那婆達多龍王·摩那斯龍王·優鉢羅龍王等·各與若干百千眷屬俱。
有四緊那羅王: 法緊那羅王·妙法緊那羅王·大法緊那羅王·持法緊那羅王, 各與若干百千眷屬俱。有四乾闥婆王: 樂乾闥婆王·樂音乾闥婆王·美乾闥婆王·美音乾闥婆王, 各與若干百千眷屬俱。
有四阿修羅王: 婆稚阿修羅王·佉羅騫馱阿修羅王·毘摩質多羅阿修羅王·羅睺阿修羅王, 各與若干百千眷屬俱。有四迦樓羅王: 大威德迦樓羅王·大身迦樓羅王·大滿迦樓羅王·如意迦樓羅王, 各與若干百千眷屬俱。韋提希子阿闍世王, 與若干百千眷屬俱。各禮佛足, 退坐一面。

위제희자아사세왕(韋提希子阿闍世王) 위제희라는 이름은 범어로서 사유(思惟)라는 뜻인데, 마음속으로 자신의 아들 아사세를 생각한다는 뜻이다. 아사세라는 이름은 태어나기 전에 원한을 가졌다는 뜻인데, 그는 또 손가락이 없다[無指]는 이름을 가졌다. 어째서 손가락이 없었는가? 그가 출생할 때 관상가가 '태자가 장래 아버지를 살해할 것'이라고 예언하였기 때문에 부친인 빈바사라(頻婆娑羅) 왕은 두렵고 그를 미워하여 건물 위에 버렸는데, 오로지 손가락 하나만 다치고 죽지 않았다.

아사세 왕은 제바달다와 결탁하여 무슨 일이든지 저질렀다. 아버지를 죽이고 어머니를 죽이려 하였으며, 아라한을 죽이고, 부처님의 몸에 피를 내게 하고, 승가의 화합을 깨뜨리는 오역죄를 저질렀다. 이러한 이야기가 『관무량수경(觀無量壽經)』에 나온다.

위제희 왕비는 남편 빈바사라 왕을 구하려다가 발각되어 감옥에 갇혔으며, 감옥에서 부처님께 예배하면서 현재의 불행에서 벗어나려고 하였다. 부처님께서는 목련 존자와 아난 존자를 데리고 감옥 안에 출현하여 왕비에게 법을 설하셨다. 부처님께서는 왕비에게 열여섯 가지의 관법을 설하셨으며, '나무아미타불'을 염불하여 서방극락세계에 왕생하도록 하였다. 위제희 왕비는 부처님의 가르침에 따라 수행하여 극락세계에 왕생하였다.

아사세 왕은 오역죄를 저질렀기에 근본적으로 참회가 통하지 않아 구제될 수 없었는데, 후에 잘못을 깨닫고 부처님 앞에서 깊이 참회하고 허물을 고쳐 새사람이 되었으며, 부처님의 위신력으로 죄업을 소멸하였다. 그래서 법화회상에 참가할 수 있었던 것이다.

나. 별서(別序)

그때 사부대중은 부처님을 둘러싸고 주위를 돌며, 공양하고 공경하며, 존중하고 찬탄하였다.

爾時世尊, 四衆•圍繞, 供養恭敬, 尊重讚歎。

사중(四衆)• 사중은 사부대중의 줄임말로 부처님의 제자를 말한다. 사중에는 두 가지 설명이 있다. 하나는 비구·비구니·우바새·우바이이고, 다른 하나는 발기중(發起衆)·당기중(當機衆)·영향중(影響衆)·결연중(結緣衆)이다.

① 발기중
부처님의 뜻을 알고 기연이 이미 성숙되었음을 보고 부처님께 도리를 묻는 사람이다. 그는 지혜도 있고 권교방편도 있어서 부처님께 법을 청하는 것이다.

② 당기중
부처님께서는 기연이 맞는 사람을 대면하여 법을 설한다. 『금강경』에서는 수보리가 당기중이며, 『아미타경』에서는 사리불과 일체의 대아라한, 대보살이 당기중이며, 『능엄경』에서는 아난과 스물다섯 분의 성인(聖人)이 당기중이다. 다른 경전에도 모두 이와 같은 당기중이 있다.

③ 영향중
어떤 사람은 본래 이전에 불법을 이해하였을 뿐 아니라 이미 부처님께서 설하시는 것을 들은 적이 있다. 또 듣지 않았더라도 특별히 와서 법회를 옹호하면서 대중에게 영향을 준다. 이를 영향중이라고 한다. 그가 오면 다른 사람들이 보고 '아, 이러한 대보살도 와서 경을 듣는구나!'라고 생각한다. 그래서 그들도 경을 듣는 것을 좋아하게 된다. 만약 대보살이 와서 경을 듣지 않는다면 그들은 믿는 마음을 낼 수가 없다. '이곳에는 들으려고 오는 사람이 없구나. 아마 부처님께서 설하시는 경도 재

미가 없는가 보다'라고 생각할 수 있다. 따라서 대보살이 와서 경을 들으면 아라한, 비구와 비구니, 우바새와 우바이들도 법에 대하여 신심과 정성스런 마음을 내어, 정신을 집중하여 경을 듣는다. 이렇게 영향중의 영향을 받아서 그들을 발심하게 한 것이다.

④ 결연중

간혹 법회에 와서 인연을 맺으려고 하는 이들이 있다. 어떻게 인연을 맺는가? 미국에는 경전 강의 법회가 매우 적으나 중국에는 많은데, 어떤 때는 법문을 들으러 오면서 사탕이나 과자, 과일 등을 사 가지고 와서 먼저 불법승 삼보에 공양한 후에 참석자들에게 나눠준다. 무엇 때문에 인연을 맺으려고 하는가? 그가 느끼기에 다른 사람들과 인연이 없어서 자기를 좋아하지 않는다고 생각했기에 그들과 인연을 맺으려고 하는 것이다. 중국에서는 경전 강의 법회에 재가자뿐만 아니라 출가승들도 많이 참석하므로 공양품을 준비해 와서 출가인에게 공양하는 것이다.

다시 결연(結緣)에 대하여 이야기하자면, 결연은 매우 중요한 것이다. 만약 연을 맺지 않으면 설령 너희가 어떤 사람에게 아무리 좋게 대하여도, 그는 여전히 너희에게 만족하지 못한다. 왜냐하면 인연이 없기 때문이다. 이전에 어떤 스님이 계셨는데, 그는 매우 총명하여 모든 경전을 한 번 보면 기억하였다. 그가 경을 강의하면 변재가 무애하여 심지어 천상의 사람까지 들으러 왔다. 그러나 인간 세계의 사람은 들으러 오는 사람이 없었다. 왜냐하면 사람과는 그다지 인연이 없었기 때문이다. 그는 이미 지혜로운 사람이며 인연과 인과를 이해하였으므로 특별히 많은 쌀을 사 가지고 산으로 갔다. 그리고 새들에게 먹이를 줬다. 하루 종일 대비주, 능엄주를 독송하여 쌀에 가피를 주면서 관상하였다.

모든 새들이 쌀을 먹고 새의 몸을 벗고 인간이 되기를 기도하였다. 쌀을 먹는 새들이 갈수록 늘어났다. 그렇게 하기를 20년이 지나 그는 다시 경전을 강의하러 나갔다.

이번에는 이전과 매우 달랐다. 많은 젊은이들이 와서 법문을 들었다. 법문을 들을 뿐 아니라 그를 공경하고 존경하면서 가르침을 잘 들었다. 이 청년들의 내력은 무엇인가? 바로 그가 산에서 먹이로 준 쌀을 먹은 새들이 모두 인간으로 환생하여 온 것이었다. 그의 법식(法食)을 얻었기 때문에 그들은 사람이 된 후에 스님의 은덕을 잊지 못하고 옹호하려고 온 것이다.

그러므로 여러분은 마땅히 이 점을 주의하여 모든 사람들과 인연을 맺어야 하며, 화를 내서는 더욱 안 될 것이다. 인연이 없으면 너희는 고독한 법사로 변하여 너희를 믿는 사람이 없을 것이며, 너희가 어디로 가든지 공양하는 사람도 없어 장래 굶어죽을지도 모를 일이다.

1) 여섯 가지의 상서가 나타나다

가) 설법의 상서

모든 보살을 위하여 무량의경(無量義經)이라는 대승경전을 설하시고, 보살을 가르치는 법으로서 부처님께서 호념하시는 경이었다.

爲諸菩薩, 說大乘經˙, 名無量義˙, 教菩薩法, 佛所護念˙。

◉ 모든 보살을 위하여 대승경전을 설하셨는데, 이 경의 이름은 『무량

의경(無量義經)』이다. 이것은 『법화경』을 설하시기 전에 설하신 경이며, 보살을 가르치는 법문으로서 부처님께서 호념하시는 경이었다.

부처님께서 『무량의경』을 설하시기 전에 여섯 가지의 상서로움이 있었다. 설법의 상서[說法瑞], 입정의 상서[入定瑞], 꽃비의 상서[雨華瑞], 땅이 진동하는 상서[地動瑞], 대중이 기뻐하는 상서[衆喜瑞], 방광하는 상서[放光瑞]이다. 지금 이곳에서는 설법의 상서를 말하는데, 설법도 일종의 상서이다. 그러면 어떤 사람은 "부처님께서 항상 설법하시고 항상 정(定)에 드시는 것은 일상의 보통일인데, 어떻게 상서로움으로 변합니까?"라고 물을 것이다.

이번의 설법은 다른 설법과는 다르기 때문이다. 이번의 설법 후에는 곧 정에 드시고, 정에 드신 후에 곧 꽃비가 내리고, 꽃비가 내리면 곧 땅이 움직이며, 땅이 움직이면 모든 대중은 기뻐하며, 그런 연후에 다시 미간 백호상에서 방광하신다. 이것은 일종의 특별한 인연이며, 특별한 모습이다. 그러므로 이러한 여섯 가지 모습을 여섯 가지 상서[六種祥瑞]라고 한다.

위제보살(爲諸菩薩) 설대승경(說大乘經)• 부처님께서는 모든 보살을 위하여 대승경전을 설하신다. 모든 보살은 경전의 앞부분에서 말한 팔만 명이다. 이들은 모두 대보살로서 대승경전을 들으려고 온 것이다. 대승경전에는 일곱 가지 뜻이 있다.

① 법이 크다[法大]

모든 삼장십이부의 경전은 대승경전에 포함된다. 소승은 대승을 포괄할 수 없으나 대승은 소승을 포괄할 수 있다. 따라서 법이 크다고 한다.

② 큰마음을 발하다[發大心]

큰 보리심을 발하며, 작은 보리심을 발하는 것이 아니다. 큰 보리심은 범부로부터 부처에 이르기까지 영원히 퇴전하지 않는다. 퇴전하지 않는 보리심을 큰 보리심[大菩提心]이라고 한다.

③ 대장경을 이해하다[解大藏]

보살은 대승보살장의 도리를 이해하며, 보살장의 법에 의거하여 수행한다.

④ 청정함이 크다[淨大]

도를 볼 수 있으며, 도를 보면 청정심도 크다. 대승법을 배우는 보살은 청정심이 크다.

⑤ 장엄이 크다[莊嚴大]

보살은 복과 지혜의 장엄으로써 자기를 장엄한다.

⑥ 시간이 크다[時大]

부처님은 세 아승기의 장구한 시간을 거치면서 수행하셨다. 이것은 또한 인대(因大: 원인이 크다)라고도 한다.

⑦ 구족함이 크다[具足大]

구족이란 육도만행이 원만하여 상호로써 스스로를 장엄하여 보리의 과를 얻는다. 그래서 과가 크다[果大]고도 한다.

명무량의(名無量義) 『법화경』을 설하시기 전에 설하신 경이 바로 『무량의경』이다. 무량의(無量義)란 셀 수도 없이 많다는 뜻이다. 그러면 무량은 어디로부터 오는가? 유량(有量)으로부터 온다. 유량은 또 어디로부터 오는가? 바로 하나[一]로부터 온다. 하나는 어느 곳으로부터 오는가? 무상(無相)으로부터 온다. 무상은 어디로부터 오는가? 실상(實相)으로부터 온다. 따라서 실상은 곧 무상이라고 말한다. 그러므로 무량의는 실상의(實相義)로부터 오는 것이다.

실상은 무상이다. 무슨 상이 없다고 하는가? 생사의 모습이 없으며, 상이 없음이 없으며, 열반상이 없다. 생사의 모습이 없고 열반의 모습이 없는 것을 실상이라고 한다. 하지만 상이 아님이 없으며, 무량의는 모두 실상의 그곳으로부터 오는 것이다. 따라서 '무량의경'은 '실상의경'이기도 하다. 얼마 전 내가 왜 모든 것[諸]을 하나[一]라고 설명했겠는가? 그것도 이와 같은 뜻이며, 또한 "무량이 하나이고, 하나가 무량이다."라는 것이다. 심지어 하나조차도 없는 것이 바로 실상이다.

왜 하나가 있는가? '하나가 없는' 그곳으로부터 온 것이다. 그러면 사람들은 머리에 다시 머리를 얹어 하나를 만들어 낸다. 그러므로 일이 없는데 일을 찾아서 하려고 한다. 본래 괴로움이 없는데 자기 스스로 괴로운 일을 찾아 만들어 내는 것이다.

교보살법(教菩薩法) 불소호념(佛所護念) 부처님은 무슨 목적으로 『무량의경』을 설하셨는가? 바로 대승보살을 교화하여 보살도를 행하는 방법을 가르치기 위해서다. 『무량의경』은 부처님께서 증득하신 것이므로, 부처님께서 호념하시는 것이다. 이러한 대승법을 부처님께서는 설하지 않으려고 하셨다. 무엇 때문인가? 중생이 믿지 않기 때문이다. 믿지 않는다는 것은 근기에 맞지 않는 것이다. 그러므로 부처님께서는 오랫동안 이 대승법을 설하지 않으셨다.

나) 입정(入定)의 상서

부처님께서 이 경(무량의경)을 설하신 후 가부좌를 맺고 무량의처삼매에 들어 몸과 마음이 움직이지 않으셨다.

佛說此經已, 結跏趺坐•, 入於無量義處三昧, 身心不動•。

결가부좌(結跏趺坐)• 석가모니 부처님께서는 『무량의경』을 설하신 후에 무엇을 하셨는가? 가부좌는 연화좌(蓮華坐) 또는 금강좌(金剛坐)라고도 하는데, 단가부좌와 쌍가부좌가 있다. 왜 가부좌로 앉는가? 가부좌는 수도를 돕는다. 좌선할 때 가부좌로 앉으면 혼침이 적게 오는 것이 첫 번째 장점이다. 혼침이란 무엇인가? 바로 잠이 오는 것이다. 가부좌로 앉으면 넘어지지 않는다. 앉는 것이 견고하여 쉽게 선정력이 나온다. 너희가 좌선하여 선정력을 얻고 싶으면 가부좌로 앉아야 한다. 선정력이 나오면 지혜의 힘이 증가한다. 혜력(慧力)은 정력(定力)으로부터 나오며, 정력은 계의 힘[戒力]으로부터 나온다. 가부좌로 앉으면 단정하게 바로 앉게 되는데, 이것이 바로 본래 가지고 있는 일종의 계체(戒體)이다. 계가 있으면 정이 있고, 정이 있으면 혜가 있다. 계·정·혜 세 가지 무루학(無漏學)은 모두 가부좌로부터 나온다. 게다가 가부좌로 앉으면 모든 천룡팔부의 신장이 당신을 보호하며, 다른 사마외도와 요마귀괴(妖魔鬼怪) 등 마구니들은 자연히 멀리 피하여 도망간다. 따라서 가부좌는 도를 닦는 데 가장 중요한 좌법(坐法)이다.

◉ 내가 중국 동북지방에 살 때 있었던 일이다. 관충희(關忠喜)는 나의 친구였다. 그는 외도의 스승으로서 삼천여 명의 제자가 있었다. 그러나 그는 자기에게는 도가 없고 도력이 없으며, 생사를 마칠 방법이 없음을 알고 있었다. 그래서 그는 도처로 다니면서 조급하게 도를 구하였다. 그러나 그는 제자들이 그러한 사실을 알지 못하게 하였다. 무엇 때문인가? 만약 그에게 도가 없다는 사실을 알게 되면 제자들이 그를 믿지 않을 것이기 때문이다. 그렇게 급하게 선지식을 찾아다니기를 2, 3년 동안 하였지만, 눈 밝은 선지식을 만나지 못하였다. 그러다가 그 후에 나를 만나게 되었다. 어떻게 나를 만나게 되었는가? 사실 이전부터 나는 그와 알고 있었으나 오랫동안 만나보지 못하였다. 나는 모친의 묘에서 시묘살이를 하고 있었고 그도 그 소식을 들었지만 서로 만난 적은 없었던 것이다. 어느 날 나는 그의 집으로 갔다.

그에게는 관점해(關占海)라는 조카가 있었다. 그날 저녁 관점해는 꿈을 꾸었다. 본래 관점해는 나를 만난 적도 없고 나를 알지도 못하였다. 그런데 꿈속에서 그는 나를 보고는 무엇 때문인지는 모르지만 나에게 도를 구하였다. 그는 다음과 같은 나의 말을 들었다. "너는 도를 구할 수 없으며, 도를 닦을 수도 없다. 무엇 때문인가? 너의 몸에는 한 죄업의 껍질이 있구나!" 그럼에도 그는 여전히 나를 향하여 도를 구하였다. 그는 내가 그의 머리 위에서 손으로 한 장의 껍질을 벗겨내는 것을 보았다. 그가 보니 한 장의 돼지껍질이었다. 그리고 꿈속에서 내가 그에게 하는 말을 들었다. "내가 네 죄업의 껍질을 벗겨냈으니, 이제는 수도할 수 있다!"

그런 꿈을 꾼 다음 날 내가 그의 집에 간 것이다. 그는 삼촌에게 물었다. "이분은 누구입니까? 내가 어제 저녁에 꿈을 꾸면서 이분을 만났는데, 나에게서 한 장의 돼지껍질을 벗겨주었습니다."

그의 삼촌이 말하였다. "그는 시묘살이를 하는 효자로서 일반인은 모두 알고 있다." 그는 매우 기뻐하며 삼촌에게 꿈 이야기를 하였다. 삼촌도 도(道)에 빠져 있었기 때문에 꿈 이야기를 듣고 생각하였다. '이번에는 이 도를 우리 집으로 보내왔군! 우리 둘은 그에게서 도를 구하자!' 그래서 두 사람은 내 앞에 꿇어앉아 나를 스승으로 삼겠다고 하였다. 그때 나는 겨우 23세였다.

"나는 남들의 스승이 될 수 없습니다. 나에게는 그 무슨 도가 없으며, 지금 나는 도를 찾고 있습니다."

"당신은 자비롭습니다. 우리는 당신이 수도하는 사람이라고 알고 있으며, 반드시 스승으로 삼고 싶습니다."

"조급하게 굴지 마십시오. 내가 당신을 데리고 도처로 가서 참방할 테니 스승이 될 만한 분을 스승으로 삼으시고, 나를 스승으로 삼으면 안 됩니다."

관충희는 나를 따라 도처로 다니면서 명망 있는 수도인을 참방하였다. 그러나 모두 그의 마음에 들지 않았으며 돌아와서 다시 나에게 도를 구하였다. 나는 말하였다.

"나는 도가 없으며, 단지 당신에게 수행법을 가르쳐 줄 수 있을 뿐입니다. 바로 가부좌로 앉는 것입니다. 먼저 보시고 가부좌로 앉을 수 있을지 보십시오."

그는 산촌에서 성장했기 때문에 무릎이 너무 커서 가부좌로 앉는 것이 매우 곤란하였다. 그러나 억지로 앉을 수는 있었다. 나는 그에게 이 좌법을 연습하게 한 후에 떠났는데, 70여 일이 지나 다시 그의 집에 가서 보니 그는 무릎이 부어서 잘 걷지도 못하였다. 상태가 매우 심각하여 그에게 말하였다.

"당신은 이 좌법을 연습하지 마세요. 아마도 당신이 이렇게 앉는 것은 어려울 것 같으니 연습을 중단하십시오."

"나는 죽지 않는 한 계속 연습할 것입니다. 이 다리가 아무리 부어도 연습할 것입니다. 수도하는 데 이러한 고통을 참는 마음이 없다면 어떻게 도를 얻을 수 있겠습니까? 내가 결가부좌 하나도 수련하지 못한다면 무슨 도를 닦겠습니까? 나는 반드시 결가부좌를 성공할 것입니다."

"당신이 이러시는 것은 나도 관여하지 않겠습니다. 당신 마음대로 하십시오."

그러고 나서 나는 떠났다. 백 일이 지나 다시 그의 집에 가서 보니, 그는 걸을 수 있었으며 다리도 붓지 않았다. 나는 그에게 물었다.

"당신은 결가부좌 연습을 중단하였습니까?"

"아닙니다. 나는 지금 다리의 붓기도 사라지고 아프지도 않습니다. 앉아도 무릎이 방바닥에서 떨어지지 않습니다."

"당신은 뜻이 강해서 성공하였군요!"

그래서 나는 그에게 좌선법을 가르치고 참선 공부를 하게 하였다.

한편 그의 조카 관점해도 삼촌을 따라 도처로 도를 구하기를 5년간 하였으나 스승을 찾지 못하였다. 그는 나에게 매우 잘해 주었는데, 매년 명절에는 좋은 물건을 사서 내게 보냈다. 하지만 당시 나는 단지 그가 나에게 호감을 갖고 있다고만 생각했다. 한번은 내 절로 와서 나와 함께 삼연사의 방장 스님을 친견하였다. 나는 그가 방장 스님을 뵙고 그 분을 스승으로 삼을 것이라고 생각했는데, 그는 그렇게 하지 않고 그냥 나를 따라 나왔다. 그러고는 집으로 돌아가는 도중에 숲을 지나게 되었는데, 대략 반쯤 숲에 이르자 내 소매를 붙잡고 내 앞에 꿇어앉았다.

"무엇 하는 겁니까?"

"많은 해를 돌아다녔지만, 내가 본 바로는 내가 가장 믿는 분은 바로 당신입니다. 지금 당신을 반드시 스승으로 삼고 싶습니다."

나는 그러한 모습을 보고 짐짓 화를 내면서 소매를 뿌리치고 가버렸다. 얼마를 가다가 돌아보니, 그는 여전히 그곳에 꿇어앉은 채 눈물을 닦고 있었다. 나는 다시 돌아가서 말하였다.

"무엇 하는 겁니까?"

"당신은 꼭 저를 제자로 받아주셔야 합니다. 그렇지 않으면 나는 일어나지 않을 것이며, 이곳에서 죽겠습니다."

"그럼 이곳에 꿇어앉아 죽는 게 가장 좋을 것입니다. 이건 당신 스스로 원한 것입니다."

내가 다시 그곳을 떠나 한참을 가도 그는 일어나지 않았다. 나는 차마 더 버틸 수가 없었다. 그래서 돌아가서 말하였다.

"좋습니다. 내 허락하죠!"

이것이 내가 동북지방에서 첫 번째로 제자를 받아들인 일이다. 이 제자는 귀의하기 전에 채식을 하였으며, 귀의한 후에는 옆구리를 방바닥에 대지 않는 좌단(坐單)을 수련하였으며, 또한 오후불식을 지켰다. 대략 5년을 수행하였을 때, 그는 자기의 왕생 일자를 알았다. 그래서 가족에게 말하였다.

"나는 어느 날 가려고 하니, 너희는 울지도 말고 곡도 하지 말라. 내가 가장 감격하고 가장 만나고 싶은 분은 바로 그 효자이다. 만약 그분이 올 수 있다면 가장 좋겠다. 하지만 나는 지금 그분이 어디에 있는지도 모르고 또한 연락할 방법도 없다. 다른 일은 모두 놓아버릴 수 있는데, 오직 이 일만은 원이 이루어지지 않는구나."

그렇게 말한 후에 과연 그날이 되자, 그는 결가부좌로 앉아서 아무런 병도 없이 왕생하였다. 그가 왕생한 그날 저녁에 많은 마을사람들이 이상한 꿈을 꾸었다. 푸른 옷을 입은 두 동자가 서방으로 가는 꿈을 꾼 것이다. 이것은 그 후에 그의 부인이 나에게 전해준 이야기다. 이렇듯 결가부좌는 수도와 가장 중요한 관계가 있다. 그러므로 만약 결가부좌를 수련할 수 있으면 가장 좋다.

입어무량의처삼매(入於無量義處三昧) 신심부동(身心不動)• 부처님께서는 결가부좌로 앉아서 무량의처삼매에 들어가셨다. 이것은 또한 실상의 정(定)에 들어간 것이다. 진심(眞心)은 본래 움직이지 않으며, 정에 듦과 들지 않음에 관계없이 움직이지 않는다. 신심이 부동하다는 것은 무엇인가? 정에 들면 신심이 청정한 본원의 경계를 얻기 때문에 신심이 움직이지 않는다. 이것이 부처님께서 정에 들어가는 상서[入定瑞]이다.

다) 꽃비의 상서

이때 하늘에서 만다라꽃, 마하만다라꽃, 만수사꽃, 마하만수사꽃이 부처님 머리 위와 모든 대중에게 내렸다.

是時, 天雨曼陀羅華·摩訶曼陀羅華·曼殊沙華·摩訶曼殊沙華, 而散佛上·及諸大衆。

◉ 이것은 꽃이 내리는 상서[雨華瑞]이다. 만다라꽃은 흰색의 꽃[白華], 적의화(適意華) 등으로 번역한다. 흰색의 적의화다. 마하만다라꽃은 매

우 큰 흰색 꽃이다. 만수사꽃은 붉은색 꽃이며, 마하만수사꽃은 매우 큰 붉은 꽃이다. 이 네 종류의 꽃은 법을 나타내는 것으로서 십주(十住), 십행(十行), 십회향(十廻向), 십지(十地)의 보살 단계를 표시한다. 모든 대중은 이 네 단계의 수행을 거쳐 부처를 이루게 된다.

라) 땅이 진동하는 상서

널리 모든 부처님의 세계가 여섯 종류로 진동하였다.
普佛世界, 六種震動。

◉ 이것은 땅이 진동하는 상서[地動瑞]를 나타낸다. 모든 부처님의 세계가 여섯 종류로 진동하였다. 무엇 때문인가? 석가모니 부처님께서 『법화경』을 설하려고 생각하시기 때문이다. 경을 설하기 전에 갖가지 경계로 경의 중요성을 형용하고 표현하기 위하여 이러한 많은 경계가 출현하는 것이다.

육종진동(六種震動) 여섯 가지 진동은 벼락치고[震], 울부짖고[吼], 부딪치고[擊], 움직이며[動], 용솟음치고[湧], 일어나는[起] 것이다. 진(震), 후(吼), 격(擊)은 소리이고, 동(動), 용(湧), 기(起)는 형상이다. 여섯 가지 진동은 또한 육근(六根: 眼, 耳, 鼻, 舌, 身, 意)을 표시한다.

이것을 확대해서 설명한다면, 각각 한 가지 종류에 다시 세 종류가 있어서 모두 열여덟 가지가 된다. 열여덟 가지가 나타내는 것이 바로 십팔계이다. 십팔계는 육근(六根), 육진(六塵), 육식(六識)을 뜻한다. 육근은 안근·이근·비근·설근·신근·의근이며, 육진은 색진·성진·향진·

미진·촉진·법진이고, 육식은 안식·이식·비식·설식·신식·의식이다.

여섯 가지 진동 하나하나가 어떻게 다시 세 종류로 변할 수 있는가? 예를 들어 설명하면, 움직이는 것에는 움직이는 것[動], 두루 움직이는 것[遍動], 평등하게 두루 움직이는 것[等遍動]이 있다. 동(動)은 단지 하나의 지역이 움직이는 것이며, 편동(遍動)은 하나의 사천하(四天下), 즉 하나의 태양과 하나의 달이 비추는 사대부주(四大部洲: 동승신주, 남섬부주, 서우화주, 북구로주)가 움직이는 것이다. 등편동(等遍動)은 삼천대천세계가 모두 움직이고, 모든 허공을 다하고 법계를 두루한 세계가 움직이는 것이다.

여섯 종류의 진동은 십주(十住), 십행(十行), 십회향(十回向), 십지(十地), 등각(等覺), 묘각(妙覺)을 말한다. 한 번 움직이는 것은 우리의 무명(無明)을 타파하는 것이다. 만약 너희가 이 여섯의 단계를 거치려고 한다면, 여섯 번의 무명을 타파해야 한다. 한 번 타파하면 무명은 약간 적어지며, 두 번 타파하면 더욱 적어지는데, 여섯 번 타파하는 것을 육종진동(六種震動)이라고 한다. 육종진동은 선정을 수습하는 사람에게 모두 일어나는 것이며, 몸소 체험할 수 있다. 좌선하지 않는 사람에게도 있을 수 있으며, 육근이 청정해지면 육근이 진동하는 것을 알 수 있다.

용(湧)으로 설명하면, 동쪽으로부터 용출하여 서쪽으로 떨어지는 것이다. 동방은 목(木)에 속하고, 목은 청색(靑色)이며, 청색은 신체상에서 간(肝)에 속하며 눈을 주관한다. 따라서 안근(眼根)에 속한다. 남방은 화(火)에 속하고, 화는 홍색(紅色)이며, 홍색은 사람의 심장을 주관한다. 따라서 설근(舌根)에 속한다. 서방은 금(金)에 속하고, 금은 백색(白色)이며, 백색은 폐를 주관한다. 따라서 비근(鼻根)에 속한다. 북방은 수(水)에 속하고, 수는 흑색(黑色)이며, 흑색은 신장(腎臟)을 주관한다. 따라서 이근(耳根)에 속한다.

이것은 무엇을 뜻하는가? 눈의 공덕이 생하면 코의 번뇌가 소멸하고, 코의 공덕이 생하면 눈의 번뇌가 멸한다. 귀의 공덕이 생하면 혀의 번뇌가 멸하고, 혀의 공덕이 생하면 귀의 번뇌가 멸한다. 다른 근도 서로 공덕과 번뇌를 교류한다. 각각의 육근은 모두 공덕이 있는데, 『법화경』 후반부에서 그 각각에 얼마의 공덕이 있는지를 설명할 것이다. 이는 『능엄경』을 강설할 때도 설명한 적이 있다. 따라서 각각의 공덕이 생할 때 번뇌는 멸하며, 번뇌가 생할 때 공덕은 멸하면서 서로 진동하는 것이다.

몸은 사방(四方)을 주관하며, 눈·귀·코·혀는 몸에 속하고, 뜻은 이 네 종류를 반연하는 공능을 가지고 있다. 따라서 십주, 십행, 십회향, 십지, 등각, 묘각은 바깥의 육종진동을 뜻하며, 육근은 안의 육종진동을 뜻한다. 육종진동은 육근의 문에서 진동하는 것을 나타낸다. 눈·귀·코·혀·몸·뜻의 육근은 서로 도우며, 또한 그들은 서로 결탁하여 못된 짓을 하기도 한다. 한패가 되어 못된 짓을 한다는 것은 어떤 것인가? 이리라는 짐승은 간사해서 반드시 함께 모여야 비로소 길을 가며, 모이지 않으면 길을 가지 않는다. 이처럼 육근은 악을 짓기도 하고 선을 행하기도 한다. 그것은 우리의 법신을 지옥, 아귀, 축생의 삼악도로 데려가기도 하고, 우리를 도와서 부처를 이루게도 한다. 육근이 서로 합작하여 우리를 돕는 것이다.

내가 설명한 것과 같이, 코의 공덕이 생하면 눈의 번뇌가 멸하고, 눈의 공덕이 생하면 코의 번뇌가 멸하는 것과 같다. 무엇이 눈의 번뇌이며, 무엇이 코의 번뇌인가? 너희가 원하는 것을 보고 얻지 못해 마음속에서 탐하는 마음이 나오는 것을 번뇌라고 한다. 이 번뇌는 눈으로 인하여 조성된 것이기 때문에 눈의 번뇌이다. 그렇다면 눈의 공덕은 무엇인가? 우리는 눈으로 경전을 보고, '아! 이 경전이 이렇게 좋으니 읽어야겠구나'라고 생각한다. 이것은 눈이 우리를 도와 경전의 도리를 이해하게 하는 것이다. 우리는 또 눈으로 불상을 보고 부처님께 절을 하는데, 왜 절을 하는가? 눈으로 불상을 보고 '공경하고 공양해야지!'라고 생각하는 것은 눈이 공덕이 생기도록 우리를 돕는 것이다. 이와 마찬가지로 육근 모두 그렇게 할 수 있으며, 그러한 힘이 있어서 우리를 도울 수 있다. 또한 우리를 파괴할 수도 있는데, 그것은 우리가 어떻게 하는가에 달려 있다.

만약 선의 공덕에 의거하여 행하면 육근은 우리를 도와 선의 공덕을 지으며, 죄업에 기초하여 허물을 지으면 육근은 우리를 도와 죄업을 짓게 한다. 『능엄경』에서, "너를 지옥에 떨어지게 하는 것도 너의 육근이며, 부처를 이루게 하는 것도 다른 게 아니라 너의 육근이다."라고 하였다. 그러므로 나는 "우치가 바로 지혜다."라고 말하는데, 이것도 육근의 도리와 같은 것이다. 여러분이 경을 많이 들으면, 하나를 통하면 일체를 통하고 하나를 깨달으면 일체를 깨닫게 된다.

> 자성은 허공과 같아서
> 참됨과 허망함이 그 가운데 있네.
> 본래 도리를 철저하게 깨달으면
> 하나를 통하면 일체를 통하네.
> 白性如虛空 眞妄在其中
> 悟徹本來理 一通一切通

우리의 자성은 마치 허공과 같다. 허공 안에는 참됨도 있고 허망함도 있다. 그러므로 본래 자성의 도리를 이해하면, 하나를 통하면 일체를 통하게 된다. 밥 먹는 것으로 말하자면, 사람은 무엇을 위하여 밥을 먹는가? 배고픔을 해결하기 위하여 먹는다. 맛이 있든 맛이 없든 모두 이러한 용도를 가지고 있다. 옷 입고 잠자는 것도 매우 중요하다. 그것이 없으면 우리의 생명은 문제를 일으킬 것이다. 우리가 지금 불법을 배우는 것도 밥 먹고 옷 입고 잠자는 것처럼 중요한 일이다. 불법이 없으면 우리의 자성은 문제가 발생할 것이다. 따라서 우리는 지금 육근을 이용하여 무상의 깨달음을 구하는데, 이 모두 육근을 진동시키는 것이다. 대지가 여섯 번 진동하여 변하는 것이다.

좌선하는 사람을 보라. 좌선한 적이 없는 사람은 모르지만, 좌선해 본 사람은 알 것이다. 어떤 때는 손이 떨리기 시작하고, 어떤 때는 눈이 떨리거나 귀가 떨리기 시작하는데, 이 모두 일종의 육근의 진동이 나타나는 현상이다. 이른바 "청정함이 극에 이르면 광명이 통달한다.[淨極光通達]"고 한다. 우리가 청정하여 수련이 극에 이르면 별다른 경계가 생기게 된다.

금년 여름방학에 어떤 사람이 좌선하는데 약간의 작은 움직임이 있었다고 한다. 손이 떨리기 시작하는데, 저절로 떨려서 멈추게 하고 싶어도 움직였다고 한다. 이것은 신체에 일종의 변화가 온 것이다. 움직이면 변하고, 변하면 화(化: 바뀌다)한다. 반드시 공부를 해 본 사람이라야 이해할 수 있다. 이럴 때 진정으로 눈 밝은 사람의 지도가 있어야 비로소 잘못된 길로 가지 않는다. 만약 눈 밝은 선지식의 가르침이 없다면 길을 잘못 들기가 매우 쉬우며, 또한 일종의 공포감이 일어나 다시는 수련을 하지 않으려고 한다. 이러한 경계가 일어나도 두려움을 일으키지 말기를 바란다. 이 모두 육근진동일 뿐이다.

경에서 설하는 도리는 반드시 우리의 신체와 자성 상에서 서로 부합해야 한다. 무엇 때문에 경이 있어야 하는가? 바로 우리에게 마땅히 가야 할 하나의 길을 찾아주기 때문이다. 따라서 부처님께서 설하신 경, 이러한 길은 우리 각자의 자성 속에 모두 구족된 것이다. 부처님께서 설하신 팔만사천 법문은 우리 중생의 팔만사천 습기와 결점을 고치기 위한 것이다. 우리는 자기에게 결점이 있어도 모르고 그것을 따라 달려가며, 그 결점에 지배되어 그것을 즐거움으로 생각한다. 실제로 하루하루 날이 갈수록 타락하지만 스스로는 모른다. 그러므로 부처님께서는 경전에서 우리가 걸어가야 할 길을 가르쳐 주신 것이다.

육근진동은 각자의 육근을 떠나지 않는다. 우리의 육근은 왜 진동하는가? 이 진동은 우리의 무명을 깨뜨리는 것이다. 왜 여섯 종류가 있는가? 여섯 번 무명을 타파하기 위해서다. 바로 범부의 무명을 타파하는 것이다. 초과(初果)의 무명, 이과(二果)의 무명, 삼과(三果)의 무명, 사과(四果)의 무명을 타파하고, 그런 후에 다시 보살 십지의 무명, 등각의 무명을 타파하며, 등각의 무명을 타파한 후에는 바로 묘각(妙覺)으로서 성불하는 것이다. 대지가 여섯 번 진동하는 것은 또한 여섯 단계를 표시한다. 즉 수다원, 사다함, 아나함, 아라한, 보살, 부처를 가리키며, 부처를 이루어 가는 여섯 단계를 나타낸다. 이것이 육종진동의 대략적인 뜻이다.

마) 대중이 기뻐하는 상서

그때 법회에 참석한 비구, 비구니, 우바새, 우바이, 천인, 용, 야차, 건달바, 아수라, 가루라, 긴나라, 마후라가 등 사람과 사람이 아닌 중생과 여러 소왕, 전륜성왕 등 모든 대중은 이전에 없었던 일을 보고 기뻐하면서 합장하고 일심으로 부처님을 우러러보았다.

爾時會中比丘·比丘尼·優婆塞·優婆夷·天·龍·夜叉·乾闥婆·阿修羅·迦樓羅·緊那羅·摩睺羅伽·人非人, 及諸小王·轉輪聖王, 是諸大衆, 得未曾有, 歡喜合掌, 一心觀佛。

◉ 이것은 대중이 기뻐하는 상서[衆喜瑞]이다.

야차(夜叉) 야차는 범어이며, 번역하면 속질(速疾)이다. 즉 매우 빠르다는 뜻이다. 또 용건(勇健)이라고도 번역하는데, 용맹하고 건강하다는 뜻이다. 큰 야차는 산을 옮기고 바다를 엎을 수 있으며, 그 힘이 얼마나 센지 모른다. 그래서 이것을 대력귀신이라고 한다.

건달바(乾闥婆) 건달바는 음악을 연주하는 신이다.

아수라(阿修羅) 아수라는 번역하면 술이 없다[無酒]는 뜻이며, 또 단정하지 않다[無端正]고도 번역한다. 남자 아수라는 그 모습이 매우 추하다. 그러나 여자 아수라는 매우 아름다워서 사람들의 사랑을 받는다. 사람은 말할 것 없이 옥황상제도 그녀를 보면 마음이 동한다. 그래서 아수라왕에게 가서 그의 딸을 부인으로 삼으려고 요구하기도 한다. 아수라는 천상의 복은 있으나 천상의 권력은 없다. 그들은 용맹하게 투쟁하기를 좋아한다.

가루라(迦樓羅) 가루라는 대붕 금시조(金翅鳥)를 말한다.

긴나라(緊那羅)• 긴나라는 번역하면 의심이 가는 신[疑神]이다. 왜냐하면 그의 형상은 사람 같기도 하나 머리에 한 개의 뿔이 있어서 신인지 사람인지 의심이 들기 때문이다. 도대체 그는 신선인지 아닌지 확정할 수가 없다. 그는 옥황상제 옆에서 음악을 연주하는 신이다.

마후라가(摩睺羅伽)• 마후라가는 큰 구렁이다. 크기가 용보다는 작다. 용도 큰 것이 있고 작은 것이 있으며, 구렁이도 큰 것이 있고 작은 것이 있다.

전륜성왕(轉輪聖王)• 전륜성왕에는 금륜왕, 은륜왕, 동륜왕, 철륜왕의 네 종류가 있다. 석가모니 부처님께서 하루만 늦게 출가했다면 금륜왕이 되었을 것이다. 금륜왕을 이야기하자면, 진정으로 매우 큰 복보(福報)가 있다. 어떤 큰 복이 있는가? 그는 일천 명의 아들이 있으며, 또 일곱 종류의 보배가 저절로 출현한다. 즉 금륜보, 상보(象寶), 마보(馬寶), 여의주보, 옥녀보, 주장보(主藏寶), 전병보(典兵寶)이다. 일곱 종류의 보배는 모두 여의보주와 같은 것이다.

바) 방광하는 상서

그때 부처님께서는 미간의 백호상에서 광명을 내어 동방의 만 팔천 세계를 비추시니, 두루 비추지 않는 곳이 없었다. 아래로는 무간지옥까지 이르고 위로는 색구경천까지 도달하였으며, 이 세계에서 저 (만 팔천 세계) 국토의 육도중생을 다 볼 수 있었다.

爾時, 佛放眉間白毫相光, 照東方萬八千世界, 靡不周遍, 下至阿鼻地獄•, 上至阿迦尼吒天•。於此世界, 盡見彼土六趣衆生•。

아비지옥(阿鼻地獄)• 아비지옥은 번역하면 무간지옥(無間地獄)이라는 뜻이다. 즉 지옥에 간극이 없다는 것이다. 한 사람이 이 지옥에 들어와도 가득 차고, 여러 사람이 들어와도 가득 찬다. 이 지옥에 떨어지면 얼마나 오랜 시간을 머물러야 하는지 알 수 없다. 시간도 끊어짐이 없고 공간도 끊어짐이 없기 때문에 무간지옥이라는 것이다.

아가니타천(阿迦尼吒天)• 아가니타천은 색구경천(色究竟天)이라고 번역한다. 즉 색계의 가장 높은 하늘이다.

육취중생(六趣衆生)• 육취는 천인, 인간, 아수라, 축생, 아귀, 지옥의 여섯 세계를 말한다. 육취의 중생은 곧 육도에 윤회하는 중생이라는 뜻이다.

천(天)은 천상의 천인이라는 뜻이다. 어떻게 하면 천인이 되는가? 여러분이 오계를 지키고 십선(十善)을 닦으면 천상에 날 수 있다. 오계는 불교도에게는 가장 근본인 계율로서 마땅히 지켜야 할 계율이다. 즉 살생하지 않고, 훔치지 않으며, 사음하지 않고, 거짓말하지 않으며, 술 마시지 않는 것이다. 만약 항상 살생을 하지 않으면 수명은 늘어날 것이다. 왜 훔치지 않는 계를 지켜야 하는가? 남의 재물을 훔치는 것은 남의 재산을 파괴하며, 사람의 복의 명[福命]을 감소시키기 때문이다. 남의 물건을 몰래 훔치면 장래 너의 재산이 오래 가지 못하는 과보를 받는다. 예를 들면, 지금 돈이 많고 재산이 많은데 갑자기 강도에게 빼앗기는 것과 같다. 왜 이러한 과보를 받는가? 전생에 남의 물건을 훔치고 빼앗았기 때문에 금생에 당신의 재산을 다른 사람이 파괴하는 것이다.

만약 사음의 계를 지키지 않고 남의 부녀와 간음하면, 장래 네 부인도 남에게 놀아나게 된다. 네가 남을 속이지 않는다면, 너도 남에게 속임을 당하지 않을 것이다. 과보는 과거, 현재, 미래 즉 삼세에 통하는 것이다. 단지 금생에 남을 속이지 않았다 하더라도 전생에 얼마나 많은 사람을 속였는지 알 수 있는가? 모른다. 그러므로 어떤 사람이 너를 속이는 것은 인연이 성숙하여 그 과보를 스스로 받게 됨을 표시하는 것이다.

술을 마시는 것은 본래 큰 잘못은 아니나 많이 마시는 것을 두려워해야 한다. 술을 적게 마시면 아무 문제가 없으나, 많이 마시면 곧 성정이 어지러워진다. 성정이 어지러워지면 전도된다. 신체가 전도되니, 하는 일도 전도된다. 그래서 불교에서는 음주를 금하는 것이다. 그러나 도교에서는 술을 금하는 것을 주장하지 않는다. 술은 성정을 도야할 수 있다고 하면서, 유쾌하지 못한 심정을 술로써 잊게 되며 번뇌도 없어진다고 한다. 중국의 공자께서도 술은 좋은 것이므로 제한할 필요가 없으며, 반드시 얼마를 마셔야 한다고 말할 필요가 없다고 하였다. 하지만 술에 취하지 않는 것이 가장 좋은 일이다. 실제로 술을 좋아하는 사람이라면 취하지 않도록 하고, 만약 술을 좋아하지 않으면 근본적으로 마실 필요가 없다.

이와 같이 오계는 많은 도리가 있다. 중요한 것은 손으로 살생하지 않을 뿐 아니라 마음으로도 죽이려는 마음을 내서는 안 되는 것이다. 이것이 진정으로 불살생계를 지키는 것이다. 다른 계도 마찬가지다.

◉ 이수라도 약간의 공덕을 지었지만 투쟁심과 번뇌로 지은 공덕이다. 어떤 것이 번뇌로 공덕을 지은 것인가? 비록 공덕을 짓지만 다른 사람

들과 경쟁을 한 것이다. 어떻게 경쟁을 하는가? "나는 오 원을 냈는데, 너는 얼마를 냈는가?" "네가 만약 오 원을 내면 나는 십 원을 내고, 네가 십 원을 내면 나는 이십 원을 내겠다." 이와 같이 공덕을 짓는 데도 남들과 경쟁을 하는 것이다. 제일을 다투는 것이다. 이런 사람은 장래 반드시 아수라가 될 것이다. 남들과 다투면서 공덕을 짓는 것은 자기의 본심으로 공덕을 지으려고 하는 것이 아니다.

또한 명예를 다툰다고 말할 수 있다. 그래서 남들에게 말하기를, "아, 모모라는 사람이 제일이지, 그가 낸 돈이 가장 많아!"라고 한다. 제일의 이름을 다투는 것은 모두 아수라가 되는 공덕이다. 따라서 불법을 행하는 데는 반드시 이러한 인과를 진정으로 이해해야 비로소 넘치지 않게 된다. 무슨 일을 이야기하며 제일을 다투는 사람은 모두 아수라의 종자로서 번뇌가 끊어지지 않는다. 이러한 공덕은 유루(有漏)의 공덕이지, 무루의 공덕이 아니다. 공덕은 마땅히 지어야 하지만, 일부러 남들이 내가 제일이라는 것을 알게 하지 않아야 한다.

인간은 어디서 오는가? 착한 공덕을 짓고 오계를 지키고 십선을 닦는 것으로부터 온다. 하지만 이는 하품(下品)의 오계와 십선이다. 아수라는 중품의 오계와 십선이며, 천인은 상품의 오계와 십선을 닦은 것이다. 좀 더 상세하게 법상을 분별하려면 많은 세세한 항목이 있다. 이것은 세 선도(善道)의 원인이다.

◉ 삼악도는 바로 탐, 진, 치로 인하여 조성된다. 탐하는 마음이 너무 많으면 아귀로 변한다. 아귀는 왜 배가 고픈가? 바로 그가 세상에 있을 때 탐하였기 때문이다. 먹는 것을 탐하여 무엇이든 더 많이 먹으려고 한다. 또한 성내는 마음은 화를 잘 낸다. 화를 이리 내고 저리 내다가 지옥

에 떨어진다. 자기가 자기를 감당하지 못하는 것이다. 그래서 "좋아! 칼산에 가서 한 번 시험해 보자." 하고 화를 내면서 칼산 위로 뛰어올라 보니, 발이 칼에 베인다. 왜 칼이 발을 찌르는가? 화를 내기 때문이다. 기름솥에 뛰어 들어가기도 하는데, 이것도 화를 내기 때문이다. 화를 내므로 기름솥, 칼산 등 무슨 지옥이든지 함부로 시험해 본다. 이것이 성내는 마음[嗔心]이다.

◉ 내 제자라면 어떤 제자든지 성미가 있으면 빨리 고쳐야 하며, 성미가 없어도 그것이 나오지 않게 해야 한다. 이것은 아주 중요하다. 여러분은 내 말을 귓가를 스치는 바람으로 여기지 말아야 한다. "괜찮아! 스님께서 말하는 것은 단지 말씀일 뿐이야. 나에게 성미가 있다고 반드시 지옥에 떨어지지는 않을 거야." 시험해 보라. 지옥에 떨어졌을 때 후회하면서 말하기를, "아이고! 우리 스승님이 성미가 있으면 지옥에 떨어진다고 말씀하신 적이 있는데, 지금 비로소 그 말이 정말인 것을 알겠구나." 하고 후회해도 늦다. 너희는 그래도 화를 낼 것인가?

이것이 바로 내가 한 가지 법을 세운 이유다. 어떤 법인가 하면, 만약 한 사람이 화를 내면 세 사람이 함께 24시간을 꿇어앉아야 한다는 것이다. 내가 이런 엄한 법을 세운 것은 바로 너희가 지옥에 갈 것을 걱정하기 때문이다. 나는 너희가 지옥에 떨어지는 것을 좋아하지 않으므로 이러한 매우 엄격한 방법을 쓰는 것이다.

출가인도 화를 내는가? 지금 세 명의 사미 가운데 한 사미가 화를 낸다면, 두 사미도 같이 24시간 꿇어앉아야 한다. 이것은 조금도 에누리가 없으며, 조금도 인정을 두지 않는다. 어떻게 하는 게 가장 좋은 방법인가? 화를 내지 않으면 나의 이 방법도 소용이 없다. 24시간 꿇어앉아 있는 것은 그래도 엄격하다고 할 수 없으며, 가장 심한 것은 밥 먹는 것도 물 마시는 것도 허용하지 않으며 대변과 소변도 허락하지 않는 것이다. 그래서 내가 세 사미에게 화를 낸 적이 있는가 하고 물으면 없다고 한다. "어린 사미, 너는 어째서 화를 내지 않는가?" "I don't know!" 그도 자신이 왜 화를 내지 않는지 모른다. 이 법이 묘한가 묘하지 않은가? 묘함이 극에 이르렀다. 여러분이 화를 낸다면 지옥에 떨어질 것이다.

◉ 너희는 어리석음을 좋아하는가? 너희는 불법을 배우지 않는가? 만약 어리석음을 좋아하지 않는다면 불법을 배워야 한다. 불법을 배우는 것은 바로 지혜를 증장하여 반야의 묘한 지혜를 여는 것이다. 불법을 배우지 않으면 어리석어질 것이다. 어리석으면 어디로 가는가? 바로 축생이 된다. 말, 소, 양, 닭, 개, 돼지 등 축생은 왜 총명하지 못한가? 너희가 보기에 돼지가 가장 총명하지 못할 것인데, 돼지는 배부르게 먹으면 잠자고, 실컷 잠자고 나면 또 먹는다. 이 두 가지를 제외하면 다른 하는 일이 없다. 말과 소는 약간의 일을 하지만 그럼에도 모두 어리석다.

왜 어리석은가? 사람이었을 때 불법을 배우지 않았기 때문이다. 불법을 배우지 않았을 뿐 아니라 다른 사람이 불법을 배우려고 하면, "불법을 배우러 가지 마라. 불법을 배우는 것은 가장 어리석은 짓이다."라고 말한 것이다. 그러나 사실은 그의 어리석음이 극에 이르러 장래 말, 소, 양, 돼지 등이 된 것이다.

육도윤회는 매우 중요한 것으로서, 무슨 인(因)을 심으면 무슨 과(果)를 맺는 것이다. 선한 인을 심으면 선한 과를 맺고, 악한 인을 심으면 악한 과를 맺는다. 오이를 심으면 오이를 얻고, 콩을 심으면 콩을 얻는다. 성불의 인을 심으면 성불하고, 지옥의 인을 심으면 지옥에 떨어진다. 즉 스스로 자기의 길을 선택하는 것이다.

◉ 동방으로 만 팔천 세계의 국토에 있는 모든 육도중생의 갖가지 모습과 형상이 모두 석가모니 부처님의 백호상(白毫相)에서 나온 빛 속에 나타났다. 부처님의 백호상은 중도요의(中道了義)를 나타낸다. 양미간의 중간에 있다는 것은 또한 『법화경』의 원돈(圓頓)의 법문, 중도실상의 도리를 말한다.

여래의 백호상은 늘어질 수도 있고 축소할 수도 있으며, 멀리 비출 수도 있고 가까이 비출 수도 있다. 마치 유리통과 같이 광명이 두루 비친다. 손전등이나 차의 전조등을 갑자기 켜면 광명이 앞으로 비치듯이, 여래의 백호광명도 앞으로 비추면 멀리까지 비출 수 있으며, 동방으로 만 팔천 세계의 국토를 비출 수 있다. 동방뿐만 아니라 원하는 방향 어디로든지 비출 수 있다. 여래의 백호광명은 우주 허공 전체를 가득 비출 수 있다.

『능엄경』에서 언급하기를, "이때 세존께서 육계에서 백 가지 보배광명을 놓으시니 광명 가운데서 천 잎의 보련이 솟아 나왔으며, 변화하여 나오신 여래께서 보배 연꽃에 앉아서 정수리에서 열 방향으로 백 가지 보배광명을 놓았으며, 하나하나의 광명은 모두 십 항하사의 세계에 두루 비쳤다."고 하였다. 능엄법회에서 부처님께서 설법하실 때 육계의 보이지 않는 정수리에서 광명이 나왔다. 법화회상에서는 광명이 백호상으로부터 나왔으며, 이는 능엄법회의 광명과는 또 다르다. 이 두 종류의 광명은 서로 다른 의의를 가지고 있다.

따라서 우리가 매일 『법화경』의 한 자, 한 구를 듣는 것은 성불의 인을 심는 것이다. 여러분이 다시 와서 듣지 않아도 너희의 부처는 달아

날 수 없으며, 장래 반드시 부처를 이룰 것이다. 언제 부처를 이룰 것인가는 일정하지 않다. 그러므로 이렇게 『법화경』을 들을 수 있는 자는 모두 선근이 있는 사람이다. 선근이 있는 사람은 불법을 배우기 위하여 와야 하며, 자포자기하지 않아야 하며, 불법은 나와 아무런 관계도 없다고 말하지 않아야 한다.

여러분은 알아야 한다. 불법 외에는 어떠한 일도 너희와 관계가 없다. 단지 불법만이 여러분과 중요한 관계를 가지고 있다. 무슨 중요한 관계를 가지고 있는가? 우리로 하여금 부처를 이루게 하는 것이다. 그러면 너희는 이렇게 말할 것이다. "믿지 못하겠다. 내가 어떻게 부처를 이룰 수 있는가?" 바로 너희가 믿지 않기 때문에 성불할 수 있으며, 너희가 성불할 수 있다는 것을 믿지 못하기 때문에 장래 부처를 이룰 것이다. 이것이 묘법이다. 그러므로 이것을 『법화경』이라고 부르는 것이니, 이렇게 묘한 것이다.

또 저 국토에 현재 계신 여러 부처님을 보고, 여러 부처님께서 설하시는 경법을 들었다.

又見彼土現在諸佛, 及聞諸佛所說經法。

◉ 여러 부처님을 보는 상서로서, 성인과 범부가 서로 상대가 된다. 육취중생은 범부이고, 제불은 성인이다. 석가모니 부처님의 백호광명에서 여러 제불국토가 나타났다. 제불국토가 있다는 것은, 제불께서 그 국토에서 중생을 교화하고 계신다는 것이다. 따라서 이 문장은 바로 제불이 나타나는 상서로서, 백호광명에서 여러 부처님이 나타나신 것이다.

부처님께서는 왜 방광(放光)하시는가? 그리고 왜 백호상으로부터 방광하는가? 왜냐하면 부처님께서는 일체의 기연(機緣)을 비추고자 방광하는 것이다. 무엇이 기연인가? 바로 마땅히 제도할 일체중생을 말한다. 따라서 방광은 근기에 따라 가르침을 세우는 것을 나타낸다. 또한 다른 하나의 뜻이 있는데, 의혹을 끊는 것이다. 부처님께서 광명을 놓으시는 것은 일체중생의 의혹심을 타파하고 제거하려는 것이다. 그래서 방광하시는 것이다.

백호상은 일종의 중도를 나타낸다. 아미타불에게도 백호상이 있으며, 다른 부처님께도 백호상이 있다. 아미타불을 찬탄하는 게송에서 이르셨다.

> 아미타불의 몸은 황금빛으로 흘러넘치고
> 상호에서 쏟아지는 광명은 어디에도 비할 데가 없구나.
> 백호는 완연히 다섯 수미산을 돌고,
> 맑고 깨끗하며 검푸른 눈동자는 사대해만큼 그윽하구나.
> 광명 가운데 무수한 화신 부처님이 나투시고
> 화신 부처님에서 무량한 보살대중 나투시네.
> 사십팔원으로 일체중생을 제도하고
> 구품으로 모두 피안에 오르게 하네.
> 阿彌陀佛身金色 相好光明無等倫
> 白毫宛轉五須彌 紺目澄淸四大海
> 光中化佛無數億 化菩薩衆亦無邊
> 四十八願度衆生 九品咸令登彼岸

아미타불께서는 48대원을 발하신 적이 있는데, 모든 중생이 부처를 이루기를 바라신 것이다. 연꽃은 9품의 등급으로 나눈다. 아미타불은 일체중생으로 하여금 모두 열반의 피안으로 가서 부처를 이루게 하신다.

아미타불의 백호상은 다섯 개의 수미산을 돌 만큼 크다. 석가모니 부처님의 백호상은 크게 말하면 또한 이와 같이 크다. 작게 말하자면, 『관불삼매해경(觀佛三昧海經)』에서 "부처님께서 태어나실 때 백호상은 5척의 크기이며, 고행을 하실 때는 14척이며, 성불하실 때는 항상 15척이다."라고 하였다. 백호상 가운데는 텅 비었는데, 마치 유리통과 같다. 이것은 부처님의 "상락아정[常樂我淨]"의 네 가지 덕행을 나타낸다. 중간이 빈 것은 중도를 표시하며, 이것은 항상함[常]이다. 백호상이 매우 청정한 것은 즐거움[樂]을 표시하며, 백호상이 부드러워 마음대로 신축(伸縮)할 수 있는 것은 나[我]를 표시한다. 백호상은 왜 백색인가? 백색은 바로 청정한[淨] 덕을 표시하기 때문이다. 상덕, 낙덕, 아덕, 정덕은 열반의 네 가지 덕이다.

또한 백호상은 중도실상의 보배인[寶印]을 표시한다. 실상의 보배인은 백호상을 대표한다. 이제 석가모니 부처님께서 백호상으로부터 광명을 놓으며, 이 광명 속에서 타방국토의 제불을 보게 된 것이다. 여래의 백호광명에는 부처님의 출생으로부터 열반에 이르기까지 일생 동안 행하신 고행과 상모(相貌), 나아가 열반 후의 갖가지 공덕이 모두 나타난다.

아울러 여러 비구, 비구니, 우바새, 우바이 등이 수행하여 도를 얻은 여러 사람을 보았으며, 또 여러 보살마하살이 갖가지 인연으로, 갖가지 믿음과 이해로, 갖가지 모습으로 보살도를 행하는 것을 보았고, 다시 여러 부처님께서 반열반에 드시는 것을 보았으며, 또 여러 부처님께서 열반에 드신 후에 부처님 사리로써 칠보탑을 세운 것을 보았다.

幷見彼諸比丘·比丘尼·優婆塞·優婆夷, 諸修行得道者。復見諸菩薩摩訶薩, 種種因緣·種種信解•·種種相貌•, 行菩薩道。復見諸佛般涅槃者•。復見諸佛般涅槃後, 以佛舍利, 起七寶塔。

종종신해(種種信解)• 어떤 자는 사제법(四諦法)으로부터 믿고 이해하여 수행하고, 어떤 자는 십이인연법으로부터 믿고 이해하여 수행하며, 어떤 자는 육바라밀로부터 믿고 이해하여 수행한다.

종종상모(種種相貌)• 이것은 보살의 갖가지 모습을 말하는 것이 아니다. 갖가지 행문(行門)을 행하고, 갖가지 법을 닦는 것을 뜻한다.

부견제불반열반자(復見諸佛般涅槃者)• 반(般)이란 들어간다는 뜻이며, 열반이란 원적(圓寂)이라고도 한다. 원(圓)은 공이 원만하지 않음이 없고, 적(寂)은 덕이 고요하지 않음이 없다는 뜻으로서, 이른바 '공덕이 원만한 것'을 원적이라고 한다. 열반은 또 생멸하지 않음을 뜻한다. 즉 생사를 그친 것을 말한다. 열반에는 네 종류가 있다. 자성청정열반(自性淸淨涅槃), 유여의열반(有餘依涅槃), 무여의열반(無餘依涅槃), 무주처열반(無住處涅槃)이다.

2) 미륵보살과 대중의 의문

그때 미륵보살은 이런 생각을 하였다. '지금 세존께서 신통변화의 모습을 나타내시는데, 무슨 인연으로 이러한 상서가 있는가? 지금 부처님 세존께서 삼매에 들어가 불가사의하고 희유한 일을 나타내는 것을 마땅히 누구에게 물어야 답을 해 주실까?' 다시 이러한 생각을 하였다. '문수사리법왕자는 이미 과거의 무량한 부처님을 친근하여 공양하였기 때문에 반드시 이러한 희유한 모습을 보았을 것이므로 나는 지금 그에게 물어야겠다.'

爾時彌勒菩薩作是念•，今者世尊現神變相，以何因緣而有此瑞？今佛世尊入於三昧，是不可思議·現希有事，當以問誰，誰能答者？復作此念，是文殊師利法王之子，已曾親近供養過去無量諸佛，必應見此希有之相，我今當問。

미륵보살작시념(彌勒菩薩作是念)• 미륵보살은 보처보살(補處菩薩)로서, 석가모니 부처님 뒤를 이어서 사바세계에서 성불하실 보살이다. 그래서 '미래에 하생하실 미륵존불[當來下生彌勒尊佛]'이라고 한다. 미륵보살은 원래 지혜가 매우 크신 분이지만 석가모니 부처님께서 무엇을 하시려는지 모른다. 왜 모르는가? 초지(初地)보살은 이지(二地)보살의 경계를 모르고, 십지보살은 등각보살의 경계를 모른다. 따라서 보처보살의 지위에 있는 미륵보살도 부처의 경계를 모르는 것이다. 그러면 미륵보살은 정말로 몰랐을까? 정말로 의심이 들었을까? 나는 아니라고 믿는다. 무엇 때문인가? 미륵보살은 과거에 무량의 제불에게 공양한 경험이 있기 때문에, 알고 있지만 일부러 모른 체하신 것이다. 그러나 다른 대중의 의심은 진정한 의심이라고 할 수 있다.

그때 비구, 비구니, 우바새, 우바이와 여러 천인, 용, 귀신 등도 모두 이런 생각을 하였다. '부처님의 광명과 신통한 모습을 지금 누구에게 물어야 하는가?' 이때 미륵보살은 스스로 자기의 의심을 해결하려고 하였으며, 또 비구, 비구니, 우바새, 우바이의 사부대중과 여러 천인, 용, 귀신 등의 마음을 관찰하였다.

爾時比丘·比丘尼·優婆塞·優婆夷, 及諸天·龍·鬼神等, 咸作此念, 是佛光明神通之相, 今當問誰? 爾時彌勒菩薩欲自決疑, 又觀四衆, 比丘·比丘尼·優婆塞·優婆夷, 及諸天·龍·鬼神等, 衆會之心。

◉ 무엇을 귀(鬼)라고 하는가? 귀에는 돌아가다[歸]의 뜻이 있다. 사람이 죽으면 귀가 되는 것은 마치 돌아가는 것과 같다. 우리 사람은 어디로부터 오는가? 우리는 부처로부터 온다. 지금 어디로 돌아가려고 하는가? 지옥이나 아귀로 돌아가려고 한다. 왜 그곳으로 돌아가려고 하는가? 길을 잘못 들어서 자기가 본래 온 곳으로 돌아가지 못하는 것이다. 그는 (지옥이나 아귀세계를) 자기가 본래 온 곳으로 생각하는데, 이것은 길을 잘못 든 것이다. 길을 잘못 들었으니 마땅히 돌아와야 한다. 어느 곳으로 돌아와야 하는가? 부처의 과위로 돌아와야 한다. 이것이 귀(鬼)의 뜻이다.(편역자 주: 歸는 鬼와 발음이 같다.) 신(神)은 천심(天心)이라고 한다. 천(天)은 자연이라는 뜻이며, 신통이 있다는 것은 자연의 감응이 있다는 말이다.

그래서 문수사리보살에게 물었다. "무슨 인연으로 이러한 상서와 신통한 모습이 있어서 큰 광명을 놓아, 동방의 만 팔천 국토를 비추어 저 부처님 국토의 장엄함을 보게 하십니까?"

而問文殊師利言, 以何因緣而有此瑞, 神通之相, 放大光明, 照於東方萬八千土, 悉見彼佛國界莊嚴?

3) 미륵보살이 게송으로 거듭 묻다

미륵보살께서는 이런 도리를 다시 설명하기 위하여 게송으로 물었다.

문수사리보살이여! 대도사께서는 무슨 까닭으로
미간 백호에서 큰 광명을 널리 비추십니까?
만다라꽃과 만수사꽃이 비 오듯 내리며
전단 향 바람 불어 대중의 마음 즐겁게 하시네.
이러한 인연으로 땅은 모두 엄정하고
세계는 여섯 가지로 진동하며
사부대중은 모두 환희하고
몸과 마음이 상쾌하여 이전에 없던 것 얻었네.

於是彌勒菩薩欲重宣此義, 以偈問曰.

文殊師利　導師• 何故　眉間白毫　大光普照
雨曼陀羅　曼殊沙華　栴檀香風　悅可衆心
以是因緣　地皆嚴淨　而此世界　六種震動
時四部衆　咸皆歡喜　身意快然　得未曾有

도사(導師)• 인도하는 스승이라는 뜻으로서, 암흑의 길에서 광명의 길로 데려가는 것이다. 지금 우리는 석가모니 부처님이 계신 상적광정토(常寂光淨土)로 돌아가려고 하며, 그곳이 우리의 진정한 집이다.

미간 백호상의 광명은 동방으로
만 팔천 국토를 비추는데 모두 황금빛이네.
아비지옥에서 위로 비상비비상천에 이르기까지

모든 세계 가운데의 육도중생의
생사윤회와 선악의 업연으로
좋고 나쁜 과보 받음을 모두 이곳에서 보네.
眉間光明　照於東方　萬八千土　皆如金色
從阿鼻獄　上至有頂　諸世界中　六道衆生
生死所趣　善惡業緣　受報好醜　於此悉見

또한 제불께서는 성인 중의 주인이며 사자같이
경전을 연설함이 미묘하고 제일 희유하네.
부처님은 청정하고 부드러운 소리 내어
무수한 억만의 모든 보살을 가르치시네.
청정한 음성 미묘하여 사람들이 듣기 좋아하며
제불께서는 자기의 세계에서 정법을 강설하시네.
갖가지 인연과 무량한 비유로써 법을 설하시어
지혜의 밝음으로 중생이 불법을 깨닫게 하시네.
又睹諸佛　聖主師子　演說經典　微妙第一
其聲清淨　出柔軟音　教諸菩薩　無數億萬
梵音深妙　令人樂聞　各於世界　講說正法
種種因緣　以無量喩　照明佛法　開悟衆生

어떤 사람이 괴로움 만나 늙음·병·죽음 싫어하면
열반의 법 설하여 모든 괴로움을 그치게 하며,
만약 어떤 사람이 복 있어 일찍이 부처님 공양하고
수승한 법 구하는 뜻이 있으면 연각의 법 설하며,

만약 어떤 불자가 갖가지 행을 닦으면서
위없는 지혜를 구하면 청정한 도 설하시네.

若人遭苦　厭老病死●　爲說涅槃　盡諸苦際
若人有福　曾供養佛　志求勝法　爲說緣覺●
若有佛子　修種種行　求無上慧　爲說淨道●

약인조고(若人遭苦) 염노병사(厭老病死)● 범부는 고통을 만나 괴로울수록 더욱 괴로움을 만든다. 원래 번뇌는 고통을 받는 근본이지만, 그들은 언제나 번뇌를 버리기를 원하지 않고 번뇌와 교제하여 친구가 되기를 원한다. 그래서 번뇌를 떠나지 못하고 고통의 인연을 떠나지 못한다. 따라서 괴로울수록 더욱 고통이 극에 이르게 된다. 즉 지옥에 떨어지는 것이다. 그래서 영원히 고통을 받고 즐거움을 얻지 못한다. 이것이 범부이다.

외도는 어떠한가? 그들은 고통을 만나면 고통을 그치게 하려고 생각하지만, 고통을 그치게 할 길을 찾지 못한다. 따라서 외도법을 닦지만 고통을 그칠 수 없으며, 또한 고통을 만드는 것이다. 하지만 짓는 업이 그렇게 깊지 못하며 혹은 아귀로 달려간다.

외도도 고통을 그치게 할 수 없다. 지혜가 있는 일부 총명한 사람들은 비록 약간의 작은 지혜를 가지고 있어서 세간법에는 통달하지만, 출세간법을 이해하지 못한다. 그래서 고통의 인연을 만나면 그것을 그치게 할 방법이 없으며, 어떻게 대해야 할지를 모른다. 따라서 그들은 고통을 그치게 하려고 생각할 때 도리어 더욱 많은 고통을 만든다. 이를테면 남을 속여 돈을 갈취하려고 하다가 감옥에 가는 것이다. 인간 세상에서는 이러한 과보를 받고 난 후에 장래 축생이 되거나 한다. 따라서 삼악도에 떨어지는 것은 갖가지의 인연이 있는 것이다.

위설연각(爲說緣覺)• 연각의 법이란 12인연법을 말한다.

위설정도(爲說淨道)• 청정한 도란 육바라밀을 뜻한다.

문수사리보살이여! 나는 이곳에 머물면서
이런 일과 천억의 수많은 일을 보고 들었으며
이러한 많은 일 지금 간단하게 말하려고 하네.
文殊師利　我住於此　見聞若斯　及千億事
如是衆多　今當略說

나는 저 국토의 항하사와 같은 많은 보살들이
갖가지 인연으로 부처의 도 구하는 것 보았네.
어떤 사람은 보시를 행하면서 금, 은, 산호와
진주, 마니보주, 자거, 마노와
다이아몬드 등 여러 보배와 노비, 수레와
보배로 장식한 수레 등을 보시하기 좋아하고
불도에 회향하여 불승 얻기를 원하며
삼계의 제일가는 모든 부처님 찬탄하시네.
어떤 보살은 네 마리 말이 끄는 보배 수레와
난간과 꽃으로 만든 보개로 장식한 것 보시하며,
다시 어떤 보살은 신체의 살과 손발
그리고 처자도 보시하여 불도를 구하며,

또 어떤 보살은 머리, 눈과 신체를
기쁘게 보시하여 부처의 지혜를 구하네.

我見彼土　恒沙菩薩　種種因緣　而求佛道
或有行施　金銀珊瑚　眞珠摩尼　硨磲瑪瑙
金剛諸珍　奴婢車乘　寶飾輦輿　歡喜布施
迴向佛道　願得是乘　三界第一　諸佛所歎
或有菩薩　駟馬寶車　欄楯華蓋　軒飾布施
復見菩薩　身肉手足　及妻子施　求無上道
又見菩薩　頭目身體　欣樂施與　求佛智慧

◉ 이전에 『수경회천록(水鏡回天錄)』을 강의할 때, 내가 머문 절의 방장 스님이신 상인(常仁) 노스님의 이야기를 한 적이 있다. 그분은 수도할 때 부인을 보시하였다. 어떻게 보시하였는가? 그분은 본래 부인이 있었는데, 부친과 모친이 돌아가신 후에 시묘살이를 하러 갔다. 묘에서 시묘살이를 하게 되니 부인은 생과부 생활을 하게 된 것이다. 남편이 시묘살이를 하러 가서 집에 오지 않기 때문이었다. 부인은 생과부 노릇을 할 수 없어서 묘지로 와서 집으로 돌아가자고 하였다. 그렇게 세 번, 다섯 번 말해도 남편은 돌아갈 생각을 내지 않았다. 그는 진실로 도를 닦으려고 하였다. 그렇게 정성스런 마음과 도를 닦으려는 마음이 생기자, 마왕이 그를 시험하러 왔다. 이른바 "도가 한 척이면 마장은 한 장이며, 도가 한 장이나 높으면 마장은 머리 위에 있다."고 한다. 결국 남편이 진정으로 집에 돌아가지 않으려고 하자, 부인은 교묘한 방법을 생각해 냈다.

"당신이 집에 돌아가지 않으면 저는 다른 남자를 따라갈 테요!"

"당신이 다른 남자를 따라가서 시집을 가도 나는 관여치 않겠어! 나는 모든 것을 놓아버렸으며, 집안에 무슨 문제가 있어도 관여하지 않을 거요!"

어떻게 생각하는가? 이것이 진정으로 수도하려는 것이 아닌가? 만약 진실로 수도하려는 것이 아니라면, 부인이 다른 남자에게 시집가겠다고 하는데 용납이 되겠는가?

"좋소. 당신이 어떤 남자를 보고 마음에 들면 그를 따라가도 좋아!"

"그럼, 가서 찾아야겠네요!"

그래서 집으로 돌아가 한 남자를 찾아서 남편이 있는 묘지로 와서 말하였다. "당신이 만약 지금 집으로 돌아가지 않으면, 나는 이 남자를 따라가서 결혼할 겁니다."

이럴 경우 만약 선정력이 없거나 진정한 도심(道心)이 없으면 돌아가지 않을까? 그러나 그분은 돌아가지 않고 말하였다.

"그래, 당신은 그를 따라가!"

그래서 그의 부인은 그 남자를 따라가서 생활하게 되었다. 한 푼의 돈도 요구하지 않고 부인을 다른 남자에게 보낸 것이다. 이것이 바로 보살이 처자를 다른 사람에게 보시한 것이다. 왜 그는 이렇게 하였는가? 바로 무상의 도를 구하기 위함이다. 보살은 반드시 버리기 어려운 것을 버릴 수 있어야 진정으로 간파하고 놓았다고 할 수 있으며, 비로소 자재함을 얻을 수 있다. 여러분이 만약 불도를 중요하게 본다면 일체의 모든 것을 놓을 것이며, 불법 구하는 것을 귀중하게 여긴다면 부정당한 경계에 움직이지 않을 것이다.

문수사리보살이여! 내가 여러 왕을 보니

그들은 부처님 처소에 와서 위없는 도 묻고
곧 국토와 궁전과 신하, 처첩 버리고 와서
머리와 수염을 깎고 법복을 입으며,
혹은 어떤 보살은 비구가 되어
홀로 한적한 곳에서 경전을 즐거이 독송하며,
또 어떤 보살은 용맹스럽게 정진하고
깊은 산에 들어가 불도를 사유하며,
욕심 떠난 보살은 항상 한적한 곳에 머물면서
깊이 선정을 닦아 다섯 가지 신통을 얻으며,
어떤 보살은 편안하게 선정에 들어 합장하여
천만의 게송으로 모든 부처님을 찬탄하며,
다시 어떤 보살은 지혜가 깊고 뜻 견고하여
모든 부처님께 묻고 들은 것 모두 수지하며,
또 어떤 불자는 선정과 지혜를 구족하여
무량한 비유로써 중생을 위해 법 설하며,
즐거이 법 설하여 많은 보살을 교화하고
마군 무리를 파괴하기 위해 법의 북 치네.

文殊師利 我見諸王 往詣佛所 問無上道
便捨樂土 宮殿臣妾 剃除鬚髮 而被法服
或見菩薩 而作比丘 獨處閑靜 樂誦經典
又見菩薩 勇猛精進 入於深山 思惟佛道
又見離欲 常處空閑 深修禪定 得五神通
又見菩薩 安禪合掌 以千萬偈 讚諸法王
復見菩薩 智深志固 能問諸佛 聞悉受持

又見佛子　定慧具足　以無量喩　爲衆講法
欣樂說法　化諸菩薩　破魔兵衆　而擊法鼓

어떤 보살은 고요하게 앉아 좌선을 하며
천인과 용이 공경하여도 기쁘게 생각하지 않고,
어떤 보살은 숲에 머물면서 큰 광명 놓아
지옥 중생 고통을 구제하여 불도에 들게 하며,
어떤 불자는 잠을 자지 않고
숲속을 경행하면서 부지런히 불도를 구하며,
계를 갖춘 보살은 위의에 모자람이 없고
청정함이 보배 구슬과 같이 불도를 구하네.

又見菩薩　寂然宴默　天龍恭敬　不以爲喜
又見菩薩　處林放光　濟地獄苦　令入佛道
又見佛子　未嘗睡眠　經行林中　勤求佛道
又見具戒•　威儀無缺　淨如寶珠　以求佛道

◉ 수도하는 데 가장 중요한 것은 무념(無念)이다. 무슨 생각이 없는가? 망념이 없다. 망념이 없는 것은 생하지 않는[不生] 것이며, 멸하지 않는[不滅] 것이다. 더럽지 않은[不垢] 것이며, 깨끗하지 않은[不淨] 것이다. 늘어나지 않는[不增] 것이며, 줄어들지 않는[不減] 것이다. 옳은 것이 아니며, 그른 것이 아니다. 선이 아니며, 악이 아니다. 무엇 때문인가? 망념이 없어야 비로소 자성의 청정한 진여묘성(眞如妙性)이기 때문이다. 여러분이 무념이면 "나는 염이 없다."고 말할 수 없다. 왜냐하면 여러분이 '나는 염이 없다'는 생각을 가지고 있기 때문이며, 그것은 여전히 한

생각이다. 따라서 진정으로 무념이라면 "나는 생각이 없다."고 말하지 않을 것이다. 단지 무념할 수 있으면 그것은 바로 그 마음을 항복시키는 것이며[降伏其心], 바로 마군의 무리를 파괴하는 것이다.

그러므로 이 무념은 가장 묘한 것이라고 말할 수 있다. 왜 하늘과 용이 공경하는데 기쁘게 생각하지 않는가? 왜냐하면 바로 무념이기 때문이며, 인욕을 가지고 있고 생인(生忍)을 가지고 있기 때문이다. 생인은 남들이 당신을 공경하고 공양해도 교만심을 내지 않는 것이다. 당신이 만약 무념하다면 남이 때리고 욕하거나 혹은 훼방하고 파괴하려고 해도 참을 수 있다.

불법을 배우는 여러분이 이 무념을 배우면 일체의 번뇌도 없을 것이며, 일체의 번뇌가 없으면 이것이 바로 깨달음[菩提]이다. 깨달음은 곧 번뇌이며, 번뇌도 곧 깨달음이다. 이것을 쓸 줄 알면 바로 깨달음이며, 쓸 줄 모르면 곧 번뇌이다.

◉ 달마 조사는 중국에 오기 전에 두 명의 제자를 중국으로 파견하였다. 그들은 불타(佛馱)와 야사(耶舍)였으며, 모두 인도인이었다. 그들은 중국에 돈교(頓教)법문을 전하려고 선종의 도리, 즉 불립문자(不立文字), 견성성불(見性成佛)의 법문을 강설하였다. 그 당시 중국에 보리유지(菩提流支)라고 하는 한 인도 스님이 와 있었다. 보리유지는 두 인도 스님이 또 와서 선종을 설하는 것을 보았다. 선종은 대승의 불법이며, 보리유지는 삼장의 소승법을 설하였다. 이때 보리유지는 중국의 법사들과 연합하여 달마 조사의 두 제자를 쫓아버렸다. 두 제자는 장안에서 여산으로 쫓겨났다.

그때 혜원(慧遠) 대사가 여산에 있었는데, 두 인도 스님이 오는 것을 보고 물었다.

"당신들은 왜 쫓겨났습니까? 도대체 당신들이 전하는 것은 무슨 법문입니까?"

불타와 야사 두 스님은 말하였다.

"우리가 설하는 것은 선종의 도리입니다. 보리유지와 중국의 스님들은 한편으로는 우리를 시기 질투하고, 한편으로는 불법을 이해하지 못합니다. 우리는 사람 수가 적어서 그들에게 쫓겨났습니다. 우리의 법문을 지금 당신에게 비유를 들어 말하겠습니다."

그는 손을 펴서 주먹을 쥐었다가 다시 폈으며, 폈다가 다시 주먹을 쥐었다. 그리고 혜원 대사에게 물었다.

"손으로 주먹을 만들고 주먹으로 손을 만드니, 당신이 보기에 빠르지 않습니까?"

"매우 빠릅니다."

"보리(깨달음)와 번뇌도 이렇게 빠릅니다!"

그때 혜원 대사는 깨달았다.

"아, 보리와 번뇌는 원래 구별이 없구나! 보리가 곧 번뇌이며, 번뇌가 곧 보리구나."

여러분도 한 번 돌이키면 번뇌가 곧 보리이며, 다시 한 번 돌이키면 보리가 번뇌이다. 손을 펴면 손바닥이고 손을 쥐면 주먹이다. 주먹과 손바닥은 모두 너희 손에서 변화하는 것으로 결코 분별이 없으며, 둘이면서 둘이 아니다.

따라서 선종에서 설하는 "마음이고 부처이며[卽心卽佛], 마음을 밝혀 성품을 본다[明心見性]."는 것은 결코 번뇌를 떠나 깨달음이 있는 것이 아니며, 깨달음을 떠나 다른 번뇌가 있는 것이 아니라는 뜻이다. 번뇌가 보리이고 보리가 번뇌이며, 생사가 곧 열반이며 열반이 곧 생사이다. 무념할 수 있으면 바로 열반이며, 유념이면 곧 생사이다. 그러므로 무념의 법문은 제일이며 가장 묘하다.

만약 일념도 생하지 않으면 전체가 드러난다. 그러면 본래 가지고 있는 불성이 드러나는 것이다. 만약 무념의 정도에 이르지 못하면, 생사를 마치지 못한다. 만약 무념의 경계에 도달하면, 귀신도 너희를 어지럽힐 방법이 없다. 그래서 "하늘과 용이 공경해도 기뻐하지 않는다.[天龍恭敬 不以爲喜]"고 하는 것이다. 왜 기뻐하지 않는가? 깊은 선정에 들어가서 무념의 경계에 이르렀기 때문이다. 무념의 경계에 이르면, 일체의 모든 것은 반본환원(返本還原)하여 우리가 가진 본래면목, 즉 본지풍광(本地風光)을 회복한다. 일체의 모든 것은 자신이 본래부터 가지고 있던 것이다. 바로 하늘과 용이 공경하는 것도 본래 있던 경계이니, 기이하게 여기지 않는다.

우견구계(又見具戒)• 계율을 지키는 보살은 마치 보주를 귀중하게 지키는 것처럼 계율을 지키면서 불도를 구한다. 구계(具戒)는 『대지도론(大智度論)』에서 열 가지로 설명한다.

① 불결계(不缺戒: 모자라지 않은 계)

계를 지니는 보살은 열 가지 악과 오역의 가장 중한 죄업을 범하지 않는다. 이런 중죄를 범하는 것은 마치 바다에서 부낭(浮囊: 공기가 든 주머니)을 잃어버린 것과 같다. 부낭을 잡고 있으면 바다를 건너갈 수 있다. 죄를 범하는 것은 마치 부낭을 잃어버려서 바다를 건널 수 없는 것과 같다. 이것은 계가 없으면 성불할 수 없는 것을 나타낸다. 계를 지키지 않으면 생사의 차안에서 번뇌의 흐름을 거쳐 열반의 피안에 이를 수 없다. 따라서 첫 번째는 모자라지 않은 계를 지녀서 중죄를 범하지 않는 것이다.

② 불파계(不破戒: 파괴되지 않은 계)

이것은 중품(中品)의 십악, 오역죄를 범하지 않는 것이다. 중품의 십악, 오역죄를 범하는 것은 부낭을 파괴하는 것과 같아서 사용할 수 없다. 만약 계를 지키지 않고 파계하면 신체에 죄업이 있어서 성불할 수 없다.

③ 불천계(不穿戒: 뚫리지 않은 계)

천(穿)이란 어떤 뜻인가? 마치 부낭에 작은 구멍이 뚫리는 것과 같다. 부낭에 단지 바늘만 한 작은 구멍이 나도 공기가 새기 때문에 물에 오래 뜰 수 없다. 뚫리지 않은 계[不穿戒]는 하품(下品)의 십악, 오역죄를 범하지 않는 것이다. 십악, 오역죄를 조금이라도 범하면, 부낭에 작은 구멍이 나는 것과 같아서 성불할 수 없다.

④ 부잡계(不雜戒: 잡스럽지 않은 계)

잡이란 잡란하여 두서가 없는 것을 말한다. 부잡이란 나쁜 각관(覺觀)을 일으키지 않는 것을 뜻한다. 각에는 좋은 각관, 나쁜 각관이 있는데, 나쁜 각관이란 나쁜 생각을 내는 것이다. 비록 몸과 입이 청정할지라도, 뜻으로 이미 번뇌를 일으키는 것이다. 따라서 수도하는 데는 부잡계를 닦아야 한다.

⑤ 수도계(隨道戒: 도를 따르는 계)

초과를 증득한 아라한은 길을 걸어가거나 땅을 팔 때 벌레들이 자동으로 그의 발과 4촌(寸: 2.54센티미터)만큼 떨어져서 스스로 피해 밟혀 죽지 않으며, 그는 자연적으로 계를 범하지 않게 된다. 이것을 수도계(隨道戒)라고 한다. 너희의 수행하는 도를 따라 이런 계율이 있다. 이 계는 또 도공계(道共戒: 도와 함께하는 계)라고도 한다. 선정이 있어야 비로소 계를 지닐 수 있다.

⑥ 정공계(定共戒: 정과 함께하는 계)

이 계는 나한(羅漢)의 계이다. 아라한은 선정을 닦아서 삼계, 육진의 경계에 집착하지 않는다. 그는 탐착하지 않기 때문에 이것을 또 무착계(無着戒)라고도 한다.

⑦ 지소찬계(智所讚戒: 지혜 있는 사람이 찬탄하는 계)

이 계를 지니는 사람은 거짓으로부터 속된 것을 잘 버린다. 비록 그가 중도를 행하는 것은 아니지만, 그는 속제(俗諦), 가제(假諦)로부터 속제, 가제의 도리로 중생을 잘 이롭게 한다. 속제, 가제는 본래 일종의 방편으로 변화시키는 법이다. 그는 비록 중도를 닦지 않지만, 방편법으로 중생을 이롭게 하므로 지혜 있는 사람이 찬탄하는 것이다.

⑧ 자재계(自在戒: 자재로운 계)

관세음보살의 다른 이름인 관자재(觀自在)의 자재함이며, 신통으로 인간 세계를 유희하며 역(逆)·순(順)으로 시현한다. 혹은 순의 경계를 시현하기도 하고, 혹은 역의 경계를 시현하기도 한다. 역이란 마음을 거스르는 경계이며, 순이란 마음을 따르는 경계이다. 그러나 비록 이렇게 시현할지라도, 성계(性戒)와 차계(遮戒) 상에서 모두 범하지 않는다.

무엇을 성계라고 하는가? 계의 성품[戒性]이다. 불성과 자성은 같은 것이기 때문에 자성계라고도 하며, 본성계라고도 한다. 너희가 심지어 한 생각을 일으켜도 계를 범하는 것이다.

무엇을 차계라고 하는가? 차는 제지(制止)한다는 뜻이므로, 차계는 이미 성품에 이러한 형상이 있다는 것이다. 성계는 무형이지만, 차계는 형상이 있는 것이다. 비록 그가 나쁜 일을 했을지라도 계를 범하지 않은 것이다. 심지어 살생을 해도 계를 범한 것인가, 아닌가? 『능엄경』을 강설할 때, 어떤 사람이 물었다. "호법신장이 마(魔)의 머리를 가루로 만든다면, 그것은 계를 범한 것이 아닌가요?" 그때 나는 "계를 범하지 않았다."고 답하였다. 그것이 바로 역(逆)경계로서, 역경계에서는 계를 범하지 않은 것이다.

하나의 예를 들고자 한다. 중국 양나라 무제 시절 달마 조사가 중국에 왔을 때, 보지(寶誌: 일반적으로 誌公 선사라고 부름) 선사라는 분이 계셨다. 보지 선사는 채식을 하지 않고 매일 두 마리의 비둘기 고기를 먹었다. 주방장이 매일 두 마리 비둘기 고기를 보내주면 뼈도 남기지 않고 다 먹었다.

요리사가 생각하였다. '비둘기 고기가 그렇게 맛이 있나!' 그래서 어느 날 요리사는 맛을 보려고 요리가 다 된 비둘기 날개 부위를 몰래 먹었다. 요리사는 뼈도 부수어서 자기가 조금 먹은 것을 모를 것이라 생각하였다. 고기를 가져가자 지공 선사는 한 번 보더니 말하였다.

"너는 왜 내 비둘기 고기를 훔쳐 먹었느냐?"

"먹지 않았습니다."

"먹지 않았다고? 내 다 먹고 너에게 보여주지!"

지공 선사가 비둘기 고기를 다 먹은 후에 입을 벌려 토하자 두 마리 비둘기가 입에서 나왔는데, 한 마리는 날아갔으나 다른 한 마리는 한쪽 날개가 없어 날지를 못하였다.

"보아라. 저놈 날개는 어디로 갔느냐? 만약 네가 훔쳐 먹지 않았다면, 저 비둘기 날개는 어째서 없느냐?"

요리사는 이런 광경을 보자 정말 신기하였다. 뼈도 자르고 삶았는데, 어떻게 그것을 먹은 후에 다시 살아 있는 비둘기로 변할 수 있는가?

이러한 일이 있은 후로 요리사는 지공 선사가 보통 분이 아니라는 것을 알았다. 이것은 정말로 큰 보살의 경계이다. 이것이 바로 역경계를 시현하는 것이다. 본래 고기를 먹는 것은 옳지 않은 일이지만, 그는 삶은 비둘기 고기를 먹고는 다시 살아 있는 비둘기로 토해낸 것이다.

이전에 어떤 노인이 와서 "고기를 먹어도 깨달을 수 있습니까?"라고 물었을 때 나는 말하였다. "너희가 만약 한 입에 한 마리의 소를 먹고 다시 소로 토해낼 수 있다면 가능하다." 이것은 마치 지공 선사의 경계와 같은 것이다. 만약 그러지 못한다면 반드시 악도에 떨어지고, 반드시 빚을 갚아야 한다. 당신이 고기를 먹으면 장래 당신도 그에게 먹힐 것이다. 이것은 조금도 사정을 봐주지 않을 것이다.

따라서 자재계는 자기가 어떻게 하기를 원하든지 모두 자유자재로 할 수 있으며, 모두 옳은 것이다. 그러면 어떤 사람은 나도 시험해 봐야지라고 말할 것이다. 너희에게 신통이 있으면 가능할 것이나, 신통이 없으면 할 수 없는 일이다.

⑨ 수정계(隨定戒: 정을 따르는 계)

무엇을 하든지, 일체의 때와 모든 곳에서 마치 선정에 든 것과 같은 것이다.

⑩ 구족계(具足戒: 원만한 계)

지계바라밀에 대하여 어떻게 하든지 모두 원만하고 모두 계를 지니는 것이다. 어떻게 하여도 계를 지키는 것이다. 계를 범하는 것처럼 보여도 계를 지키는 것이다. 이것은 보살의 경계로서 일반인과는 비교할 수 없는 것이다.

또 어떤 불자를 보니 인욕의 힘에 머물러
증상만의 사람이 욕하고 때려도
모두 참으면서 불도를 구하네.
또 어떤 보살은 모든 유희와
어리석음의 권속 떠나 지혜로운 자 친근하며
일심으로 어지러움 제거하고 생각 수습하면서
산림 속에서 억천만 세 동안 불도를 구하네.

又見佛子　住忍辱力　增上慢人　惡罵捶打
皆悉能忍　以求佛道
又見菩薩　離諸戲笑　及癡眷屬　親近智者
一心除亂　攝念山林　億千萬歲　以求佛道

우견불자(又見佛子) 주인욕력(住忍辱力) 어떤 불자는 인욕바라밀을 닦는다. 인욕에도 무념이 필요하다. 만약 무념의 경지에 이르면 그것이 바로 생인(生忍)이며, 법인(法忍)이며, 또한 무생법인(無生法忍)이다. 보살 불자는 전문적으로 인욕의 행문을 닦는다. 인욕은 무엇을 다스리려고 하는가? 화를 내는 증상만(增上慢)의 사람을 대치하는 것이다. 어떤 경계를 만나더라도 화를 내지 않으며 참을 수 있다. 수행은 자기가 하는 것이지 남들로 하여금 수행하게 하는 것이 아니다.

금년 여름방학 때 어떤 사람이 말하였다. "이 사람은 인욕을 닦는데, 내가 그를 시험해서 참을 수 있는지 볼까요?" 그렇게 하면 안 된다. 남을 시험하지 말고 자기를 시험해야 한다. 모든 경계가 올 때 내가 참을 수 있는가? 나는 부동심, 부동념이 될 수 있는가? 순경계가 오든지 역경계가 오든지 태연하게 맞이할 수 있는가? 아무 일도 없는 듯이 태연하게 매우 자연스럽게 마음속에 조금도 화를 내지 않는 것이다.

여러분은 기억해야 한다. 절대로 다른 사람을 시험하지 말아야 한다. 수도하는 사람은 자기를 시험해야지 다른 사람을 시험하려고 해서는 안 된다. 다른 사람을 시험하는 것은 정도에서 멀리 달아나는 것이다. 어떻게 멀리 달아나는가? 여기서 뉴욕까지 가려는 사람은 그게 비행기든, 기차든, 버스든, 자기 차든 바로 갈 수 있는 교통수단을 이용할 것이다. 하지만 곧바로 가지 않고 남쪽이나 북쪽으로 갔다가 다시 또 뉴욕으로 가려면 시간이 지체되는 것과 같다.

남을 시험하지 않고 수행하면 곧바로 성불할 수 있다. 그런데 남을 시험하면 자기 공부를 그르칠 수 있다. 만약 너희에게 신통이 있어서 공중에서 자유자재로 변할 수 있으며 몸 위로 물을 뿜어내고 몸 아래로 불을 낼 수 있을 정도에 이르면 남을 시험해 볼 수 있다. 만약 그렇지 않다면 남을 시험해서는 안 된다.

증상만인(增上慢人)• 바로 교만한 사람을 뜻한다. 어떤 사람을 만나도 얕보면서 자기가 제일이라고 느낀다. 총명도, 지혜도, 학문도 자기가 제일이라고 생각하는 것이다. 그러나 자기 어리석음이 제일이라고 말하지는 않는다. 사실은 어떤가? 증상만은 바로 교만이며, 교만은 곧 어리석음이다. 어리석기 때문에 교만한 것이다. 어리석은 사람이 아니면 교만하지 않을 것이며, 남을 얕보지 않을 것이다.

무엇 때문인가? 석가모니 부처님을 보라. 그분은 지혜를 가진 분이며, 큰 깨달음을 얻은 분이다. 크게 깨달은 사람은 일체중생이 모두 성불할 수 있다고 본다. 일체중생이 모두 과거생의 부모, 미래의 부처라고 본다. 따라서 중생을 경시하지 않는다. 우리는 아주 작은 범부이다. 무슨 교만할 가치가 있는가? 또 무슨 자만할 가치가 있는가? 그러므로 교만한 사람은 정말로 가장 어리석은 사람이며, 모든 사람들을 오만하게 대한다.

이제희소(離諸戲笑)• 수도하는 보살은 항상 웃거나 유희할 수 없다. 일을 하지 않는다면 모를까, 일을 하면 바른 일을 해야 한다. 또한 웃어야 할 때는 웃을 수 있으며, 웃지 않아야 할 때는 웃으면 안 된다.

모든 유희를 떠난다는 것[離諸戲笑]은 오개(五蓋)의 하나를 떠나는 것이다. 다섯 가지 덮개란 중생의 마음을 덮어서 바른 도를 이해하지 못하게 하는 다섯 가지 번뇌를 말한다. 즉 탐하는 덮개, 화내는 덮개, 수면의 덮개, 도회(掉悔)의 덮개, 어리석음의 덮개를 가리킨다. 이런 덮개는 자성을 덮는다.

여기서 '모든 유희를 떠난다'는 것은 도회의 덮개를 떠난다는 것이다. 무엇이 도회인가? 이 사람은 일을 하는 데 기복이 심하고 일정함이 없다, 이렇게 하려고 생각하다가도 이렇게 하지 않고, 저렇게 하려고 생각하다가도 또 이렇게 하려는 것이다. 자기 주관이 없는 것이다. 일을 했다가 후회하고, 후회했다가도 다시 그렇게 하는 것이다. 이것을 도회라고 한다. 수도하는 사람은 함부로 웃을 수 없다. 마땅히 웃어야 할 때 웃으며, 마땅히 웃지 않아야 할 때 웃지 않는다. 하루 종일 "하하하"라고 웃으면 안 될 것이다.

급치권속(及癡眷屬) 무엇이 가장 어리석은가? 불법을 배우지 않는 것이 가장 어리석은 것이다. 불법을 배우지 않기 때문에 나날이 어리석어지는 것이다. 어리석음이 극에 이르면 축생 속으로 달려간다. 따라서 어리석음의 권속을 떠나야 한다.

이 게송은 화를 내는 덮개[瞋蓋]를 떠나야 한다는 것이다. 진(瞋)은 곧 진한(嗔恨)을 뜻한다. 너희가 화를 내고 분노하면 너희의 자성을 덮어 가린다. 앞에서 언급한 '도회의 덮개'는 진정한 지혜를 없게 한다. 여기서 '어리석음의 권속을 떠난다'는 것은 화를 내는 덮개를 떠나는 것이다. 왜 그런가? 너희는 무엇 때문에 화를 내는가? 화는 어디로부터 오는가? 무명의 그곳으로부터 온다.

무명은 무엇인가? 바로 어리석음이다. 이해가 되는가? 이해가 되지 않는다면, 그것이 어리석음이 아니면 무엇인가? 따라서 어리석음의 권속을 떠난다는 것은 바로 진한의 덮개를 떠나는 것이다. 왜 화를 내고 분노하는가? 왜 너희에게 성미가 있는가 하면, 바로 근본적인 어리석음 때문이다. 아무리 총명한 사람이라고 해도 한 번 화를 내면 아무것도 돌아보지 않는다. 총명함도 덮어버린다. 따라서 어리석음의 권속을 떠난다는 것은 곧 진한의 덮개를 떠난다는 것이다.

친근지자(親近智者) 지자는 지혜로운 사람이다. 어리석음의 권속을 떠나 지혜로운 사람을 가까이하는 것이다. 지혜로운 사람을 가까이하는 사람은 곧 어리석음의 덮개를 떠난다. 지혜로운 사람을 가까이하여 오래 지나면 곧 어리석지 않기 때문이다. 무엇 때문인가? 붉은 것을 가까이하는 사람은 붉어지고, 먹물을 가까이하는 사람은 검어지는[近朱者赤 近墨者黑] 것이다. 어떤 사람이 지혜로운 사람인가? 하루 종일 화를 내지 않는 사람이다. 그를 가까이하면 화를 내고 싶어도 화낼 곳이 없다. 막 화를 내고 싶어도 '그도 화를 내지 않는데, 나도 화를 내지 말아야지!' 할 것이다. 그래서 이런 속담이 있다. "선이 한패라면 악은 한 무리이며, 사람은 같은 무리의 사람을 찾는다."

지금 이 불교강당에 있는 사람들은 모두 불법을 연구하려고 생각하는데, 이것이 바로 친근지자(親近智者)이다. 미국에서 진정으로 불법을 강의하는 곳은 매우 적다. 여러분이 각처로 찾아봐도 매일 불법을 강의하는 단체는 없을 것이다. 여기 불교강당은 매일 불법을 강설한다. 매일 불법을 듣는 것이 바로 친근지자(親近智者)이다. 따라서 불교강당은 어떤 사람이라도 올 수 있는 곳이 아니다. 어떤 사람은 이곳에 와서 잠시 앉아 있다가 가 버리는데, 앉아 있으려고 해도 앉아 있을 수가 없고 서 있으려고 해도 서 있을 수가 없다. 심지어 이곳에 오면 두려워 전전긍긍하는 사람이 있는데, 무엇 때문인가? 업장이 너무 중하기 때문이다.

일심제란(一心除亂)• 이것은 탐하는 덮개를 제거하는 것이다. 만약 탐하지 않으면 마음속이 어지럽지 않을 것이다. 탐하는 마음이 있으면 마음이 어지러우며 명료하지 못하다. 마음속이 명료하지 못하면 곧 흐리멍덩한 일을 짓게 된다.

무엇을 탐하는가? 첫 번째는 재물을 탐한다. 우리 각자는 회광반조(廻光返照)하여 자기에게 물어봐야 한다. 나에게 탐하는 마음이 있는가?

탐하는 덮개가 없는가? 남의 돈을 탐하는 것은 아닌가? 돈을 탐하기 때문에 거짓말을 하며, 살생을 하거나 훔치려고 하거나 갖가지 나쁜 일을 지으려고 하는 것은 아닌가? 마음속에서는 그렇게 해서는 안 된다고 명료하게 알지만, 탐하는 마음이 있기 때문에 그렇게 나쁜 짓을 하려는 것이다. 따라서 마음이 어지러워진다. 이제 이러한 어지러움을 없애기 위하여 탐하는 덮개를 제거하는 것이다.

탐하는 것이 있으므로 자기가 본래 가진 지혜와 자성의 광명을 덮어 가린다. 일심으로 어지러움을 제거하여 탐하는 덮개를 없애면, 자성의 광명이 드러날 것이다.

섭념산림(攝念山林)• 섭(攝)은 수습한다는 뜻이며, 염(念)은 우리의 현전하는 한 생각이다. 사람이 염하는 신통은 가장 크며, 한 생각은 십만 팔천 리나 멀리 달려갈 수 있다. 보라. 석가모니 부처님께서는 백호광명으로 동방 만 팔천 국토를 비추며, 우리의 이 한 생각도 만 팔천 국토를 생각할 수 있다. 우리의 한 생각은 석가모니 부처님의 광명과 비교하면 차이가 너무나 많이 난다. 우리의 이 한 생각은 광명은 없고 단지 그 지방을 생각할 수 있을 뿐이지만, 그래도 이러한 큰 힘이 있다. 이 한 생각은 천당으로, 지옥으로, 인간으로 달려간다. 천당과 지옥은 모두 이 한 생각이 조성하는 것이다. 심지어 부처를 이루는 것도 한 생각이며, 보살이 되는 것도 한 생각이며, 아라한이 되는 것도 이 한 생각이다. 이 한 생각이 만약 성숙되면, 여러분은 신통변화를 성취할 수 있다.

그러므로 이제 생각을 수습하여, 밖으로 나가지 말고 본래 갖춘 자성으로 수습해야 한다. 섭념(攝念)이란 마치 쇠를 빨아들이는 자석처럼 이 한 생각을 살펴서 달아나지 않게 하는 것이다. 이것은 독(毒)으로 독을 공격하는 방법이다. 마치 사람이 독약을 마시면 그 독을 해독하기 위해서 (다른) 독약을 사용하는 것과 같다.

이 섭(攝)이란 것도 독이다. 독으로 독을 공격하는 가장 좋은 것은 바로 무념(無念)이다. 만약 생각이 없으면 생도 없고 멸도 없다. 무념이 가장 묘한 것이다. 여러분이 산림 속에서 만약 무념이 될 수 있으면, 본래 갖춘 대각의 불성(佛性)은 자연히 원만해지고 현전할 것이다. 그러나 지금 무념이 될 수 없으면 섭심해야 한다. 섭심은 곧 수면의 덮개를 제거하는 것이다.

수행할 때 수마(睡魔)는 대단한 것이다. 사람에게는 더욱이 일종의 게으른 성질이 있으므로 수마는 게으름 돕기를 가장 좋아한다. 우리가 게으르면 수마는 곧 와서, "가서 쉬고 잠 좀 자!"라고 유혹한다. 이때 여러분은 이렇게 생각할 것이다. '그렇지, 잠자는 것은 좋지. 아주 좋으며 가장 자재한 것이야. 잠을 자면 아무것도 모르고, 망상도 짓지 않거든.' 그러나 여러분이 한 번 잠을 자면 어떤 때는 꿈을 꾸기도 하는데, 가장 보통의 꿈은 우리로 하여금 수도하지 않게 하는 것이다.

무슨 꿈인가? 신기하게도 잠을 자면 수도하는 남자는 많은 시간을 꿈에서 여인을 보며, 수도하는 여자는 남자를 보게 된다. 무엇 때문인가? 수행자는 계를 지키려고 노력하지만, 마왕은 우리가 계를 범하는 것을 좋아한다. 따라서 잠을 자면 마왕은 갖가지 형상으로 변하여 우리의 선정력을 어지럽힌다. 우리는 깨어 있을 때는 선정력이 있으나, 잠을 잘 때는 선정력이 충족하지 않아서 경계에 움직이게 된다. 그때 계도 없고 선정력도 도망가며, 지혜의 힘은 어디로 갔는지 더욱 찾을 수가 없다. 계·정·혜의 힘이 없어서 우리가 의지하던 산이 무너지며, 마의 경계에 따라 움직이는 것이다. 따라서 수면도 자성의 광명을 덮어 가린다. 그러므로 수행을 하려면 이 다섯 가지 덮개를 하나씩 없애 나가야 한다.

또 어떤 보살은 맛있는 음식과
수많은 약품을 부처님과 스님께 보시하며,
가치가 천만 되는 유명하고 귀중한 의복과
가치를 알 수 없는 의복을 부처님과 스님께 보시하며,
천만억 가지의 많은 전단향목으로 만든 집과
묘한 침상을 부처님과 스님께 보시하며,
청정한 원림과 갖가지 꽃과 과일,
흐르는 샘과 맑은 연못을 부처님과 스님께 보시하며,
여러 가지 아름답고 좋은 것을 보시하되
기뻐하는 마음으로 부처의 지혜 구하네.

或見菩薩　餚膳飮食　百種湯藥　施佛及僧
名衣上服　價直千萬　或無價衣　施佛及僧
千萬億種　栴檀寶舍　衆妙臥具　施佛及僧
淸淨園林　華果茂盛　流泉浴池　施佛及僧
如是等施　種種微妙　歡喜無厭　求無上道

또 어떤 보살은 적멸법을 설하고
갖가지 가르침으로 무수한 중생 가르치네.
또 어떤 보살은 제법의 성품이
유무 두 상이 마치 허공과 같음을 관하며,
또 어떤 불자는 마음에 집착하는 것 없고
이러한 묘한 지혜로써 부처의 길 구하네.

或有菩薩　說寂滅法•　種種教詔　無數衆生•
或見菩薩　觀諸法性　無有二相　猶如虛空•
又見佛子　心無所著•　以此妙慧　求無上道•

설적멸법(說寂滅法)• 무엇이 적멸법인가? 바로 제법이 공한 모습이다. 이 적멸법은 말로 표현할 수 없으며, 하나의 모습이나 색깔도 없다.

종종교조(種種教詔) 무수중생(無數衆生)• 보살은 갖가지 방법과 갖가지 교화로써 중생으로 하여금 생사를 등지고 깨달음과 합해지게 하며, 모든 생사는 괴로운 것이라는 것을 이해하고 깨닫게 한다.

관제법성(觀諸法性) 무유이상(無有二相) 유여허공(猶如虛空)• 일체의 법성은 있다거나 없다는 상이 없을 뿐 아니라, 하나의 상도 없다고 본다. 하나의 상도 없다면 도대체 어떠하다는 것인가? 마치 허공과 같다는 것이다. 허공에는 무엇이 있는가? 아무것도 없으며, 일체의 형상이 없다. 그러나 일체의 형상은 결코 허공을 떠나지 않으며, 모두 허공 속에 포함되어 있다. 땅은 허공이 아닌가? 땅을 한 척 파내면 한 척의 허공이 있으며, 한 장(丈: 약 3미터)을 파내면 한 장의 허공이 생긴다. 그러면 땅을 파내기 전에는 허공이 없는 것인가? 아니다. 여전히 그 속에 허공이 있다.

따라서 설령 허공 속에 형상이 있더라도 허공을 포함할 수 없으며, 허공에 포함된다. 또한 형상이 있는 곳에 허공은 여전이 존재하며, 형상이 없는 곳에도 허공은 존재한다. '존재하는 것'으로 살펴보자. 무엇이 없으며, 보이지 않는다. 허공은 무슨 맛이 있는가? 아무런 맛도 없다.

허공은 무슨 색깔인가? 아무런 색깔도 없다. 제법의 실상도 바로 이와 같다. 만약 여러분이 허공의 도리를 이해하면 자성의 도리를 이해할 것이다. 그래서 다음과 같이 말한다.

자성은 허공과 같아서
참됨과 허망함이 그 가운데 있네.
본래 도리를 철저하게 깨달으면
하나를 통하면 일체를 통하네.
自性如虛空 眞妄在其中
悟徹本來體 一通一切通

자기의 성품은 허공과 같으며, 그 안에 진공(眞空)도 있고 묘유(妙有)도 있다. 진공이 바로 묘유이며, 묘유가 바로 진공이다. 결코 진공을 떠나서 묘유가 있지 않으며, 묘유를 떠나서 다른 하나의 진공이 있는 것도 아니다. 따라서 영가(永嘉) 대사는 『증도가(證道歌)』에서 "참됨을 세우지 않고, 허망함은 본래 공하니, 유와 무를 함께 책망하고 공하지 않음도 공하네.[眞不立 妄本空 有無俱譴不空空]"라고 하였다.

자성은 허공과 같다. 허공은 "내가 허공이다."라고 말하지 않는다. 허공은 자기의 몸[自體]이 없다. 만약 "내가 허공이다."라고 말한다면 그것은 허공이 아니며, 다시 하나의 유(有)로 변한 것이다. 그에게는 여전히 하나의 허공이 존재하고 있는 것이다. 허공은 근본적으로 자체가 없다. 우리의 자성도 이와 같다. 그럼 당신은 다음과 같이 말할 것이다. "아무것도 없다고? 이거 큰일 났군! 아무것도 없는 것으로 변했군!" 그러나 두려워하지 말라. 아무것도 없다는 것은 정말로 가지고 있다는 것이며, 그래야 비로소 참으로 있는 것이다.

모든 산하대지와 삼라만상, 삼천대천세계 등 우리 것이 아닌 것은 하나도 없다. 모두 우리의 것이다. 그러나 진정으로 무엇을 요구해도 없다. 만약 조금이라도 걸리는 것이 있다면, 이것은 우리 것이 아니다. 보라. 조금이라도 걸림이 있기 때문에 이러한 것을 받아들일 수 없으며, 여전히 집착하는 것이 있고 걸리는 것이 있게 된다. 만약 집착하고 걸리는 것이 없다면 정말로 부귀한 사람이며, 부귀함이 극에 이르러 모든 허공과 법계를 다하여 우리의 자성 속에 포함될 것이다.

따라서 본래 자성의 체를 이해하면, 하나를 이해하면 모든 것을 이해하여 통하지 않음이 없고, 알지 못하는 것이 없을 것이다. 삼신(三身), 사지(四智), 오안(五眼), 육통(六通)을 밖에서 찾을 필요가 없다. 이 모두는 본래 가지고 있는 보물이다. 따라서 이곳에서 듣고 크게 깨닫지 못해도 마땅히 작은 깨달음을 열 것이며, 시간을 지체하지 말아야 한다. 내가 한참 동안 설명해도 설명하지 않은 것이며, 만약 여러분이 듣지 않았으면 더욱 묘한 것이다. 나도 말하지 않았고 여러분도 듣지 않은 그것이 진정한 반야의 오묘한 지혜이다.

심무소착(心無所著)• 어떤 불자는 마음속에 집착이 없다. 마음에 집착이 없다는 것은 어떤 것인가? 바로 어떠한 것도 괜찮은 것이며, 모든 일이 오케이다. 그러나 집착하는 것이 없어서 모든 일을 쉽게 할 수 있다는 것이 아니다. 도를 진실로 이해하여 자성의 광명을 얻고 지혜를 얻어야 비로소 집착이 없을 수 있다. 지혜는 어떻게 얻는가? 너희에게 집착이 없는 것이 바로 지혜이다. 만약 조금이라도 집착이 있으면 지혜가 없는 것이다.

이차묘혜(以此妙慧) 구무상도(求無上道)• 집착이 없어야 미묘한 지혜가 생긴다. 미묘한 지혜는 집착하지 않음에서 나온다. 따라서 집착하면 곧 어리석은 것이며, 집착하지 않으면 지혜가 있는 것이다. 놓지 못하고 버리지 못하면 묘한 지혜를 얻을 수 없다. 놓을 수 있고 버릴 수 있어야 묘한 지혜가 나타난다.

사미 모모가 나에게 여러 번 말하는 것을 들었다.

"지금 삼보에 공양하는 사람이 없습니다. 이 많은 사람들 중에 단지 한 사람만 삼보에 공양하고, 다른 사람들은 삼보에 공양하지 않습니다."

나는 이 말을 듣고 울고 싶었다. 왜 그런가? 세 명의 제자(편집자 주 : 선화 상인 밑으로 출가한 미국인 제자를 말함)는 아마도 굶어죽는 것을 걱정하는 것 같다. 만약 세 명의 제자가 굶어죽는다면 어떻게 해야 하는가? 따라서 울고 싶은 것이다. 그러나 생각해 보니, 이 또한 집착이었다. 그래서 울지 않고 웃었다.

왜 웃었는가? 얼마나 좋은가! 공양할 사람이 없으면 비로소 수행이 드러나고 공부가 보이게 된다. 만약 여러분이 신통이 있고 진정한 선정력이 있으며 한 번 자리에 앉아 10일간 참선할 수 있는데 공양하는 사람이 없다면, 아마 레이건 주지사가 와서 공양할 것이다.(편집자 주: 미국의 전 대통령인 레이건을 말한다. 당시 캘리포니아 주지사에 재임하고 있었다.) 무엇 때문인가? 서방에 성인이 출현하였기 때문이다. 서방인 가운데 10일간 여여부동하게 좌선할 수 있다면, 삼보에 공양하는 사람이 없다고 무엇을 걱정할 것인가? 걱정할 필요가 없다.

시주의 쌀 한 톨은
마치 수미산처럼 무거우니,

먹고 도를 닦지 않으면
털을 걸치고 뿔을 달고서 갚아야 하리.
施主一粒米 重如須彌山
吃了不修道 披毛帶角還

시주의 공양을 받으면서 도를 닦지 않으면 장래 큰일이 날 것이다. 왜 남들은 일을 해서 공양하려고 하는가? 바로 우리가 수도하고 있기 때문이다. 만약 수도하지 않고, 노력하지 않고, 좌선하지 않으면서 응당 남들의 공양을 받으면 안 된다. 나는 이것을 걱정하는 것이다.

문수사리보살이여! 어떤 보살은
부처님 열반하신 후 사리에 공양하며,
어떤 불자는 여러 탑과 절을 지어
무수한 항하사 불국토를 아름답게 장식하는데
보탑은 매우 높아 오천 유순이고
가로와 세로는 이천 유순이며
탑과 절마다 각각 천 개의 당번을 달고
구슬 수놓은 휘장에 보령이 아름답게 울리니
모든 하늘과 용과 귀신 등
사람과 사람이 아닌 무리가
향과 꽃과 음악으로 항상 공양하네.
문수사리보살이여! 많고 많은 불자들이
사리를 공양하기 위해 탑과 절을 장식하니
불국토는 자연히 매우 아름다워

마치 천상의 나무에 꽃이 핀 것 같네.

文殊師利　又有菩薩　佛滅度後　供養舍利
又見佛子　造諸塔廟　無數恒沙　嚴飾國界
寶塔高妙　五千由旬　縱廣正等　二千由旬
一一塔廟　各千幢幡　珠交露幔　寶鈴和鳴
諸天龍神　人及非人　香華伎樂　常以供養
文殊師利　諸佛子等　爲供舍利　嚴飾塔廟
國界自然　殊特妙好　如天樹王　其華開敷

불멸도후(佛滅度後) 공양사리(供養舍利) 사리는 영골(靈骨)이라고 하며, 또 경골(硬骨)이라고도 한다. 사리는 부처님의 진신을 대표하는데, 부처님의 몸을 다비한 후에 나온 것이기 때문이다. 따라서 일반인이 사리에 공양하는 것은 또한 부처님께 공양하는 것과 같다. 여러분의 발심이 극에 이르러 한 점의 오염된 마음 없이 법보에 공양하는 것 또한 부처님께 공양하는 것과 같다. 이와 같이 승보에 공양하는 것도 부처님께 공양하는 것과 같다.

무엇을 오염된 마음이라고 하는가? 여러분이 공양할 때 바라고 구하는 것이 있음을 말한다. 바라고 구하는 마음으로 삼보에 공양하는 것은 청정심이 아니다. 삼보에 공양하려면 공양할 책임이 자기의 책임이라고 생각해야 한다. 무엇 때문인가? 나는 매일 밥을 먹으면서 생각한다. 중생에 대한 부처님의 은혜가 무량무변하며, 중생에 대한 법의 은혜가 무량무변하며, 중생에 대한 승가의 은혜가 무량무변하다고. 왜냐하면 만약 삼보가 세상에 머물지 않는다면 이 세계는 곧 무너지고 없어질 것이기 때문이다.

어떻게 없어지는가? 삼보가 없으면 마왕이 세상에 나온다. 마왕이 세상에 나오면 곧 이 세계를 파괴할 것이다. 따라서 우리는 삼보에 공양하면서 이렇게 생각해야 한다. '만약 삼보에 공양하는 사람이 없다면 이 밥을 어떻게 먹을 수 있으랴? 나는 부처님의 제자로서 마땅히 삼보를 보호하고 유지시켜서 삼보에 일체의 곤란이 없게 하리라.' 따라서 사리에 공양하는 것도 삼보에 공양하는 일 가운데 하나이다.

조제탑묘(造諸塔廟)• 탑은 부처님의 사리를 공양하는 곳이며, 묘(廟)는 불상을 모시는 곳이다.

보탑고묘(寶塔高妙)• 부처님이 세상에 계실 때 이야기다. 당시에 몸집이 키보다 큰 괴상한 사람이 있었다. 옆으로 벌어진 몸은 5척인데 키는 단지 두 척 반 정도로서 3척이 못 되었다. 이런 사람은 보기에 어떻겠는가? 키는 작은데 옆으로 벌어졌다면 무엇과 닮았을까? 마치 두부처럼 보일 것이다. 그러나 그의 음성만은 매우 우렁차고 낭랑하여 종소리처럼 맑게 울렸다.

어떤 사람이 부처님께 물었다. "이 사람은 몸은 옆으로 퍼지고 키는 이렇게 낮은데, 음성은 마치 종소리처럼 은은하게 울립니다. 도대체 무슨 인과가 있습니까?" 부처님께서는 웃으면서 이야기 하나를 들려주셨다.

그는 과거 무량겁 이전에 불교 신자였으며, 그때 어떤 사람이 발심하여 매우 높은 보탑을 지었다. 당시에도 키가 작았던 그가 말하였다.

"당신은 왜 보탑을 이렇게 높게 지었습니까? 사람들이 보려고 해도 꼭대기를 볼 수 없으니, 이렇게 높게 지은 것이 무슨 소용이 있습니까?

내가 보니 참 쓸모가 없습니다. 좋아요! 내 약간의 물건을 보시할게요. 이 보탑의 윗부분에 보배종을 달면 좋을 것 같군요. 내가 종을 보낼 테니 보탑 꼭대기에 달아 주세요."

"보탑을 이렇게 높게 짓지 않아야 한다."는 말로 인하여 그는 세세생생 키가 작은 사람으로 태어났으며, 키는 작고 옆으로 벌어진 사람이 된 것이다. 그러나 종을 보시하였기 때문에 그의 음성만은 매우 낭랑하여 마치 동종이 울리는 소리와 같았던 것이다.

이런 인과를 보면 우리가 말을 할 때 함부로 하면 안 된다는 것을 알 수 있다. 남들이 절을 짓고 보탑을 지을 때, 절대로 높다느니 크다느니 하는 비평을 하지 않아야 할 것이다.

부처님께서 광명을 놓아 저와 대중들은
국토의 갖가지 수승하고 미묘한 모습 보네.
제불의 신통력과 지혜는 희유하여
한 번 청정한 광명 놓아 무량국토 비추시니
저희들은 이전에 본 적 없는 모습 보네.
불자이신 문수보살이여! 대중의 의문 해결해 주소서.
佛放一光　我及衆會　見此國界　種種殊妙
諸佛神力　智慧希有　放一淨光　照無量國
我等見此　得未曾有　佛子文殊　願決衆疑

사부대중 기쁘게 저와 당신을 바라보는데
세존께선 어째서 이 광명을 펼치셨나이까?
문수보살 대답하여 우리 의심 풀어 기쁘게 하소서.

무슨 이익 주시려고 이 광명을 펼치셨나이까.
부처님께서 도량에 앉으시어 얻으신 묘법을
설하시려는가, 수기를 주시려는가?
많은 보배로 장엄한 불국토를 보고
모든 부처님을 보게 하니, 이것은 작은 인연이 아니네.
문수보살이여! 아십시오. 사부대중과 천룡과 모든 신들은
당신께서 어떤 법 설하실지 우러러 바라봅니다.

四衆欣仰　瞻仁及我　世尊何故　放斯光明
佛子時答　決疑令喜　何所饒益　演斯光明
佛坐道場　所得妙法　爲欲說此　爲當授記
示諸佛土　衆寶嚴淨　及見諸佛　此非小緣
文殊當知　四衆龍神　瞻察仁者　爲說何等

4) 문수사리보살의 답변

가) 상서가 나타나는 이유

그때 문수사리보살께서 미륵보살마하살과 여러 대보살들에게 말씀하였다. "선남자들이여! 내가 생각해 보니 지금 부처님께서 대법을 설하여 큰 법의 비를 내리며, 큰 법의 나팔을 불고, 큰 법의 북을 치며, 큰 법의 도리를 연설하려고 하신다. 모든 선남자들이여! 나는 과거의 많은 부처님 계신 곳에서 일찍이 이런 상서를 보았으니, 이런 광명을 놓으신 후에 큰 법을 설하셨다. 그러므로 마땅히 알아야 한다. 지금 부처님께

서 광명을 나타내시는 것도 이와 같다. 중생들로 하여금 모두 일체 세간의 믿기 어려운 법을 듣고 알게 하기 위해 이런 상서를 나타내신다."

爾時文殊師利語彌勒菩薩摩訶薩, 及諸大士, 善男子等, 如我惟忖, 今佛世尊欲說大法, 雨大法雨, 吹大法螺, 擊大法鼓, 演大法義。諸善男子, 我於過去諸佛, 曾見此瑞, 放斯光已, 卽說大法。是故當知今佛現光, 亦復如是。欲令衆生, 咸得聞知一切世間難信之法, 故現斯瑞。

◉ 사람들은 왜 삼보에 공양하는가? 어째서 삼보는 우리에게 공양하지 않는가? 삼보가 우리에게 공양하지 않는 것은 우리가 삼보가 아니기 때문이다. 그러므로 우리는 삼보의 공양을 받을 수 없다. 우리가 삼보에 공양하는 것은 삼보가 우리에게 복을 심게 하기 때문이다. 만약 우리가 복이 있기를 원한다면 삼보 전에 공덕을 지어야 한다. 만약 삼보에 공양하지 않으면 장래 우리가 성불할 때 우리를 공양하는 사람이 없을 것이다. 성불은 말할 필요도 없이 출가하여 스님이 되었을 때, 공양하는 사람이 없을 것이다. 무엇 때문인가? 출가하기 전에 삼보를 공양하지 않았기 때문이다.

나는 항상 이렇게 생각하였다. 나를 공양하는 사람이 없는 것은, 내가 출가하지 않았을 때 삼보에 공양하지 않았기 때문이다. 그래서 지금 출가하였어도 나를 공양하는 사람은 매우 적다. 그래서 나는 스스로 항상 참괴심(慚愧心)을 낸다. 따라서 이제 이러한 도리를 여러분에게 이야기하여 나와 같이 삼보에 공양하지 않는 사람이 없기를 바라는 것이다. 삼보에 공양하는 것은 복을 닦고 지혜를 닦는 것이다.

지혜를 닦으려면 반드시 경전을 인쇄하고 불법을 선양하거나, 혹은 홍법(弘法)의 일을 해야 한다. 내가 이전에 이야기하지 않았던가? 절에서 잡지 한 권을 내는 것도 모두 지혜를 닦는 일부분이다. 지혜를 닦으려면 불법을 홍양하는 일을 옹호해야 한다. 그러니 너희가 복을 닦으려면 마땅히 삼보에 공양해야 한다. 따라서 지금 여러분이 삼보가 되지 않았을 때 마땅히 삼보를 옹호하고 공양하여 삼보의 갖가지 곤란함을 해결해 주어야 할 것이다.

나) 일월등명불

"모든 선남자들이여! 과거 무량무변의 불가사의한 아승기겁 이전에 부처님이 계셨는데, 명호는 일월등명여래, 응공, 정변지, 명행족, 선서, 세간해, 무상사, 조어장부, 천인사, 불세존이었다."

諸善男子, 如過去無量無邊不可思議阿僧祇劫。爾時有佛, 號日月燈明如來 · 應供 · 正遍知 · 明行足 · 善逝 · 世間解 · 無上士 · 調御丈夫 · 天人師 · 佛世尊。

이시유불(爾時有佛) 호일월등명여래(號日月燈明如來)

일월등명에 세 가지의 뜻이 있다. 일(日)은 부처님의 지혜를 나타낸다. 마치 태양과 같이 일체의 어두움을 비춰 깨트리며 광명을 얻게 한다. 월(月)은 부처님의 선정력을 나타낸다. 마치 달이 허공에 있는 것과 같다. 등(燈)은 부처님의 계율을 나타낸다. 각각의 부처님의 계·정·혜는 모두 구족하여 원만하므로 한 분의 부처님을 곧 일월등명이라고 부른다.

모든 부처님은 공통된 이름과 개별적인 이름을 가지고 있다. 일월등명은 개별적인 이름[別名]이다. 별명은 그 자신의 특별하고 단독적인 명호이다. 그리고 여래는 공통된 이름이다. 모든 부처는 열 개의 명호를 가지고 있다.

① 여래(如來)

불법을 이해하지 못하는 일반 중국인들은 여래불(如來佛)이라고 말하는데, 사실 여래가 곧 불이며 불이 곧 여래이다. 어째서 여래라고 부르는가? 그는 오지도 않으며 가지도 않으므로 여래라고 한다. 또 다른 해석이 있다. "여래란 여실한 도를 타고 와서 정각을 이룬다.[如來者 是乘如實之道 來成正覺]" 또 이런 해석이 있다. "여는 변하지 않는 것이며, 래는 인연을 따르는 것이다.[如者 不變 來者 隨緣]" 여는 정(靜)이며, 래는 동(動)이다. 동·정이 같아서 동이 곧 정이며, 정이 곧 동이다. 동은 정을 방해하지 않고, 정도 동을 방해하지 않는다. 여래의 뜻은 매우 넓다.

② 응공(應供)

부처님은 마땅히 인간과 천상의 공양을 받아야 한다. 인간과 천상의 천인은 마땅히 부처님을 공양해야 한다.

③ 정변지(正遍知)

정변지는 정지(正知)와 변지(遍知)를 말한다. 마음이 만법을 생하고, 우리의 현전하는 한 생각이 일체법을 생할 수 있다는 것을 이해하는 것이 정지이다. 그리고 만법은 오직 마음이며, 일체법은 모두 현전하는 한 생각을 벗어나지 않는다는 것을 아는 것이 변지이다. 정변지는 과거·현재·미래의 삼세를 다하고, 횡으로는 시방세계에 두루한 것이다. 부처는 삼세를 통하고 시방에 두루하므로 정변지라고 한다.

④ 명행족(明行足)

명은 지혜이며, 행은 복덕이다. 복덕과 지혜가 모두 충족되어 있다는 뜻이다.

⑤ 선서(善逝)

좋은 곳으로 가시는 분이다.

⑥ 세간해(世間解)

세간과 출세간의 모든 도리를 부처님은 이해하신다.

⑦ 무상사(無上士)

보살은 최후의 한 분량의 생상무명(生相無明)을 가지고 있다. 가장 적은 부분의 무명을 타파하지 못하여 그만큼의 법신이 드러나지 않는다. 그러므로 단지 등각이다. 등각은 유상사(有上士)라고도 부른다. 그 위에 부처가 있기 때문이다. 부처는 묘각이며, 그 위에 아무도 없으므로 무상사라고 부른다.

⑧ 조어장부(調御丈夫)

조(調)는 조화(調和)롭다는 뜻이다. 어떻게 조화로운가? 자비심으로 중생을 교화하며, 중생이 좋아하는 법문으로 중생을 제도한다. 어(御)는 부린다는 뜻이다. 어떻게 부리는가? 부처님의 위덕과 존엄으로 일체중생을 섭수하여, 일체중생이 부처를 보게 하며 공경하고 두려워하게 한다. 부처의 위덕(威德)을 두려워하고 부처의 존덕(尊德: 높은 덕)을 공경하게 한다. 장부는 대장부라는 뜻이다. 부처님은 일체중생을 조어하시는 대장부이므로 조어장부라고 한다.

⑨ 천인사(天人師)

부처님은 천상의 스승이며, 또한 인간의 스승이다.

⑩ 불(佛), 세존(世尊)

불은 깨달은 분이란 뜻이며, 세존은 이 세계에서 가장 존귀한 분이란 뜻이다.

"정법을 연설하시며, 처음과 중간과 마지막이 모두 훌륭하시며, 그(정법) 뜻은 심원하고 그 말씀은 교묘하며, 순일하여 잡스럽지 않고, 청정하고 밝은 범행의 모습을 구족하였다. 성문을 구하는 자를 위해 사제법을 설하여 생로병사를 건너 궁극의 열반에 이르게 하시며, 벽지불을 구하는 자를 위해 십이인연법을 설하며, 모든 보살을 위해 육바라밀을 설하여 아뇩다라삼먁삼보리를 얻어 일체종지를 이루게 하셨다."

演說正法•, 初善, 中善, 後善•。其義深遠, 其語巧妙, 純一無雜, 具足淸白梵行之相。爲求聲聞者, 說應四諦法, 度生老病死, 究竟涅槃。爲求辟支佛者, 說應十二因緣法。爲諸菩薩, 說應六波羅蜜, 令得阿耨多羅三藐三菩提, 成一切種智。

연설정법(演說正法)• 연설하시는 데는 일정한 설법이 없다. 연설에는 하나의 정신이 있어야 하는데, 무슨 정신인가? 바로 연설하려는 법, 즉 종지(宗旨)이다. 왜 일정함이 없이 설하는가? 만나는 사람에 따라 어떤 법을 설할 것인지를 정하기 때문이다. 고상한 사람을 만나면 성리(性理)를 논해야 한다. 성리란 자성의 도리를 말한다. 사람마다 자성이 있지만 자성을 이해하지 못하고 있다. 지식을 가진 사람을 만나면 마땅히 성리를 논해야 한다.

중등의 사람에게는 윤리(倫理)를 논해야 한다. 세간 일체법은 모두 윤리라고 말할 수 있다. 과학, 철학에 이르기까지 모두 일종의 윤회(輪迴)하는 것이며, 이것은 윤리라고 말할 수 있다. 그리고 가장 지식이 없는 사람을 만나면, 인과를 이야기해야 한다. 보통 지혜가 없는 사람은 인과를 들으면 근기에 맞는다. 따라서 정법을 설하는 데는 정해진 것이 없다.

연설하는 데 일종의 기술, 방법이 있다. 어떤 방법인가? 연설하는 대사에 열고 합치는 것이 있어야 한다. 본래 사람들이 이런 도리가 있다는 것을 모르면, 그것을 열어 계도한 후에 도리를 다시 합쳐서 결론을 내리는 것이다. 단지 열기만 하고 합치지 않으면 시작은 있고 마침이 없는 것[有始無終]이며, 단지 합치기만 하고 열지 않으면 마침은 있으나 시작이 없는 것[有終無始]이다.

그리고 이외에도 돌리는[轉] 것이 있다. 본래 앞을 향하여 이야기하는데, 사람들이 정신을 집중하여 들으면 다시 다른 곳으로 돌리는 것이다. 혹은 당신의 말이 무미건조하여 사람들이 정신을 집중하지 못하고 피곤해 하며 하품을 할 때는 화제를 바꾸는 방법을 사용한다. 재미있는 어떤 고사를 이야기한다든지, 사람들이 흥미를 가질 만한 것을 이야기하는 것이다. 그런 후에 다시 원래의 주제로 돌아오는 것이다. 이것을 절(折)이라고 한다. 이것이 연설하는 이론이며, 열고 합치고 돌리고 꺾는[開合轉折] 방법이다.

연설할 때는 목소리를 내리고[抑], 올리고[揚], 정지하고[頓], 꺾는

[挫] 것이 필요하다. 목소리를 낮게 깔면서 매우 작은 소리를 하면[抑] 사람들이 귀를 기울여 들으려고 한다. 귀를 기울이는 시간이 오래 되면 피곤해지고 정신이 집중되지 않는다. 그래서 주의하여 듣지 않으면 다시 목소리를 높이는[揚] 것이다. 목소리를 높이면 어떤 사람은 마치 싸우는 소리같이 들으면서 다시 듣기를 원하지 않게 된다. 이때는 목소리를 갑자기 멈추는[頓] 것이다. 사람들이 연설하는 소리가 들리지 않으면 다시 주의를 하게 된다. 이때는 다시 원래의 목소리로 돌아오는[挫] 것이다. 하나의 목소리로 계속하면 사람들이 연설을 들으려고 하지 않는다. 그래서 연설하는 데도 방법이 필요하다.

초선(初善) 중선(中善) 후선(後善)• 석가모니 부처님께서 처음 발심하여 출가하기까지를 초선이라고 한다. 출가한 후 수행하면서 갖가지 고행을 거치는 것을 중선이라고 한다. 성불한 이후부터 49년간 법을 설하고 열반에 이르기까지를 후선이라고 한다.

이것은 또한 다음과 같이 말할 수 있다. 석가모니 부처님께서 범부의 지위에 있을 때부터 발심 출가하여 불법을 닦고 익혀서 불도를 이루기를 구하는 것을 초선이라고 한다. 불법을 수습한 후로부터 보살도를 행하여 자기의 몸과 마음, 생명, 신체, 국가, 처자 등을 보시하면서 일체중생을 이익되게 하는 3대 아승기겁의 기간을 중선이라고 한다. 금생에 이르러 석가모니 부처님께서 깨달아 부처를 이룬 것을 후선이라고 한다.

다시 다음과 같이 말할 수 있다. 제1 아승기겁에 닦은 공덕은 초선이며, 제2 아승기겁에 닦은 공덕은 중선이며, 제3 아승기겁에 닦은 공덕은 후선이라고 한다.

"그 다음에 다시 부처님이 계셨는데, 또한 명호를 일월등명이라고 하였다. 그 다음에 또 부처님이 계셨는데, 또한 명호를 일월등명이라고 하였다. 이와 같이 이만의 부처님 모두 같은 글자인 일월등명이라고 불렀으며, 또한 동일한 성인 파라타를 사용하였다. 미륵은 알아야 한다. 최초의 부처님과 최후의 부처님 모두 동일한 글자인 일월등명이라고 이름하였으며, 열 가지 명호를 구족하였고, 각 부처님마다 법을 설하시는 것이 처음과 중간과 나중 모두 선하였다."

次復有佛, 亦名日月燈明●。次復有佛, 亦名日月燈明。如是二萬佛皆同一字, 號日月燈明。又同一姓, 姓頗羅墮●。彌勒當知。初佛後佛, 皆同一字, 名日月燈明, 十號具足, 所可說法, 初中後善。

일월등명(日月燈明)● 왜 일월등명이라고 하는가? 이름을 보고 그 뜻을 생각해 보면, 이 이름은 광명이며, 지혜가 있으며, 또 선정력이 있으므로다. 그러므로 이 부처님은 계·정·혜의 삼학이 원만하다. 계·정·혜를 세 가지 무루학이라고 한다. 계가 있으면 새지 않으므로 곧 무루이며, 혜가 있어도 무루이고, 정이 있어도 더욱 무루이다. 이렇게 무루를 얻게 되면, 세 가지의 무루학이 원만하다고 한다. 부처님은 모두 이 이름을 좋아하므로 첫 번째 부처님도 일월등명이고, 두 번째 부처님도 일월등명이며, 세 번째 부처님도 일월등명이라고 하였으며, 이만의 부처님도 모두 같은 이름을 사용하였다.

성파라타(姓頗羅墮)● 일월등명의 성은 파라타라고 하는데, 매우 빠르다[捷疾]는 뜻이다. 즉 매우 빨리 성불하였다는 말이다. 또한 날카로운 근기[利根]라고도 번역한다. 매우 총명하고 지혜롭다는 뜻이다.

지혜와 총명은 어떻게 오는가? 갖가지 법문을 수행함으로써 온다. 경전을 배우고 대승경전을 독송하는 것으로부터 온다. 그리고 또 원만한 말[滿語]이라고도 번역한다. 하는 말이 모두 원만한 도리이며, 모두 불법과 부합한다는 뜻이다.

다) 최후의 일월등명불의 여덟 왕자

"그 최후의 부처님께서 아직 출가하지 않았을 때 여덟 명의 왕자가 있었다. 첫째는 유의, 둘째는 선의, 셋째는 무량의, 넷째는 보의, 다섯째는 증의, 여섯째는 제의의, 일곱째는 향의, 여덟째는 법의라고 이름하였다. 이 여덟의 왕자는 위덕이 자재하고 각각 네 천하를 다스렸다. 이 모든 왕자들은 부왕이 출가하여 무상정등정각을 얻었다는 소식을 듣고, 모두 왕위를 버리고 또한 부왕을 따라 출가하였으며, 대승의 뜻을 발하여 항상 범행을 닦아 모두 법사가 되었으며, 이미 천만의 부처님 계신 곳에서 모든 선의 근본을 심었다."

其最後佛未出家時, 有八王子。一名有意。二名善意。三名無量意。四名寶意。五名增意。六名除疑意。七名響意。八名法意。是八王子, 威德自在, 各領四天下。是諸王子, 聞父出家, 得阿耨多羅三藐三菩提, 悉捨王位, 亦隨出家, 發大乘意, 常修梵行, 皆爲法師, 已於千萬佛所, 植諸善本。

"이때 일월등명불께서는 무량의라고 하는 대승경전을 설하셨는데, 보살을 가르치는 법이며, 부처님께서 호념하시는 경이다. 이 경을 설하신 후에 대중 가운데서 가부좌로 앉아 무량의처삼매에 들어가서 몸과 마음이 움직이지 않으셨다. 이때 하늘에서는 만다라꽃(작은 흰 꽃), 마하만다라꽃(큰 흰 꽃), 만수사꽃(작은 붉은 꽃), 마하만수사꽃(큰 붉은 꽃)의 꽃비가 내려 부처님 머리 위와 모든 대중에게 흩어졌으며, 널리 부처 세계가 여섯 가지로 진동하였다."

是時日月燈明佛, 說大乘經, 名無量義, 教菩薩法, 佛所護念。說是經已, 卽於大衆中結跏趺坐, 入於無量義處三昧, 身心不動。是時天雨曼陀羅華, 摩訶曼陀羅華, 曼殊沙華, 摩訶曼殊沙華•, 而散佛上, 及諸大衆, 普佛世界, 六種震動。

만타라화(曼陁羅華) 마하만타라화(摩訶曼陁羅華) 만수사화(曼殊沙華) 마하만수사화(摩訶曼殊沙華)• 이 네 종류의 꽃은 십주, 십행, 십회향, 십지의 보살과위를 표시한다.

"그때 법회에 참석한 비구, 비구니, 우바새, 우바이, 천인, 용, 야차, 건달바, 아수라, 가루라, 긴나라, 마후라가, 사람과 사람 아닌 것과 여러 소왕, 전륜성왕 등 모든 대중은 이전에 볼 수 없던 것을 보고 기뻐하면서 합장하고 일심으로 부처님을 바라보았다."

爾時會中比丘 · 比丘尼 · 優婆塞 · 優婆夷 · 天 · 龍 · 夜叉 · 乾闥婆 · 阿修羅 · 迦樓羅 · 緊那羅 · 摩睺羅伽 · 人, 非人, 及諸小王 · 轉輪聖王等。是諸大衆得未曾有, 歡喜合掌, 一心觀佛。

"그때 일월등명여래께서는 미간의 백호상에서 광명을 놓아 동방의 만 팔천 불국토를 비췄으며, 두루 비추지 않은 곳이 없었으며, 마치 지금 법회의 대중이 많은 불국토를 보는 것과 같았다. 미륵은 마땅히 알아야 한다. 그때 법회 가운데 이십억 보살들은 법 듣기를 좋아하였으며, 이 모든 보살들은 광명이 널리 불국토를 비추는 것을 보고 이전에 없던 일이라 생각하여 광명의 비친 인연을 알고자 하였다."

爾時如來放眉間白毫相光, 照東方萬八千佛土•, 靡不周遍, 如今所見是諸佛土。彌勒當知。爾時會中有二十億菩薩樂欲聽法。是諸菩薩, 見此光明普照佛土, 得未曾有, 欲知此光所爲因緣。

조동방만팔천불토(照東方萬八千佛土)• 이것은 십팔계를 표시한다. 앞의 육종진동은 육근의 진동을 표시하며, 이 육근에는 또 육진이 있고 육식이 있다. 합하여 십팔계라고 한다.

라) 묘광보살에게 『법화경』을 설하다

"그때 묘광이라는 보살이 있었으며, 팔백 명의 제자가 있었다. 이때 일월등명불께서는 삼매에서 일어나셨다. 왜냐하면 묘광보살에게 법화경이라는 대승경전을 설하려고 하셨기 때문이다. 그 경전은 보살을 가르치는 법이며 부처님께서 호념하시는 경전이다. 일월등명불께서는 육십 소겁 동안 자리에서 일어나지 않았다. 그때 법회에 있던 대중들도 한곳에 앉아서 육십 소겁 동안 몸과 마음이 움직이지 않고 부처님께서 설하시는 법을 들었는데, 마치 한 끼의 식사를 하는 시간처럼 느꼈다. 이때 대중 가운데 한 사람도 몸과 마음에서 지루하거나 피곤함을 느끼는 사람이 없었다. 일월등명불께서는 육십 소겁 동안 이 경을 설하신 후 즉시 범천, 마, 사문, 바라문과 천상, 인간, 아수라의 대중들에게 '여래는 오늘 밤중에 무여열반에 들 것이다.'라고 선언하셨다."

時有菩薩, 名曰妙光。有八百弟子。是時日月燈明佛從三昧起, 因妙光菩薩, 說大乘經, 名妙法蓮華, 教菩薩法, 佛所護念。六十小劫, 不起于座。時會聽者亦坐一處, 六十小劫, 身心不動, 聽佛所說, 謂如食頃。是時衆中無有一人, 若身若心而生懈惓。日月燈明佛於六十小劫, 說是經已, 卽於梵·魔·沙門·婆羅門·及天·人·阿修羅衆中, 而宣此言, 如來於今日中夜, 當入無餘涅槃。

육십소겁(六十小劫) 일월등명불께서 『법화경』을 강설하실 때 육십 소겁의 많은 시간이 경과하였다. 육십 소겁은 길다고 해도 그렇게 매우 긴 것이 아니고, 짧다고 해도 매우 짧은 것도 아니다. 13만 9천6백 년이 하나의 겁인데, 이것이 일천 개 모이면 하나의 소겁이라고 한다. 이 육십 소겁이 긴 시간인가?

우리는 "일념이 만년이고, 만년이 일념이다.[一念萬年 萬年一念]"라고 말한다. 또한 "일념이 만겁이고, 만겁이 일념이다."라고도 말할 수 있다. 비록 사왕천의 하루가 우리 인간의 50년이고, 도리천의 하루가 우리 인간의 100년이라고 말할지라도, 그들은 하루가 매우 적은 시간이라고 느낀다. 사람이 좌선할 때 만약 망상을 짓지 않으면, 하루를 앉아 있어도 마치 몇 초간 앉아 있었던 것같이 느낀다. 만약 망상을 지으면, 몇 분간 앉아 있어도 많은 시간이 지난 것같이 느껴져서 앉아 있지 못한다. 따라서 일념이 만겁이 될 수 있으며, 만겁이 일념도 될 수 있다.

일월등명불께서 『법화경』을 설하실 때, 육십 소겁 동안 설하였다. 어떻게 이것이 길다고 말할 수 있는가? '듣기를 좋아하는 삼매[樂聽三昧]'에 들어 있었기 때문에, 부처님께서 비록 법을 설하시지만 또한 삼매 가운데서 법을 설하시는 것이다. 선정 가운데서 법을 설하니 육십 소겁이 지나도 자리에서 일어나지 않은 것이다.

여래어금일중야(如來於今日中夜) 당입무여열반(當入無餘涅槃)• 일월등명불은 오늘밤에 무여열반에 들려고 하신다. 부처님께서 세상에 나오실 때는 낮이기 때문에 열반은 밤에 드시는 것이다. 낮은 양에 속한다. 세상에 나오시는 것은 마치 태양이 세간을 널리 비추는 것과 같음을 나타낸다. 밤은 음에 속한다. 열반에 드는 것은 마치 어두운 밤과 같음을 표시한다. 일월등명불만이 이렇게 하는 것이 아니라 부처님마다 모두 이렇게 하신다.

유식(唯識)에서는 열반에 네 종류가 있다고 설명한다. 어떤 경에서는 세 종류가 있다고 한다. 이전에 나는 네 종류의 열반을 이야기한 적이 있으나, 세 종류의 열반은 설명하지 않았다. 무엇이 세 종류의 열반인가?

첫째, 성정열반(性淨涅槃)이다. 성은 자성이고, 정은 청정함이다. 이 열반은 법신의 덕에 속한다. 부처에게는 법신, 보신, 화신의 세 가지 몸이 있다. 법신은 불생불멸이며, 불구부정이며, 부증불감하는 것이다. 따라서 성정열반은 법신덕(法身德)에 속한다.

둘째, 원정열반(圓淨涅槃)이다. 원은 원만함이고, 정은 청정함이다. 이것은 반야덕(般若德)에 속한다.

셋째, 방편정열반(方便淨涅槃)이다. 이것은 해탈덕(解脫德)에 속한다. 법신덕, 반야덕, 해탈덕은 여래의 삼덕의 비장(秘藏)이다. 방편정은 공에서 가(假)를 내고, 생함은 아니지만 생함을 보이고, 멸함이 아니지만 멸함을 보인다. 비록 육도(六道) 가운데 있어도 오염되지 않으며, 열반을 나왔어도 항상 즐거우므로 방편이라고 부른다. 그가 행하고 짓는 것은 모두 방편정의 열반에 속한다. 본래 이 세 가지의 열반은 네 가지의 열반과 같은 것이다. 그럼 무엇이 네 가지의 열반인가?

첫째, 자성청정열반(自性清淨涅槃)이며, 이것은 또한 성정열반이다.

둘째, 유여의열반(有餘依涅槃)이다. 이승인은 비록 과를 증득하였지만 아직도 몸의 존재를 가지고 있다. 이것을 괴로움이 의지하는 것[苦所依]이라고 한다. 즉 몸이 있으면 괴로움이 있으며, 몸이 없으면 괴로움이 없다. 우리에게는 왜 탐진치가 있는가? 바로 도적을 자식으로 인식하여 밖으로 향하여 구하기 때문이다. 우리는 신체를 가지고 있기 때문에 이 신체를 위하여 탐하는 마음, 화를 내는 마음, 어리석은 마음이 있는 것이다. 따라서 신체가 있으면 괴로움이 있다고 하며, 이 신체를 '고소의(苦所依)'라고 하는 것이다. 그러므로 이승인의 열반을 유여의열반이라고 한다.

셋째, 무여의열반(無餘依涅槃)이다. 몸이 멸하고 지혜가 소멸되면 자기의 몸도 공하고 법도 공하여, 아집(我執)도 없고 법집(法執)도 없다. 이것을 무여의열반이라고 한다. 모든 괴로움은 이미 다하고, 범행은 이미 섰으며, 할 일은 이미 다하여 뒤의 몸을 받지 않는다. 닦은 범행은 이미 성취하였고, 마땅히 해야 할 일은 모두 이미 다 하였으며, 다시는 삼계에 와서 생사를 받지 않는다. 유여의열반, 무여의열반은 앞의 원정열반 속에 포함된다.

넷째, 무주처열반(無住處涅槃)이며, 이것은 곧 방편열반이다.

"그때 덕장이라는 보살이 있었는데, 일월등명불께서는 즉시 그에게 수기를 주시고 모든 비구들에게 알렸다. '이 덕장보살이 나 다음으로 부처가 될 것이며, 명호는 정신 여래, 응공, 정변지라고 할 것이다.' 부처님께서는 수기를 주신 후 곧 밤중에 무여열반에 드셨다."

時有菩薩, 名曰德藏。日月燈明佛卽授其記, 告諸比丘。是德藏菩薩, 次當作佛, 號曰淨身, 多陁阿伽度, 阿羅訶, 三藐三佛陁。佛授記已, 便於中夜, 入無餘涅槃。

마) 묘광보살이 여덟 왕자를 교화하다

"부처님께서 열반에 드신 후 묘광보살은 법화경을 수지하면서 팔십 소겁의 기간 동안 사람을 위하여 연설하였다. 일월등명불의 여덟 왕자는 모두 묘광보살을 스승으로 삼았으며, 묘광보살은 그들이 무상정등정각에 견고한 마음을 가지도록 교화하였다. 모든 왕자들은 무량한 백천만억 부처님을 공양하면서 모두 불도를 이루었다. 그 최후에 성불한 자가 연등불이라고 한다. 팔백의 제자 중에 구명이라고 하는 사람이 있었는데, 그는 이양(利養)을 탐착하였다. 비록 다시 여러 많은 경전을 독송하였지만, 유창하게 독송하지 못하고 잊어버리는 것이 많았으며, 그러한 까닭으로 구명이라고 이름하였다. 이 사람은 또한 많은 선근의 인연을 심은 까닭으로 무량한 백천만억 부처님을 만나 공경하고 공양하며 존중하고 찬탄하였다."

佛滅度後, 妙光菩薩持妙法蓮華經, 滿八十小劫, 爲人演說。日月燈明佛八子, 皆師妙光。妙光教化, 令其堅固阿耨多羅三藐三菩提。是諸王子, 供養無量百千萬億佛已, 皆成佛道。其最後成佛者, 名曰燃燈。八百弟子中有一人, 號曰求名。貪著利養, 雖復讀誦衆經, 而不通利, 多所忘失, 故號求名。是人亦以種諸善根因緣故, 得値無量百千萬億諸佛, 供養·恭敬, 尊重·讚歎。

시제왕자(是諸王子) 공양무량백천만억불이(供養無量百千萬億佛已) 개성불도(皆成佛道) 그들은 수행하여 복을 닦고 지혜를 닦는 것이 모두 원만해진 이후에 부처를 이루었다. 어떤 것을 복을 닦고 지혜를 닦는다고 하는가? 무량 백천만억 부처님을 공양하는 것은 복을 닦는 것이며, 백천만억 부처님께서 설하신 경전을 지송하는 것을 지혜를 닦는다고 한다. 그들은 경전을 수지 독송하고 부처님을 공양하고 공경하였으므로, 복과 지혜가 원만히 충족된 연후에 성불하신 것이다.

묘광보살은 바로 문수보살이다. 문수보살은 여덟 왕자의 스승이 되어 그들이 모두 성불하게 하였다. 이 여덟 왕자 중에서 가장 마지막에 성불하신 부처님이 곧 연등불이다. 연등불은 석가모니 부처님께 수기를 주신 분이며, 또한 석가모니 부처님의 스승이었으며, 문수보살은 도리어 연등불의 스승이었으니, 만약 세대를 논한다면 문수보살은 석가모니 부처님의 조부에 해당한다. 그러나 지금 문수보살은 사바세계에서 다시 석가모니 부처님의 제자가 되었다. 원래 조부 격이 되는 스승인데 지금은 제자가 되었으니, 이것은 무슨 도리인가? 불법은 이른바 "이 법은 평등하며 높고 낮음이 없다.[是法平等 無有高下]"고 하였듯이, 마치 연극에서 배역을 맡는 것과 같다. 세계에 어떤 일을 막론하고 모두 마치 연극을 하는 것과 같다. 연극을 하면서 사람들에게 보여주며, 다 보고 나면 각자는 본래의 위치로 돌아가는 것이다.

팔백제자중유일인(八百弟子中有一人) 호왈구명(號曰求名) 묘광보살의 팔백 명의 제자 가운데 전문적으로 명리를 구하기 좋아하는 제자가 있었는데, 그의 이름은 구명이라고 하였다. 그는 하루 종일 수행은 하지 않고 밖으로 나가기를 좋아하였다. 바깥으로 가서 누구를 찾는가 하면, 돈 많은 사람을 찾고 벼슬이 높은 사람을 찾아서 반연(攀緣)을 구하는 것이다. 수행도 하지 않고 경전도 읽지 않는다. 경을 읽어도 마음이 그곳에 없으니 읽어도 기억이 되지 않는다. 무엇 때문인가? 그는 반연심을 가지고 있기 때문이다. 반연심이 무거워 그는 경을 읽어도 기억을 하지 못했다. 이제 미륵보살을 본보기로 삼으면, 그가 왜 경전을 독송하지 않았는가를 알 것이다. 반연심이 있어 명예를 구하기 좋아했기 때문이다. 경전을 읽어도 왜 기억을 하지 못하는가? 이 또한 반연심이 있어 명예를 구하는 마음과 이익을 구하는 마음이 있기 때문이다. 명예와 이익을 여전히 놓지 못하기 때문이다. 당신이 만약 명리(名利) 두 글자를 놓을 수 있다면, 어떤 책을 읽어도 한 번 읽으면 이해할 것이며, 무슨 주의를 할 필요가 없다. 무엇 때문인가? 다른 마음이 없기 때문이다. 탐하는 마음, 성내는 마음, 어리석은 마음이 없으며, 반연을 구하려 하지 않으므로 총명과 지혜가 곧 생길 것이다.

탐착이양(貪著利養)• 미륵보살은 처음에 이러한 결점이 있어 반연 구하기를 탐하고 이양에 집착하였다. 이(利)는 탐하는 것이며 곧 돈이다. 마치 지금의 스님들처럼 남들이 붉은 봉투 안에 돈을 넣어 공양하는데 돈이 많으면 좋아하는 것이다. 이것을 탐착이양이라고 한다. 봉투에 넣은 돈이 적으면 "에잇, 이렇게 적다니!" 하는 것도 일종의 탐착이양의 표현이다. 그러나 진정 도를 위한다면, 그들이 얼마를 공양하든지 관계가 없다. 많고 적음이 평등하고 평등하다. 따라서 진실한 마음만 있으면, 공양이 적어도 곧 많은 것이다. 많고 적음에 모두 공덕이 있다. 그러나 진실한 마음이 없으면, 공양이 많아도 곧 적은 것이다. 그러므로 오로지 진심으로 공양해야 하는 것이다.

미륵보살은 바로 당시 팔백 명의 제자 중에서 명예를 구한 사람, 즉 구명이다. 여기서는 아직 그가 미륵보살이라는 것을 설명하지 않으나 뒤에 설할 것이다. 다만 미리 알려주는 것이다.

수부독송중경(雖復讀誦衆經) 이불통리(而不通利) • 독(讀)이란 책을 대하고 읽는 것이고, 송(誦)은 책을 보지 않고 암송하는 것이다. 마치 여기 우리 세 명의 출가인이 몇몇의 재가인과 함께 능엄주를 읽는 것과 같다. 아침 다섯 시에 일어나서 좌선하고, 7시에 곧 능엄주를 읽고, 『금강경』을 읽고, 또 반야심경을 독송한다. 가장 좋기로는 여기에 다시 대비주(편역자 주: 신묘장구대다라니를 가리킴)를 독송하는 것이다. 대비주를 21번 독송하여 감응을 구하면, 무엇을 구하든 곧 감응할 것이다. 여러분이 대비주를 읽으면 이 강당 안에 기이한 향기가 나오는 경계가 생길 것이다. 여러분이 경전 독송을 성취하면 또한 기이한 향기를 맡을 수 있을 것이다.

어떻게 기이한 향기가 생기는가? 너희가 만약 진실한 마음으로 경을 읽으면 천녀(天女)가 꽃을 뿌릴 것이고, 그때 곧 기이한 향기가 코를 찌를 것이다. 이 또한 마치 방금 내가 이야기한 삼보에 공양하는 것과 같다. 만약 정성이 있으면 한 구절의 경전을 읽어도 천지를 감동시키고, 천지의 귀신들이 모두 알 것이다. 정성이 없으면 한 부의 경을 읽으면서 온갖 망상을 짓는다. 무슨 망상을 짓는가? '내가 오늘 이 경을 읽으면 어떤 사람이 나에게 공양을 보내오겠지!' 이렇게 망상을 지으면 곧 공양하는 사람이 없을 것이다. 왜냐하면 마음속에서 이미 공양을 요구하기 때문이다. 공양을 요구하면 곧 있을 것도 없는 것으로 변한다. "유심은 망상이며, 무심은 감응이다.[有心是妄想 無心是感應]" 너희가 이러한 생각을 지으면 이것을 망상이라고 한다.

그러나 구명은 비록 많은 경을 읽었어도 기억을 잘 하지 못했다. 통리란 곧 기억하는 것으로서 명료하게 기억하는 것이다. 통은 이해하는 것이고, 리는 곧 순리(順利: 유창하다)를 말한다. 처음부터 끝까지 모두 기억하는 것을 통리라고 한다. 너희가 기억하지 못하면 읽는 것이 이루어지지 못한다. 만약 다른 사람이 읽는 것을 듣고 따라 읽는다면, 그 공덕은 그 사람의 것이지 자기의 것이 아니다. 그러므로 자기 스스로 읽을 수 있고, 통리할 수 있어야 한다.

바) 문수사리보살과 미륵보살의 숙세 인연

"미륵은 마땅히 알아야 한다. 그때의 묘광보살이 어찌 다른 사람이겠는가? 바로 나의 몸이며, 구명보살은 바로 너의 몸이다. 지금 (석가모니 부처님의 광명을 놓으시는) 이런 상서를 보는 것은 본래(일월등명불의 광명)와 다름이 없다. 이러한 까닭으로 내가 생각해 보니, 오늘 여래께서는 법화경이라는 대승경전을 설하시려고 하며, 그 경전은 보살을 가르치는 법이며 부처님께서 호념하시는 경이다."

彌勒當知。爾時妙光菩薩, 豈異人乎? 我身是也。求名菩薩, 汝身是也。今見此瑞, 與本無異。是故惟忖。今日如來當說大乘經, 名妙法蓮華, 教菩薩法, 佛所護念。

5) 문수사리보살이 게송으로 설하다

그때 문수사리보살은 대중 가운데에서 거듭 이 뜻을 펴시려고 게송을 설하였다.

내가 과거 무량하고 무수한 겁 이전 생각해 보니
일월등명이라고 하는 부처님 계셨네.
세존께서 묘법 설하시어 무량중생을 제도하시고
수없이 많은 보살들을 부처 지혜에 들게 하셨네.

爾時文殊師利於大衆中, 欲重宣此義, 而說偈言.

我念過去世 無量無數劫 有佛人中尊 號日月燈明
世尊演說法 度無量衆生 無數億菩薩 令入佛智慧

부처님께서 출가하지 않았을 때 낳은 여덟 왕자
큰 성인의 출가 보고 따라 출가하여 범행 닦았네.
당시 부처님께서 무량의경의 대승법을
많은 대중에게 널리 상세하게 해설하셨으며
부처님께서 이 경을 다 설하신 후에
법좌에 가부좌로 앉아 무량의처삼매에 드셨네.
하늘에서 만다라 꽃비 내리고 하늘 북 저절로 울렸고
모든 천상, 용, 귀신들이 세존께 공양 올렸네.
모든 제불 국토가 즉시 여섯 가지로 크게 진동하고
부처님 미간에서 광명 발하니 희유한 일들 나타났네.

佛未出家時 所生八王子 見大聖出家 亦隨修梵行
時佛說大乘 經名無量義 於諸大衆中 而爲廣分別

佛說此經已　卽於法座上　跏趺坐三昧　名無量義處
天雨曼陀華　天鼓自然鳴　諸天龍鬼神　供養人中尊
一切諸佛土　卽時大震動　佛放眉間光　現諸希有事

이 광명은 동방의 만 팔천 불국토를 비추어
모든 중생에게 생사의 업보를 가르치시며
또 모든 불국토가 많은 보배로 장엄됨을 보고
유리와 파려의 색들이 불광 속에 드러나며
또한 모든 천상, 인간, 용, 귀신, 야차들과
건달바, 긴나라들 부처님께 공양하심을 보이며
또한 모든 여래가 자연히 불도를 이루어
색신이 금의 산같이 단엄하여 매우 미묘하며
깨끗한 유리 속에 진금의 상 나타나는 것 같네.
세존께선 대중 속에서 깊은 법의 뜻 연설하시며
각각의 불국토에 있는 성문들은 무수히 많으며
혹은 많은 비구들이 숲속에 있으면서
정진하며 청정한 계 지님을 밝은 구슬 보호하듯 하네.
또한 많은 보살은 보시, 인욕 등 행하는 것 보며
그 수가 항하사같이 많음이 불광 속에 비치네.
또한 많은 보살들이 모든 선정에 깊이 들어가
몸과 마음 고요하여 부동하고 위없는 도를 구하며
또한 많은 보살들이 법의 적멸상을 알고
각각 그 국토에서 법을 설해 불도 구함이 보이네.

此光照東方　萬八千佛土　示一切衆生　生死業報處

有見諸佛土　以衆寶莊嚴　琉璃頗梨色　斯由佛光照
及見諸天人　龍神夜叉衆　乾闥緊那羅　各供養其佛
又見諸如來　自然成佛道　身色如金山　端嚴甚微妙
如淨琉璃中　內現眞金像　世尊在大衆　敷演深法義
一一諸佛土　聲聞衆無數　因佛光所照　悉見彼大衆
或有諸比丘　在於山林中　精進持淨戒　猶如護明珠
又見諸菩薩　行施忍辱等　其數如恒沙　斯由佛光照
又見諸菩薩　深入諸禪定　身心寂不動　以求無上道
又見諸菩薩　知法寂滅相　各於其國土　說法求佛道

정진지정계(精進持淨戒) 유여호명주(猶如護明珠) 그들은 주야로 정진하면서 휴식도 하지 않는다. 어떻게 정진하는가? 밥을 먹는 것도 잊고, 잠을 자는 것도 잊으며, 심지어 옷을 입는 것조차도 잊어버린다. 그들이 생각하는 것은 오직 수도(修道)이다. 밤낮 여섯 때로 항상 정진하며, 청정하고 밝은 금강보계(金剛寶戒)를 지키면서 수행하는 것이다. 금강보배와 같은 계를 지니는 것은 마치 용이 여의주를 보호하는 것과 같다.

출가인은 한 분(分)의 계를 지니면 곧 한 분(分)의 광명이 있게 된다. 십 분의 계를 지니면 십 분의 광명이 있으며, 백 분의 계를 지니면 곧 백 분의 광명이 생긴다. 이 광명은 바로 계·정·혜로부터 나오는 것이다. 만약 계를 지키지 않으면 광명이 없다. 광명을 가지려고 한다면 반드시 계를 지켜야 한다. 수행은 광명을 가져야 할 뿐만 아니라 성불을 해야 한다. 만약 계율을 지키지 않으면 성불할 수 없다. 성불을 하려면 반드시 계율을 지켜야 한다. 따라서 계율은 가장 중요한 것이며, 계율을 연구하는 것도 가장 중요한 일이다.

출가인은 반드시 계율을 지켜야 하며, 계율을 지키지 않으면 재가인과 구별할 수 없다. 그러므로 불도를 이루려면 반드시 계율에서부터 시작해야 한다. 『법화경』에서 가장 중요한 것은 바로 계율을 중시하는 것이다. 함부로 말을 하면 안 되며, 함부로 어지럽게 옳고 그름을 말하면 안 되며, 너희의 말 때문에 일체중생이 번뇌를 생하게 해서는 안 된다. 그래서 다음과 같이 말한다.

> 입을 단속하고 뜻을 거두어 몸으로 범하지 말고
> 일체의 유정중생을 괴롭게 하지 말라.
> 무익한 고행은 마땅히 멀리할 것이며
> 이와 같은 수행자는 세상을 제도할 만하네.
> 守口攝意身莫犯 莫惱一切諸有情
> 無益苦行當遠離 如是行者可度世

따라서 계율을 수지하는 것은 마치 우리의 보주(寶珠)를 지키고 보호하는 것과 같다. 보주는 야명주이기도 하고, 바람을 피하는 구슬이기도 하며, 물을 피하는 구슬이기도 하고, 불을 피하는 구슬이기도 하다. 만약 그러한 구슬을 가지고 있다면 바람을 피하고 물을 피하고 불을 피할 수 있으니, 특별히 주의하여 항상 그 구슬을 보호해야 할 것 아닌가? 지계도 보주를 보호하는 것과 같은 것이다.

심입제선정(深入諸禪定)• 어떤 보살은 언제나 좌선을 하려고 생각한다. 밤낮 여섯 때에 언제나 좌선하는 것을 깊이 들어가는 것이라고 한다. 만약 주야로 좌선하지 않으면 깊이 들어갈 수 없다. 도를 닦는 사람은 참된 마음을 내야 한다. 참된 마음이 없으면 어떻게 도를 얻을 수 있겠는가? 만약 참된 마음으로 공헌하면 도를 얻을 뿐 아니라 과를 증득할 것이며, 부처를 이룰 수 있을 것이다. 따라서 견고하고[堅] 성실하며[誠] 변하지 않는[恒] 마음을 내야 한다. 모든 선정에 깊이 들어가려면 항상 열심히 공부하고 수행해야 한다.

지법적멸상(知法寂滅相)• 적멸상은 곧 열반상을 말한다. 열반이 바로 적멸이며, 적멸이 곧 열반이다.

그때 사부대중은 일월등명불께서
큰 신통력을 드러내심을 보고 모두 기뻐하였으며
각각 스스로 묻기를 이 일은 무슨 인연인가?
爾時四部衆　見日月燈佛　現大神通力　其心皆歡喜
各各自相問　是事何因緣

이때 천인이 받들던 세존 편안히 삼매에서 일어나
묘광보살을 찬탄하시면서 너는 세간의 눈이 되어
모든 중생 귀의하고 믿으며 법장 잘 받들 것이며
내가 설하는 묘법 오직 네가 증득하여 알 것이네.
세존께서 찬탄하시니 묘광보살 기뻐하였으며
이 법화경을 설하시면서 육십 소겁 동안
법좌에서 일어나지 않았으며 설하신 묘법을
묘광법사는 모두 법대로 수지할 수 있었네.

天人所奉尊　適從三昧起　讚妙光菩薩　汝爲世間眼
一切所歸信　能奉持法藏　如我所說法　唯汝能證知
世尊旣讚歎　令妙光歡喜　說是法華經　滿六十小劫
不起於此座　所說上妙法　是妙光法師　悉皆能受持

부처님께서 법화경 설하시어 대중을 기쁘게 하고
얼마 지나지 않은 때 천상과 인간에게 고하셨네.
제법의 실상도리를 너희에게 다 말하였으며
나는 오늘 밤중에 열반에 들려고 하니
너희는 일심으로 정진하고 방일하면 안 된다.
모든 부처님은 억 겁에 한 번 만나기도 어렵다.
여덟 아들은 부처님께서 열반에 드실 것을 듣고
부처님 열반이 빠른 것에 슬픔과 고뇌 느꼈으며
성스러운 법왕께서는 무량한 대중을 안위하시네.
내가 열반에 들어도 걱정하고 두려워하지 말라.
佛說是法華　令衆歡喜已　尋卽於是日　告於天人衆
諸法實相義•　已爲汝等說　我今於中夜　當入於涅槃•
汝一心精進•　當離於放逸•　諸佛甚難値　億劫時一遇
世尊諸子等　聞佛入涅槃　各各懷悲惱　佛滅一何速
聖主法之王　安慰無量衆　我若滅度時　汝等勿憂怖

제법실상의(諸法實相義)• 무엇을 제법실상이라고 하는가? 실상은 상이 없다. 만약 하나의 상이 있으면 곧 실상이 아니다. 그러나 실상은 상이 아닌 것이 없다. 일체의 상은 모두 실상으로부터 나온다. 그러나 그것의 본체는 결코 상이 없다. 본체에 상이 없기 때문에 일체의 상이 나올 수 있다. 만약 본래의 몸에 상이 있으면 실상을 논할 수 없으며, 그 또한 허망한 것이다.

『금강경』에서 말씀하셨다. "무릇 상이 있는 모든 것은 허망하다. 만약 모든 상을 상이 아닌 것으로 보면 곧 여래를 볼 것이다.[凡所有相 皆是虛妄 若見諸相非相 卽見如來]" 그래서 실상은 상이 없으며 상이 아닌 것도 없다고 하는 것이다. 『법화경』에서 설하는 법문은 바로 실상의 도리이다. 제법은 곧 이 법이다. 나는 제(諸) 자를 많다는 뜻으로 해석하지 않고 '오직 이 법[單單這一個法]'이라고 해석한다.

당입어열반(當入於涅槃)• 부처님께서는 이제 할 일을 다 마쳤으므로 곧 '상락아정(常樂我淨)'의 과위에 올라 열반에 들 거라고 말씀하신다. 부처님은 왜 열반에 들어가는가? 부처님이 열반에 드는 것에는 많은 뜻이 있다. 가장 주요한 것은, 바로 사람들이 의뢰심(依賴心)을 내지 않게 하려는 것이다. 사실 부처님은 영원히 열반에 들지 않는 것도 가능하다. 그러면 어떤 제자는 매일 부처님을 따라 불법을 배우겠지만 어떤 제자는 곧 권태를 피울 것이다.

어떻게 싫어하고 피곤함을 느끼는가? 바로 의뢰하는 마음과 방일하는 마음을 내는 것이다. 지금 수행하지 않아도 괜찮다고 여기면서 매일 부처님과 같이 있으므로 게으름을 피운다. 마치 지금 내가 너희에게 경을 강의하는데 너희는 매일 나를 보면서 "아, 스승님이 여기 계시네. 게다가 스승님이 강의하신 법문은 모두 기록되어 있으니, 굳이 지금 볼 필요는 없지. 시간이 있을 때 언제라도 보면 되지."라고 하는 것과 같다. 단지 적기만 하고 보지 않고 한쪽으로 제쳐둔다. 높은 책장에 놓아두고는 시간이 지나면 모두 잊어버린다.

그러나 인간 세계에서는 기쁨과 슬픔이 교차하고 모였다가 흩어지는 것에 모두 특별한 인연이 있다. 때가 되면 나는 너희를 떠날 것이다. 그때는 법문을 들으려고 해도 들을 수 없으며, 불법을 배우려고 해도 불법이 어려운 것을 알게 된다. 그래서 기록한 것을 찾아서 숙독하고, 내가 강의한 경전의 도리를 연구하고 연구한다. 그러나 만약 내가 다른 곳으로 가지 않고 이곳에만 있으면, 여러분은 영원히 그 기록을 보지 않을 것이다.

석가모니 부처님께서는 49년 동안 설법하였는데, 어떤 제자는 해태심이 났을 것이다. 석가모니 부처님만 그런 것이 아니라 모든 부처님들도 모두 그러하다. 제자 가운데 어떤 제자가 의뢰심을 내면 부처님은 제자가 의뢰심을 내지 않도록 곧 떠나려고 하며, 열반에 들려고 한다. 이 모두는 중생을 교화하는 하나의 방법으로서, 곧 사람이 게으른 것을 걱정하는 것이다.

여일심정진(汝一心精進)• 따라서 제자들에게 분부하여 일심으로 정진하라고 말한다. 도를 닦는 비구, 비구니, 우바새, 우바이들은 마땅히 그 마음을 전일하게 하여라. 무엇을 해야 하는가? 정진할 것이며, 해태하지 말고 게으름을 부리지 말라. 일심으로 수도하고 망상을 피우지 말며, 두 개의 마음을 가지지 말라. 밤낮으로 항상 정진하고 수행하고 애를 써라. 힘써 노력하는 것이 곧 수행이다. 수행도 바로 힘써 노력하는 것이다.

당리어방일(當離於放逸)• 마땅히 게으르지 않아야 한다. 방일하지 않아야 한다. 출가하여 수행하지 않는 것은 또한 출가하지 않은 것과 같다. 『화엄경』에는 이런 구절이 있다.

> 종일 남의 보물을 세면
> 자기에게는 반 푼의 돈도 생기지 않네.
> 불법에서 수행하지 않으면
> 그 허물 또한 이와 같네.
> 終日數他寶 自無半分錢
> 於法不修行 其過亦如是

출가를 했으면 반드시 수도를 해야 한다. 수도하지 않고 게으름을 부리려면 출가하지 않아야 한다. 따라서 우리는 지금 밤낮으로 정진하고 있다. 아침에도 경을 읽고, 저녁에도 경을 읽는다. 이것이 가장 좋은 방법이다. 너희는 마땅히 경의 도리를 생각하여야 할 것이며, "여일심정진(汝一心精進), 당리어방일(當離於放逸)"을 배워야 한다.

> 이 덕장보살은 무루의 실상에 관하여
> 이미 마음 통달하여 다음으로 부처 될 것이며
> 명호는 정신으로서 무량의 중생 제도할 것이네.
> 是德藏菩薩 於無漏實相 心已得通達• 其次當作佛
> 號曰爲淨身 亦度無量衆

어무루실상(於無漏實相) **심이득통달**(心已得通達)• 그의 마음은 이미 무루를 통달하였으며, 이미 실상법문을 이해하였다. 무엇이 무루인가? 새지 않는 것이며, 결점이 없는 것이다. 모든 습기와 결점, 즉 탐하는 마음, 성내는 마음, 어리석은 마음, 교만한 마음, 의심하는 마음을 모두 제거한 것이다. 자기의 무명을 타파한 것이다. 무명을 타파하면 곧 무루가 된다. 무명을 타파하지 못하면 아직 새는 것이 있다.

어떻게 무명을 타파하는가? 불법을 배워 이해하면 무명은 없어진다. 왜 무명이 있는가? 바로 불법을 이해하지 못하기 때문에 때가 되면 성질을 부리고 또 번뇌를 내며, 경계가 오면 참지 못한다. 만약 불법을 이해하면 무명은 타파되고 법신이 드러날 것이다. 그러면 일체의 모든 번뇌를 멀리 떠나게 된다. 좋은 것도 없고 나쁜 것도 없으며, 성공도 없고 실패도 없다. 본지풍광(本地風光), 즉 본래 가지고 있는 가보(家寶)를 얻게 되면 곧 무명은 없어진다. 무명이 없으면 새는 것도 없게 된다. 무루가 되면 바로 실상을 얻게 된다. 무루에 이르지 못하면, 실상을 얻지 못하고 실상을 이해하지 못한다.

부처님께서 그날 밤중에 열반하시니
마치 땔나무가 다하여 불이 소멸한 것 같네.
열반 후 사리를 나누어 무량한 탑 세웠으며
비구와 비구니 수는 항하사와 같이 많았으며
그들은 더욱 정진하여 위없는 도 구하였네.
묘광법사는 부처님 법장 받들어 지니면서
팔십 소겁 동안 널리 법화경을 선설하였네.

佛此夜滅度　如薪盡火滅•　分布諸舍利　而起無量塔
比丘比丘尼　其數如恒沙　倍復加精進　以求無上道
是妙光法師　奉持佛法藏　八十小劫中　廣宣法華經

여신진화멸(如薪盡火滅) 무엇이 땔나무[薪]이며, 무엇이 불[火]인가? 소승의 도리로 말하자면, 땔나무는 바로 신체이다. 불이 소멸하는 것은 바로 유여열반을 얻은 것이다. 대승의 도리로 말하자면, 중생이 곧 땔나무이다. 만약 땔나무가 없으면 불도 없다. 불은 기연을 보고 와서 중생을 교화하는 법문을 말한다. "기연을 관하여 가르침을 베풀며, 사람에 따라 법을 설한다.[觀機逗教 因人說法]" 부처님은 기연을 보고 불법을 베풀어 중생을 교화하신다. 무슨 법문으로 교화할 것인가를 보고 그에 맞는 법문으로 가르치신다. 그러나 이제 기연이 없어졌으며, 제도할 중생은 이미 다 제도하신 것이다. 불이 소멸하였다는[火滅] 것은 이러한 방법도 사용할 필요가 없다는 것이다.

여덟 왕자들은 묘광보살의 교화 받아
위없는 도에 견고하여 무수한 제불 만났네.
제불께 공양하고 중생을 수순하여 불도 구하여
서로 이어서 성불하고 순서대로 수기 주었네.
최후의 부처님은 연등불이라고 이름하였으며
천인의 인도자 되어 무량중생 제도하였네.
是諸八王子　妙光所開化　堅固無上道　當見無數佛
供養諸佛已　隨順行大道　相繼得成佛　轉次而授記
最後天中天　號曰燃燈佛　諸仙之導師　度脫無量衆

당시 묘광법사에게 한 제사가 있었으니
마음에 항상 게으름 품고 명리에 탐착하였으며
명리 구함에 싫어함 없고 부귀한 자와 많이 놀며

경전 독송하는 것 잊어버려 유창하지 못하여
이런 인연으로 구명이라고 이름하였네.
그도 선업 많이 행하여 무수한 부처님 만나
제불께 공양하고 중생을 수순하여 대도 행하며
육바라밀 구족하고 오늘 석가모니불 만났네.
이후에 부처 되어 미륵이라 이름할 것이며
널리 많은 중생 제도하여 그 수가 무량하리라.

是妙光法師　時有一弟子　心常懷懈怠　貪著於名利
求名利無厭　多遊族姓家　棄捨所習誦　廢忘不通利
以是因緣故　號之爲求名　亦行衆善業　得見無數佛
供養於諸佛　隨順行大道　具六波羅蜜•　今見釋師子
其後當作佛　號名曰彌勒　廣度諸衆生　其數無有量

구육바라밀(具六波羅蜜)• 그(구명보살)는 갖가지 선업을 지었기 때문에 그도 육바라밀을 구족하였다. 육바라밀은 보시, 지계, 인욕, 정진, 선정, 반야바라밀을 말한다. 밖에 나가서 화연(化緣)을 구하여 돌아와서는 자기는 남기지 않고 남들에게 보시하였다. 인욕하며 어떤 사람이 욕하면 마치 듣지 않은 것처럼 하였다. 얼굴을 아교처럼 두껍게 하여, 누가 욕해도 관여하지 않고 누가 때려도 인욕할 수 있었다. 마치 걸인처럼 하고 도처에 가서 밥을 빌었다.

출가인은 왜 발우를 들고 걸식하는가? 바로 밥을 비는 걸인처럼 아상을 없애기 위해서다. 그의 배는 바다처럼 넓어 뱃속에 선박을 넣을 수 있을 정도였으며, 마음은 부처님처럼 매우 자비로웠다. 게송을 남겼는데 다음과 같다.(편역자 주: 이 시는 미륵보살의 현신으로 중국에 보살행을 하러 오신 포대화상이 지은 시이다.)

저는 납의 걸치고 담박한 음식으로 배 채우며
해진 곳 기워 추위 막고 모든 일은 인연 따라 마치네.
누가 저를 욕하면 단지 좋다고 말하며
누가 저를 때리면 그냥 쓰러져 잠을 자네.
누가 얼굴에 침 뱉어도 침 저절로 마르길 기다리니
저는 힘이 들지 않고 그에겐 번뇌가 생기지 않네.
이러한 인욕바라밀은 묘한 가운데 보배로다.
만약 이 소식을 알면 어찌 도 깨닫지 못함을 걱정하랴!
老拙穿衲襖 淡飯腹中飽 補破好遮寒 萬事隨緣了
有人罵老拙 老拙只說好 有人打老拙 老拙自睡倒
唾在我面上 憑他自乾了 我也省力氣 你也無煩惱
這樣波羅蜜 便是妙中寶 若知這消息 何愁道不了

노졸(老拙)이란 쓸모없는 노인이라는 뜻으로 자기 자신을 가리키는 말이다. 납오(衲襖)란 다 떨어져서 누덕누덕 기운 두루마기를 뜻한다. 다 떨어진 옷을 잘 기우면 추위를 막기에 좋다는 것이다. 그리고 무슨 일이든지 인연 따라 한다는 것이다. 또 누군가가 얼굴에 침을 뱉어도 닦지 않고 저절로 마르게 두면 내 힘을 쓸 필요가 없고, 상대방도 대응을 하지 않으니 다시 나를 어떻게 할 필요가 없다는 것이다.

따라서 여러분은 미륵보살이 명예와 이익을 구했다고 보지 말아야 한다. 그분은 정말로 괴로움을 두려워하지 않고 힘들게 고행을 닦으셨다. 그렇다면 이러한 고행은 어떠한가? 어떤 사람이 화장실 청소를 한다. 아침 일찍 일어나 몰래 가서 화장실을 깨끗하게 청소한다. 마치 미륵보살처럼 더욱 남들이 원하지 않는 일을 한다. 힘든 것을 겁내지 않고 어려울수록 더욱 그 일을 즐겨 한다. 이렇게 구함 없이 그냥 하는 것이다.

그래서 미륵보살의 배는 어마어마하게 크며, 입이 귀에 걸릴 정도로 항상 크게 웃는다. 일을 하면서도 힘든 것을 겁내지 않는다. 우리가 타자 몇 자 치고 손이 아린다고 느끼는 것과는 같지 않다. 복사 몇 장 하고 나서 귀찮다고 느끼는 것과 같지 않다. 처음에는 일에 흥미를 느끼다가 이틀 반이나 사흘이 안 되어 '아이쿠, 이거 힘드네. 일이 너무 많아!'라고 생각한다. 처음에는 힘든 것을 모르다가 해보니 힘든 줄을 안다고? 이것은 매우 어리석은 짓이다. 여러분이 생각하기에도 어리석지 않은가? 너희가 하는 일이 힘든 것은 하루이틀의 일이 아니다.

내가 여러분에게 이야기하지 않던가? 사람이 무슨 일을 할 때는 '굳건함[堅], 성실함[誠], 꾸준함[恒]' 이 세 글자가 필요하다고. 견(堅), 즉 견고한 마음이 있어야 한다. 무슨 일을 하든지 견고한 마음이 있어야 한다. 성(誠), 즉 오늘 하고 나서 내일 싫증을 내면 안 된다. 시작할 때 좋아했으면 언제까지라도 좋아하는 것이 성(誠)이다. 그 다음에는 꾸준함이 있어야 한다. 이틀 반이나 사흘도 안 되는 일은 누구나 할 수 있으니, 무슨 어려움이 있겠는가? 문제가 없다. 우리가 이승에서 사는 몇십 년의 시간은 그렇게 긴 시간이라고 보기 어렵다. 미륵보살은 얼마나 많은 대겁을 경과하면서 이런 인욕행을 닦았으며, 보시, 지계, 정진, 선정 등을 닦았는가. 그렇게 많은 대겁도 마치 하루와 같다. 우리는 겨우 이틀 반 정도 하고는 너무 귀찮다고 느낀다. 여러분은 당초 몰랐던 일인가? 일을 하는 것은 당연히 귀찮은 것이다. 귀찮지 않으려면 잠자러 가는 것이 가장 좋다. 그럼 힘이 들지 않는다. 다시 화연을 구하러 가지도 않아도 되고, 반연을 구하러 가지 않아도 된다. 그러나 힘이 들지 않는 일은 아무 가치도 없으며, 또한 아무런 공덕도 없다.

따라서 미륵보살의 인욕과 정진을 배워야 한다. 누가 자기에게 한마디 했다고 해서 그것을 놓지 못하고 우는 것이 아니다. 누가 자기에게 조금 안 좋게 대한다고 해서 화를 내는 것이 아니다. 경을 들으면 경의 가르침에 따라 실행해야 한다. 실행하지 않으면 경을 들어도 무슨 소용이 있겠는가? 우리는 매일 저녁 두 시간 동안 경을 듣는데, 듣고 나서 귀를 스치는 바람처럼 여긴다면 무슨 소용이 있는가? 그야말로 조금도 소용이 없다. 따라서 실제적으로 수행해야 하며 실천해야 한다.

진정한 지혜를 가지려면 힘써 어리석은 일을 하지 않아야 한다. 진정한 지혜는 괴로움으로부터 바뀌어 오는 것이다. 조금도 힘쓰지 않고 조금도 수행하지 않으며, 또한 괴로움을 두려워하고 곤란을 무서워하고 돈이 없는 것을 겁내면 어떻게 지혜가 생기겠는가? 이런 것을 겁내지 않고 수행하는 시간이 오래 되면 비로소 성취하는 바가 있게 된다. 미륵보살은 육바라밀을 모두 구족하였다.

연등불이 열반 후에, 게으른 자는 바로 너희이며
묘광법사는 지금 바로 나의 몸이네.
나는 일월등명불 광명의 이런 상서로움 보고
지금 석가모니불께서 법화경 설하실 것 알았네.
지금 모습 본래의 상서와 같음은 제불 방편이며
지금 부처님 광명 놓아 실상도리 설하시게 돕네.
여러분 지금 마땅히 알라. 일심합장으로 기다리면
부처님께서 법비 내려 구도자를 만족시킬 것이니

삼승 구하는 사람이 만약 의심과 후회를 가지면
부처님께서 제거하고 끊어 남지 않게 하시리라.

彼佛滅度後　懈怠者汝是　妙光法師者　今則我身是
我見燈明佛　本光瑞如此　以是知今佛　欲說法華經
今相如本瑞　是諸佛方便　今佛放光明　助發實相義
諸人今當知　合掌一心待　佛當雨法雨　充足求道者
諸求三乘人　若有疑悔者　佛當爲除斷　令盡無有餘•

제구삼승인(諸求三乘人) 약유의회자(若有疑悔者) 불당위제단(佛當爲除斷) 영진무유여(令盡無有餘)• 가령 지금 모든 보살, 성문, 연각의 삼승인에게 무슨 의문이 생기면, 부처님은 답을 해 주어 조금의 의문이나 후회가 없게 해 주실 것이다. 사람이 도를 닦지 않으면 도가 없을 것이며, 도를 닦으면 도가 있을 것이다. 수도(修道)의 면에서 이야기하자면, 도를 닦지 않으면 아무런 문제도 없다. 그러나 도를 닦기 시작하면 곧 문제가 생긴다.

왜 문제가 생기는가? 왜냐하면 숙세에 지었거나 행한 일에는 갖가지 차별된 인연이 있기 때문이다. 서로 다른 갖가지 인연 속에서 많은 일에는 명료하지 않은 것이 있다. 명료하지 못함으로 인하여 금생에 수도를 하려면 마왕이 곧 너와 투쟁하러 오거나 빚을 청산하려고 온다. 너로 하여금 이곳에서 번뇌하게 하거나 아니면 저곳에서 괴롭게 하면서, 동서남북과 사유상하(四維上下), 즉 시방에서 모두 번뇌가 오게 된다.

만약 사람에 대하여 번뇌가 없으면 사물에 대하여 번뇌가 생기게 하며, 사물에 대하여 번뇌가 없으면 축생에 대하여 번뇌가 있게 하며, 축생에 대하여 번뇌가 없으면 귀신에 대하여 번뇌가 있게 한다. 신기이

보살에게도 번뇌가 생기게 하고 부처님에 대하여도 성미를 내게 하고, 자기에게도 화를 내게 한다. 왜 이렇게 하는가? 과거에 너무 멍청하여 하는 일이 다 명확하지 않았기 때문이다. 따라서 이러한 갖가지 번뇌가 오게 된다.

그러므로 어떤 사람은 수행을 하게 되면 번뇌를 내지 않겠다고 발원을 말하는데, 이런 원을 발하지 않을 때는 정말로 번뇌가 없지만 한 번 이런 원을 발하게 되면 번뇌는 계속해서 온다. 하루 한 끼만 먹겠다고 발원하지 않았을 때는 하루 한 끼만 먹어도 그렇게 배고프지 않지만, 이런 원을 한 번 발하면 먹은 지 얼마 지나지 않아 곧 배가 고프며 참기가 힘들어지고, 조금의 기운도 없어 서 있기도 힘들고 앉아 있는 것도 평온하지 않은 것처럼 느낀다. 매우 이상하지만, 이것은 무슨 도리인가? 바로 학교에 가서 공부하는 것과 같다. 학교에 입학하려면 시험을 치러야 한다. 시험 후 합격이 되면 학년이 올라갈 수 있으나 합격하지 못하면 다시 공부해야 하는 것과 같다.

수도하는 것도 이와 같다. 수도하는 데는 마(魔)의 시험이 있다. 마가 당신을 시험하면서 너희가 도대체 얼마나 참으며 얼마나 견디는가를 보는 것이다. 내가 항상 여러분에게 이야기하지만, 남들이 참지 못하는 것을 참고, 남들이 견디지 못하는 것을 견디고, 남들이 먹을 수 없는 것을 먹고, 남들이 할 수 없는 것을 해야 한다. 이렇게 할 수 있으면 비로소 수도하는 사람이라고 할 수 있다.

二

방편품
(方便品)
방편 법문을 설한 이유

앞에 나온 장행(長行)과 중송(重頌)은 『법화경』의 「서품(序品)」이다. 서(序)는 경의 인연을 서술한 것이다. 이어서 제2품 「방편품」을 설명하려고 한다. 방(方)은 방법이고, 편(便)은 편리함이라는 뜻이다. 방법은 권교의 법이며, 진실한 법은 아니다. 따라서 방편이라고 일컫는 것이다. 이른바 권교방편(權教方便)이라고 하는데, 권(權)은 항상 사용하는 법이 아니라 잠시 사용하는 법이다. 반면 실(實)은 영원히 바뀌지 않는 법이다. 그러나 처음부터 영원히 바뀌지 않는 진실법을 설하면 이해할 수 있는 사람이 없다. 그래서 시방의 모든 부처님께서는 먼저 방편법을 베풀고, 그 후에 다시 진실법을 드러내는 것이다.

진실법을 위하여 방편법을 베푸는 것은 바로 성불을 위함이다. 먼저 성문승, 연각승을 설한 후에 다시 보살승을 설하며, 궁극적으로는 불승으로 돌아간다. 불승은 바로 진실법이다. 성문승, 연각승은 모두 방편법이다. 그런데 부처님께서 최초에 삼장교를 설하신 것은, 마침 성문, 연각을 교화할 시기로서 그 법문이 비할 바 없는 가장 좋은 법이었기 때문이다.

소승인은 가르침에 따라 수행하여 성스러운 과를 증득하였다. 적은 것을 얻고 만족하여 불법이 이런 것이라고 생각하고 다시 앞으로 진보하려고 하지 않았다. 이른바 화성(化城)에서 멈춘 것이다. 화성에 대해서는 뒤에 나오는 「화성유품(化城喩品)」에서 설명할 것이다.

이승인은 갖가지 고행을 닦고 많은 정신을 써서 성과(聖果)를 증득하였다. 그러나 그들은 아직 이루어야 할 부처의 도가 있다는 것을 몰랐다. 그래서 위로는 불도를 구하지 않고, 아래로는 중생을 교화하지 않았다. 단지 자기만 도를 이루면 그만이라고 생각하고, 다른 중생이 도를 이루고 못 이루고는 관여치 않았다.

그래서 부처님은 다시 방편법을 열어 말씀하시기를, "내가 이전에 설한 도리는 철저한 법문이 아니다. 비록 너희가 성스러운 과를 증득했을지라도 이것은 궁극의 과위가 아니다. 마땅히 작은 것을 돌려 큰 것으로 향해야 하며, 소승으로부터 대승의 불교로 돌아와야 한다. 마땅히 보살도를 행하여 육바라밀의 대승법문을 닦아야 한다."고 하셨다. 따라서 방편법을 깨트리고 진실한 도리를 드러내신 것이다.

가. 부처의 지견을 열다

그때 세존께서는 편안하게 삼매로부터 나오셔서 사리불에게 말씀하셨다. "모든 부처님의 지혜는 매우 깊고 무량하여 그 지혜의 문은 이해하기 어렵고 들어가기 어려우니, 일체의 성문과 벽지불은 알 수 없느니라. 무슨 까닭인가? 부처님께서는 과거에 백천만억의 무수한 부처님들을 친근하여 제불의 무량한 도법을 다 수행하였으며, 용맹하게 정진하여 명성이 널리 알려지고 일찍이 없던 매우 깊은 법을 성취하여 근기에 따라 설하셨으므로 그 뜻을 이해하기가 어려우니라."

爾時世尊從三昧安詳而起•, 告舍利弗。諸佛智慧甚深無量, 其智慧門, 難解難入, 一切聲聞·辟支佛所不能知。所以者何? 佛曾親近百千萬億無數諸佛, 盡行諸佛無量道法•, 勇猛精進, 名稱普聞, 成就甚深未曾有法, 隨宜所說, 意趣難解。

세존종삼매안상이기(世尊從三昧安詳而起)• 세존께서는 무량의처삼매(無量義處三昧)에 들어 계시다가 지금 다시 편안하게 삼매에서 나오셨다. 안(安)이란 평안하다는 뜻이고, 상(詳)이란 매우 자재한 모양이다. 우리처럼 좌선한 후에 다리도 아프고 허리도 뻐근한 게 아니다. 안상은 매우 편안한 모양으로, 온몸이 자재하여 불편한 곳이 하나도 없는 것이다.

부처님께서는 좌선에서 나와, 묻는 사람이 없는데도 사리불에게 말씀하셨다. 왜 사리불 존자에게 말씀하시려고 하는가? 왜냐하면 그는 성문 가운데서 지혜가 제일이기 때문이다. 그는 8일 안에 일체의 법장을 모두 통달하였다. 그는 모친의 뱃속에서 외삼촌과의 변론에서 이겼다. 외삼촌은 원래 대논사였기 때문에 변론에 능하여 변재가 무애하였다. 그러나 사리불 존자가 모친의 뱃속에 있을 때 어머니는 그의 지혜를 빌려 오빠와의 변론에서 이긴 것이다. 그에게 이런 지혜가 있었기 때문에 석가모니 부처님께서는 그에게 말씀하신 것이다. 앞에서는 문수사리보살이 맡았고, 지금 이곳에서는 사리불 존자가 맡았다. 보살 가운데서 문수사리보살은 실지(實智: 진실한 지혜)로서 대승 가운데서 지혜제일이며, 사리불 존자는 권지(權智: 방편의 지혜)로서 소승 가운데서 지혜제일이었다.

진행제불무량도법(盡行諸佛無量道法)• 닦는 도는 바로 모든 백천만억 제불의 무량한 도법이다. 불법에 의거하여 수행한다. 그러한 법문이 얼마나 있는지 모른다. 무량무변하다. 그런데 우리는 지금 조금의 법을 배우고 불법을 이해한다고 한다. 그것은 그야말로 우물 밑에 앉아서 하늘을 보는 식견이다. 혹은 단지 몇 권의 불서를 보고 불법을 이해했다고 말한다. 이것은 자기의 분수를 모르는 것이며, 불법을 너무 나 평상하고 간단한 것으로 여기는 것이다.

더욱이 어떤 사람은 근본적으로 불법을 배운 적도 없으면서 경을 강의하려고 하는데, 이것은 사람을 욕하는 것과 같은 것이다. 스스로에게도 이롭지 못하고 남을 이롭게 하지도 못한다. 멍청하게 경을 강의할 것이며, 강의할수록 더욱 멍청해진다. 어떤 사람은 사슴을 가리켜 말이라고 하면서 각처로 다니면서 경을 강의한다. 그에게 문제를 물어보면, "나도 그런 책은 본 적이 없으며, 이러한 도리를 모르겠다. 당신 스스로 참구해 보시오!"라고 한다.

마치 선종의 문제처럼 그가 알든지 모르든지 우리에게 스스로 참구해 보라고 한다. 그는 화두를 참구해서 깨닫지도 못하고 도리어 구두선을 배워가지고 모방하려고 하는 것이다. 보라. 이승인도 대승불법을 이해하지 못하는데, 하물며 우리 같은 범부가 어떻게 이해할 수 있겠는가? 이승인은 한 걸음 한 걸음씩 상승하였다. 비록 우리는 범부이지만 대승의 도리를 이해하면 즉시 대승의 과위를 증득할 수 있다. 마치 학교에 다니는 것과 같다. 어떤 사람은 초등학교에서부터 한 학년씩 진급해서 대학에 들어가 졸업을 한다. 어떤 사람은 학교는 안 다니지만 독학으로 공부해서 곧바로 대학에 입학하기도 한다.

우리는 비록 범부이지만 기연이 성숙하면 대승불법을 들을 수 있다. 당초 이승인은 대승불법을 들을 기연이 없었지만 최후의 법화회상에서 비로소 대승불법을 듣게 되었으며, 그 인연으로 대승불법을 수습하게 된 것이다. 우리는 지금 좋은 기회를 만났다. 부처님께서 이미 명백하게 대승불법을 설하셨기 때문에 매우 빠르게 단도직입적으로 대승불법을 이해할 수 있게 된 것이다.

1) 방편과 진실을 밝히다

"사리불이여, 나는 성불한 이래로 갖가지 인연과 갖가지 비유로 널리 가르침을 연설하면서 무수한 방편으로 중생을 인도하여 모든 집착을 떠나게 하였다. 무엇 때문인가? 여래는 방편바라밀과 지견바라밀을 이미 모두 구족하였기 때문이다. 사리불이여, 여래의 지견은 광대하고 심원하며, 무량하고 걸림이 없으며, 열 가지 힘과 네 가지 두려움 없음, 선정과 해탈과 삼매를 얻었으며, 그런 경지에 끝없이 깊이 들어가 이전에 없던 일체법을 성취하였다."

舍利弗, 吾從成佛已來, 種種因緣, 種種譬喻, 廣演言教, 無數方便引導衆生, 令離諸著。所以者何? 如來方便知見波羅蜜, 皆已具足。舍利弗, 如來知見, 廣大深遠。無量無礙, 力·無所畏·禪定·解脫三昧, 深入無際, 成就一切未曾有法。

가) 십여시(十如是)

"사리불이여, 여래는 갖가지 분별로써 모든 법을 잘 설할 수 있으며, 그 말씀은 유연하여 대중이 들으면 즐거움을 느끼게 된다. 사리불이여, 요컨대 무량무변한 미증유의 법을 부처는 모두 성취하였다. 그만두자! 사리불이여, 다시 설명할 필요가 없다. 무엇 때문인가? 부처님이 성취하신 제일의 희유하고 난해한 법은 오직 부처님과 부처님만이 제법실상을 진정으로 다 이해할 수 있기 때문이다. 이른바 제법이란 이와 같은 상, 이와 같은 성, 이와 같은 체, 이와 같은 힘, 이와 같은 조작, 이와 같은 인, 이와 같은 연, 이와 같은 과, 이와 같은 보, 이와 같은 본말구경 등이니라."

舍利弗, 如來能種種分別, 巧說諸法, 言辭柔軟, 悅可衆心。舍利弗, 取要言之, 無量無邊未曾有法, 佛悉成就。止, 舍利弗, 不須復說。所以者何? 佛所成就, 第一希有難解之法, 唯佛與佛, 乃能究盡諸法實相。所謂諸法•如是相•, 如是性•, 如是體•, 如是力•, 如是作•, 如是因•, 如是緣•, 如是果•, 如是報•, 如是本末究竟•等。

소위제법(所謂諸法)• 제법이란 일체법이다. 일체법은 종합하면 열 가지 여시[十如是]를 벗어나지 않는다. 십여시는 열 가지 법계[十法界]에 따라 설명한다. 십법계는 불법계, 보살법계, 성문법계, 연각법계의 네 가지 성인의 법계가 있고, 또한 여섯 가지 범부의 법계가 있다. 즉 천상, 인간, 아수라, 지옥, 아귀, 축생이다. 이것을 합하여 십법계라고 한다.

십법계는 하나의 법계마다 모두 십여시를 갖추고 있다. 불법계에도 십여시가 있고, 보살법계에도 십여시가 있으며, 지옥·아귀·축생도 십여시를 구족하고 있다. 각 법계마다 십여시가 있으니, 십법계는 백 개를 이루어 백계(百界)라고 한다. 이 백계 가운데 각 하나의 계마다 또 십여시가 있으니 일천(一千) 여시로 변하며, 이것을 천여(千如)라고 한다. 따라서 십법계를 나누면 백계천여(百界千如)가 된다.

나는 지금 여러분에게 대략적인 뜻을 설명하고자 하지만, 처음 이런 도리를 들으면 그다지 이해가 되지 않을 것이라 생각한다. 그러나 다시 두 번 듣고 세 번 들으면 완전히 이해하게 될 것이다. 『법화경』의 요의(要義)는 바로 십여시에 있다. 비록 십분 이해되지는 않을지라도 마땅히 특별히 주의해서 들어야 한다.

여시상(如是相)• 여시(如是)란 법을 가리키는 말이며, 곧 이 법을 뜻한다. 무엇을 상(相)이라고 하는가? 바로 상모(相貌: 모습)를 뜻한다. 그러나 모습에는 참됨과 거짓이 있다. 무엇이 진짜 모습인가? 바로 상주불변(常住不變)하는 것이다. 상주한다는 것이 진짜 모습으로서 우리 각자의 '상주진심(常住眞心)'이고 '성정명체(性淨明體)'이다.

그것은 변하지 않으면서 인연을 따르고[隨緣], 인연을 따르면서 변하지 않는다[不變]. 생하지도 않고 멸하지도 않으며, 더럽지도 않고 깨끗하지도 않으며, 늘어나지도 않고 줄어들지도 않는다. 설명이 너무 많아도 소용이 없거니와, 그래서 나는 여러분에게 이해하기 쉽게 상주(常住)와 진여실상(眞如實相)이라는 단어를 알려준다. 하지만 진여실상이란 말은 사람마다 이해할 수 있는 것이 아니다. 이 경에서 말하는 "오직 부처님과 부처님만이 제법실상을 다 이해할 수 있기 때문이다.[唯佛與佛乃能究盡諸法實相]"는 문구에 나오는 제법실상이 바로 여시상(如是相)이며, 참된 모습이다.

또 허망한 상이 있다. 허망한 모습이란 무엇인가? 너희에게 익숙하며 오랜 친구인 무명(無明)이다. 너희는 무명이란 단어를 알 것이다. 경을 이렇게 오래 강의하면서 항상 무명이란 단어를 언급했으니까. 무명은 마치 연극을 할 때 요긴한 배역과 같은 것이다. 무명은 허망한 상이며 진짜가 아니다. 따라서 생하고 멸하며, 늘거나 줄어들며, 더럽거나 깨끗하다. 무명의 모습은 허망한 모습으로서 실체가 없다. 하나의 거짓 이름일 따름이며, 가질 수 있거나 볼 수 있는 무슨 물건이 아니다. 경에서는 이 허망한 상에 대해 "모든 중생을 보니, 생로병사와 근심과 슬픔과 고뇌에 태워지고 있다.[見諸衆生 爲生老病死 憂悲苦惱之所燒煮]"고 설명한다.

석가모니 부처님께서는 진정한 지혜가 있어서 이런 잘못을 알고 일체중생에게 말씀하신다. "이것은 절대로 잘못됨이 없으며, 이것은 이치와 같이 진실하다!" 진실하여 가장 이치에 부합한다는 것이다. 이것을 '여시상'이라고 한다. 여시상은 참됨과 거짓의 두 가지 뜻을 포함하고 있다. 부처님께서는 이 두 가지의 뜻을 말씀하셨기 때문에 우리는 비로소 이 묘법을 들을 수 있다. 따라서 앞의 게송에서 말씀하신 것과 같다. "제법실상의 도리는 이미 너희를 위하여 설하였다.[諸法實相義 已爲汝等說]" 이것이 '여시상'에 대한 간단한 뜻이다.

여시성(如是性)• 성(性)에는 선과 악의 성이 있다. 선악의 성은 선악의 업을 가지고 있으며, 업으로부터 나타나는 성질이다. 그러나 업은 저절로 생하는 것이 아니며, 성품으로부터 일어나는 것이다. 성품은 우리 각 사람의 심성이다. 우리의 심성 안에는 선과 악의 성질이 구족되어 있다.

중국에 『삼자경(三字經)』이라는 책이 있는데, 어린이가 처음 글자를 익힐 때 마땅히 읽어야 하는 책이다. 이 책의 처음에 이렇게 쓰여 있다. "사람이 처음 태어날 때는 성품이 본래 선하다.[人之初 性本善]" 여기서 본래 선한 성품이란 또한 불성을 뜻한다.

그러나 "성은 서로 가깝고, 습은 서로 멀다.[性相近 習相遠]"고 하였는데, 성은 본래 불성과 가깝지만 오염된 습기 때문에 불성과 멀어졌다. 이것은 또한 우리 사람의 마음속에는 본래 선성과 악성의 두 가지 성질이 있다는 것을 말한다. 그렇다면 선한 성질과 악한 성질은 어떻게 나타나는가? 단지 하나, 인연을 따라 갖가지 차별된 성질을 가지고 있으며 여기서 선과 악의 성질이 나온다.

비유를 하나 들면, 마치 대나무와 나무 같은 것이다. 대나무와 나무는 모두 불의 성질을 가지고 있으나, 불의 성질을 그냥 놓아두면 불은 언제라도 발생하지 않을 것이다. 반드시 하나의 연(緣)을 빌려야 비로소 불이 발생할 수 있다. 중국의 원시시대 사람들은 모두 털을 먹고 피도 마셨다. 마치 호랑이가 짐승을 잡아먹을 때 털도 먹고 피도 먹는 것과 같다. 왜 그렇게 하였는가? 그 당시에는 불을 발견하지 못했기 때문에 모든 음식을 생으로 먹었다. 그러다가 수인씨(燧人氏)가 나무를 비벼 불을 취하게 되면서 음식을 불에 익혀서 먹기 시작했다. 나무와 대나무에는 불의 성질이 들어 있으나 만약 사람이 그것을 비벼서 불을 만들지 않으면 불은 일어나지 않을 것이다. 따라서 비록 대나무와 나무에 불의 성질이 들어 있어도 인연이 없으면 불은 발생하지 않는다.

우리가 짓는 선업과 악업도 마찬가지로 반드시 이런 성질을 빌려야 나오게 된다. 이 성질이 만약 선(善)을 위하여 발생하면 지혜의 빛이라고 한다. 이 지혜의 빛은 갖가지 좋은 일을 성취할 수 있다. 만약 악(惡)을 위하여 일어나면 지혜의 빛이 아니라 독의 불이 된다. 이 독의 불은 허망한 연(緣)을 성취한다. 우리의 이 성품은 본래 공적한 것이고 없는 것이다. 그 속에 선과 악의 성질이 들어 있어도 반드시 연을 만나야 발생한다. 마치 나무에 불의 성질이 들어 있어도 비비는 과정을 거치지 않으면 불이 일어나지 않는 것과 같다.

『능엄경』에서는 지·수·화·풍의 사대(四大)에 대하여 설명하고 있는데, 화대(火大)에 관한 두 구절이 있다. "화의 성품은 나가 없으며, 모든 연에 의탁하고 있다.[火性無我 寄於諸緣]" 불의 성품에는 나가 없으며, 그것은 인과 연이 화합하여야 비로소 불을 만들어 낼 수 있다는 말이다. 이것이 바로 '여시성'의 도리이다.

여시체(如是體)• 체(體)는 곧 우리 사람의 신체이며, 또한 일체의 형체이다. 이 체에는 세 가지 설명이 있다.

첫째, 범부와 성인은 본래 평등하다. 본래의 체는 범부도 없고 성인도 없다. 이것은 이치로 체를 삼는 것이다. 이치로 체를 삼는 것은 곧 성품으로 체를 삼는 것이다. 성품은 본래 가지고 있는 불성이며, 또한 이치라고 부른다.

둘째, 과를 증득한 사람은 범부로부터 수행하여 도업을 이루는데, 이것은 무루의 몸[無漏體]이며, 이 몸은 새지 않는다.

셋째, 범부가 갖춘 오온의 허망한 몸으로서 색·수·상·행·식의 오온과 지·수·화·풍의 사대가 화합하여 이루어진 신체를 말하며, 이것은 유루의 몸으로서 새는 것이다.

여시력(如是力)• 역(力)은 업력이다. 예전에 나에게 사형이 한 분 있었는데, 그도 경을 강의하고 법을 설하는 도리를 배워서 항상 경을 강의하였으며, 특히 8식(八識)에 대하여 강의하기를 좋아하였다. 8식은 안이비설신의(眼耳鼻舌身意) 제6식과 제7식 말나식, 제8식 아뢰야식을 말한다.

중국인은 설을 지낼 때 '회춘(回春)'이라는 글씨를 종이에 써서 벽에 붙이고 길상하게 여겼다. 이것을 도부(桃符)라고 부른다. 매년 한 번씩 바꾸는 것을 "옛 부를 새로운 도로 바꾼다.[新桃換舊符]"고 하며, 새로운 해를 맞이하면서 삿된 것을 막아준다는 뜻을 가지고 있다. 절에도 이러한 풍습이 있었다.

어느 해 설에 나는 '지혜여해(智慧如海)'라는 글자를 썼다. 이것을 나의 사형이 보고 매우 기뻐하였다. 그는 곧 "지혜여해, 지혜여해, 지혜여해…."라고 몇 차례 읽었다. 나는 그가 이렇게 읽는 것을 듣고 말하였다.

"제가 보니 사형은 업력여해(業力如海: 업력이 바다 같다는 뜻)입니다."

그는 벌컥 화를 내며 말했다.

"오늘 같은 설날에 어찌 나를 욕하는 거야!"

"화를 내지 마세요. 저는 사형이 그 말을 원하고 좋아할 거라고 장담합니다!"

"업력여해라고 해 놓고, 그게 무슨 말인가?"

"업에는 선업과 악업이 있습니다. 제가 만약 선업여해라고 말하면 어떠시겠습니까?"

"그럼, 말할 것도 없이 좋지!"

다만 한 글자를 바꿨을 뿐인데, 그의 성미는 어디론가 달아나 버리고 당장 괜찮아졌다. 이것이 묘하지 않은가? 따라서 이 글자는 말할 수 없이 묘한 것이다. 단지 너희가 사용할 줄 알아야 한다. 사용할 줄 알면 그것은 묘하며, 사용할 줄 모르면 그것은 부담이 된다.

역(力)은 곧 업력이며, 또한 업의 몸에 있는 힘을 말한다. 업에도 몸이 있다. 업의 몸에는 일종의 힘, 즉 공력이 있다. 십법계의 의보(依報)와 정보(正報)이다. 의보는 일체의 산하대지, 집과 건물, 삼라만상을 가리키며, 정보는 모든 중생의 몸을 가리킨다. 의보와 정보는 어디로부터 오는가? 모두 업력으로부터 오는 것이다.

여시작(如是作)• 작(作)은 짓는다는 뜻이다. 무엇을 짓는가? 일체의 업을 짓는 것이다. 선업을 짓는 것도 짓는 것이며, 악업을 짓는 것도 짓는 것이다. 업을 지으면 곧 과보를 받는다. 선한 인을 심었으면 선한 과를 맺고, 악한 인을 심으면 악한 과를 맺는다. 여시작이란 선을 지으면 복을 얻고, 악을 지으면 재앙을 얻는다는 것이다.

여시인(如是因)• 인(因)은 일체중생의 마음을 가리킨다. 여기서 마음은 심지(心地)를 말한다. 마음을 땅에 비유하여 일체의 선악은 모두 오직 마음임을 나타내는 것이다[唯心所現]. 인은 종자이다. 그렇다면 종자를 어떤 땅에 심는가? 우리 마음속에 심는 것을 심지라고 한다. 일체의 초목이 땅을 의지해서 자라는 것에 비유한 것이다. 그러므로 일체의 선악은 마음으로 인하여 있는 것이다. 마음이 있기 때문에 모든 선악의 종자가 있으며, 그곳에 씨가 뿌려지는 것이다.

여시연(如是緣)• 연(緣)은 두 가지 성분으로 이루어진다. 하나는 때[時]이며, 하나는 일[事]이다. 본래 연에는 선과 악이 없으니 반드시 연이 있어야 비로소 모습이 나타나게 된다. 비유하면 건조한 물건은 불을 만나면 곧 불이 붙는다. 불이 연을 돕는 것이다. 얼음이 만약 태양을 만나면 곧 녹지만, 추울 때에는 더욱 견고해진다. 모두 일종의 연이다. 연이란 인을 돕고, 종자를 돕는 것이다. 그래서 인연이라고 한다.

종자를 땅에 심었을 때 만약 연이 서로 응하지 않으면 자라날 수 없을 것이다. 종자를 얼음 위에 심거나 불속에 심으면 자라날 수 없다. 반드시 땅속에 심어야 하며, 또한 태양의 온기와 땅속 습기의 도움을 받아야 싹이 자라날 수 있다. 이런 갖가지 연이 화합하여 종자를 자라게 하는 것이다.

여시과(如是果)• 너희가 하나의 일을 하면 일종의 행위가 시작되는데, 그것이 원인[因]이다. 그리고 일을 다 완성한 것은 결과[果]이다. 결과도 선악에 근거하여 말한다. 선한 인을 지으면 선한 과를 얻고, 악한 인을 지으면 악한 과를 얻게 된다. 선과(善果)와 악과(惡果)는 선인(善因)과 악인(惡因)으로부터 나오는 것이다. 그래서 "인을 모아 과를 이룬다.[攬因成果]"고 한다. 람(攬)이란 품는다[抱]는 뜻이다. 원인을 품은 연후에 하나의 과를 이룬다.

여시보(如是報) 보(報)는 보응(報應)이며, 또한 과보이다. 어떤 업을 지으면 곧 그에 따른 보를 받게 된다. 그러면 보와 과는 어떤 차이가 있는가? 과(果)에 있을 때는 아직 보를 받지 않는다. 더 자라 과가 파괴되고 나서 보를 받는다. 악의 열매가 맺힐 때는 아직 보를 받지 않고, 과를 지난 연후에 마땅히 보응을 받는다. 예를 들면 우리가 지금 갖가지 악업을 지어 지옥에 떨어지면, 이것은 지옥의 과를 받은 것이다. 지옥에는 또 갖가지 형벌이 있는데, 우리가 형벌의 처분을 받으면 이것이 곧 벌이다. 가령 기름 가마솥의 지옥에 떨어졌다면, 기름 가마솥에 이르기 전에는 과(果)이며, 기름 가마솥에 들어가면 그것은 보(報)이다. 즉 고통을 받는 것이다. 따라서 이러한 보를 깨달으면 부처, 보살, 성문, 연각의 네 성인의 과위를 증득할 수 있을 것이다. 만약 미혹하면 여섯 범부세계의 과보를 받게 될 것이다.

여시본말구경(如是本末究竟) 이상에서 말한 십여시에는 두 종류의 길이 있는데, 바로 미혹의 길과 깨달음의 길이다. 미혹이든지 깨달음이든지를 막론하고, 근본(처음)으로부터 끝[末]에 이르게 된다. 이것을 인과에서 논하자면, 둘이 아니며 궁극적으로 평등한 것이다.

십여시는 불법계에서 이야기하자면, 또한 십여시가 있으며, 다만 십여시는 그 중의 경계로서 수승하고 특별한 것이다. 지옥법계에도 십여시가 있다. 그러나 이 경계는 불법계의 경계와는 서로 크게 다르며 열등하고 가장 나쁜 경계이다. 십법계 속에는 하나의 법계마다 모두 십여시가 있다. 따라서 십여시에 의거하여 분석하면, 십법계는 백 개의 여시가 있으며, 백 개의 하나마다 또 십여시가 있어 일천 개의 여시로 변한다. 이것을 백계천여(百界千如)라고 한다. 이것은 십법계 속의 일체의 갖가지 정황을 포괄하는 것이다.

나) 게송으로 부처의 지혜를 찬탄하다

그때 세존께서는 이 뜻을 거듭 널리 펴시려고 게송을 설하셨다.

세상의 큰 영웅의 경계는 알 수 없어서
모든 천상과 세상의 인간들과
일체중생 누구도 부처님을 알 수 있는 자 없네.
부처님의 십력과 사무소외, 해탈과 모든 삼매와
부처님의 다른 많은 법을 측량할 수 있는 자는 없네.
본래 무수한 부처님 따라 구족하게 도를 수행하였으니
매우 깊은 미묘한 법은 보기도 어렵고 알기도 어렵네.
무량한 억 겁 전에 이 모든 도를 이미 다 수행하여
도량에서 성취하신 불과를 나는 이미 다 알고 보네.
이와 같은 큰 과보와 갖가지 성과 상의 도리를
나와 시방세계 부처님만이 이 일을 능히 알 수 있네.

爾時世尊欲重宣此義, 而說偈言。

世雄不可量　諸天及世人　一切衆生類　無能知佛者
佛力無所畏　解脫諸三昧　及佛諸餘法　無能測量者
本從無數佛　具足行諸道　甚深微妙法　難見難可了

於無量億劫 行此諸道已 道場得成果 我已悉知見
如是大果報 種種性相義 我及十方佛 乃能知是事

이 법은 보일 수 없으며 말로도 형용할 수 없어
다른 모든 중생들은 이해할 수 없고
믿음의 힘이 견고한 보살들만이 알 수 있네.
부처님의 여러 제자들이 일찍이 많은 부처님께 공양하고
일체번뇌가 모두 다하여 최후의 몸에 머무는
이런 사람들의 힘으로는 감당할 수 없느니라.
是法不可示 言辭相寂滅 諸餘衆生類 無有能得解
除諸菩薩衆 信力堅固者 諸佛弟子衆 曾供養諸佛
一切漏已盡 住是最後身 如是諸人等 其力所不堪

가령 이 세상에 가득 찬 사람들이 사리불의 지혜와 같아서
온갖 생각 다하여 헤아려도 부처님 지혜는 알지 못하며
시방세계에 가득 찬 사람들이 사리불의 지혜와 같고
그 밖에 다른 모든 제자들도 시방세계에 가득하여
온갖 생각 다하여 헤아려도 부처님 지혜는 알지 못하리.
假使滿世間 皆如舍利弗 盡思共度量 不能測佛智
正使滿十方 皆如舍利弗 及餘諸弟子 亦滿十方刹
盡思共度量 亦復不能知

벽지불의 날카로운 지혜로 무루의 최후신 얻은 사람들이
시방세계에 가득 차서 그 수가 대숲 같다 하더라도

그들이 함께 일심으로 무량겁 동안
부처님 진실한 지혜 생각해도 조금도 알 수 없으리.
辟支佛利智　無漏最後身　亦滿十方界　其數如竹林
斯等共一心　於億無量劫　欲思佛實智　莫能知少分

초발심 보살이 무수한 부처님께 공양하고
제법의 의취 통달하여 법을 잘 설할 수 있는 이가
벼, 삼, 대, 갈대처럼 시방세계에 가득 차서
한결같은 마음과 묘한 지혜로 항하사 겁 동안
모두 함께 사량해도 부처님 지혜는 알지 못하리.
항하사 모래처럼 수많은 불퇴전의 보살들이
일심으로 생각하고 함께 찾아도 또한 알 수 없으리.
新發意菩薩　供養無數佛　了達諸義趣　又能善說法
如稻麻竹葦　充滿十方剎　一心以妙智　於恒河沙劫
咸皆共思量　不能知佛智　不退諸菩薩　其數如恒沙
一心共思求　亦復不能知

또한 사리불에게 말하노니, 무루의 불가사의한
매우 깊은 미묘한 법을 내가 이제 완전하게 얻었으므로
오직 나만이 이 모습을 알고 시방제불도 그러하니라.
又告舍利弗 無漏不思議 甚深微妙法 我今已具得
唯我知是相 十方佛亦然

사리불은 마땅히 알라. 제불의 말씀은 다르지 않으니

부처님이 말씀하신 법에 큰 믿음을 내야 하리라.
세존은 오랫동안 설법한 뒤에야 진실한 법 설할 것이네.
舍利弗當知　諸佛語無異　於佛所說法　當生大信力
世尊法久後　要當說眞實

성문승과 연각승을 구하는 모든 대중들에게 알리노니
그동안 괴로움의 속박을 벗고 열반을 얻도록 가르친 것은
부처님의 방편 힘으로 삼승의 가르침을 설한 것이니
중생들이 가는 데마다 집착하므로 이끌어 나오게 한 것이니라.
告諸聲聞衆　及求緣覺乘　我令脫苦縛　逮得涅槃者
佛以方便力　示以三乘教　衆生處處著　引之令得出•

중생처처착(衆生處處著) 인지령득출(引之令得出)• 일반의 중생은 어떤 곳에 있든지를 막론하고 그곳을 집착한다. 어떤 지위에 있으면 그 지위에 집착한다. 아버지가 된 사람은 곧 내가 아버지라고 집착하면서 아들에게 "너는 내 아들이다."라는 집착심을 갖는다. 형이 된 사람은 동생을 지배하려고 든다. "나는 형이고 너는 동생이니, 너는 마땅히 내가 시키는 것을 들어야 해!" 이것도 일종의 집착이다. 남편이 되면 남편의 허세를 부리려고 하고, 부인이 되면 부인의 허세를 부리려고 한다. 심지어 스님이 되면 스님의 허세를 부린다. 이 모두 집착이다. 학문이 있는 사람은 학문에 집착하면서 "나는 교수고 너희는 학생이니, 나는 응당 너희의 모범이 되어야지."라고 한다. 이것도 집착하는 것이다.

어쨌든 무엇이 되면 모두 무엇을 집착한다. 지옥에 있는 중생은 지옥에 대한 집착이 있고, 축생은 축생에 대한 집착이 있고, 사람은 사람

에 대한 집착이 있다. 따라서 '곳곳에 집착한다.[處處著]'고 하는 것이다.

부처님이 설하시는 법은 중생의 집착을 타파하기 위한 것이다. 우리에게 집착이 없으면 불법도 마치는 것이고 없는 것이다. 무엇 때문에 불법이 있는가? 우리가 집착하기 때문이다. 불법은 곧 집착하는 사람을 위해 준비된 것이다. 집착이 없으면 불법도 소용없다.

다) 부처 지혜 찬탄에 대한 대중들의 의문

그때 대중 가운데 성문으로 번뇌가 다한 아라한인 아야교진여 등 일천이백 인과 성문과 벽지불을 구하려고 발심한 비구, 비구니, 우바새, 우바이 등은 각각 이렇게 생각하였다. '오늘 세존께서는 무슨 까닭으로 은근히 방편법문을 찬탄하시면서 이러한 말씀을 하시는가? 부처님께서 얻으신 법은 매우 깊어 이해하기 어려우며, 하시는 말씀의 뜻과 종지(宗旨)는 알기 어려워 일체의 성문과 벽지불은 이해할 수 없다고 하시는구나. 우리들은 부처님께서 이전에 설하신 제일의 해탈도리를 얻어 열반에 이르렀는데, 이제 세존께서 말씀하시는 도리를 모르겠구나.'

爾時大衆中有諸聲聞, 漏盡阿羅漢, 阿若憍陳如等千二百人, 及發聲聞·辟支佛心, 比丘·比丘尼·優婆塞·優婆夷, 各作是念。今者世尊, 何故殷勤稱歎方便, 而作是言? 佛所得法, 甚深難解, 有所言說意趣難知, 一切聲聞·辟支佛, 所不能及。佛說一解脫義, 我等亦得此法, 到於涅槃, 而今不知是義所趣。

그때 사리불은 사부대중의 마음에 의문이 생기는 것을 알고, 또한 자기도 이해하지 못하여 부처님께 말씀드렸다. "세존이시여, 무슨 인연으로 제불의 제일 방편법문이 매우 깊고 미묘하여 이해하기 어려운 법이라고 은근히 찬탄하십니까? 저는 이전부터 지금까지 부처님께서 이렇게 말씀하시는 것을 듣지 못하였습니다. 지금 사부대중이 모두 의문을 가지고 있습니다. 세존이시여, 이 일에 관하여 부연하여 설명해 주시옵소서. 세존께서는 무슨 까닭으로 매우 깊고 미묘하여 이해하기 어려운 법이라고 은근히 찬탄하십니까?"

爾時舍利弗知四衆心疑, 自亦未了, 而白佛言。世尊, 何因何緣, 殷勤稱歎諸佛第一方便·甚深微妙·難解之法? 我自昔來, 未曾從佛聞如是說。今者四衆咸皆有疑。唯願世尊, 敷演斯事。世尊何故殷勤稱歎, 甚深微妙難解之法?

라) 사리불이 게송으로 거듭 묻다

이때 사리불은 이 뜻을 거듭 펴고자 게송으로 말하였다.

지혜의 태양이신 거룩한 성인께서 오랫동안 이 법 설하시며
스스로 말씀하시길, 십력과 사무소외와 삼매와
선정과 해탈 등의 불가사의한 법을 얻었다고 하시나
도량에 앉아 얻으신 법 그 누구도 묻지 않고
부처님 뜻 헤아리기 어려우나 또한 아무도 묻지 않으니
묻는 자 없어도 스스로 설하시며 행하신 도 찬탄하시네.
지혜는 매우 깊고 미묘하여 제불만이 얻는 법이라고.

爾時舍利弗欲重宣此義, 而 說偈言。

慧日大聖尊　久乃說是法　自說得如是　力無畏三昧
禪定解脫等　不可思議法　道場所得法　無能發問者

我意難可測　亦無能問者　無問而自說　稱歎所行道
智慧甚微妙　諸佛之所得

번뇌 다한 모든 아라한과 열반을 구하는 자들은
지금 의혹에 떨어졌으니 부처님 어째서 이렇게 말씀하시는가.
연각을 구하는 자들과 비구와 비구니들과
여러 천인과 용과 귀신과 건달바 등 천룡팔부 신들도
서로 보고 의심하고 머뭇거리며 양족존을 우러러보니
이 일은 어찌 된 뜻인지 부처님께서 해설하여 주소서.
無漏諸羅漢　及求涅槃者　今皆墮疑網　佛何故說是
其求緣覺者　比丘比丘尼　諸天龍鬼神　及乾闥婆等
相視懷猶豫　瞻仰兩足尊　是事爲云何　願佛爲解說

모든 성문 중에서 제가 지혜제일이라고 말씀하셨지만
지금 저의 지혜로도 의혹하며 깨닫지 못하오니
이것이 궁극의 법인가? 저희가 행해야 할 보리의 도인가?
부처님 설법 듣고 발심한 제자들은 합장하고 간절히 기다리니
원컨대 미묘한 법음으로 진실한 도리를 설하여 주소서.
於諸聲聞衆　佛說我第一　我今自於智　疑惑不能了
爲是究竟法　爲是所行道　佛口所生子　合掌瞻仰待
願出微妙音　時爲如實說

많은 천인과 용, 귀신 등은 그 수가 항하사같이 많으며
불도 구하는 많은 보살들도 그 수가 대략 팔만이나 되며

또한 수많은 나라의 전륜성왕들도 이곳에 이르러
합장하고 공경하며 원만한 도를 듣기 원합니다.

諸天龍神等　其數如恒沙　求佛諸菩薩　大數有八萬
又諸萬億國　轉輪聖王至　合掌以敬心　欲聞具足道

마) 세 번의 답변 거절과 사리불의 간청

그때 부처님께서 사리불에게 말씀하셨다.

"그만두자, 그만두자. 더 이상 말할 필요가 없다. 만약 이 일을 말하면 일체의 세간, 제천과 사람들은 모두 놀라고 의혹할 것이다."

사리불이 거듭 부처님께 말하였다.

"세존이시여, 부디 설하여 주십시오, 부디 설하여 주십시오.
이 법회에 모인 수없이 많은 백천만억 아승기 중생들은 일찍이 여러 부처님을 친견하여 모든 근성이 용맹하고 날카로우며 지혜가 명료하여 부처님 말씀을 들으면 공경하고 믿을 것입니다."

이때 사리불은 이 뜻을 거듭 펴려고 게송으로 말하였다.

법왕이신 위없는 존귀한 분이시여
원컨대 염려하지 마시고 말씀하여 주소서.
이 법회에 모인 무량한 대중들은
능히 공경하고 믿을 사람들입니다.

爾時佛告舍利弗。止，止，不須復說。若說是事，一切世間諸天及人，皆當驚疑。舍利弗重白佛言。世尊，唯願說之。唯願說之。所以者何？是會無數百千萬億阿僧祇衆生，曾見諸佛，諸根猛利，智慧明了，聞佛所說，則能敬信。爾時，舍利弗欲重宣此義，而說偈言。

法王無上尊　唯說願勿慮
是會無量衆　有能敬信者

부처님께서 다시 말씀하셨다.

"그만두자. 사리불아! 만약 이 일을 말한다면 일체의 세간의 천인과 인간과 아수라들은 모두 놀라고 의혹할 것이며, 증상만의 비구는 장래 삼악도의 큰 구덩이에 떨어질 것이다."

이때 세존께서는 거듭 게송으로 말씀하셨다.

그만두자, 그만두자. 더 이상 말할 필요가 없네.
나의 법은 미묘하여 사량하기 어려우며
증상만을 가진 모든 자들이 들으면
반드시 공경하고 믿지 않으리라.

佛復。止。舍利弗, 若說是事, 一切世間, 天·人·阿修羅, 皆當驚疑, 增上慢比丘, 將墜於大坑。爾時世尊重說偈言。

止止不須說　我法妙難思
諸增上慢者　聞必不敬信

증상만비구(增上慢比丘) 장추어대갱(將墜於大坑) 이 법회에 모인 증상만의 비구는 믿지 않을 것이며, 따라서 그들은 장래 큰 구덩이에 떨어질 것이다.

무엇을 증상만이라고 하는가? 바로 교만한 사람이다. 그는 왜 교만한가? 집착하는 바가 있어서 다른 사람은 모두 자기보다 못하다고 생각하기 때문이다. 자신의 총명함도 남보다 낫고, 하는 행위도 남보다 낫다고 여기므로 자기의 공덕도 남보다 낫다고 생각한다. 약간의 작은 총명은 있지만 큰 지혜는 없이 도처에서 자기가 제일이라고 드러내려고 한다. 지혜를 감추고 드러내지 않는 것이 아니라 자기의 빛을 밖으로 드러내려고 한다.

교만은 또한 우월감으로서, 자기가 누구보다도 잘났다고 생각하는 것이다. 백인은 자기들 백인이 가장 잘났으며 가장 우수한 민족이라고 여긴다. 이것을 우월감이라고 한다. 너희에게 만약 우월감이 있으면 그것은 곧 자만이다. 중국에 이런 말이 있다. "자만하면 손해를 불러오고, 겸손하면 이익을 받게 된다.[滿招損 謙受益]" 그릇에 물이 차서 너무 가득하면 곧 밖으로 흘러넘친다.

그러므로 우월감이 너무 심해지지 않도록 해야 한다. 그렇지 않으면 도처에서 손해를 보거나 장애를 만날 것이다. 무엇 때문인가? 우월감이 스스로를 가로막아 겸허하게 남을 향해서 배우려고 하지 않기 때문이다. 자기에게 부족한 것이 있다고 생각해야 배우려는 마음을 가질 수 있다. 우리가 불법을 평생 배우는 데도 자만하는 마음을 가져서는 안 될 것이다. 부처님께서 설하시는 진실한 법을 믿지 않으니 큰 구덩이에 빠진다. 큰 구덩이란 지옥, 아귀, 축생의 삼악도를 말한다.

그때 사리불은 거듭 부처님께 말하였다.
"세존이시여! 부디 진실한 법을 설하여 주십시오. 부디 진실한 법을 설하여 주십시오. 지금 이 법회에 참석한 저희들은 백천만억의 긴 세월 동안 세세생생 부처님의 교화를 받았으므로 저희 같은 사람들은 반드시 공경하고 믿을 것이며, 긴긴 밤 동안 편안하고 많은 이익을 받을 것입니다."
그때 사리불은 이 뜻을 거듭 펴고자 게송으로 설하였다.

위없는 양족존 부처님이시여! 제일의 진실한 법을 설하소서.

저는 부처님의 장자이니 부디 자비로 분별하여 설하소서.
이 법회의 모인 무량한 대중들은 이 법을 공경하고 믿을 것입니다.
부처님께서는 이미 세세생생 저희들을 교화하셨으니
모두 일심으로 합장하고 부처님의 말씀 듣기 원하옵니다.
저희들 천이백의 비구와 불도를 구하는 다른 사람들도
원하오니, 여기 모인 대중 위하여 부디 분별하여 말씀해 주소서.
여기 모인 대중들은 묘법 듣고 큰 환희심을 낼 것입니다.

爾時舍利弗重白佛言。世尊, 唯願說之。唯願說之。今此會中, 如我等比, 百千萬億, 世世已曾從佛受化, 如此人等必能敬信, 長夜安隱, 多所饒益。爾時舍利弗欲重宣此義, 而說偈言。

無上兩足尊　願說第一法　我爲佛長子　唯垂分別說
是會無量衆　能敬信此法　佛已曾世世　教化如是等
皆一心合掌　欲聽受佛語　我等千二百　及餘求佛者
願爲此衆故　唯垂分別說　是等聞此法　則生大歡喜

바) 오천 제자가 법회에서 물러나다

그때 세존께서 사리불에게 말씀하셨다. "네가 이미 간절하게 세 번이나 청하므로 어찌 설하지 않겠는가? 너는 지금 마음을 모아 듣고 잘 사유하여라. 나는 그대를 위하여 분별하여 해설하리라."
이 말씀을 하실 때, 법회 가운데에 있던 비구, 비구니, 우바새, 우바이 오천 명의 사람들이 자리에서 일어나 부처님께 절하고 물러나 가버렸다. 무엇 때문인가? 그들은 죄업이 깊고 무거우며 또한 교만한 사람으로서, 도를 얻지 못하고서 얻었다고 말하고, 도를 증득하지 못하고서 증득하였다고 말하였기 때문이다. 이와 같은 허물이 있어서 이 법회에 머물지 못하였으며, 세존께서는 잠자코 계시면서 제지하지 않으셨다.
그때 부처님께서 사리불에게 말씀하셨다. "지금 나의 이 법회에 자리한 대중 속에는 다시 지엽은 없으며 순수한 열매만 있구나. 사리불이여, 이와 같은 교만한 사람들이 물러간 것은 좋은 일이다. 그대는 지금 잘 들어라. 그대를 위하여 설하리라."
사리불이 말하였다. "그렇게 하겠습니다. 세존이시여, 즐거이 듣기를 원하옵니다."
爾時世尊告舍利弗。汝已殷勤三請。豈得不說? 汝今諦聽, 善思念之。吾當爲汝分別解說。說此語時, 會中有比丘·比丘尼·優婆塞·優婆夷五千人等, 卽從座起, 禮佛而退。所以者何? 此輩罪根深重, 及增上慢, 未得謂得·未證謂證, 有如此失, 是以不住, 世尊默然, 而不制止。爾時佛告舍利弗。我今此衆無復枝葉, 純有貞實。舍利弗, 如是增上慢人, 退亦佳矣。汝今善聽。當爲汝說。舍利弗言。唯然。世尊, 願樂欲聞。

2) 부처님의 일대사인연을 밝히다

부처님께서 사리불에게 말씀하셨다. "이와 같은 묘법은 모든 부처님께서도 때가 되어야 비로소 설하시니, 마치 우담발화가 때가 되어야 한 번 나타나는 것과 같다. 사리불이여, 그대들은 부처님의 말씀은 허망하지 않다는 것을 믿어야 한다. 사리불이여, 모든 부처님께서 근기에 따라 설하는 법은 그 도리를 이해하기 어렵다. 무엇 때문인가? 나는 무수한 방편과 갖가지 인연과 비유의 말로써 모든 법을 연설하였기 때문에 이 법은 사량분별로써는 이해할 수 있는 것이 아니며, 오직 모든 부처님만이 알 수 있는 것이다. 무슨 까닭인가? 모든 부처님, 세존은 오직 하나의 큰일의 인연[一大事因緣]으로 세상에 출현하시기 때문이다."

佛告舍利弗。如是妙法, 諸佛如來, 時乃說之, 如優曇鉢華, 時一現耳。舍利弗, 汝等當信, 佛之所說, 言不虛妄。舍利弗, 諸佛隨宜說法, 意趣難解。所以者何? 我以無數方便, 種種因緣·譬喩言辭, 演說諸法。是法非思量分別之所能解, 唯有諸佛乃能知之。所以者何? 諸佛世尊, 唯以一大事因緣故, 出現於世•。

제불세존(諸佛世尊) 유이일대사인연고(唯以一大事因緣故) 출현어세(出現於世)• 이것은 무슨 도리인가? 무슨 까닭인가? 시방의 제불과 세존은 하나의 큰일의 인연을 위하여 세상에 출현하셨는데, 무엇이 큰일의 인연인가? 어떤 일이 큰일인가? 이것은 작은 일이 아님을 말한다. 만약 작은 일이라면 큰일이라고 말하지 않았을 것이다. 이해되는가? 이것은 아주 간단한 하나의 해답이다. 그리고 또 하나의 매우 깊은 해답이 있는데, 너희 스스로 한번 생각해 보아라. 그것은 매우 묘하며, 너희가 상상할 수 없을 정도로 묘하고 또한 불가사의하다.

그런데 이것은 "사량분별로는 이해할 수 없다."고 하였다. 따라서 우리가 지금 생각하는 것도 완전히 옳지 않으며, 우리가 지금 분별하는 것도 틀렸다. 분별하지 않고 사량하지 않는 것이 바로 묘법이다. 내가 너희에게 이 문제에 답해 보라고 했지만, 사실 이 문제는 답이 필요 없다. 왜냐하면 답이 없기 때문이다. 왜냐하면 이 답은 오직 석가모니 부처님만이 판단할 수 있다. 나는 지금 이 문제를 판단할 자격이 부족하다. 따라서 우리 모두 이 문제를 잊는 것이 가장 좋으며, 또한 생각하지 않는 것이 좋다. 그러나 나는 너희가 반드시 잊어버릴 수 없다고 믿는다. 무엇 때문인가? 작은 일의 인연이 아니라 큰일의 인연이기 때문이다. 만약 작은 일의 인연이라면 잊을 수 있을 것이다. 그런데 큰일의 인연인데, 어떻게 잊을 수 있겠는가? 너희는 잊어버릴 수 있는 무슨 방법이 있는가? 잊을 수 없으면 어떻게 해야 하는가? 너희는 그것을 이해해야 한다.

이 일대사인연을 여러 가지로 설명하였는데, 나는 아직 말하지 않았다. 이제 나는 여러 이야기를 해서 너희로 하여금 무엇이 일대사인연인지 모르지 않도록 하겠다. 일대사인연은 마치 지금 내 손안에 어떤 물건을 가지고 있는 것과 같다. 보라. 무슨 물건이 있는가? 아무것도 없다. 이것이 일대사인연이며, 또한 바로 이러하다. 일대사인연은 곧 일이 없는 것이다. 일이 없으므로 부처님께서는 일을 찾아 하시려고 오신 것이다. 바로 『법화경』을 설하시는 것이 일대사인연이다.

그러면 『법화경』은 무엇을 설하는가? 『법화경』의 묘법을 설하는 것이다. 이 묘법은 무엇인가? 생각할 수 없는 것으로서 우리가 한번 생각하면 곧 묘하지 않은 것이며, 한번 무엇을 물으면 곧 묘하지 않고 묘함을 이야기할 수 없는 것이다. 그러면 우리는 경을 들어 무엇 하는가? 우리가 경을 듣지 않는 것이 더욱 묘하지 않은가? 누가 너희로 하여금 경을 들으러 오게 하였는가? 너희는 듣지 않을 수도 있으며, 너희에게 듣도록 강요하는 사람은 없다. 그러나 너희는 이제 듣지 않으려고 생각해도 멈출 수가 없다.

또 하나의 큰일이 있는데, 그것은 바로 우리 각자의 생사대사이다. 우리 각자는 생이 있으면 곧 죽음이 있다. 너희는 이러한 생사의 문제를 이해하는가? 어떻게 태어났는지 아는가? 모른다. 어떻게 죽는지 아는가? 또한 모른다. 아주 총명한 사람도 생사의 문제를 모른다. 우리의 이러한 큰일의 인연이 바로 생사의 문제다. 만약 생사의 문제를 명료하게 할 수 있으면 이 큰일은 비로소 일을 다 마친 것이다. 생사의 문제에 명확하지 못하기 때문에 우리는 큰일을 다 마치지 못한 것이다.

어제 온 손님들이 키가 큰 한 출가 제자에게 물었다.

"당신은 왜 귤을 불전에 놓습니까?"

그들에겐 이것이 이상하게 보였나 보다. 그런데 그의 대답은 진흙을 끌고 물에 들어가는 것처럼 명료하지 못하였다. 나는 '이렇게 간단한 문제에 어떻게 답을 못하지?'라는 생각이 들어 불전으로 달려가서 말하였다.

"부처님께서 드시라고 놓는 것입니다."

"부처님께서 귤을 드실 수 있습니까?"

"당연하죠! 당연히 부처님은 귤을 드십니다. 우리가 귤을 좋아하기 때문에 나는 부처님께서도 반드시 귤 드시는 것을 좋아할 거라고 믿습니다. 우리는 우리가 좋아하는 것을 부처님께 올릴 수 있습니다."

그들은 이런 말을 들은 적도 없고 본 적도 없어서 할 말을 잃었다.

다시 일대사인연을 설명하자면, 우리가 이 일대사인연을 알려고 한다면 먼저 작은 일의 인연을 알아야 한다. 작은 일의 인연을 모르면 큰일의 인연도 모른다. 작은 일의 인연은 어디로부터 일어나는가? 곧 무명의 그곳으로부터 일어난다. 무명은 바로 작은 일의 인연이며, 생사는 큰일의 인연이다.

무엇 때문에 생사가 있는가? 우리 사람에게 무명이 있기 때문이다. 무명이 있으면 탐심, 진심, 치심, 만심, 의심이 모두 달려 나온다. 무명이 없으면 이러한 문제는 모두 없을 것이다. 따라서 우리는 먼저 이러한 작은 일의 인연을 명료하게 알아야 한다. 작은 일의 인연이 명료해지면 곧 큰일도 명료해질 것이다. 큰 것은 작은 것으로부터 연장되는 것이다. 어린아이는 작은 데로부터 성장하여 어른이 되며, 어른으로부터 또 늙으며, 늙으면 죽는다. 그러므로 근본적인 작은 인연을 알지 못하면 큰일의 인연도 해결할 수 없다. 먼저 무명을 타파해야 큰일의 인연인 생사도 마칠 수 있다. 따라서 큰일의 인연을 이해하려면 먼저 작은 일의 인연으로부터 시작해야 한다.

가) 방편을 열어 진실을 드러내다

"사리불이여, 무엇을 제불세존은 오직 일대사인연으로 세상에 출현하신다고 하는가? 제불세존은 중생으로 하여금 부처의 지견을 열어 청정함을 얻게 하기 위하여 세상에 출현하시며, 중생에게 부처의 지견을 보여 주기 위하여 세상에 출현하시며, 중생으로 하여금 부처의 지견을 깨닫게 하기 위하여 세상에 출현하시며, 중생으로 하여금 부처 지견의 도에 들어가게 하기 위하여 세상에 출현하신다. 사리불이여, 이 모든 부처님께서 일대사인연을 위하여 세상에 출현하시는 것이다."

舍利弗, 云何名諸佛世尊, 唯以一大事因緣故, 出現於世? 諸佛世尊, 欲令衆生開佛知見•使得淸淨故•, 出現於世。欲示衆生佛之知見故•, 出現於世。欲令衆生悟佛知見故•, 出現於世。欲令衆生入佛知見道故•, 出現於世。舍利弗, 是爲諸佛以一大事因緣故, 出現於世。

욕령중생개불지견(欲令衆生開佛知見)• 부처의 지견을 연다는 것은 바로 부처의 지견을 닫은 것에 대하여 말하는 것이다. 우리의 불지견의 문은 언제부터 닫혔는가? 바로 무명이 있게 된 그때부터 닫

혔다. 따라서 지금 그것을 다시 여는 것이다. 무엇이 불지(佛知)인가? 우리 일체중생이 공유하고 있는 마음이며, 부처의 지혜를 갖추고 있는 마음이다. 그러므로 불지는 또한 불심(佛心)이다. 무엇이 부처의 견[佛見]인가? 바로 부처의 눈[佛眼]이다. 너희가 부처의 눈을 열면 일체제법의 실상을 통찰할 수 있을 것이다.

사득청정고(使得淸淨故)• 불지견을 열기 전에는 우리의 모든 것이 청정하지 못하다. 무엇이 청정하지 못한가? 바로 무명, 번뇌, 거친 혹[麤惑], 미세한 혹[細惑] 등 갖가지 번뇌가 있으므로 우리의 성품이 마치 청정하지 않은 것 같다. 그러면 자성은 본래 청정한데 지금은 왜 청정하지 못한가? 왜냐하면 불지견을 열지 못했기 때문이다. 따라서 석가모니 부처님은 일체중생이 근원으로 돌아가 불지견을 열어 청정을 얻게 하려고 세상에 출현하신 것이다.

욕시중생불지지견고(欲示衆生佛之知見故)• 부처님께서 세상에 출현하신 가장 큰 인연은 또한 일체중생에게 부처의 지견을 가르치려는 것이다. 가리켜 보이는[指示] 것은 이해하게 하는 것이다. 부처의 지견은 본래 스스로 갖추고 있는 것이며, 밖에서부터 얻을 것이 아니라는 것을 이해시키는 것이다. 불교가 다른 종교와 다른 원인은 일체중생이 모두 성불할 수 있다는 것이다. 이것은 가장 평등한 법이다. 어떤 사람이 수행해도 모두 성불할 수 있는 것이다. 그러나 수행하지 않으면 당연히 성불할 수 없다. 일체중생은 모두 불성을 가지고 있으며, 모두 부처가 될 수 있으며, 부처를 이룰 수 있다. 지금 부처님께서는 이것을 가르쳐 이해시키려고 한다. 오직 부처만이 부처의 지견을 가지고 있는 것이 아니라, 일체중생도 모두 부처의 지견을 구족하고 있다는 것이다. 단지 이 도리를 이해하지 못하기 때문에 그런 힘을 얻지 못한다.

욕령중생오불지견고(欲令衆生悟佛知見故)• 가르쳐 이해시켰지만, 스스로 깨달아야 한다. 스스로 깨닫지 못하고 남들의 설명만 들어서는 진정으로 이해할 수 없고 얻을 수 없다. 그러나 지식만으로는 아직 부족하다. 마음속으로 진실한 받아들임이 있어야 한다. 지금 부처님께서는 일체중생에게 스스로 본래 갖춘 불지견을 깨닫게 하려고 세상에 출현하신 것이다.

욕령중생입불지견도고(欲令衆生入佛知見道故)• 스스로 이 도리를 진정으로 깨달았지만, 아직 증득하지 못하였다. 지금 부처님께서는 일체중생이 불지견의 경계를 증득하게 하시려고 한다. 들어간다[入]는 것은 바로 증득하는 것이다.

부처님의 일대사인연은 바로 중생으로 하여금 부처의 지견을 '열고, 보이고, 깨달아, 들어가게' 하는 것이다. 이렇게 되면 곧 생사를 마칠 수 있다. 생사를 마치면 큰일은 이미 다 마쳤다. 큰일을 다 마치면 할 일이 없다. 따라서 부처님께서는 이 도리를 다 말씀하신 후에 곧 열반에 드시려고 한다.

나) 시방삼세 제불의 진실법문

부처님께서 사리불에게 말씀하셨다. "제불여래는 단지 보살을 교화하시며, 하시는 모든 것은 항상 하나의 일을 위한 것으로서 오직 부처의 지견으로 중생을 가르쳐 깨닫게 하는 것이다. 사리불이여, 여래는 단지 일불승으로 중생을 위해 법을 설하며, 이승과 삼승의 다른 승은 없느니라. 사리불이여, 모든 시방 제불의 법도 또한 이와 같으니라."

佛告舍利弗。諸佛如來, 但敎化菩薩, 諸有所作, 常爲一事, 唯以佛之知見示悟衆生。舍利弗, 如來但以一佛乘故, 爲衆生說法, 無有餘乘, 若二·若三。舍利弗, 一切十方諸佛, 法亦如是。

"사리불이여, 과거의 제불도 무량하고 무수한 방편과 갖가지 인연과 비유의 말씀으로써 중생을 위해 모든 법을 연설하셨으며, 이 법은 모두 일불승을 위한 것이었으므로, 모든 중생은 제불로부터 법을 듣고 결국에는 모두 일체종지를 얻었느니라."

舍利弗, 過去諸佛, 以無量無數方便, 種種因緣•·譬喩言辭, 而爲衆生演說諸法, 是法皆爲一佛乘故。是諸衆生從諸佛聞法, 究竟皆得一切種智•。

종종인연(種種因緣)• 여기서 인연은 갖가지 인과응보의 인연을 말한다. 착한 인을 심으면 좋은 결과를 얻고, 나쁜 인을 심으면 나쁜 결과를 얻게 된다.

구경개득일체종지(究竟皆得一切種智)• 지(智)에는 일체지(一切智), 도종지(道種智), 일체종지(一切種智)가 있다. 일체지는 공(空)에 속하며, 이승이 증득하는 공의 이치이다. 도종지는 권승(權乘)의 보살이 증득하는 것으로서, 유(有)라고도 하고 가(假)라고도 한다. 즉 임시로 존재하며 참된 것이 아니라는 것이다. 일체종지는 바로 중도(中道)이며, 공에도 떨어지지 않고 유에도 떨어지지 않으며 부처님이 증득하신 지혜이다.

"사리불이여, 미래의 제불께서도 세상에 출현하셔서 또한 무량하고 무수한 방편과 갖가지 인연과 비유의 말씀으로써 중생을 위하여 모든 법을 연설할 것이며, 이 법도 모두 일불승을 위한 것이므로 모든 중생은 부처님으로부터 법을 듣고 결국에는 모두 일체종지를 얻게 될 것이다."
舍利弗, 未來諸佛當出於世, 亦以無量無數方便, 種種因緣·譬喩言辭, 而爲衆生演說諸法。是法皆爲一佛乘故。是諸衆生從佛聞法, 究竟皆得一切種智。

"사리불이여, 현재 시방의 무량한 백천만억의 불국토에 계신 모든 불세존께서 중생을 많이 이롭게 하고 안락하게 하시는데, 이 모든 부처님들께서도 무량하고 무수한 방편과 갖가지 인연과 비유의 말씀으로 중생을 위하여 모든 법을 연설하고 계시며, 모두 일불승을 위하는 것이므로 모든 중생은 부처님으로부터 법을 듣고 결국에는 모두 일체종지를 얻게 될 것이다.
사리불이여, 이 모든 부처님이 단지 보살을 교화하는 것은 부처의 지견으로 중생을 가르치시려는 까닭이며, 부처의 지견으로 중생을 깨닫게 하시려는 까닭이니라."
舍利弗, 現在十方無量百千萬億佛土中, 諸佛世尊, 多所饒益, 安樂衆生。是諸佛亦以無量無數方便, 種種因緣·譬喩言辭, 而爲衆生演說諸法。是法皆爲一佛乘故。是諸衆生從佛聞法, 究竟皆得一切種智。舍利弗, 是諸佛但教化菩薩。欲以佛之知見示衆生故, 欲以佛之知見悟衆生故, 欲令衆生入佛之知見故。

다) 석가모니불의 진실 법문

"사리불이여, 지금 나도 이와 같다. 나도 모든 중생이 가진 갖가지의 욕망과 깊이 탐착하는 마음을 알아서 그들의 본성에 따라 갖가지 인연과 비유의 말씀과 방편력으로 법을 설하느니라. 사리불이여, 이렇게 하는 것은 모두 일불승과 일체종지를 얻게 하려는 까닭이다.
사리불이여, 시방세계에는 이승도 없는데 하물며 삼승이 있겠느냐? 사리불이여, 많은 부처님은 오탁의 악세, 이른바 겁탁, 번뇌탁, 중생탁, 견탁, 명탁의 세계에 출현하신다. 이와 같이 사리불이여, 겁탁이 어지러울 때는 중생의 번뇌도 많아 간탐하고 질투하여 모든 불선근(不善根)을 성취하므로 제불께서는 방편력으로 일불승을 나누고 쪼개어 세 가지 승[三乘]으로 설하시는 것이니라."
舍利弗, 我今亦復如是。知諸衆生有種種欲, 深心所著。隨其本性, 以種種因緣·譬喩言辭, 方便力而爲說法。舍利弗, 如此皆爲得一佛乘·一切種智故。舍利弗, 十方世界中尙無二乘, 何況有三? 舍利弗, 諸佛出於五濁惡世, 所謂劫濁·煩惱濁·衆生濁·見濁·命濁。如是, 舍利弗! 劫濁亂時, 衆生垢重, 慳貪嫉妒, 成就諸不善根故, 諸佛以方便力, 於一佛乘, 分別說三。

소위겁탁(所謂劫濁) 번뇌탁(煩惱濁) 중생탁(衆生濁) 견탁(見濁) 명탁(命濁) 겁(劫)이란 시간을 말한다. 본래 시간은 말할 수 없는 것인데, 중생의 분상에서 분별심을 내기 때문에 비로소 시간이 있게 되었으며, 과거·현재·미래 그리고 겁이 있게 되었다. 이 겁이 어떻게 오염되어 탁하게 되었는가? 일반적으로 죄악이 충만한 시대이므로 시간조차도 탁하게 된 것이다.

번뇌탁은 오둔사(五鈍使)를 가리킨다. 오둔사는 번뇌를 생기게 하는 다섯 가지 거친 마음, 즉 탐(貪)·진(瞋)·치(癡)·만(慢)·의(疑)를 말한다. 오둔사는 이치를 추구하는 활동이 아니라서 느리고 더디다[鈍].

중생탁은 중생의 갖가지 선악의 인연이 갖가지 선악의 과보를 내는 것을 말한다. 각각의 중생에게는 특별한 악업이 있으므로 중생도 탁하게 되었다.

견탁은 오리사(五利使)에 속하는 것으로서, 다섯의 견해가 탁한 것이다. 즉 신견(身見), 변견(邊見), 계견(戒見), 견취견(見取見), 사견(邪見)을 말한다. 오리사는 이치를 추구하는 성질이라서 그 활동이 빠르고 예리하다[利].

명탁에서 명(命)이란 중생의 보신(報身)을 말한다. 어떤 일정 기간에는 생명이라고 할 수 있는데, 생명도 오염되어 탁하게 된 것이다.

그럼 어째서 탁(濁)이라고 부르는가? 마치 흙을 물에 넣고 손으로 휘저으면 물이 흐리게 되어 물속이 보이지 않게 된다. 그래서 탁이라고 한다. 우리의 이 세계는 바로 이 다섯 가지가 탁하며, 이 세계를 조성하는 것도 청정하지 못하므로 오탁악세라고 한다.

겁탁란시(劫濁亂時) 중생구중(衆生垢重) 간탐질투(慳貪嫉妒) • 겁탁이 어지러울 때 중생의 죄업은 매우 많다. 간(慳)이란 아끼고 인색한 것이다. 돈이 있어도 버리지 못하며, 한 푼의 돈이라도 손에서 놓지 못하는 것이다. 이것은 무엇을 뜻하는가? 돈을 놓지 못하는 것이다. 탐(貪)이란 돈을 놓지 못할 뿐 아니라 또한 다른 사람의 돈을 가지려고 욕심내는 것을 말한다. 간탐하는 사람은 장래의 과보도 매우 곤궁하다. 아끼느라 보시하려고 하지 않았기 때문에 그에게는 복이 없다.

이런 이야기가 있어 들려주려고 한다. 탐하는 마음이 있는 어떤 사람이 죽어서 염라대왕이 있는 곳으로 가게 되었다. 염라대왕이 물었다.

"너는 매우 총명하여 이생에서 조금도 손해 본 적이 없구나. 내생에 사람이 되면 남의 것을 먹기 원하느냐? 아니면 네 것을 먹기 원하느냐?"

그 사람은 속으로 생각하였다. '아, 내 것을 먹으면…? 그것은 수지가 맞지 않아. 남의 것을 먹으면 내 것을 절약할 수 있지.' 그래서 염라대왕에게 말하였다.

"나는 남의 것 먹기를 좋아하며, 내 것 먹기를 좋아하지 않습니다."

"그래, 좋아! 그럼 너는 돼지가 되어라. 돼지는 본래 남이 주는 것을 먹고, 자기 것은 먹지 않으니 말이다."

그제야 탐심이 많은 그 사람은 남의 것을 먹는 것이 잘못되었음을 알게 되었다. 그러나 이미 염라대왕의 판결이 있어 바꿀 수가 없었다. 그래서 돼지가 되어 하루 종일 남이 주는 것을 먹게 되었다. 이것은 탐하는 마음 때문에 속은 것이다.

질투는 어진 사람을 시기하고 재능 있는 사람을 미워한다. 어떤 사람이 자기보다 나으면 스스로는 즐겁지 못한 것이다. 질투심이 있는 사람은 장래 타락하여 내생에 축생이 된다. 축생은 모두 다른 사람을 질투하여 그곳으로 떨어진 것이다.

라) 일승의 묘법을 믿어야 참된 불제자이다

"사리불이여, 만일 나의 제자로서 스스로 아라한이나 벽지불의 경지를 얻었노라고 칭하는 이들이 부처님 여래가 보살들만을 교화하는 줄을 듣지 못하고 알지 못한다면, 이 사람은 부처님의 제자도 아니며 아라한도 아니고 벽지불도 아니니라.

그리고 사리불이여, 이 모든 비구와 비구니가 스스로 이미 아라한을 얻고 최후의 몸이 되어 궁극의 열반을 얻었다고 말하면서 다시 뜻을 내어 무상정등정각을 구하지 않는다. 이러한 무리들은 모두 증상만을 가진 사람이라는 것을 마땅히 알아야 한다. 무엇 때문인가? 만약 어떤 비구가 진실로 아라한을 얻고도 이 일승의 묘법을 믿지 않는다면 그것은 옳은 일이 아니기 때문이다.

다만 부처님 열반 후에 부처님이 안 계신 경우는 제외하느니라. 무엇 때문인가? 부처님 열반 후에는 이와 같은 경전을 수지 독송하고 뜻을 아는 사람을 만나기 어렵기 때문이니라. 만약 다른 부처님을 만난다 하더라도 이 법에서만이 분명하게 깨달을 수 있을 것이다. 사리불이여, 너희는 일심으로 부처님의 말을 믿고 이해하고 수지해야 할 것이다. 제불여래의 말씀은 허망하지 않으며, 삼승은 없고 오직 일불승뿐이다."

舍利弗, 若我弟子, 自謂阿羅漢·辟支佛者, 不聞不知諸佛如來, 但教化菩薩事, 此非佛弟子, 非阿羅漢, 非辟支佛。又舍利弗, 是諸比丘·比丘尼·自謂已得阿羅漢, 是最後身, 究竟涅槃, 便不復志求阿耨多羅三藐三菩提。當知此輩, 皆是增上慢人。所以者何? 若有比丘·實得阿羅漢, 若不信此法, 無有是處。除佛滅度後, 現前無佛。所以者何? 佛滅度後, 如是等經, 受持讀誦解義者, 是人難得。若遇餘佛, 於此法中便得決了。舍利弗, 汝等當一心信解, 受持佛語。諸佛如來, 言無虛妄。無有餘乘, 唯一佛乘。

나. 게송으로 거듭 진실 법문을 설하다

1) 교만한 자 떠나고 진실한 제자만 남다

이때 세존께서는 이러한 뜻을 거듭 펴고자 게송으로 말씀하셨다.

증상만을 품은 비구, 비구니와
아만 많은 우바새와 믿음 없는 우바이
이와 같은 오천 명의 사부대중은
스스로 허물 보지 않고 계 지키지 않고
자기의 잘못을 감추려는 그들은
지혜가 작아서 이미 법회를 떠나갔으니
대중 가운데의 쭉정이 같은 자들은
부처님의 위덕 때문에 떠나갔구나.
이 사람들은 복덕이 적어서
이 대승의 묘법을 감당할 수 없으니
지금 남은 대중은 지엽은 없고
오직 열매와 같은 사람들뿐이네.

爾時世尊欲重宣此義, 而說偈言。

比丘比丘尼　有懷增上慢　優婆塞我慢　優婆夷不信
如是四衆等　其數有五千　不自見其過　於戒有缺漏
護惜其瑕疵　是小智已出　衆中之糟糠　佛威德故去
斯人尠福德　不堪受是法　此衆無枝葉　唯有諸貞實

2) 제불의 방편법문

사리불은 잘 들어라. 모든 부처님이 얻은 법은
무량의 방편력으로 중생을 위하여 설하시며
중생이 생각하는 마음과 갖가지 수행과
약간의 모든 욕망과 과거생의 선악의 업을
부처님은 모두 아시고 많은 인연법과 비유와
말씀과 선교방편의 힘으로 일체중생 기쁘게 하시네.
혹은 계경과 게송과 본사의 일을 설하거나
본생과 미증유의 법을 설하시며
또한 인연, 비유와 중송, 논의에 관한 경 설하시네.
둔근의 사람은 소승법을 즐겨 생사에 탐착하며
무량의 제불로부터 깊고 묘한 도를 수행하지 않아
많은 고통 괴로워하니 그들을 위해 열반 설하시네.

舍利弗善聽　諸佛所得法　無量方便力　而爲衆生說
衆生心所念　種種所行道　若干諸欲性　先世善惡業
佛悉知是已　以諸緣譬喩　言辭方便力　令一切歡喜
或說修多羅　伽陁及本事　本生未曾有　亦說於因緣
譬喩幷祇夜　優波提舍經　鈍根樂小法　貪著於生死
於諸無量佛　不行深妙道　衆苦所惱亂　爲是說涅槃

3) 제불의 실상법문

나는 방편의 법 설하여 부처의 지혜에 들게 하며
너희에게 장래 불도를 이룰 것을 아직 말하지 않았네.
아직 설하지 않은 것은 설할 때가 이르지 않은 까닭이니
지금이 바로 그러한 때로서 대승의 묘법 설하기로 하였네.
나의 이 아홉 가지의 법문은 중생의 근기를 수순하여 설하며
대승으로 들어가게 하는 근본이라, 그래서 이 경을 설하네.
我設是方便 令得入佛慧 未曾說汝等 當得成佛道
所以未曾說 說時未至故 今正是其時 決定說大乘
我此九部法 隨順衆生說 入大乘爲本 以故說是經

마음이 청정하고 유연하며 지혜로운 대승근기의 불자는
무량의 부처님 계신 곳에서 심묘한 도를 수행하였기에
이러한 불자들을 위하여 대승의 법화경을 설하며
나는 이런 사람에게 내세에 불도를 이룰 것을 수기하네.
깊은 마음으로 염불하고 청정한 계 수지하는 까닭으로
그들은 부처님 법문 들으면 큰 기쁨이 온몸에 충만하네.
부처님은 그들의 마음 가는 바 알므로 대승법문 설하며
성문이거나 보살이거나 내가 설하는 법을 들으면
또는 한 게송이라도 들으면 모두 성불은 의심이 없네.
有佛子心淨 柔軟亦利根 無量諸佛所 而行深妙道
爲此諸佛子 說是大乘經 我記如是人 來世成佛道
以深心念佛 修持淨戒故 此等聞得佛 大喜充徧身

佛知彼心行　故爲說大乘　聲聞若菩薩　聞我所說法
乃至於一偈　皆成佛無疑

시방 불국토에는 오직 일승법만 있으며
이승도 없고 삼승도 없고
부처가 방편으로 설하신 것은 제외하니
다만 삼승이라는 이름을 빌려서 중생을 인도하는 것이며
부처의 밝은 지혜를 설하기 위하여
모든 부처님이 이 세상에 출현하신 것이니라.
오직 이 하나의 일만 진실하고
나머지 두 가지는 진실이 아니며
끝내 소승법으로는 중생을 제도하지 않네.
부처님 스스로 대승법에 머물러 그 얻은 법도 같으니
선정과 지혜의 힘으로 장엄하여 중생을 제도하네.
스스로 위없는 도인 대승의 평등법을 증득하여
만약 소승법으로 한 사람의 중생이라도 교화한다면
나는 곧 간탐죄에 떨어지리니 그것은 옳지 못한 일이네.
十方佛土中　唯有一乘法　無二亦無三　除佛方便說
但以假名字　引導於衆生　說佛智慧故　諸佛出於世
唯此一事實　餘二則非眞　終不以小乘　濟度於衆生
佛自住大乘　如其所得法　定慧力莊嚴　以此度衆生
自證無上道　大乘平等法　若以小乘化　乃至於一人
我則墮慳貪　此事爲不可

만약 어떤 사람이 부처님께 귀의하면
여래는 그를 속이지 않으며
탐욕과 미워하는 생각도 없느니라.
그것은 모든 나쁜 일을 다 끊었기 때문이니라.
그러므로 부처는 시방세계에 홀로 두려움이 없으며
장엄한 상호의 몸과 대광명으로 세간을 비추며
한량없는 대중의 존경을 받고
제법실상의 진실을 설해 주느니라.

若人信歸佛　如來不欺誑　亦無貪嫉意　斷諸法中惡
故佛於十方　而獨無所畏　我以相嚴身　光明照世間
無量衆所尊　爲說實相印

단제법중악(斷諸法中惡) 우리 각자는 불법을 배우는 데 마땅히 진정으로 도리를 이해하고 인과를 이해해야 한다. 듣고 행하지 않는 것이 아니라 듣는 대로 행해야 한다.

듣는 대로 행한다는 것은 무엇인가? 비유하면 우리에게는 모두 본래 탐하는 마음이 있는데, 이 탐심이 옳지 않다는 것을 알고 조금씩 제거해 나가는 것과 같다. 또 사람마다 성내는 마음이 있는데, 불법을 들은 후에는 성내는 마음은 좋지 않다는 것을 알고 조금씩 바꾸어 나간다. 어리석은 마음도 이와 같으며, 질투심도 그러하다. 만약 탐심, 진심, 치심, 질투심을 가지고 있으면, 이것은 모두 법 가운데 악[法中惡]으로서 악의 습관, 악의 습기이므로, 따라서 마땅히 끊어야 한다. 법 가운데 악은 바로 질투, 장애, 무명, 번뇌이다.

우리는 왜 어리석은가? 그것은 전생에 지혜로운 사람을 질투하였기 때문이다. 남들이 지혜 있는 것을 보면 곧 질투하는 마음을 낸다. 그래서 금생에 자기가 어리석은 것이다. 금생에 왜 총명한가? 이것도 방금 말한 도리와 같다. 전생에 총명한 사람을 질투하지 않았을 뿐만 아니라 또한 총명한 사람을 좋아하였기 때문이다. 심지어 그 사람을 따라 불법을 배우고, 그가 강의하는 내용이 이해될수록 더욱 찬탄하였기 때문이다. 이렇게 질투심을 내지 않았기 때문에 금생에 총명한 것이다. 그러므로 다른 사람이 나보다 나은 것을 겁내지 않아야 한다. 사람마다 나보다 낫고 사람마다 모두 성불한 연후에 내가 성불하는 것이 바로 보살의 발심이다.

지장보살은 다음과 같은 원을 발한 적이 있다. "지옥이 비지 않으면 성불하지 않겠다." 그분은 지옥의 아귀를 모두 제도하여 성불시키려고 한다. 아귀는 가장 악한 것인데도 싫어하지 않고, 제도하여 성불시키려고 한다. 어떤 사람은 같은 해, 같은 월, 같은 날, 같은 시에 다섯 세계[五道]의 중생을 다 제도하여 성불시키기를 발원하는데, 이것이 가능한가? 불가능하다. 오도의 중생, 즉 인간, 아수라, 축생, 아귀, 지옥의 중생을 동시에 성불시킨다는 것은 불가능하다. 무엇 때문인가? 성불을 하려면 반드시 인간계에 와야 한다. 오도에서 동시에 함께 성불시키겠다는 원력은 만족시킬 수 없다.

지장보살은 가장 악한 사람을 제도하고, 부처님은 일체중생을 제도하려고 발원하였다. 부처님은 결코 질투심을 가지지 않는다. 우리는 누구를 막론하고 질투심을 가져서는 안 된다. 너희가 만약 질투심과 탐심, 진심, 치심을 가지고 있으면, 내생에는 반드시 지옥이 아니면 아귀나 축생으로 떨어질 것이다.

그러니 얼마나 위험한가? 만약 삼악도가 두렵지 않다면 그러한 마음을 가져도 된다. 법 가운데 악인 탐·진·치와 질투심을 끊지 않으면 삼악도에 떨어질 것이고, 만약 법 가운데 악을 끊으면 세 선도(善道)에 날 것이다.

부처님께서 『법화경』을 설하시려고 하는데, 오천 명의 비구가 물러났다. 그들은 어째서 달아났는가? 어째서 듣기를 원하지 않았는가? 그들이 듣지 않은 것은, 듣기를 원하지 않은 것이 아니라 들을 만한 덕행이 없었기 때문이다. 그래서 부처님께서 묘법을 설하려고 하자 그들의 업장이 나와서 그들을 핍박하여, 앉으려고 해도 앉아 있을 수가 없어서 스스로 물러난 것이다.

이것은 법문 듣기를 좋아하고 좋아하지 않는 문제가 아니다. 바로 그들의 죄업이 너무나 무겁기 때문이다. 불법을 들으려고 하면 업장이 나타나 도망간 것이다. 이것을 '마의 기운이 나온 것[發魔氣]'이라고 한다. 그들에게서 마의 힘이 나온 것이다. 죄업이 무거운 사람들이 가지 않고 있으면, 죄업이 없는 사람들에게까지 영향을 주어 법을 들을 수 없게 한다. 그러므로 그들은 가는 것이 좋다.

아이상엄신(我以相嚴身) 광명조세간(光明照世間)• 석가모니 부처님께서는 백 가지 복으로 장엄한 상호로써 자신의 몸을 장엄하여 이 세간을 큰 광명으로 누루 비추신다.

무량중소존(無量衆所尊) 위설실상인(爲說實相印)• 무량무변의 수많은 부처님은 모두 실상법문을 설하시기 위하여, 진실한 지혜를 설하시기 위하여, 『법화경』을 설하시기 위하여 오신다. 실상인은 바로 『법화경』이며, 『법화경』은 곧 실상인이다. 『법화경』을 이해하면 실상인을 이해한 것이다. 만약 『법화경』을 이해하지 못하면 너희도 도장을 찍지 못하고, 너희에게 도장을 찍게 할 방법도 없다.

4) 석가모니불의 실상법문

사리불은 마땅히 알아야 하네. 내가 본래 세운 서원은
일체중생을 나와 다르지 않게 하는 것이며,
내가 이전에 세운 발원처럼 오늘 이미 만족하여
일체중생을 교화하여 모두 불도에 들어가게 하네.

舍利弗當知　我本立誓願　欲令一切衆　如我等無異
如我昔所願　今者已滿足　化一切衆生　皆令入佛道

가) 중생의 오탁 장애를 밝히다

내가 만약 중생을 만나면 모두 불도로써 교화하나
지혜 없는 자는 착란하여 가르침 받아들이지 않네.
나는 이런 중생은 과거에 선근을 닦지 않았음을 알며
오욕락에 집착하며 어리석게 애착하여 번뇌 일으키니
온갖 욕망의 인연으로 삼악도에 떨어져
육도세계에 윤회하면서 온갖 고초를 다 받네.

若我遇衆生　盡敎以佛道　無智者錯亂　迷惑不受敎
我知此衆生　未曾修善本　堅著於五欲　癡愛故生惱
以諸欲因緣　墜墮三惡道　輪迴六趣中　備受諸苦毒

약아우중생(若我遇衆生)• 여기서 나[我]는 부처님 자신을 지칭한다. 부처님께서는 여덟 가지 대자재한 나를 증득하였다. 무엇이 여덟 가지 대자재한 나인가?

① 하나의 몸이 여러 몸으로 되는 것을 보여줄 수 있다. 즉 하나의 몸을 많은 몸으로 변화시킬 수 있다. 한 분의 부처님은 무량무변의 수많은 부처님으로 변화할 수 있다.

② 하나의 미진과 같은 몸을 대천세계에 가득 차게 할 수 있다. 하나의 먼지만 한 몸으로 삼천대천세계에 가득 찰 수 있다. 어떻게 이렇게 할 수 있는가? 바로 자재하기 때문이다.

③ 큰 몸을 가볍게 들어 멀리 갈 수 있다. 마치 공기주머니와 같이 조금의 중량도 없어 공중으로 날려 멀리 갈 수 있다. 이것은 부처님의 신통자재한 묘용을 나타낸다.

④ 수많은 종류로 나타나 하나의 국토에 항상 머물 수 있다. 즉 부처님께서는 하나의 국토 가운데서 셀 수 없이 많은 종류의 중생으로 나타나 같이 머물 수 있다.

⑤ 모든 근을 함께 쓸 수 있다. 『능엄경』에서 '육근호용(六根互用)'에 대하여 설명한 적이 있는데, 눈으로 먹을 수 있으며 귀로 말할 수 있다. 안·이·비·설·신·의 육근은 모두 함께 여섯 가지 능력을 가질 수 있다. 눈으로 볼 수도 있고 들을 수도 있으며, 먹을 수도 있고 맛을 볼 수도 있

다. 하나의 근이 다른 다섯 가지 능력을 구족할 수 있다. 하나의 근마다 모두 이러한 능력을 가지고 있으므로 '제근호용(諸根互用)'이라고 한다. 이것이 묘하지 않은가?

⑥ 일체의 법을 얻어 마치 제법에 대한 생각이 없는 것과 같다. 일체의 제법을 얻어도 법에 대한 생각이 없다. 법이 공한 것이다.

⑦ 하나의 게의 도리를 설하면서 무량겁을 지낼 수 있다. 이것의 자재함은 더욱 묘하다. 단지 하나의 게송의 도리와 의의를 설명하는데, 무량무변의 많은 대겁을 설명해도 그 게송의 뜻을 다 설명할 수 없다.

⑧ 몸이 모든 곳에 가득한 것이 마치 허공과 같다. 부처님의 몸은 비록 모든 곳에 두루 가득할지라도, 마치 허공처럼 될 수 있다. 부처는 있는 곳이 없으며, 있지 않은 곳도 없다. 그럼 부처는 어디에 있는가? 어떤 곳이든지 모두 있으며, 어떤 곳이든지 존재하지 않는다. 그러므로 마치 허공과 같다는 것이다. 허공에 무슨 형상이 있는가? 무형(無形)이고 무상(無相)이다. 따라서 우리는 모두 부처님 기(氣)의 몸속에 와서 생존하고 있는 것이다.

부처님은 천지간에 하나의 대인(大人) 같아서 우리는 마치 부처님 몸속에서 살아가는 작은 벌레와 같다. 우리가 오랫동안 목욕을 하지 않으면 몸에 작고 작은 미생물이 자라나온다. 북방에는 이와 벼룩이 있는데, 매우 작은 벌레이다. 그 미생물은 비록 사람이 무슨 모양이라는 것은 알지만 사람을 보지는 못한다. 왜냐하면 사람의 몸에 생존하고 있기 때문이다. 우리는 비록 부처님의 법신 가운데 살고 있지만, 부처님의 법신을 볼 수 없다. 왜 보지 못하는가? 바로 우리가 부처님의 법신 속에 있기 때문이다.

중국에 이런 말이 있다. "여산의 진면목을 알 수 없는 것은 이 몸이 이 산속에 있기 때문이네." 여산(廬山)은 중국 장시성에 있는 산으로서 아주 유명한 피서지이며, 풍경이 아름답고 산이 청수하여 매우 좋다. 만약 우리가 여산 가운데 있으면 여산의 진면목을 볼 수 없다. 여산 밖으로 나가면 여산을 볼 수 있을 것이다. 우리는 왜 부처의 법신을 볼 수 없는가? 바로 우리가 부처의 법신 속에 있기 때문이다. 만약 부처의 법신 밖으로 나가면 부처의 법신을 볼 수 있을 것이다. 그러나 부처의 법신 밖이라는 곳은 근본적으로 없다. 따라서 우리는 부처의 법신 밖으로 나갈 방법이 없는 것이다. 그러면 어떻게 부처의 법신을 볼 수 있는가? 우리가 열심히 수도하여 성불을 하여 부처와 다르지 않게 될 때, 자연히 부처의 법신은 어떠한 경계인가를 알게 될 것이다.

미혹불수교(迷惑不受敎) 미혹이 너무 깊어서 불법을 설해 주어도 받아들이지 못한다. 우리 모두는 자기가 전생에 무엇을 하였는지 알 수 있다. 어떻게 알 수 있는가? 스스로 자기를 관찰해 보고 살펴보라. 만약 자기에게 자비심이 많으면 전생에 살생의 계를 많이 범하지 않은 것이다. 이른바 자비심은 곧 성미가 없는 것이다. 어떤 사람을 봐도 골육처럼 생각하고 모든 사람을 자애한다. 만약 이런 마음이 있다면, 전생에 살생을 한 적이 없는 것이다. 만약 모든 사람을 자애하지 않으면 전생에 살생을 많이 한 것이다. 자신을 거울에 비춰 보듯이 스스로 자신이 어떠한 사람이었는지를 알 수 있다. 만약 진한심(瞋恨心)이 강하다면, 전생에 살생을 많이 한 것이다. 살생을 좋아하는 사람은 화를 내는 일이 매우 많다. 이 두 가지만 살펴봐도 알 수 있으며, 다른 것은 스스로 전후

인과를 관찰해 보면 알 수 있다. 금생에 어떠한 사람인가에 따라 전생에 무슨 일을 하였는지를 알 수 있다.

며칠 전 누군가가 와서 물었다.

"사람도 축생이 될 수 있습니까?"

"당신이 축생 짓을 하면 바로 축생이며, 사람 일을 하면 곧 사람입니다. 내생을 기다려 변하는 것을 말할 필요가 없이 금생에 축생 짓을 하면 바로 축생입니다. 사람 일을 하면 바로 사람이며, 보살이 하는 일을 하면 곧 보살입니다. 보살계를 받고 보살도를 행하면 보살이지만, 이것은 초발심의 보살입니다. 부처의 일을 하면 바로 부처이며, 귀신의 일을 하면 곧 귀신입니다. 당신이 어떻게 하는가에 달려 있습니다. 일체유심조(一切唯心造)의 도리가 바로 이러합니다."

지금 여러분은 이곳에 와서 불법을 듣고 있는데, 왜 이곳에 왔는가? 전생에 불교를 믿는 마음이 있었기 때문에 금생에 경을 강의하고 법을 설하는 것을 듣기 좋아하는 것이다. 만약 선근이 없는 사람은 경을 들으면 '아, 무슨 말도 안 되는 소리인가! 재미없어!' 하고는 도망간다. 각자는 모두 숙명통을 가지고 있다. 숙명통은 전생을 알 수 있는 신통이다.

미증수선본(未曾修善本)• 그는 과거생에 선근을 닦지 않았기 때문에 어리석다. 그러면 우리에게 선근이 있는가, 없는가? 여러분은 선근이 있는지 없는지를 묻지 말고, 불법에 따라 수행을 하려고 하는가 하지 않는가를 물어야 한다. 만약 불법에 따라 수행하고 실제로 불법을 행하고 계율을 지킨다면, 선근이 없어도 선근이 생길 것이다. 만약 그렇게 하지 않는다면, 선근이 있어도 선근이 없어질 것이다. 따라서 자기에게 선근이 있는지 없는지를 묻지 말아야 한다.

나는 다시 한층 더 깊이 이야기하고자 한다. 만약 너희에게 선근이 없으면, 근본적으로 불법을 들을 방법이 없다. 왜냐하면 인연이 없기 때문이다. 우리가 지금 이곳에 와서 불법을 듣는 것은, 더욱이 『법화경』을 듣게 된 것은 모두 숙세에서 이미 선근을 심은 적이 있기 때문이다. 그러나 묻지 말아야 한다. 무엇 때문인가? 또 만약 내가 선근이 있다고 말해주면, 곧 교만해지기 때문이다. 또 만약 내가 여러분은 선근이 없고 전생에 돼지였으며 금생에 비로소 사람이 되었다고 말하면, 너희는 생각할 것이다. '아, 전생에 돼지에서 사람이 되었으니, 무슨 큰 재미가 없어. 나쁜 일을 해서 다시 돼지가 되지 뭐! 할 일 없이 먹고 자고 하는 게 더 좋아!' 그렇게 물러나려는 마음을 낼 수 있으므로 이야기할 수 없는 것이다.

여러분에게 선근이 있는지 없는지는 스스로에게 물어보되 불법에 따라 수행하면 선근이 있는 것이며, 선근이 없어도 또한 생길 것이다. 불법에 따라 수행하지 않으면 선근이 있어도 없어질 것이다. 중요한 것은 바로 이 점이다. 따라서 부처님께서는 중생이 선근을 심은 적이 없으며 숙세에 수행한 적이 없음을 아신다.

견착어오욕(堅著於五欲)• 오욕에 견고하게 집착한다는 뜻이다. 오욕이란 색·성·향·미·촉의 다섯 가지를 말하며, 또한 재(財)·색(色)·식(食)·명(名)·수(睡)를 말하기도 한다. 오욕은 지옥으로 끌어당기는 다섯 개의 줄이다. 우리가 어떤 하나의 욕망에 집착하면 그것은 당신을 묶어서 지옥으로 끌고 갈 것이다. 또한 오욕은 지옥에 이르게 하는 자물쇠이다. 우리를 자물쇠로 채워 지옥에 가두어버린다. 그러므로 우리는 불법을 이해한 후에 이러한 결점이 있으면 고쳐나가야 한다. 바로 즉시 이 다섯 가지 결점을 전부 고칠 수는 없겠지만, 천천히 고칠 수는 있을 것이다.

치애고생뇌(癡愛故生惱) 오욕에 집착하기 때문에 어리석음을 내며, 그리고 다시 오욕을 애착하게 된다. 갖가지 방법으로 오욕을 애착하며, 오욕을 찾지 못하면 곧 번뇌를 낸다. 왜 번뇌를 내는가? 바로 지혜가 없기 때문에 경계를 명료하게 보지 못하고 깨닫지 못하는 것이다. 따라서 이 다섯 가지 욕망을 탐해서는 안 되니, 마땅히 스스로 회광반조하여 깨달음의 마음을 발하여야 할 것이다.

태를 받은 작은 형체가 세세생생 항상 증장하며
박덕하고 복이 적은 사람은 온갖 고통 핍박하고
사견의 조밀한 숲으로 들어가 상견과 단견 등
이런 사견을 의지하여 육십이 종류의 견을 갖추네.
허망한 법에 깊이 집착함이 견고해 버리지 못하며
아만으로 스스로 높이고 첨곡심으로 진실하지 못하며
천만억 겁 동안 부처의 이름 듣지 못하고
또한 정법을 듣지 못하는 이런 사람 제도하기 어렵네.

受胎之微形 世世常增長 薄德少福人 衆苦所逼迫
入邪見稠林 若有若無等 依止此諸見 具足六十二
深著虛妄法 堅受不可捨 我慢自矜高 諂曲心不實
於千萬億劫 不聞佛名字 亦不聞正法 如是人難度

수태지미형(受胎之微形) 태에 들어가 사람이 되거나 말이 되거나 소가 되거나 혹은 쥐가 되기도 한다. 어떤 사람은 쥐를 두려워하는데, 전생에 나쁜 일을 해서 그렇다. 나쁜 일을 한 사람은 쥐의 무리로 달려가 쥐와 친구가 된다. 수태지미형이란 태생 가운데 매우 작은 동물이 되는 것을 뜻한다.

의지차제견(依止此諸見) **구족육십이**(具足六十二)• 이 많은 견해와 친구가 되어 서로 의지한다. 모두 62가지 견해가 있다. 62가지 견해는 무엇인가? 우리 사람마다 색·수·상·행·식의 오온이 있다.

어떤 외도는 이렇게 생각한다. "색은 크고 나는 작으며, 나는 색 가운데 있다.[色大我小 我在色中]" 이렇게 어리석게 생각한다. 어떻게 자기가 색 속으로 들어갈 수 있는가? 이것은 정말로 불통의 극치다. 근본적으로 이런 도리는 없는데, 그는 이런 이론을 만들어낸다. 이것이 하나의 견해이다.

또 어떤 외도는 다른 이론을 세우면서 말한다. "색은 작고 나는 크며, 색은 내 속에 있다.[色小我大 色在我中]" 그는 궁극적으로 색이 무엇인지를 모른다.

또 어떤 외도는 삿된 설을 세운다. "색이 곧 나이다.[卽色是我]"

또 어떤 외도는 이렇게 말한다. "색을 떠난 것이 나이다.[離色卽我]"

이와 같이 색에 대해 네 종류의 견해가 있듯이, 수·상·행·식에도 각기 네 종류의 견해가 있다. 그리하여 오온에는 모두 20종류 견해가 있으며, 과거·현재·미래 삼세에 이런 견해가 있어서 모두 60종류 견해가 된다. 그리고 단견(斷見)과 상견(常見)이 있는데, 그것을 합치면 62종류의 사견이 된다. 여러분은 왜 그들에게 이러한 62종류의 사견이 있는가를 묻지 말라. 근본적으로 이유가 없이 이런 사견을 세운 것이다.

심착허망법(深著虛妄法) **견수불가사**(堅受不可捨)• 이러한 외도들은 모두 이러한 허망한 법에 깊이 집착하고 있다. 허망한 법이란 무엇인가? 바로 62종류의 사견이다. 그들은 이런 사견을 굳게 받아들이면서 말한다. "이것은 도리가 있어서 그런 거야." 그리고 집착하며 변화하지 않는다. 어떤 사람은 이상한 종교에 미혹되면서 또한 진리를 추구하지 않는다. 설하는 것이 옳든지 그르든지 막론하고 미혹된다. 그의 생각을 바꾸려고 하면 그는 말한다. "안 돼. 이것은 내 스승이 발명한 이론으로서 절대로 바꿀 수 없어! 바꾸면 큰 죄가 생겨! 지옥에 떨어지거나 반드시 머리에 벼락이 칠 게야. 나는 바꿀 수 없으며, 반드시 이 종교를 믿어야 해!"

여시인난도(如是人難度)• 선근이 없는 사람들은 특히 제도하기 어렵다. 지금 샌프란시스코시에 몇백만 명의 사람들이 살고 있지만, 진정으로 발심하여 경을 들으러 오는 사람은 단지 몇십 명에 불과하다. 보라. 얼마나 희소한지! 따라서 선근이 없는 사람은 제도하기가 쉽지 않다. 그들에게 명백하게 옳으며 도리가 있는 불법을 이야기하면 그들은 듣고 옳다고는 생각하면서도 여러분을 반대한다. 이상하지 않은가? 이것은 무엇 때문인가? 바로 그들에게 선근이 없기 때문이다. 선근이 있는 자들은 불법을 들으면 모두 공경하고 성심을 다할 것이다.

중국 전장(鎭江)의 금산사에 금산활불(金山活佛)이라는 분이 있었는데, 그분은 어떤 법사가 경을 강의하든지간에 먼저 법사에게 절을 한 연후에 장궤합장하고 공경스럽게 강의를 들었다. 본래 그는 이미 활불이라는 소리를 들을 정도로 유명하였지만, 그렇게 정성을 다하였다. 그는 어째서 활불이라는 이름을 얻게 되었는가? 한때 금산사에 있는 탑에서 좌선하다가 아래로 떨어졌는데, 아무런 일도 없었던 것처럼 죽지도 않고 조금도 다치지 않았던 것이다. 그리고 사람들의 병을 치료할 수 있었는데, 어떤 방법으로 병을 치료하였는가 하면 '바라밀탕(波羅蜜湯)'이라는 것으로 병을 치료하였다. 바라밀탕이란 어떤 것인지 아는가? 바로 그가 발을 씻은 물이다. 병이 있는 사람이 오면 그는 발 씻은 물에 향의 재를 타서 마시게 하였다. 그런데 이상하게도 그 물을 마시고 나면 병이 나았다. 그래서 사람들이 그를 활불이라고 부르게 된 것이다.

우리가 지금 서방에서 이런 법회를 열 수 있다는 것은 정말로 희유한 일이며, 또한 지금까지 없었던 일이라고 말할 수 있다. 불법이 장래 말법에 이르게 될 때 법이 멸하면 불경도 모두 없어질 것이며, 모든 불경은 백지로 변할 것이다. 즉 종이는 있는데 글자가 없어지는 것이다. 글자가 저절로 보이지 않게 된다. 그렇게 이상한 일이 생길 것이다.

모든 경전 중에 『능엄경(楞嚴經)』이 먼저 없어진다. 따라서 내가 미국에 와서 불법을 선양하면서 우선 『능엄경』을 제창한 것이다. 이 경은 지혜를 여는 경이다. 우리 모두 『능엄경』을 보고 연구해야 한다. 『능엄경』에서 설하는 도리는 정말로 지금의 과학이나 철학과 비교해도 더욱 묘하다. 『능엄경』은 근본 도리를 설명한다. 『능엄경』을 강의하고 난 후에 지금 『법화경』을 설명하는데, 나는 여러분에게 진실로 묘한 『법화경』을 들려주고 싶다. 『법화경』을 마치고 만약 기회가 있어서 『대방광불화엄경』을 강의할 수 있다면 더욱 묘할 것이다. 『화엄경』은 경 중의 왕으로서 금륜성왕(金輪聖王)에 비유할 수 있다. 『법화경』도 경 중의 왕이지만, 금륜성왕에는 미치는 못하는 은륜성왕에 비유할 수 있고, 『능엄경』은 동륜성왕에 비유할 수 있을 것이다. 만약 우리가 『법화경』을 다 듣고 『화엄경』을 들을 수 있다면, 세 부의 경을 다 듣게 된다. 그러면 불경의 세 왕을 모두 이해하게 될 것이며, 다른 경전은 설명하지 않아도 모두 이해할 수 있을 것이다.

내가 이렇게 하는 것은, 불법이 서방에서 처음 일어나는 것이니 마땅히 대승법을 선양하여 대승보살을 교화해야 하기 때문이다. 여러분은 스스로를 작게 보지 말아야 한다. 먼저 발원하여 모두가 불법을 홍양하는 것을 도우려고 내가 온 것이다. 따라서 지금 총명한 서방인들이 여기에 와서 매일 불법을 배우는 것은 모두 먼 원인이 있다. 먼 곳에서 이미 원인을 심은 것이다. 내가 말하는 것은 참된 것으로서 믿지 않으면 안 될 것이다.

사리불이여, 그래서 나는 그들에게 방편법 마련하여
모든 고집멸도의 사성제를 설하여 열반을 가르쳤네.
내가 비록 열반을 설하지만 또한 참된 적멸이 아니며
모든 법은 본래부터 항상 스스로 적멸의 모습이니
불제자는 도를 수행하면 내세에 부처 이룰 것이네.
是故舍利弗　我爲設方便　說諸盡苦道　示之以涅槃
我雖說涅槃　是亦非眞滅　諸法從本來　常自寂滅相
佛子行道已　來世得作佛

나) 삼세제불의 실상법문을 찬탄하다

나에게 방편의 힘 있어 삼승의 법문을 설하였으나
일체의 제불세존은 모두 일승의 도를 설하시며
지금 이곳의 모든 대중들은 응당 의혹을 제거하여
제불 말씀 다름이 없고, 오직 일승이며 이승은 없네.
我有方便力　開示三乘法　一切諸世尊　皆說一乘道
今此諸大衆　皆應除疑惑　諸佛語無異　唯一無二乘

(1) 과거불

과거 무수 겁 동안 열반하신 무량한 부처님 설하신
백천만억 종류의 법문은 그 수량을 사량할 수 없네.
이와 같은 모든 세존은 갖가지 인연과 비유와
무수한 방편의 힘으로 제법의 모습 연설하셨지만
이러한 모든 세존들은 모두 일승법을 설하여
무량한 중생을 교화하여 불도에 들어가게 하셨네.

過去無數劫　無量滅度佛　百千萬億種　其數不可量
如是諸世尊　種種緣譬喩　無數方便力　演說諸法相
是諸世尊等　皆說一乘法　化無量衆生　令入於佛道

또한 모든 대성주께서 일체 세간의 천상, 인간 등
일체중생의 마음속 깊이 바라는 바를 아시고
더욱 다른 방편으로써 제일의의 도를 드러내시네.

又諸大聖主　知一切世間　天人群生類　深心之所欲
更以異方便　助顯第一義

만약 중생들이 과거생에 모든 부처 만나서
보시, 지계, 인욕, 정진, 선정, 지혜 등
법을 듣고 갖가지로 복덕과 지혜 닦았으면
이러한 사람들 모두 이미 불도를 이루었네.

若有衆生類　値諸過去佛　若聞法布施　或持戒忍辱
精進禪智等　種種修福慧　如是諸人等　皆已成佛道

제불의 멸도 후에 선하고 유연한 마음을 가진
이러한 모든 중생들은 모두 이미 불도를 이루었네.
諸佛滅度後　若人善軟心　如是諸衆生　皆已成佛道

제불이 멸도하신 후 사리에 공양하는 자가
만억의 수많은 탑을 세워 금은과 파려와
자거와 마노, 매괴, 유리구슬 등으로
청정하고 광대하게 장엄하여 모든 탑을 꾸미거나
돌로 절 지어 전단 침수향 나무로 불상 조각하고
목밀향과 벽돌, 기와, 진흙 등으로 절을 지으며
만약 광야 가운데 흙을 쌓아 부처님 절 만들거나
아이들이 놀이하면서 모래 모아 불탑을 만들어도
이와 같은 모든 사람들은 이미 불도를 이루었네.
諸佛滅度已　供養舍利者　起萬億種塔　金銀及玻瓈
硨磲與瑪瑙　玫瑰琉璃珠　淸淨廣嚴飾　莊挍於諸塔
或有起石廟　栴檀及沈水　木櫁竝餘材　甎瓦泥土等
若於曠野中　積土成佛廟　乃至童子戲　聚沙爲佛塔
如是諸人等　皆已成佛道

만약 어떤 사람이 부처님 위해 많은 불상 건립하거나
조각하여 불상 조성한 사람들 이미 불도를 이루었네.
칠보로 조성하거나 놋쇠, 적동, 백동으로 만들거나
납, 아연, 주석, 쇠, 나무, 진흙으로 불상 만들거나
아교와 옻칠한 베로 장엄하게 장식하여 불상 만든

이와 같은 모든 사람들은 이미 불도를 이루었네.

若人爲佛故 建立諸形像 刻雕成衆相 皆已成佛道

或以七寶成 鍮鉐赤白銅 白鑞及鉛錫 鐵木及與泥

或以膠漆布 嚴飾作佛像 如是諸人等 皆已成佛道

엄식작불상(嚴飾作佛像) 불상을 조성하면 열한 가지 공덕이 있다.

① 세세생생 눈이 맑고 밝다.

② 태어나는 곳에 악이 없다. 어느 곳에 나든지 그곳에는 악인이 없다. 그 사람의 이웃, 친구, 친척 모두 착한 사람이며, 악인을 만나지 않고, 또한 악한 짐승도 만나지 않을 것이다.

③ 항상 부귀한 집에 태어난다.

④ 신체가 자마금색(紫磨金色)을 가질 것이다. 우리의 신체는 왜 자마금색이 아닌가? 과거생에 불상을 조성한 공덕이 없기 때문이다.

⑤ 진기한 보배가 풍부하다.

⑥ 어질고 선한 집에 태어난다.

⑦ 황제(임금, 대통령)가 될 수 있다.

⑧ 전륜성왕이 될 수 있다.

⑨ 인간 세상에서 왕이 될 수 있을 뿐 아니라 또한 범천에 날 수 있으며, 1겁의 장수를 누릴 수 있다.

⑩ 악도에 떨어지지 않는다. 불상을 조성한 적이 있는 사람은 삼악도에 떨어지지 않는다.

⑪ 세세생생 삼보를 공경하고 삼보에 귀의하며 타락하지 않을 것이다.

불상을 조성하면 이러한 공덕이 있다. 그러므로 힘이 닿는 대로 불상을 많이 조성해야 할 것이다. 불상을 조성하면 모습이 원만해진다. 부처님은 왜 상호가 그렇게 원만하신가? 이 또한 삼아승기겁 동안 많은 불상을 조성하셨기 때문이다. 세상에 출현하신 부처님을 얼마나 많이 만났을까 계산해 봐라. 첫 번째 아승기겁에 칠만 오천여 분의 부처님을 만났으며, 두 번째 아승기겁에 칠만 육천 분의 부처님을 만나고, 세 번째 아승기겁에 칠만 칠천 분의 부처님을 만나셨다. 보라. 이렇게 많은 부처님을 만났으니 그분이 조성한 불상은 당연히 더 많을 것이다. 얼마인지 모른다. 따라서 부처님의 모습이 그렇게 원만하신 것이다. 우리가 불상을 조성하면 단지 모습이 원만하여 사람으로 하여금 애욕심을 생기게 하는 것이 아니라, 복을 닦게 하고 지혜를 닦게 하여 장래 부처를 이루게 한다.

계율로 말하면, 서 계신 불상 앞에서는 앉아서는 안 되며, 앉아 계신 불상 앞에서는 누워서는 안 된다. 이 말을 꼭 새겨들어야 할 것이다.

백복이 장엄한 모습의 불상을 색채로 그림 그려서
스스로나 남을 시켜 만든 사람들 이미 불도를 이루었네.
또한 아이들이 놀이로 풀, 나무와 글씨로 만들거나
혹은 손가락으로 먹물을 적셔서 불상을 그린
이와 같은 모든 사람들은 점점 공덕을 쌓으며
큰 자비심을 갖춘 사람 모두 이미 불도를 이루었고
부처는 단지 모든 보살 교화하고 무량 중생 제도하네.

彩畫作佛像　百福莊嚴相　自作若使人　皆已成佛道
乃至童子戲　若草木及筆　或以指爪甲　而畫作佛像
如是諸人等　漸漸積功德　具足大悲心　皆已成佛道
但化諸菩薩　度脫無量衆

만약 사람이 탑과 절에 들어가 보배상이나 그림상에
꽃과 향과 당번, 보개로써 공경심으로 공양하거나
남을 시켜 음악 연주하거나, 북 치고 소라 불거나
피리, 가야금, 공후, 비파, 징, 동발 등 악기로
이런 갖가지 미묘한 음악으로 부처님께 공양하거나
환희심으로 노래, 범패 등으로 부처님 덕 찬양하거나
하나의 음으로 찬양한 모든 사람 이미 성불하였네.

若人於塔廟　寶像及畫像　以華香旛蓋　敬心而供養
若使人作樂　擊鼓吹角貝　簫笛琴箜篌　琵琶鐃銅鈸
如是衆妙音　盡持以供養　或以歡喜心　歌唄頌佛德
乃至一小音　皆已成佛道

만약 어떤 사람이 산란심으로 또는 한 송이 꽃으로
그림 불상에 공양하면 점차로 무수한 부처님 보게 되네.
어떤 사람이 부처님께 예배하거나 단지 합장만 해도
또는 한 손을 들어 이마에 대거나 머리를 살짝 굽혀서
불상에 공양하면 점차 무량한 부처님을 보게 되네.
스스로 위없는 도 이루어 널리 무수한 중생 제도하여
마치 땔나무 불에 다 타듯이 무여열반으로 들게 하네.
若人散亂心　乃至以一華　供養於畫像　漸見無數佛
或有人禮拜　或復但合掌　乃至擧一手　或復小低頭
以此供養像　漸見無量佛　自成無上道　廣度無數衆
入無餘涅槃　如薪盡火滅

만약 어떤 사람이 산란심으로 탑이나 절에 들어가
'나무불' 하고 한 번이라도 불러도 모두 이미 불도를 이루네.
若人散亂心　入於塔廟中　一稱南無佛　皆已成佛道•

과거의 모든 부처님이 세간에서 열반에 드신 후
만약 이 법을 들은 사람이라면 모두 불도를 이루었네.
於諸過去佛　在世或滅後　若有聞是法　皆已成佛道

일칭나무불(一稱南無佛) **개이성불도**(皆已成佛道)• 단지 "'나무불" 하고 염불 한 번 하더라도 그 처음의 마음만으로도 부처를 이룰 수 있다는 것이다. 무엇 때문인가? 천리 길도 한 걸음부터 시작하기 때문이다. 너희가 만덕이 원융하여 성불하려고 하는 것도 최초의 한 생각으로부터 시작된다. 최초의 한 생각으로 부처의 인을 심으면 장래 반드시 부처의 열매를 맺게 될 것이다.

우리는 "나무불, 나무 아미타불, 나무 석가모니불, 나무 소재연수약사불"이라고 염불한다. 보라. 염불하는 것은 매우 쉽다. 그러나 이런 기회는 결코 쉽게 만나는 것이 아니다. 지금 너희 각자는 이런 기회를 만나서 염불을 이해하고 있다. 보라. 이 세계에서 염불할 줄 모르는 사람이 많은가, 아니면 염불할 줄 아는 사람이 많은가? 염불할 줄 아는 사람은 마치 달과 같이 희소하고, 염불할 줄 모르는 사람은 별처럼 많다고 말할 수 있다. 별이 많은지 달이 많은지 보라. 그러므로 염불할 줄 아는 사람은 모두 숙세의 선근이 성숙되어 지금 비로소 염불의 법문을 만날 수 있는 것이다.

부처님 재세 시에 제바달다라는 부처님 사촌형제가 있었는데, 그는 항상 부처님과 대적관계에 있었다. 부처님은 제자들에게 매일 하루 한 끼의 식사를 하게 하였는데, 제바달다는 기이한 것을 드러내려고 특별한 것을 만들었다. 부처님께서는 제자들에게 고기를 먹지 못하게 하였는데, 제바달다는 고기를 먹지 않을 뿐 아니라 소금도 안 먹는다고 표방하였다. 그는 언제나 부처님보다는 한 술 더 떴다. 그러나 이리 하고 저리 해도 염불은 하지 않았다.

제바달다는 일생 힘을 다해 죄를 저질렀으며, 힘을 다해 부처님과 대적하였다. 죄업이 가득 차게 되었을 때 그는 산 채로 지옥에 떨어졌다. 지옥의 문에 이르렀을 때, 그는 염불을 하려고 해도 도리어 염불이 나오지 않았다. 단지 '나-무-'라는 두 자만 나오고 '불(佛)' 자는 나오지 않았다. 업장이 그를 막은 것이다. 따라서 '불' 자는 끝내 말할 수 없었던 것이다.

부처님께서는 제바달다가 매우 가련하다고 말씀하셨지만, 여러분은 그를 가볍게 봐서는 안 된다. 제바달다는 지옥에서 죄를 다 받고 나온 후에 다시 수행하여 벽지불이 되며, '나무'라고 불릴 거라는 수기를 받았다. 왜냐하면 염불하려고 할 때 '나무' 두 자만 나왔기 때문이다. 여러분은 염불이 그렇게 쉽게 할 수 있는 것이라고 보면 안 되며, 또 마음대로 할 수 있는 것이라고 여겨서도 안 된다. 지금 여러분은 업장이 장애하여 막고 있지 않지만, 만약 업장이 가로막을 때는 염하려고 해도 염할 수 없기 때문이다.

그리고 또 하나의 이야기가 있다. 인도에 어떤 외도가 있었는데, 그들은 천신의 상에 공양하였다. 이 천신의 몸통은 나무나 진흙으로 만들었으나 머리만큼은 황금으로 만든 것이었다. 어떤 도둑이 이 사실을 알고 천신의 머리를 훔치려고 하였다. 하지만 그가 그곳에 가면 천신의 위덕 때문인지 두려운 마음이 일어났다. 그는 '나무불'이라는 염불이 생각나서 "나무불"이라고 하자 공포가 없어졌다. 왜냐하면 그가 "나무불"이라고 염하자 천신의 위덕도 드러나지 않게 되었던 것이다. 결국 금으로 된 천신의 머리를 훔쳐 도망갔다.

그러고 나서 사람들에게 말하였다. "아이고, 여러분 이 천신을 보세요! 여러분이 모두 이 천신을 믿었지만, 이 천신은 영감(靈感)이 없습니다. 만약 영감이 있으면 어떻게 머리가 없어질 수 있습니까? 당신들은 이제 이 천신을 믿어도 소용없어요!" 이렇게 말하자 천신의 영성이 다시 돌아와 어떤 사람의 몸에 붙었다. 이 사람은 아무것도 모르고 마치 술 취한 것처럼 인사불성이 되었다. 그 사람의 몸에 붙은 천신이 말하였다. "내가 영감이 없는 게 아니다. 도둑은 본래 감히 내 머리를 훔치지 못할 터인데, 그가 '나무불'이라고 염하자 도처가 모두 불광(佛光)이라 나도 눈을 뜨지 못하여 내 머리를 보호하지 못하고 도둑맞았다. 이것은 결코 내가 영감이 없어서가 아니라, 부처님의 위덕이 나보다 더욱 크기 때문에 나도 내 머리를 보호할 방법이 없었던 것이다."

그렇다면 부처님께서는 도둑으로 하여금 천신의 금 두상을 훔치게 하여 그가 죄업을 짓도록 도우신 것인가? 아니다. 왜냐하면 그 도둑이 염불을 하였기 때문이다. 염불의 공덕은 불가사의한 것이다. 선인이든지 악인이든지를 막론하고 염불하면 같은 공력이 있다. 악인이 염불하면 공덕이 없고 선인이 염불하면 공덕이 있는 것이 아니다. 모두 같은 공덕이다. 따라서 이 사람이 비록 도둑이지만 염불할 줄 알아서 천신의 머리를 훔친 것이지, 결코 부처님이 그를 도와서 훔치게 한 것은 아니다. 부처님은 오히려 그의 선근을 성취하게 하신 것이다.

그렇다면 도둑은 물건을 훔쳤는데 어째서 선근이 있는가? 『법화경』에서 "나무불 한 소리에 모두 이미 불도를 이룬다."고 하지 않았는가? 그는 당시 비록 도둑이었지만, 그가 염불한 선근은 장래 반드시 부처를 이룰 것이다. 따라서 이것을 "순으로 역으로 모두 정진한다.[順逆皆精進]"고 하는 것이다. 비록 그는 도둑이 되었지만, 그도 염불하는 마음을 발한 것이다. 부처님은 중생을 평등하게 대하여 선인이든 악인이든 누구나 염불하면 같은 효과를 보고 같은 감응이 있다는 것을 보여주신 것이다. 그러므로 "나무불 한 소리에 모두 이미 불도를 이룬다."고 하신 것이다.

이 고사를 들으면서 우리가 오해하면 안 될 것이 있다. 그 도둑은 결코 불법을 이해하지 못했다. 그저 남들이 "나무불"이라고 염불하면 좋다는 말을 듣고 기억하고 있다가 두려움이 일자 "나무불"이라고 염한 것일 뿐이다. 우리 불법을 배운 사람은 절대로 염불의 감응을 사용하여 불광의 힘에 의지하여 나쁜 일을 해서는 안 된다. 불법을 배운 사람이라면 훔치는 것은 계를 범하는 것임을 알기 때문이다. 명백히 알면서 다시 범하는 것은 죄에 더 죄를 더하는 것이다. 따라서 이 점에 관하여 각자 명백하게 인식해야 한다.

내가 왜 이런 이야기를 하는가? 과거에 어떤 스님이 있었다. 그는 출가 전에는 군인이었으며, 출가한 이후에는 불법을 배워 염불을 매우 믿는 스님이 되었다. 그리고 항상 일반인이 염불하도록 인도하였다. 출가한 후에 계를 받았는데, 출가하고 대략 5, 6년이 지난 후 홍콩에 오게 되었다.

홍콩의 신계(新界)라는 곳에 도풍산(道風山)이라는 단체가 있었다. 예수교에서 만든 것으로서 전문적으로 불교를 파괴하고 출가인을 망치게 하는 기관이었다. 어떻게 파괴하는가? 출가인을 환속하게 하는 것이다. 전문적으로 출가인을 찾아 그곳에 오게 하여 돈을 주거나 여인을 소개했다. 돈이 없는 출가인은 그곳으로 가며, 여자가 생각나는 출가인도 그곳으로 갔다. 이 스님도 그곳으로 가서 주방일(요리사)을 하게 되었다. 그곳에 가서 고기를 먹고 다시 닭을 잡고 오리를 잡으며 많은 동물을 살생하였다. 그는 주방일을 하면서 염불을 하면 죽인 동물들을 천도할 수 있을 것이라 생각하였다. 닭을 죽일 때 한편으로는 칼을 잡고 닭을 죽이고, 한편으로는 "나무아미타불, 나무아미타불 …." 염불을 하였다.

그는 아미타불을 염하면 죽인 닭을 천도할 수 있을 것이라 생각하였지만, 결과적으로 그는 그곳에 반 년 넘게 있다가 정신병이 발작하였으며 얼마 지나지 않아 죽었다. 따라서 이런 일은 하면 안 되며, 이 점을 각자는 응당 주의해야 한다. 알면서 범하면 그 죄에 3할이 더 증가된다. 너희는 그렇게 할 무슨 자격이 있는가? 염불하면 좋다. 염불은 천도할 수 있다. 그러나 동물을 죽이고 그들을 천도하여 극락세계로 왕생하게 할 수 있는가? 그런 능력을 갖고 있어야 그렇게 할 수 있는 것이지 그런 능력이 없으면서 그렇게 하면 안 되는 것이다.

이러한 이야기를 듣고 염불하면 죄를 지울 수 있다고 오해하면 안 된다. 염불은 마땅히 더욱 좋은 방향으로 해야 하며, 조금의 잘못된 일도 지울 수 없는 것이다. 이 스님의 일은 내가 친히 눈으로 본 것이다. 그 후 그는 정신병이 발작할 때 나를 만나려고 하였다. 나를 만나면 자기의 죄업이 소멸될 수 있을 것이라고 생각한 것이다. 그러나 시종 나를 만나지는 못하였다.

또 다른 이야기가 있다. 부처님 재세 시에 어떤 노인이 있었다. 그는 매우 가난하여 살기가 어려웠다. 당시에 그는 석가모니 부처님께서 매일 1,250명의 제자를 데리고 탁발하여 걸식하는 것을 보고 마음속으로 생각하였다. '이것도 괜찮군! 하루 탁발하여 걸식하고 돌아와서 밥을 먹고 나면 무슨 할 일도 없으니, 아주 좋아, 나도 출가해야지!' 그래서 그는 출가하려고 기수급고독원으로 갔는데, 마침 부처님께서 계시지 않았다.

당시 그곳에 있었던 부처님의 제자는 오안육통이 열린 아라한으로서 팔만 대겁 이내의 인과를 볼 수 있었다. 우리 중에도 눈이 열리는 사람이 있는데, 이것을 보득통(報得通)이라고 한다. 전생에 사십이수안(四十二手眼)이나 능엄주 등 갖가지 법문을 닦은 적이 있기 때문에 이러한 과보를 얻는 것이지, 결코 과를 증득하여 얻는 것이 아니다. 초과 내지 사과(四果)의 아라한을 증득한 성인은 팔만 대겁이나 되는 긴 시간의 인과를 볼 수 있으나, 보통사람 중에 지혜의 눈이 열린 사람은 한 생, 두 생, 삼 생, 내지 백 생, 천 생, 혹은 만 생 정도까지 볼 수 있고 팔만 대겁까지는 볼 수 없다.

이 노인이 출가하려고 하자 부처님의 제자인 아라한이 그의 근기를 관찰하여 출가할 수 있는지를 살펴보았다. 출가를 쉬운 일이라고 생각하지 말아야 한다. 세세생생 많은 선근을 심고 보리심을 발한 연후에 비로소 출가할 수 있는 것이다. 내가 출가하고 싶다고 곧 출가할 수 있는 것이 아니다. 너희가 만약 선근이 없는데 출가하려고 하면 장애가 생긴다. 설령 출가를 해도 얼마 지나지 못해서 환속하고 만다. 따라서 출가가 그렇게 쉽다고 보면 안 된다.

부처님의 제자는 이 노인이 팔만 대겁 이내에 선근을 심은 적이 없음을 보고 출가할 수 없다고 말하였다. "당신은 출가할 수 없습니다. 당신은 연세도 많고 해서 수행할 수 없으니, 돌아가십시오." 노인은 이 말을 듣고 매우 상심이 되어 걸어가면서 울었다. '아, 나는 출가가 쉬운 것이라고 생각했는데, 생각지도 않게 부처님의 제자가 나를 받아주지 않는구나. 내가 늙어서인가, 아니면 가난해서인가? 그들이 나를 받아주지 않으니 나는 강물에 빠져 죽어야지.' 그래서 그는 강물에 빠져 죽으려고 하였다.

그때 마침 부처님께서 오셔서 물었다.

"당신 같은 노인이 왜 물에 뛰어들려고 합니까?"

"나는 출가하려고 기수급고독원에 갔는데, 부처님도 안 계시고 부처님의 제자가 나를 받아주지 않는군요. 나는 인생에 무슨 즐거움이 없으니, 빨리 죽는 것만 못합니다."

"오, 당신은 출가하려고요? 그럼 문제없습니다. 나를 따라 돌아갑시다. 내가 당신의 출가를 허락할게요."

그리하여 부처님을 따라 돌아와서 출가하였으며, 얼마를 수행하지 않아 아라한과를 증득하였다. 그러자 부처님의 제자들은 이 일에 대하여 이해가 되질 않아서 부처님께 물었다. 이 노인은 선근도 없는데 어떻게 아라한을 증득할 수 있으며, 팔만 대겁 이내에 좋은 일을 한 적이 없는데 부처님께서는 어째서 그를 받아들여 출가를 하게 하였는지? 부처님께서 제자들에게 말씀하셨다.

"너희는 단지 팔만 대겁 이내의 인과만 볼 수 있지 팔만 대겁을 초과해서는 알 수 없다. 이 노인은 팔만 대겁 이전에 가난한 사람으로서 어느 날 산에 가서 나무를 하다가 호랑이를 만나게 되었다. 그때 그는 두려운 마음이 생겨 '나무불'이라고 염불 한 마디를 하였다. 염불 일성에 호랑이는 도망갔으며, 그는 지금에 이르러 염불 한 마디를 한 선근의 종자가 이미 성숙하였으며, 따라서 그는 출가하여 아라한을 증득하게 된 것이다."

그러므로 이 일을 보면 출가가 쉽지 않은 것을 알 수 있다.

(2) 미래불

미래의 모든 세존의 수(數)도 무량할 것이며
이 모든 여래들도 방편법을 설하실 것이며
일체의 모든 여래도 무량한 방편으로
모든 중생 제도하여 부처의 무루지에 들게 하네.
만약 이 법을 들은 자 성불하지 못할 사람 없으리.
제불의 본래 서원은 내가 행한 불도의 법문으로
널리 중생이 함께 이 불도를 증득하기 바라네.

未來諸世尊　其數無有量　是諸如來等　亦方便說法
一切諸如來　以無量方便　度脫諸衆生　入佛無漏智
若有聞法者　無一不成佛•　諸佛本誓願　我所行佛道
普欲令衆生　亦同得此道•

약유문법자(若有聞法者) 무일불성불(無一不成佛)• 시방세계 모든 여래는 무량무변한 수많은 방편법문을 사용하여 일체중생을 제도하여, 모두 새지 않는 부처의 무루지혜를 얻게 하신다. 『법화경』을 들은 적이 있는 모든 사람 중에 장래 부처를 이루지 못할 사람은 한 사람도 없을 것이다.

우리는 지금 『법화경』을 들을 수 있으니, 장래 우리 각각은 모두 부처를 이루는 기회가 있을 것이다. 왜냐하면 석가모니 부처님께서는 수천 년 전에 사람들에게 수기를 하신 적이 있기 때문이다. 따라서 『법화경』을 듣는 기회를 가진 사람은 자기를 작게 보지 말아야 하며, 자기는 장래 부처를 이룰 수 있을 것이다.

그리고 "나무불"이라고 염하는 것을 쉬운 일이라고 여기면 안 된다. 우리는 지금 한 구의 염불을 어려움이 없다고 느끼는데, 왜 어려움이 없는가? 우리에게 그렇게 깊은 업장이 없기 때문이다. 만약 업장이 있는 사람은 염불을 하려고 해도 업장이 가로막아 염불할 수 없다. 마치 제바달다와 같이 단지 "나-무-" 두 글자만 염하고 "불" 자는 염하지 못하는데, 그것은 업장이 너무 무겁기 때문이다.

중국에 이런 일이 있었는데, 이것도 사람의 업장이 중할 때는 염불할 수 없다는 것을 증명한다. 남송(南宋) 시대에 진회(秦檜)라는 재상이 있었다. 그는 본래 약간의 선근이 있었다. 그래서 금생에 매우 총명하였으며 과거에 장원으로 합격하여 관리가 되었다. 그러나 관리가 된 후 어질고 재능이 있는 사람을 질투하여 많은 죄업을 저질렀다. 더욱이 당시의 충신 악비(岳飛)를 모함하여 죽였다.

그가 지은 죄업은 매우 무거워, 인연이 있던 지장보살이 그를 제도하려고 생각하였다. '그가 단지 불(佛) 자를 읽으면 나는 그의 모든 죄업을 사면해 줄 것이야.' 그래서 지장보살께서는 몸을 바꿔 비구의 모습으로 진회를 만나러 왔다. 당시 진회는 재상으로서 큰 세력을 누리고 있었는데, 스님이 와서 서로 만나게 되었다. 이 스님은 그에게 권하여 말하였다. "마땅히 염불을 하세요. 이렇게 지위도 높은데." 진회가 말하였다. "염할 필요가 있습니까?" 그는 근본적으로 불 자도 말하지 않았다. 지장보살은 그에게 불 자를 말하게 하려고 생각했지만 그는 말하지 않았다.

이때 지장보살은 신통을 드러냈다. 무슨 신통을 드러냈는가? 가지고 있던 불진(拂塵: 佛手를 말함)을 한 번 흔들자 진회는 자기도 모르게 꿇어앉게 되었으며, 일어나려고 해도 일어날 수가 없었다. 그러자 지장보살은 손을 펴서 말하였다. "당신 보세요, 내 손에 쓰여 있는 것이 무슨 글자입니까?" 지장보살은 손바닥에 불(佛) 자를 쓰고 보여 준 것이다. 그러나 진회는 그것을 본 후에 한바탕 여러 가지 이론을 말하였다.

"나는 어릴 때부터 책을 읽어서 수재, 거인, 진사를 거쳐서 장원급제를 했으며, 지금은 국가의 모든 서류가 나의 검열을 거쳐야 비로소 처리할 방향이 결정됩니다. 만약 내가 이 글자도 모른다면 어떻게 재상을 담당하겠습니까? 이 글자를 알지만, 나는 당신에게 읽어주지는 않겠습니다."

어떻게 생각하는가? 단지 불 자를 읽기만 해도 죄업을 없애 주려고 했는데, 그는 결국 읽지 않았다. 지장보살은 '아, 이 사람은 정말로 업장이 깊고 무겁구나. 나는 그를 제도할 방법이 없구나!'라고 생각하며 그곳을 떠났으며, 진회는 결국 지옥에 떨어졌다.

이 일을 보면 염불이 쉬운 일이 아님을 알 수 있다. 우리는 왜 평소에 염불을 해야 하는가? 평소에 염불하는 것은 임종 시를 대비하기 위함이다. 임종 시에 필요하다면 우리는 왜 임종 전에 염불하는가? 이 모든 것은 습관으로부터 오는 것이다. 당신이 평소에 이러한 습관이 없으면, 임종 시에 염불할 생각이 일어나지 않는다. 따라서 평소에 염불을 익히고 정토법문을 닦아야 임종 때에 극락세계에 왕생할 수 있다.

그러면 왜 극락세계에 왕생하려고 하는가? 왜냐하면 아미타불께서 인지(因地)에서 법장비구가 되었을 때 48가지 대원을 발하였기 때문이다.

"내가 성불할 때 시방의 모든 중생이 만약 나의 명호를 칭념하면, 나는 반드시 그를 나의 국토로 맞이하여 장래 부처를 이루게 할 것이다. 나의 국토의 모든 사람은 모두 연꽃에서 화생하므로 몸이 청정할 것이다."

아미타불께서 이러한 대원을 발하였기 때문에 지금 모든 중생이 만약 염불법문을 닦는다면 근기에 매우 맞으며 가장 쉬운 것이다. 경에서도 이르기를, "말법시대에는 수억의 사람이 수행하여도 한 사람도 도를 얻기 어려우며, 오직 염불에 의지해야 제도될 수 있다."고 하였다. 이것은 지금은 말법시대로 수많은 사람이 수행하여도 한 사람도 도를 얻는 사람이 없고, 단지 염불을 하면 비로소 제도되어 극락세계에 왕생할 수 있으니, 사람마다 염불하는 것이 근기에 바로 상응하는 것이라는 말이다.

그러나 이곳 미국은 말법시대가 아니라 정법시대라고 말할 수 있다. 어째서 정법시대라고 말하는가? 불법이 전해진 지 얼마 되지 않았으며, 지금이 바로 불법이 흥왕하는 시기이기 때문이다. 그러므로 지금 미국에서는 많은 사람이 참선과 좌선을 좋아한다. 이것이 바로 정법의 표현이다. 정법의 시기에도 염불을 닦을 수 있다. 염불 법문은 어떤 시대에도 모두 수행할 수 있다. 만약 어떤 사람이 다른 법문으로 공부가 잘 되지 않으면 염불 법문을 닦을 수 있다.

보욕령중생(普欲令衆生) 역동득차도(亦同得此道)• 모든 중생이 이 도를 수행하여 도를 증득하도록 한다. 그러면 이미 얻을 법이 없는데 어째서 또 이 도를 얻는다고 말하는가? 이 도는 결코 밖에서 얻어오는 것이 아니다. 마치 『금강경』에서 말씀하시기를, "여래는 연등불 계신 곳에서 진실로 아뇩다라삼먁삼보리를 얻은 법이 없다."라고 하였다. 아뇩다라삼먁삼보리는 우리가 본래 가지고 있는 것이며, 결코 바깥에서 얻어온 것이 아니다. 따라서 얻은 것이 없다[無所得]. 우리가 본래 가지고 있는 것이지만, 우리는 그것을 모른다. 마치 우리의 옷 안에 밝은 구슬이 있는데 우리가 모르기 때문에 또한 이런 보물이 있는 줄을 모르는 것이다. 이 보주는 우리 본래의 불성을 비유하며, 부처와 같은 것이다. 우리는 왜 성불하지 못하는가? 바로 우리가 본래 갖추고 있는 불성을 발견하지 못하였기 때문이다. 이제 우리가 성불을 하려면 단지 본래 가지고 있는 보물을 회복하면 된다.

미래세의 제불도 백천억의 무수한 법문 설하겠지만
사실은 하나의 불승을 설하시기 위함이네.
양족존이신 제불은 제법이 항상 자성 없음 아시며
부처의 법문은 인연으로 일어나므로 일승을 설하네.
이 법은 법의 자리에 머물러 세간상에 항상 머물며
도량에 앉아 아신 후 인도자는 방편으로 설하시네.

未來世諸佛　雖說百千億　無數諸法門　其實爲一乘
諸佛兩足尊　知法常無性　佛種從緣起　是故說一乘
是法住法位　世間相常住　於道場知已　導師方便說

(3) 현재불

천인과 인간이 공양하는 현재의 시방의 부처님
그 수 항하사와 같이 무량하게 세간에 출현하셔서
중생을 안온하게 하시려고 이와 같은 법을 설하네.

天人所供養　現在十方佛　其數如恒沙　出現於世間
安隱衆生故　亦說如是法

제일의 적멸법을 아시고 방편의 힘으로써
갖가지 도를 설하지만, 사실 불승 설하기 위함이네.
중생의 모든 행업과 깊은 마음으로 생각하는 것은
과거 업을 익힌 업과이며, 욕구의 성질과 정진력과
모든 근기의 날카롭고 둔함 아시고, 갖가지 인연과
비유와 언사로 중생 근성에 따라 방편법문 설하네.

知第一寂滅　以方便力故　雖示種種道　其實爲佛乘
知衆生諸行　深心之所念　過去所習業　欲性精進力
及諸根利鈍　以種種因緣　譬喩亦言辭　隨應方便說

이제 나 또한 이러한 중생을 안온하게 하기 위해
갖가지의 법문으로 불도를 선설하고 가르치네.
나는 지혜의 힘으로 중생의 성품과 욕구를 알므로
방편법문으로 제법 설하여 모두 즐거움 얻게 하네.

今我亦如是　安隱衆生故　以種種法門　宣示於佛道
我以智慧力　知衆生性欲　方便說諸法　皆令得歡喜

다) 중생의 근기에 따른 방편법문

사리불은 마땅히 알아야 하네.
나는 불안으로 육도중생을 보니 빈궁하고 복덕이 없어
생사의 험한 길에 들어가 계속하여 괴로움 끊이지 않고
오욕에 깊이 탐착함이 얼룩소가 꼬리를 애착함과 같네.
탐애로 스스로를 가리고 눈먼 사람이 보지 못하듯
큰 힘을 가진 부처와 고통 끊는 법을 구하지 않고
모든 사견 깊이 들어가 고통으로 고통을 버리려고 하니
이런 중생 위하는 까닭으로 부처는 대비심을 일으키네.

舍利弗當知 我以佛眼觀 見六道衆生 貧窮無福慧
入生死險道 相續苦不斷 深著於五欲 如犛牛愛尾
以貪愛自蔽 盲瞑無所見 不求大勢佛 及與斷苦法
深入諸邪見 以苦欲捨苦 爲是衆生故 而起大悲心

빈궁무복혜(貧窮無福慧) 육도의 중생은 이곳에서 미혹하여 깨달을 줄을 모른다. 왜냐하면 지혜가 없고 복덕이 없기 때문이다. 왜 복덕과 지혜가 없는가? 바로 너무 빈궁하기 때문이다. 빈궁한 것은 불법을 이해하지 못하기 때문이다. 불법을 이해하지 못하는 사람이 진정으로 가련한 자이며, 진정으로 빈궁한 사람이다. 무엇이 참된 부귀인가? 너희가 불법을 이해하는 것이 진정한 부귀이다. 따라서 너희가 복과 지혜가 있으면 부귀한 것이고, 복과 지혜가 없으면 빈궁한 것이다. 복과 지혜는 어느 곳으로부터 오는가? 바로 도를 닦는 것으로부터 온다.

이고욕사고(以苦欲捨苦)• 자기 고뇌의 뿌리로써 다시 고통을 버리려고 생각하는데, 이것은 쉽지 않은 일이다. 무엇이 고(苦)의 뿌리인가?

> 갖가지 무명이 괴로움의 뿌리이며
> 괴로움의 뿌리를 다 제거하면 선근이 남네.
> 단지 지혜검의 위신력에 의지해야만
> 윤회의 육도세계를 뛰어넘을 수 있으리.
> 種種無明是苦根 苦根除盡善根存
> 但憑慧劍威神力 跳出輪迴六道門

무명은 바로 고의 뿌리다. 무명을 끊으면 고의 뿌리도 끊어진다. 그럼 어떻게 해야 무명을 끊을 수 있는가? 지혜의 검에 의지해야 한다. 너희에게 지혜의 검이 있으면 무명을 끊을 수 있다. 그러면 비로소 육도윤회에서 벗어날 수 있을 것이다.

> 나는 최초에 도량에 앉아 부처를 이루고
> 보리수 아래 경행하며 스무하루 동안 이런 일을 사유하니
> 내가 얻은 지혜 미묘하여 가장 제일임을 관하였지만
> 중생 근기 둔하여 쾌락에 탐착하고 어리석음이 가려
> 이와 같은 중생들을 어떻게 제도할 수 있을 것인가?
> 我始坐道場　觀樹亦經行　於三七日中　思惟如是事
> 我所得智慧　微妙最第一　衆生諸根鈍　著樂癡所盲
> 如斯之等類　云何而可度

이때 모든 범천왕과 제석천왕,
세상을 보호하는 사천왕과 대자재천왕
아울러 다른 많은 천상의 무리와 백천만의 권속들이
공경하게 합장하며 절하며 법륜 굴릴 것을 청하였네.
爾時諸梵王　及諸天帝釋　護世四天王　及大自在天
竝餘諸天衆　眷屬百千萬　恭敬合掌禮　請我轉法輪

나는 즉시 스스로 사유하면서 오직 불승만을 설하면
중생들 고통에 빠져 이러한 묘법 믿지 못할 것이네.
법 파괴하고 불신하는 까닭으로 삼악도 떨어질 것이니
나는 차라리 법 설하지 않고 열반에 들려고 생각했으나
과거의 부처님의 행하신 방편력을 깊이 생각해 보니
나는 지금 얻은 도를 위해 응당 삼승 교리 설해야 하리.
我卽自思惟　若但讚佛乘　衆生沒在苦　不能信是法
破法不信故　墜於三惡道　我寧不說法　疾入於涅槃
尋念過去佛　所行方便力　我今所得道　亦應說三乘

이렇게 사유할 때 시방의 부처님들께서 모두 나타나
범음으로 나를 안위하시길, 훌륭하십니다 석가여래여!
그대는 제일의 인도자로서 위없는 법을 얻었으니
모든 부처를 따라 방편력을 써야 할 것입니다.
우리들도 모두 가장 묘한 제일의 법을 얻었으나
중생들을 위해 분별하여 삼승의 도를 설하였네.
지혜가 적은 사람은 작은 법을 좋아하여

부처가 되는 것을 스스로 믿지 않으므로
방편법문으로 여러 과위를 분별하여 설했으며
삼승법 설했지만 단지 보살 교화하기 위함이었네.

作是思惟時　十方佛皆現　梵音慰喻我　善哉釋迦文
第一之導師　得是無上法　隨諸一切佛　而用方便力
我等亦皆得　最妙第一法　爲諸衆生類　分別說三乘
少智樂小法　不自信作佛　是故以方便　分別說諸果
雖復說三乘　但爲教菩薩

사리불은 마땅히 알아야 하네. 나는 시방제불 말씀 듣고
깊고 청정하고 미묘한 음성으로 '나무 제불'이라 칭하고
다시 이와 같이 생각하였네. 나는 오탁악세에 나왔으니
제불 말씀과 같이 나도 제불의 행을 따르기로 하였네.

舍利弗當知　我聞聖師子　深淨微妙音　稱南無諸佛
復作如是念　我出濁惡世　如諸佛所說　我亦隨順行

이렇게 사유한 후 즉시 바라나시로 갔으며
제법의 적멸한 모습은 말로 설명할 수 없으나
방편의 힘으로 다섯 비구 위해 법을 설하였으니
이것을 법륜 굴린다고 이름하며 곧 열반의 소리와
아라한과 법과 승 등 갖가지 이름이 있게 되었으며
나는 구원 겁 이래로부터 열반의 법을 찬탄하여
생사고가 영원히 다하도록 항상 이렇게 설하였네.

思惟是事已　卽趣波羅奈　諸法寂滅相　不可以言宣

以方便力故　爲五比丘說　是名轉法輪　便有涅槃音
及以阿羅漢　法僧差別名　從久遠劫來　讚示涅槃法
生死苦永盡　我常如是說

라) 부처 지혜의 묘법(妙法)을 찬탄하다

사리불은 마땅히 알아야 하네.
내가 불자들을 보니 뜻을 세워
불도를 구하는 자는 천만억이나 무량하며
모두 공경심으로 부처님 처소에 이르러
일찍이 제불로부터 방편의 법문을 들었네.
나는 즉시 이렇게 생각하였네.
여래가 세상에 출현함은 부처 지혜를 설하기 위한
까닭으로 지금이 바로 그러한 때라고.

舍利弗當知　我見佛子等　志求佛道者　無量千萬億
咸以恭敬心　皆來至佛所　曾從諸佛聞　方便所說法
我卽作是念　如來所以出　爲說佛慧故　今正是其時

사리불은 마땅히 알아야 하네.
둔근의 지혜 작은 사람과 상에 집착한 교만한 자는
이러한 묘법을 믿을 수 없을 것이네.
지금 나는 즐겁고 걱정이 없으며 모든 보살 가운데서
방편법을 버리고 바로 오직 위없는 법을 설할 것이네.
보살은 이 법을 들으면 의심의 그물 모두 제거되고

천이백의 아라한들도 장래 모두 부처를 이루리라.

舍利弗當知　鈍根小智人　著相憍慢者　不能信是法

今我喜無畏　於諸菩薩中　正直捨方便　但說無上道

菩薩聞是法　疑網皆已除　千二百羅漢　悉亦當作佛•

보살문시법(菩薩聞是法) 의망개이제(疑網皆已除) 천이백나한(千二百羅漢) 실역당작불(悉亦當作佛)• 모든 보살은 『법화경』을 듣고 의심의 그물을 모두 타파하였다. 당시에 일천이백오십 명의 아라한이 있었으며, 장래 그들은 모두 부처가 될 수 있었다. 이것은 부처님께서 모든 제자들에게 부처가 되리라고 수기를 주신 것이다.

따라서 묘법은 만나기가 어려우며, 아울러 듣기도 어려우며, 백천만겁에도 『법화경』을 만난다는 것은 쉽지 않은 일이다. 비록 『법화경』을 만나도 독송하는 것은 쉽지 않으며, 설령 독송하더라도 그 뜻을 이해하는 것은 쉽지 않다.

지금 이 모든 세계에서 『법화경』을 강의할 수 있는 곳은 매우 적다. 지금 우리는 『법화경』을 듣고 있으며, 장래 우리는 『대방광불화엄경』을 설명할 것이다. 그것은 더욱 만나기 어렵다. 이전에 중국에서 강의하였지만, 몇십 년 혹은 몇백 년에 한 번 만나기도 어렵다.

『법화경』의 도리는 말할 수 없이 묘하며, 『화엄경』의 도리는 말할 수 없이 크다. 더욱이 『화엄경』을 설명하려면 학문의 기초가 반드시 갖춰져야 한다. 만약 학문이 없으면 그 뜻을 강설해서는 안 된다. 너희가 경문을 읽으면서 그것이 무엇을 말하는지도 모르는데, 어떻게 강의할 것인가?

경에 이런 글이 있다. "동방으로부터 정에 들어가 서방으로부터 정에서 나오며, 남방으로부터 정에 들어가 북방으로부터 정에서 나온다." 이것은 무엇을 말하는 것인가? 무엇이 "비근으로부터 정에 들어가 설근으로부터 정에서 나온다."는 것인가? 너희는 이것이 무슨 일인지 모른다. 누가 나오고 누가 들어가는가? 따라서 장래 만약에 불법을 연구하기를 좋아하는 사람이라면 반드시 이러한 문제를 이해해야 할 것이다. 그러나 걱정할 필요가 없다. 또 법을 구하려고 멀리 인도에까지 갈 필요도 없다. 지금 너희는 너희 나라에 앉아 이러한 묘법을 들을 수 있잖은가!

시방삼세 제불의 설법 방식과 같이
나도 지금 이와 같이 분별이 없는 일승의 묘법 설하리.
제불께서 세상에 출현하심은 오랜 시간 만나기 어려우니
때마침 세상에 나와서 이 묘법 설하는 것은 더욱 어렵네.
무량하고 무수한 겁에 이 묘법을 듣는 것 또한 어려우며
이 묘법을 들을 수 있는 사람을 만나는 것도 더욱 어렵네.
비유하면 우담발화를 모든 사람이 좋아하고 즐거워함은
천상과 인간계에 희유하게 때때로 한 번씩 출현하듯이
이 법을 듣고 환희하여 한 마디의 말로 찬탄하여도
이것은 곧 시방삼세의 제불에게 공양한 것이므로
이러한 사람은 매우 희유하여 우담발화보다 뛰어나리.

如三世諸佛　說法之儀式　我今亦如是　說無分別法
諸佛興出世　懸遠値遇難　正使出於世　說是法復難
無量無數劫　聞是法亦難　能聽是法者　斯人亦復難
譬如優曇花　一切皆愛樂　天人所希有　時時乃一出
聞法歡喜讚　乃至發一言　則爲已供養　一切三世佛

是人甚希有　過於優曇花

그대들은 의심하지 말라. 나는 제법의 왕으로서
널리 모든 대중들에게 이르노니, 오직 일승도로써
모든 보살 교화하며 이 법 안에 성문제자는 없네.
그대들 사리불 등과 성문, 보살들이여!
이 묘법은 제불의 가장 비밀한 법임을 알아야 하네.
汝等勿有疑　我爲諸法王　普告諸大衆　但以一乘道
教化諸菩薩　無聲聞弟子　汝等舍利弗　聲聞及菩薩
當知是妙法　諸佛之秘要

오탁악세의 중생들은 오직 모든 욕망을 애착하며
이러한 중생들은 끝내 불도를 구하지 않네.
미래세의 악인들은 부처님 설하시는 일승법을 들으면
미혹하고 믿지 못하여 법을 파괴하고 악도에 떨어지네.
참괴심 내어 청정하게 불도를 구하려는 사람 있으니
나는 응당 이런 사람들 위해 널리 일승도를 찬탄하네.
以五濁惡世　但樂著諸欲•　如是等衆生　終不求佛道
當來世惡人　聞佛說一乘　迷惑不信受　破法墮惡道
有慚愧清淨　志求佛道者　當爲如是等　廣讚一乘道

이오탁악세(以五濁惡世) 단락착제욕(但樂著諸欲)• 오탁악세의 중생들은 무엇을 좋아하는가? 바로 모든 욕망이다. 모든 욕망이란, 그들이 탐욕하고 좋아하는 모든 것을 가리킨다. 그들이 탐하는 것은 무엇인가? 궁극의 즐거움이 아닌 일시적인 욕망이다. 사람들마다 그러한 즐거움에 미혹되어 있다.

미혹이란 이러한 욕망에 대하여 깨닫지 못하고 이해하지 못하는 것이다. 재물을 탐하면 재물에 미혹되고, 색을 탐하면 색에 미혹된다. 그래서 깨닫지 못하는 것이다. 미혹할수록 깊어지고, 깊어질수록 더욱 미혹하여 욕망을 탐착한다. 욕망은 마음마다 생각마다 생각하게 하고 집착하게 하고 미혹하게 하여 스스로는 빠져나올 수 없게 한다. 마치 진흙의 늪에 빠진 것과 같이, 자기 혼자서는 발을 뺄 수가 없다. 따라서 언제나 중생은 갖가지의 욕망에 미혹한다.

사리불은 마땅히 알아야 하네. 제불의 법은 이러하여
만억의 방편으로 중생의 근기에 따라 법을 설하시네.
그들이 익히고 배우지 않으면 이것을 깨달을 수 없지만
세상의 스승인 제불은 근기에 따라 방편법문 설하심을
그대들은 이미 알았으니, 다시는 모든 의혹 내지 말고
마음으로 큰 기쁨 내어 스스로 부처 될 것 알아야 하리.

舍利弗當知　諸佛法如是　以萬億方便　隨宜而說法
其不習學者　不能曉了此　汝等旣已知　諸佛世之師
隨宜方便事　無復諸疑惑　心生大歡喜　自知當作佛

妙法蓮華經卷第一

三

비유품
(譬喩品)
불타는 집과 수레의 비유

『시경(詩經)』에는 부(賦), 비(比), 흥(興)의 세 가지 체가 있는데, 「비유품」의 비유는 『시경』에서 말하는 비체(比體)와도 같다. 이 도리는 매우 깊어서 직접 말로만 설명하면 이해할 사람이 없기 때문에 다른 사물을 들어 비유하는 것이다.

가. 사리불 존자의 수기

1) 실상법문 듣고 의혹이 제거되다

그때 사리불은 뛸 듯이 기뻐서 즉시 일어나 합장하고 부처님의 존안을 우러러 보면서 말하였다.

"지금 세존으로부터 이러한 법음을 들으니 마음이 매우 기쁘고 이전에 듣지 못한 것을 들었습니다. 무엇 때문인가 하면 저는 이전에 부처님에게서 이와 같은 법을 듣고, 여러 보살들에게 부처가 되리라는 수기 주시는 것을 보았으나, 저희는 이러한 일에 참가할 수 없어서 여래의 무량한 지견을 잃게 된 것에 대하여 스스로 매우 슬픔을 느꼈습니다.

세존이시여, 저는 항상 홀로 숲속의 나무 아래에 머물면서 좌선하거나 경행하면서 매번 이러한 생각을 하였습니다. '저희는 다 같이 법성에 들어갔는데, 어찌하여 여래께서는 소승법으로 우리를 제도하시는가?' 이것은 저희의 잘못이지 세존의 잘못이 아닙니다. 무엇 때문인가? 만약 저희가 부처님께서 숙세의 인연을 말씀하시는 것을 듣고 무상정등정각을 성취한다면, 반드시 대승법으로 수행하여 제도되고 해탈을 얻을 것이기 때문입니다. 그러나 저희는 근기에 따라 설하시는 방편의 말씀을 이해하지 못하고, 최초에 부처님께서 설하신 사성제법(四聖諦法)과 십이인연법(十二因緣法)을 듣고는 곧 믿고 받아들여 사유하고 수행하여 아라한과를 증득하였습니다.
세존이시여, 저는 이전부터 지금까지 종일 스스로를 다스리고 자책하였으나, 지금 부처님으로부터 이전에 듣지 못한 미증유의 법을 듣고 모든 의심과 후회를 끊었으며, 몸과 마음이 즐거워 안온한 경계를 얻게 되었습니다. 오늘 비로소 저는 진정한 불자라는 것을 알았으며, 저는 부처님의 입으로부터 나왔고, 불법으로부터 나왔으며, 부처님 법신 일부분의 기를 얻었습니다."

爾時舍利弗踊躍歡喜, 卽起合掌, 瞻仰尊顏, 而白佛言。今從世尊聞此法音, 心懷勇躍, 得未曾有。所以者何。我昔從佛聞如是法, 見諸菩薩授記作佛, 而我等不豫斯事, 甚自感傷, 失於如來無量知見。世尊, 我常獨處山林樹下, 若坐若行, 每作是念。我等同入法性, 云何如來以小乘法而見濟度。是我等咎, 非世尊也。所以者何。若我等待說所因, 成就阿耨多羅三藐三菩提者, 必以大乘而得度脫。然我等不解方便隨宜所說, 初聞佛法, 遇便信受·思惟·取證。世尊, 我從昔來, 終日竟夜* 每自剋責*。而今從佛聞所未聞未曾有法, 斷諸疑悔, 身意泰然, 快得安隱。今日乃知眞是佛子。從佛口生, 從法化生, 得佛法分*。

종일경야(終日竟夜)* 경야란 저녁부터 날이 밝을 때까지를 말한다. 깨닫지 못한 이전은 마치 밤과 같으며, 깨달은 후는 태양이 나와 널리 비치는 한낮과 같다는 뜻이다. 따라서 이승인이 아라한을 증득한 것은 한낮에 도달하였다고 말할 수 있으나 보살과 비교하면 밤중에 있는 것과 같으며, 보살은 한낮에 있는 것과 같다.

매자극책(每自尅責)• 극이란 자기가 자기를 다스린다는 뜻이다. 유교에서 말하는 극기의 공부, 즉 극기복례(克己復禮)이다. 안연(顏淵)이 공자에게 물었다. "어찌해야 비로소 인(仁)을 얻을 수 있습니까?" 유교에서는 인의와 도덕으로 사람마다 인을 연구한다. 안연은 어떻게 하면 항상 인에 머물 수 있는가라고 물었다. 공자가 말하였다. "극기복례하면 인이다.[克己復禮爲仁]" 극기란 자기를 이기고 통제하는 것이다. 복례란 천리(天理)로 돌아가는 것이다. 공자는 극기하여 복례하는 것이 인이라고 하였다. 안연은 다시 어떻게 하면 극기복례하는가라고 물었다. 공자가 답하였다. "예가 아니면 보지 말고, 예가 아니면 듣지 말며, 예가 아니면 말하지 말고, 예가 아니면 움직이지 말라." 보고 듣고 말하고 움직이는 모든 것이 예에 부합하는 것이 극기복례하는 것이라고 하였다.

극책(尅責)이란 항상 스스로 규칙을 잘 지키고 방일하지 않도록 통제하는 것이다. 비유하면 맛있는 음식이 있어도 함부로 먹지 않으며, 게을러 잠자기를 좋아해도 자기를 통제하여 많은 잠을 자지 않는 것이다. 이것이 바로 자기를 극책하는 것이다. 너희가 불법을 배우기를 좋아하지 않아도 반드시 용맹한 마음을 발하여 불법을 배우러 가는 것이다. 무릇 성공한 사람은 자기를 극책하는 공부를 가지고 있다.

득불법분(得佛法分)• 부처님 법신의 일부분의 기[氣分]를 얻었다는 것이며, 모든 부처님의 법성(法性)을 얻었다는 것이며, 법성의 흐름에 들어갔다고 말할 수 있다.

그때 사리불은 이러한 뜻을 거듭 밝히기 위하여 게송으로 말하였다.

저는 이런 법음 듣고 이전에 듣지 못한 묘법을 얻어
마음으로 크게 기뻐하며 의혹 그물 모두 제거하였네.
이전부터 부처님 교화 입어 대승종자 잃지 않았으며
부처님 음성 매우 희유하여 중생 고뇌 능히 제거하네.
저는 이미 누진 얻었으나 묘법 들으니 또한 근심 없네.

爾時舍利弗, 欲重宣此義, 而說偈言。

我聞是法音　得所未曾有　心懷大歡喜　疑網皆已除
昔來蒙佛教　不失於大乘　佛音甚希有　能除衆生惱
我已得漏盡　聞亦除憂惱

저는 산 계곡에 머물거나 숲속의 나무 아래 머물며
좌선하거나 경행하면서 항상 이러한 일을 사유하였네.
오호라, 깊이 스스로 자책하며 어찌 스스로 속였는가?
저희들과 불자들은 함께 무루의 법에 들어갔지만
미래에 (성불 못해) 위없는 도를 연설할 수 없으니.

我處於山谷　或在林樹下　若坐若經行　常思惟是事
嗚呼深自責　云何而自欺　我等亦佛子　同入無漏法•
不能於未來　演說無上道

동입무루법(同入無漏法)• 아라한을 증득하면 누진통(漏盡通)을 얻게 되어 음욕심이 없어지는데, 이것이 무루를 얻은 것이다. 만약 음욕심이 있으면 무루를 얻은 것이 아니다. 보지 않아서 음욕이 없는 것을 말하는 것이 아니다. 너희가 보아도, 경계를 대하여 무심하면, 경계를 대하고도 음욕의 생각이 없으면, 이것을 무루법이라고 한다.

금색의 삼십이상과 십력과 팔해탈이 모두 하나의
법성 안에 있으나 부처의 수기를 받지 못하네.
팔십 가지 종호와 열여덟 가지 불공법
이런 공덕을 저는 모두 잃어버렸네.
저는 홀로 경행할 때 부처님이 대중 속에 계시면서
이름이 시방에 가득 퍼져 널리 중생에게 요익하심을 보네.
스스로 그런 이익 잃고 자신 속인 것을 생각했네.

金色三十二　十力諸解脫•　同共一法中　而不得此事
八十種妙好　十八不共法•　如是等功德　而我皆已失
獨經行時　見佛在大衆　名聞滿十方　廣饒益衆生
自惟失此利　我爲自欺誑

십력제해탈(十力諸解脫)• 십력은 부처님의 열 가지 지혜의 힘을 말한다.

① 지각처비처지력(知覺處非處智力) : 일체의 인연과보를 두루 살펴 사실대로 아는 능력.

② 지삼세업보지력(知三世業報智力) : 일체중생의 삼세 인연과보를 두루 아는 능력.

③ 지제선해탈삼매지력(知諸禪解脫三昧智力) : 일체 선정의 깊이와 차제를 아는 능력.

④ 지제근승렬지력(知諸根勝劣智力) : 일체중생의 근성의 우열과 얻는 과위의 크기를 아는 능력.

⑤ 지종종해지력(知種種解智力) : 일체중생의 욕락과 선악의 차이를 두루 아는 능력.

⑥ 지종종계지력(知種種界智力) : 갖가지 세간의 본성과 현상을 두루 아는 능력.

⑦ 지일체지소도지력(知一切至所道智力) : 일체의 선도(善道), 악도(惡道), 성도(聖道)가 이르는 곳을 두루 아는 능력.

⑧ 지천안무애지력(知天眼無碍智力) : 천안으로 중생이 죽어서 태어날 때와 미래에 생(生)을 받는 곳을 아는 능력.

⑨ 지숙명무루지력(知宿命無漏智力) : 중생의 과거세의 갖가지 일을 두루 아는 능력.

⑩ 지영단습기지력(知永斷習氣智力) : 일체중생의 누진(漏盡) 여부를 두루 아는 능력.

제해탈(諸解脫)은 팔해탈을 말한다. 팔배사(八背捨), 팔승처(八勝處)라고도 한다.

① 내유색상관외색해탈(內有色想觀外色解脫) : 마음속에 있는 빛깔이나 모양에 대한 생각을 버리기 위해 바깥 대상의 빛깔이나 모양에 대하여 부정관(不淨觀)을 닦음.

② 내무색상관외색해탈(內無色想觀外色解脫) : 마음속에 빛깔이나 모양에 대한 생각은 없지만 그 상태를 유지하기 위해 부정관을 계속 닦음.

③ 정해탈신작증구족주(淨解脫身作證具足住) : 부정관을 버리고 바깥 대상의 빛깔이나 모양에 대하여 청정한 방면을 주시하여도 탐욕이 일어나지 않고, 그 상태를 몸으로 완전히 체득하여 안주함.

④ 공무변처해탈(空無邊處解脫) : 형상에 대한 생각을 완전히 버리고 허공은 무한하다고 주시하는 선정으로 들어감.

⑤ 식무변처해탈(識無邊處解脫) : 허공은 무한하다고 주시하는 선정을 버리고 마음의 작용은 무한하다고 주시하는 선정으로 들어감.

⑥ 무소유처해탈(無所有處解脫) : 마음의 작용은 무한하다고 주시하는 선정을 버리고 존재하는 것은 없다고 주시하는 선정으로 들어감.

⑦ 비상비비상처해탈(非想非非想處解脫) : 존재하는 것은 없다고 주시하

는 선정을 버리고 생각이 있는 것도 아니고 생각이 없는 것도 아닌 경지의 선정으로 들어감.

⑧ 멸수상정해탈(滅受想定解脫) : 모든 마음 작용이 소멸된 선정으로 들어감.

십팔불공법(十八不共法)• 불공법이란 성문과 연각의 이승이나 보살에게는 없는, 오직 부처님만이 가지고 있는 열여덟 가지 특징이다.

① 신무실(身無失) : 몸으로 짓는 행위에 허물이 없음.

② 구무실(口無失) : 입에서 비롯되는 말에 허물이 없음.

③ 염무실(念無失) : 기억이나 생각에 허물이 없음.

④ 무이상(無異想) : 모든 중생에 대해 평등한 마음을 가짐.

⑤ 무부정심(無不定心) : 중생의 산란한 마음을 없애 줌.

⑥ 무부지이사심(無不知已捨心) : 중생을 모른 체 내버려 두지 않고 구제함.

⑦ 욕무감(欲無減) : 중생을 구제하려는 의지가 줄어들지 않음.

⑧ 정진무감(精進無減) : 수행에 퇴보가 없음.

⑨ 염무감(念無減) : 기억력이 감퇴하지 않음.

⑩ 혜무감(慧無減) : 지혜가 쇠퇴하지 않음.

⑪ 해탈무감(解脫無減) : 모든 집착을 떠난 해탈의 경지에서 퇴보하지 않음.

⑫ 해탈지견무감(解脫知見無減) : 모든 해탈을 명료하게 알아 부족함이 없음.

⑬ 일체신업수지혜행(一切身業隨智慧行) : 모든 행위는 지혜를 수반함.

⑭ 일체구업수지혜행(一切口業隨智慧行) : 모든 말은 지혜를 수반함.

⑮ 일체의업수지혜행(一切意業隨智慧行) : 모든 생각은 지혜를 수반함.

⑯ 지혜지견과거세무애무장(智慧知見過去世無礙無障) : 과거세의 모든 것을 알아 막힘이 없음.

⑰ 지혜지견미래세무애무장(智慧知見未來世無礙無障) : 미래세의 모든 것을 알아 막힘이 없음.

⑱ 지혜지견현재세무애무장(智慧知見現在世無礙無障) : 현재세의 모든 것을 알아 막힘이 없음.

저는 항상 밤낮으로 이러한 일을 사유하였으며
이런 이익 잃고 잃지 않음을 세존께 묻고 싶었네.
저는 항상 세존께서 모든 보살 칭찬하심을 보았고
이러한 인연으로 밤낮 이러한 일을 사량하였네.
지금 중생 근기에 맞춰 부처님 설법 음성 듣고
무루의 불가사의 법은 중생을 깨달음에 이르게 하시네.
저는 본래 사견에 집착하여 바라문들 스승이 되었으나
세존께서 저의 마음 아시고 사견 뽑아 열반을 설하시니
저는 사견 모두 제거하여 공한 법에서 증득하였네.
그때 마음으로 열반에 이르렀다 스스로 생각하였으나
이제야 저는 진실한 멸도가 아님을 스스로 깨달았네.
만약 장래 부처가 될 때 삼십이상을 구족하여
천상, 인간, 야차의 무리, 용과 신들이 공경하면
이때 영원히 번뇌 다하고 무여열반을 말할 수 있네.
부처님께서 대중 가운데서 저에게 부처가 되리라는
이러한 법음을 듣고 의혹이 모두 이미 제거되었네.

我常於日夜　每思惟是事　欲以問世尊　爲失爲不失
我常見世尊　稱讚諸菩薩　以是於日夜　籌量如此事
今聞佛音聲　隨宜而說法　無漏難思議　令衆至道場
我本著邪見　爲諸梵志師　世尊知我心　拔邪說涅槃
我悉除邪見　於空法得證　爾時心自謂　得至於滅度
而今乃自覺　非是實滅度　若得作佛時　具三十二相
天人夜叉衆　龍神等恭敬　是時乃可謂　永盡滅無餘
佛於大衆中　說我當作佛　聞如是法音　疑悔悉已除

처음에 부처님 말씀 듣고 마음으로 크게 놀라고 의심하여
마가 부처로 변해 나의 마음 어지럽힘이 아닌가 생각했네.
부처님께서 갖가지 인연과 비유의 교묘한 말씀으로 설하시며
부처님 마음은 바다처럼 안정되어 저는 듣고 의혹 그물 끊었네.
부처님께서는 과거세에 열반하신 무량한 부처님들께서도
방편에 안주하여 모두 이런 묘법연화경 설하셨다고 하시네.
현재와 미래의 부처님도 그 수가 무량하여
또한 모든 방편으로 이러한 묘법을 연설하시며
지금의 세존과 같이 도솔천에서 하생하여 출가하며
도를 얻어 법륜을 굴리시며 또한 방편법 설하신다 하시네.
세존께서는 실상 도리 설하시나 마왕은 할 수 없으므로
이것으로 저는 마가 부처로 변한 것 아님을 반드시 아네.
저는 의혹의 그물에 떨어져 마가 설한다고 생각하였으나
부처님의 부드러운 묘음 들으니 심원하고 매우 미묘하며
청정한 법을 연설하시어 저의 마음은 매우 기쁘고
의심과 후회의 마음 영원히 다해 진실한 지혜에 안주하였네.
저는 반드시 부처를 이루어 인 · 천의 공경하는 바가 되어
위없는 법륜을 굴려 모든 보살들을 교화하겠습니다.

初聞佛所說　心中大驚疑　將非魔作佛　惱亂我心耶
佛以種種緣　譬喻巧言說　其心安如海　我聞疑網斷
佛說過去世　無量滅度佛　安住方便中　亦皆說是法
現在未來佛　其數無有量　亦以諸方便　演說如是法
如今者世尊　從生及出家　得道轉法輪　亦以方便說
世尊說實道　波旬無此事　以是我定知　非是魔作佛

我墮疑網故　謂是魔所爲　聞佛柔軟音　深遠甚微妙
演暢淸淨法　我心大歡喜　疑悔永已盡　安住實智中
我定當作佛　爲天人所敬　轉無上法輪　敎化諸菩薩

2) 사리불이 수기를 받다

그때 부처님께서 사리불에게 말씀하셨다.
"나는 지금 천상, 인간, 사문, 바라문 등 대중 가운데서 말하노니, 나는 이전부터 일찍이 이만억 부처님 계신 곳에서 위없는 도를 위한 까닭으로 항상 그대를 교화하였으며, 그대도 역시 긴 세월 동안 나를 따라 배우고 가르침을 받았다. 나는 갖가지 방편법문으로 그대를 인도하였기 때문에 그대는 나의 법 가운데 태어났느니라.
사리불이여! 나는 이전에 그대에게 큰 뜻을 세워 불도를 이루기를 가르쳤으나, 그대는 지금 모두 잊어버리고 자기가 얻은 멸도(滅度: 열반)를 진실한 궁극의 멸도라고 생각하고 있다. 나는 지금 다시 그대에게 과거생에 발한 성불의 도를 행하는 것을 기억하게 하려는 까닭으로 모든 성문들에게 이 묘법연화경이라는 대승경전을 설하는 것이다. 이 법은 보살을 교화하는 법이며, 시방의 제불께서 호념하시는 경이다. 사리불이여! 그대는 미래세 무량무변하고 사의할 수 없는 수많은 겁을 지나면서 수천만억의 부처님을 공양하고, 정법을 받들어 지니면서 보살이 행해야 할 도를 구족하여 부처가 될 것이다. 그 명호는 화광(華光)여래, 응공, 정변지, 명행족, 선서, 세간해, 무상사, 조어장부, 천인사, 불, 세존이라고 할 것이다. 그 나라의 이름은 이구(離垢)라고 하며, 그 국토는 평정하고 청정하며 엄정하고, 안온하고 풍부하며 즐겁고, 천상과 인간이 번성하여 매우 많을 것이다. 유리로 땅이 되어 여덟 가지로 서로 교차하는 도로에 황금으로 경계를 삼으며, 그 옆에는 각각 칠보의 가로수가 있어 항상 꽃이 있고 열매가 열리리라. 화광여래도 삼승으로 중생을 교화할 것이니 사리불이여, 저 부처가 나올 때는 비록 오탁악세가 아니지만 본래 발한 서원의 인연으로 삼승의 법을 설할 것이다."

爾時佛告舍利弗。吾今於天·人·沙門·婆羅門·等, 大衆中說。我昔曾於二萬億佛所, 爲無上道故, 常教化汝, 汝亦長夜隨我受學。我以方便引導汝故, 生我法中。舍利弗, 我昔教汝志願佛道, 汝今悉忘, 而便自謂已得滅度。我今還欲令汝憶念, 本願所行道故, 爲諸聲聞說是大乘經, 名妙法蓮華, 教菩薩法·佛所護念。舍利弗, 汝於未來世過無量無邊不可思議劫, 供養若干千萬億佛, 奉持正法, 具足菩薩所行之道, 當得作佛。號曰華光如來·應供·正遍知·明行足·善逝·世間解·無上士·調御丈夫·天人師·佛·世尊。國名離垢, 其土平正, 清淨嚴飾, 安隱豐樂, 天人熾盛。琉璃爲地, 有八交道, 黃金爲繩, 以界其側。其傍各有七寶行樹, 常有華果。華光如來, 亦以三乘教化衆生。舍利弗, 彼佛出時, 雖非惡世, 以本願故, 說三乘法。

"그 겁의 이름은 대보장엄이다. 무엇 때문에 대보장엄이라고 이름하는가? 그 국토는 보살을 큰 보배로 삼기 때문이다. 저 모든 보살은 무량무변하고 사의할 수 없으며, 산수와 비유로도 그 수를 계산할 수 없으며, 부처의 지혜 힘이 아니면 그 수를 알 수 있는 자가 없으리라. 만약 보살들이 걸어 다닐 때는 보배의 꽃이 두 발을 받들 것이다. 이 모든 보살들은 초발심의 보살이 아니고, 모두 오랫동안 덕의 근본을 심고 무량한 백천만억의 부처님 계신 곳에서 청정하게 범행을 닦은 보살들이다. 그리하여 항상 모든 부처의 칭찬을 받을 것이며, 항상 부처의 지혜를 닦고 큰 신통을 갖출 것이다. 그들은 일체의 모든 법의 실상을 잘 알고, 소질이 곧고 거짓이 없으며, 뜻이 견고할 것이며, 이러한 보살들이 그 국토에 충만할 것이다.

사리불이여, 화광불의 수명은 12소겁이며, 왕자로서 아직 부처가 되지 않았을 시기는 제외한다. 그 국토의 사람의 수명은 8소겁이다. 화광불은 12소겁이 지나면 견만(堅滿)보살에게 성불의 수기를 주고 모든 비구들에게 말씀하시기를 "이 견만보살은 나 다음으로 부처가 될 것이며, 명호를 화족안행, 여래·응공·정변지라고 할 것이고, 그 부처님의 국토도 화광불의 국토와 같을 것이다. 사리불이여, 이 화광불이 열반에 든 후 32소겁 동안 정법이 세상에 머물 것이며, 또한 32소겁 동안 상법이 세상에 머물 것이다."

其劫名大寶莊嚴。何故名曰大寶莊嚴。其國中以菩薩爲大寶故。彼諸菩薩無量無邊不可思議, 算數譬喩所不能及。非佛智力無能知者。若欲行時, 寶華承足。此諸菩薩非初發意。皆久殖德本, 於無量百千萬億佛所, 淨修梵行。恒爲諸佛之所稱歎。常修佛慧, 具大神通, 善知一切諸法之門。質直無僞, 志念堅固。如是菩薩充滿其國。舍利弗, 華光佛壽十二小劫。除爲王子未作佛時, 其國人民壽八小劫。華光如來過十二小劫, 授堅滿菩薩阿耨多羅三藐三菩提記。告諸比丘, 是堅滿菩薩次當作佛。號曰華足安行·多陀阿伽度·阿羅訶·三藐三佛陀。其佛國土亦復如是。舍利弗, 是華光佛滅度之後。正法住世三十二小劫, 像法住世亦三十二小劫。

차제보살비초발의(此諸菩薩非初發意)• 무량무변하고 불가사의한 보살들은 방금 보살심을 발한 보살들이 아니고, 모두 오랫동안 선근을 닦아 무애를 증득한 보살들이다. 즉 청년의 보살이 아니라 나이 든 보살이라고 말할 수 있다.

> 물고기 알과 나마라 열매와 초발심 보살은
> 처음에는 많지만 열매를 맺는 것은 적다네.
> 魚子奈摩羅 菩薩初發心
> 三事因中多 及期結果少

물고기는 봄에 알을 많이 낳지만 모든 알이 부화하여 물고기가 되는 것은 아니다. 나마라도 꽃이 필 때는 꽃이 많지만 열매를 맺는 것은 매우 적다. 사람도 보살의 마음을 발하기는 쉽지만 그 마음을 오래토록 지속하기는 어렵다. 용맹한 마음으로 갑자기 보살심을 발하여 얼마의 재산을 보시하는 것은 쉽다. 그러나 그에게 매일 보시하라고 하면 그것은 쉽지 않을 것이다. 따라서 초발심의 보살은 어떤 때는 마음이 물러선다. 사람들은 수도하는 데 홀연히 나아가다가 홀연히 퇴보한다.

오늘 생각하기를, 나의 오랜 친구가 이미 죽었으며, 나의 어린 친구도 이 세상에 없고, 나의 중년 친구도 차에 치여 죽었다. 정말로 인생은 재미가 없으며, 장래 모두 죽을 것이고 나도 언제 죽을지 모른다. 왜 이런 이야기를 하는가? 각자 장래 모두 죽을 것이기 때문이다. 우리는 죽으면 어디로 가는가? 이것이 문제이다. 우리가 태어나는 것은 어디로부터 오는 것인가? 이것도 하나의 문제이다.

따라서 '어디로부터 와서, 죽으면 또 어디로 가는가?'라는 이 일을 분명하게 이해하면 금생에 사람이 된 것이 비로소 헛되지 않을 것이다. 허운 노스님이 「피대가(皮袋歌)」에서 말씀하신 바와 같이, 이래야 비로소 억울하지 않으며 헛되이 인간계에 온 것이 아니다.

그러나 보살심을 처음 낸 사람은 사람이 죽는 것을 보고 당황하여 '나도 빨리 도를 닦아야겠다. 빨리 열심히 수행해야겠구나. 염불을 하든지 좌선을 하든지 계율을 수지하든지 경을 듣든지, 이번에 반드시 수행해야지'라고 생각한다. 그러나 곧 망상을 일으켜 '돈을 벌어야지' 하고는, 하루 경을 듣고는 무미건조하다고 느끼고 가지 않으려고 생각한다. 이것도 하루 보살심을 발한 것이라고 할 수 있다. 하루 마음이 뜨거웠다가 그 다음날 마음이 식는다. 세 번째 날은? 그 마음이 얼어버리고 눈으로 변하여 불법에 대하여 싸늘한 것이다. 따라서 이것을 보살의 초발심이라고 한다. 초발심은 쉽지만 오래도록 지속하기는 매우 어렵다. 그러므로 물고기의 알, 나마라의 열매, 보살의 초발심 이 세 가지는 원인을 심을 때는 매우 많지만 그 후 열매를 맺을 때는 매우 적어진다.

어무량백천만억불소(於無量百千萬億佛所) 정수범행(淨修梵行)• 이러한 오래된 보살들은 무량무변한 백천만억의 부처님 처소에서 일찍이 청정하게 범행을 닦았다. 무엇을 청정이라고 하는가? 모든 생각과 사려가 공하여 아무런 생각이 없는 것이 진정한 청정이다. 내가 가장 철저한 하나의 청정함을 알려주려고 한다. 너희가 진정으로 청정하기를 원한다면, 바로 돈과 관계를 멀리하라. 돈이 있으면 청정하지 못하고, 돈이 없으면 청정하다. 돈은 가장 오염된 물건이다. 그런데도 일반인은 그것을 보배로 여긴다. 어떤 사람은 돈을 셀 때 손에 침을 묻히면서 세는데, 이 얼마나 더러운 것인가! 병균이 돈에 많이 있지만 사람들은 그것을 두려워하지 않으며, 호주머니에 돈이 많을수록 좋다고 생각한다. 사람들은 깨끗하지 않은 것을 원하고, 깨끗하지 않은 물건을 보배로 삼아 가지려고 한다.

정수범행(淨修梵行)은 바로 돈을 가지지 않는 것이다. 어떤 사람은 그렇게 할 수 없다고 말한다. 당연히 그럴 수 없을 것이다. 만약 그렇게 할 수 있다면, 너희가 바로 보살이다. 그렇게 할 수 없기 때문에 너희는 보살이 아닌 것이다. 이것은 매우 간단한 일이다.

상법주세역삼십이소겁(像法住世亦三十二小劫)• 지금 이 사바세계는 상법시대는 이미 지나갔고 말법시대가 도래하였다. 말법이란, 법이 이미 끝부분으로 가서 법이 없다는 것이다. 나무에 비유하자면, 나무의 뿌리에 있는 것은 정법시대이며, 나무의 줄기에 이른 것은 상법시대이며, 나무의 끝에 이른 것이 곧 말법시대이다. 상법시대는 사람마다 불상을 조성하는 데 밝다. 말법시대에는 불상을 조성하는 것도 하지 않는다. 그럼 사람들은 무엇을 하는가? 바로 투쟁을 한다. 너희는 나와 투쟁하고, 나는 너희와 투쟁한다. 사람마다 서로 투쟁한다. 사람들이 단지 투쟁하는 마음을 가지고 있기 때문에 선법(善法)이 없어진다. 선법이 없으므로 불법도 소멸된다. 지금은 우리의 경에 글자가 있지만 말법시대에 이르면 경에서 자연히 글자가 없어질 것이다.

무엇 때문에 글자가 없어지는가? 과학의 진보로 말미암아 화학전쟁이 발발하면 허공중의 공기가 깨끗하지 못하게 변할 것이다. 이 공기 속에 독 물질이 함유되어 사람이 그 공기를 흡입하면 암이 생기거나 약으로도 치료할 수 없는 병이 생길 것이다. 따라서 말법의 현상은 이러한 오염된 공기로 인하여 발생하며, 오래되면 경전의 글자가 모두 독으로 인하여 없어질 것이다.

말법시대에 이르면 가장 먼저 『능엄경』이 없어질 것이다. 따라서 우리는 지금 서방에서 우선 『능엄경』을 제창하고 『능엄경』을 연구해야 한다. 우리는 왜 매일 능엄주(楞嚴呪)를 염송하는가? 이 세계에 능엄주를 염송하는 사람이 없으면, 요마귀괴와 마왕들이 이 세간으로 올 것이다. 우리 가운데 한 사람이라도 능엄주를 염송하면 그들은 감히 나오지 못한다. 그리고 사십이수안(四十二手眼)도 그러한 효과가 있다. 당신이 총지천비법(總持千臂法)을 닦으면 삼천대천세계의 마(魔)는 모두 세상에 출현할 용기가 없어질 것이다. 그러므로 우리가 지금 능엄주를 염하는 것은 곧 정법시대를 지탱하는 것이며, 말법시대를 정법시대로 변화시키는 것이다.

그때 세존께서는 그 뜻을 거듭 선설하시고자 게송을 설하셨다.

사리불은 미래세 성불하여 큰 지혜 갖춘 세존 되리.
명호는 화광불이라고 하며 무량 중생 제도하리라.
무수한 부처님을 공양하고 보살도를 구족하여
십력 등 공덕을 가지고 위없는 도를 증득하리.

爾時世尊, 欲重宣此義, 而說偈言。

舍利弗來世　成佛普智尊　號名曰華光　當度無量衆
供養無數佛　具足菩薩行　十力等功德　證於無上道

무량겁을 지난 후 겁명은 대보장엄이라 하며
세계 이름은 이구로서 청정하여 더러운 티끌 없고
유리로 땅이 되고 금의 줄로 도로의 경계 삼으며
칠보의 갖가지 색으로 된 나무가 줄지어 있고

칠보의 나무에는 항상 꽃과 과실이 열리리라.

過無量劫已　劫名大寶嚴　世界名離垢　清淨無瑕穢
以琉璃爲地　金繩界其道　七寶雜色樹　常有華果實

저 국토의 모든 보살은 뜻이 항상 견고하여
큰 신통과 바라밀을 모두 구족할 것이고
무수한 부처님 처소에서 보살도를 잘 배우며
이러한 대보살들은 화광불이 교화한 이들이네.

彼國諸菩薩　志念常堅固　神通波羅蜜　皆已悉具足
於無數佛所　善學菩薩道　如是等大士　華光佛所化

여래가 왕자 때 나라와 세상의 영화를 버리고
최후의 몸으로 출가하여 불도를 이룰 것이네.
화광불이 세상에 머물 때 그 수명 12소겁이며
그 나라 백성의 수명은 8소겁이네.

佛爲王子時　棄國捨世榮　於最末後身　出家成佛道
華光佛住世　壽十二小劫　其國人民衆　壽命八小劫

화광불이 열반 후 정법이 세상에 머물기는
32소겁이고 널리 많은 중생을 제도할 것이며
정법 소멸한 후 상법도 32소겁이나 길 것이네.
사리는 널리 유포하여 천·인이 두루 공양하리.

佛滅度之後　正法住於世　三十二小劫　廣度諸衆生
正法滅盡已　像法三十二　舍利廣流布　天人普供養

화광불의 행하신 일들은 이와 같을 것이며
그 양족존의 세존은 가장 뛰어나 비할 바 없으며
그 부처 바로 그대 몸이니 스스로 기뻐해야 하리.
華光佛所爲　其事皆如是　其兩足聖尊　最勝無倫匹
彼卽是汝身　宜應自欣慶

3) 대중들이 사리불의 수기를 기뻐하다

그때 사부대중인 비구, 비구니, 우바새, 우바이와 천인, 용, 야차, 건달바, 아수라, 가루라, 긴나라, 마후라가 등 대중들은 사리불 존자가 부처님 앞에서 무상정등정각의 수기 받는 것을 보고 마음속으로 크게 기뻐하여 한없이 용약하였다. 그들은 각자 몸에 입었던 귀한 옷을 부처님께 공양하였으며, 제석천왕과 범천의 왕들과 무수한 천자들도 하늘의 묘한 옷과 흰색의 작은 꽃, 큰 꽃들을 부처님께 공양하였다. 천인이 공양한 하늘 옷들은 허공중에 머물면서 저절로 회전하였으며, 백천만 가지 모든 하늘의 음악이 허공중에서 동시에 연주되면서 많은 하늘 꽃들이 비 오듯이 흩어져 내려오는 가운데, 그들은 이와 같이 말하였다. "부처님께서는 이전에 바라나시의 녹야원에서 초전법륜을 굴리셨으며, 지금 다시 위없는 최대의 법륜을 굴리십니다."

爾時, 四部衆比丘·比丘尼·優婆塞·優婆夷。天·龍·夜叉·乾闥婆·阿修羅·迦樓羅·緊那羅·摩睺羅伽等大衆, 見舍利弗於佛前受阿耨多羅三藐三菩提記, 心大歡喜, 踊躍無量。各各脫身所著上衣, 以供養佛。釋提桓因·梵天王等, 與無數天子, 亦以天妙衣·天曼陀羅華·摩訶曼陀羅華等, 供養於佛。所散天衣, 住虛空中, 而自迴轉。諸天伎樂, 百千萬種, 於虛空中, 一時俱作, 雨衆天華, 而作是言。佛昔於波羅奈, 初轉法輪, 今乃復轉無上最大法輪。

그때 모든 천자들은 이러한 뜻을 거듭 설명하고자 게송으로 말하였다.

이전 바라나시에서 사성제의 법륜을 굴리시어
제법의 법상과 오온의 생멸을 분별하여 설하셨네.
지금 다시 가장 묘한 위없는 큰 법을 굴리시니
이 법 매우 깊고 오묘하여 믿을 수 있는 자 적네.
저희들은 이전부터 세존의 설법을 자주 들었으나
이런 깊고 묘한 위없는 법은 아직 듣지 못하였네.
세존께서 이런 법 설하시니 저희들 모두 좋아하며
대지혜의 사리불 존자는 오늘 부처의 수기 받았네.
저희들 또한 이와 같이 반드시 부처를 이루어
일체 세간에서 가장 존귀하고 위없는 분이 되리라.
불도는 불가사의하여 방편으로 근기 따라 설하시니
저희들은 모든 복덕의 선업과 금생과 미래세에
부처님을 친견한 공덕을 모두 불도에 회향합니다.

爾時諸天子, 欲重宣此義, 而說偈言。

昔於波羅奈　轉四諦法輪　分別說諸法　五衆之生滅
今復轉最妙　無上大法輪　是法甚深奥　少有能信者
我等從昔來　數聞世尊說　未曾聞如是　深妙之上法
世尊說是法　我等皆隨喜　大智舍利弗　今得受尊記
我等亦如是　必當得作佛　於一切世間　最尊無有上

佛道叵思議　方便隨宜說　我所有福業　今世若過世
及見佛功德　盡迴向佛道

오중지생멸(五衆之生滅)• 오중(五衆)이란 색·수·상·행·식의 오온(五蘊)을 뜻한다. 오온은 곧 사제법 가운데 고제(苦諦)이며, 고제는 집제(集諦)로부터 생긴다. 생이 있으면 멸이 있게 되며, 만약 생이 없으면 멸도 없다. 집제로부터 고제가 생하기 때문에 생한 연후에 얼마 지나지 않아 곧 멸하게 된다. 집제가 멸하는 것을 멸제라고 한다. 무엇을 멸할 수 있는가? 고를 멸할 수 있고 집을 멸할 수 있다. 고와 집을 멸하는 것을 도제(道諦)라고 한다. 따라서 고집멸도, 이 사제의 근본은 또한 오온과 관계가 있다.

소유능신자(少有能信者)• 『법화경』의 이러한 묘법을 믿을 수 있는 사람은 매우 적다는 것이다. 이 법은 너무나 오묘하여 일반인의 지혜로는 이러한 경계에 이르지 못하기 때문에 믿지 못한다. 『법화경』은 사람마다 모두 성불할 수 있으며 중생은 장래 모두 성불할 수 있다고 설한다. 그러나 믿는 사람이 없다. 내가 어떻게 성불할 수 있는가라고 말한다. 중생이 성불할 수 있다는 것을 그럴 리가 없다고 생각한다.

석가모니 부처님은 어떻게 부처의 과를 증득하였는가? 부처님도 곧 사람이다. 우리도 사람이다. 하지만 우리는 석가모니 부처님처럼 그렇게 힘들게 수행하지 못하였기 때문에 지금 부처를 이루지 못하였다. 우리가 만약 부처님과 같이 열심히 수행하였으면, 일찍이 부처를 이루었을 것이다.

우리는 왜 성불하지 못했는가? 게을러서 열심히 도를 닦지 않았기 때문이다. 결코 다른 묘한 방법이 있는 것이 아니다. 우리가 어느 곳으로 가려면 무엇을 타고 가든지 행동을 개시해야 한다. 그러나 뉴욕으로 간다고 말만 하고 가지 않으면 결국 뉴욕에 도달하지 못하는 것이다.

석가모니 부처님은 성불할 수 있다는 것을 알고 불도 수행을 시작하여 비로소 부처를 이루신 것이다. 우리는 지금 이곳이 괜찮다고 느끼면서 '당신 봐! 나는 사람이며, 또한 이렇게 총명하지!' 이러한 아상(我相)이 얼마나 큰지를 모른다. 수미산보다도 아상이 높으면서도 하는 일은 조금도 높지 않으며, 행하는 모든 것이 낮고 천한 일이다. 무엇을 낮고 천한 일이라고 하는가? 탐심을 제거하지 못하고, 성내는 마음을 버리지 못하고, 어리석은 마음을 제거하지 못하는 것이 낮고 천한 짓이다. 바로 자기를 너무 가볍게 보는 것이다.

나. 불타는 집[火宅]의 비유

그때 사리불은 부처님께 말하였다. "세존이시여, 저는 지금 의혹과 후회가 없으며, 부처님 앞에서 친히 무상정등정각의 수기를 받았습니다. 천이백오십 명의 제자는 모두 마음에 자재함을 얻은 대비구로서 이전에 유학의 지위에 머물 때 부처님께서는 항상 다음과 같이 교화하시는 말씀을 하셨습니다. '나의 법은 생로병사의 고통을 떠나 궁극에는 열반의 즐거움을 얻을 수 있다.' 그 당시 유학과 무학의 사람은 또한 각자 아견과 상견, 단견 등을 떠나 열반을 얻었다고 하였습니다. 그러나 지금 세존 앞에서 이전에 들어 보지 못한 이러한 묘법을 듣고는 모두 의혹의 구덩이에 떨어졌습니다. 훌륭하십니다, 세존이시여! 저는 이러한 사부대중을 위하여 그 인연을 말씀하셔서 그들이 의혹과 후회의 마음을 여의게 하시기를 원하옵니다."

그때 부처님께서 사리불에게 말씀하셨다. "제불세존이 갖가지 인연과 비유의 말씀과 방편의 설법을 하신 것은 모두 무상정등정각을 위한 것이라고 내가 이전에 말하지 않던가? 이러한 모든 말씀은 모두 보살을 교화하기 위한 까닭이니라. 그러나 사리불이여, 지금 다시 비유로써 이 뜻을 명백하게 설명하려고 하니, 지혜를 가진 많은 사람들은 비유를 통하여 그 도리를 이해할 수 있을 것이다."

爾時, 舍利弗白佛言。世尊, 我今無復疑悔, 親於佛前, 得受阿耨多羅三藐三菩提記。是諸千二百心自在者, 昔住學地, 佛常教化言。我法能離生老病死, 究竟涅槃。是學無學人, 亦各自以離我見, 及有無見等, 謂得涅槃•。而今於世尊前, 聞所未聞, 皆墮疑惑。善哉, 世尊。願爲四衆說其因緣, 令離疑悔。爾時, 佛告舍利弗。我先不言, 諸佛世尊以種種因緣·譬喩言辭·方便說法, 皆爲阿耨多羅三藐三菩提耶。是諸所說, 皆爲化菩薩故。然舍利弗。今當復以譬喩更明此義, 諸有智者以譬喩得解。

급유무견등(及有無見等) **위득열반**(謂得涅槃)• 그들은 각자 스스로 아견과 상견, 단견을 벗어났다고 생각하여 자기는 열반을 얻었다고 말한다는 뜻이다. 여기서 유견은 상견(常見)을 뜻하며, 무견은 단견(斷見)을 뜻한다.

"사리불이여, 가령 어떤 나라와 읍과 취락에 큰 장자가 있다고 하자. 그 장자는 연세가 들어 노쇠하고, 재산의 부유함이 무량하여 많은 전답과 집, 그리고 하인이 있으며, 그 집은 광대하나 오직 하나의 문이 있다. 그 집안에는 일백, 이백 내지 오백 명에 이르는 많은 사람들이 살고 있다. 그 집의 건물은 오래되어 썩고 담장과 벽은 허물어졌으며, 기둥은 썩고 대들보는 기울어져 위험한데, 주위에서 동시에 갑자기 불이 일어나 집을 불태우고 있다. 그 집안에는 장자의 열, 스물 혹은 서른 명에 이르는 자식들이 머물고 있다."

舍利弗。若國邑聚落有大長者。其年衰邁，財富無量，多有田宅，及諸僮僕。其家廣大，唯有一門。多諸人衆，一百·二百，乃至五百人，止住其中。堂閣朽故，牆壁隤落，柱根腐敗，梁棟傾危，周匝俱時，欻然火起，焚燒舍宅。長者諸子，若十·二十，或至三十，在此宅中。

약국읍취락(若國邑聚落) 국(國)은 실보장엄토(實報莊嚴土)를 비유한다. 이곳은 보살이 머무는 곳이다. 읍(邑)은 방편유여토(方便有餘土)를 비유한다. 성문, 연각의 이승인(二乘人)이 머무는 곳이다. 취락(聚落)은 범성동거토(凡聖同居土)를 비유한다. 우리가 지금 머물고 있는 곳이다. 부처님은 상적광정토(常寂光淨土)에 머무신다.

유대장자(有大長者) 대장자는 부처님을 비유한다. 부처님의 분상에서 열 가지의 덕성을 논한다. 열 가지는 다음과 같다.

① 출신이 귀하다[姓貴] : 부처님은 삼세의 진여실제(眞如實際) 가운데서

나오므로 출신이 귀하다고 한다. 삼세는 과거세, 현재세, 미래세를 가리키며, 진여는 여래장성이며, 실제는 실제의 이체(理體)를 뜻한다.

② 지위가 높다[位高] : 부처님은 수행해서 공덕이 원만하고 도업을 성취하여 최고의 열 가지 명호를 증득하였다. 부처의 과위를 증득하여 열 가지의 명호를 가지게 된 것이 곧 가장 높은 것이다.

③ 크게 부유하다[大富] : 부처님은 법재(法財)와 만덕(萬德)을 모두 구족하였다. 부처님의 법은 곧 가장 큰 재산이며, 부처님의 법재와 만덕은 완전히 원융하고 원만하다. 따라서 이것을 대부라고 한다.

④ 위엄이 있고 용맹하다[威猛] : 부처님은 큰 영웅이고 큰 힘을 갖춰 천마(天魔)를 항복시키고 외도를 제압한다.

⑤ 지혜가 깊다[智深] : 부처님은 일심(一心)에 세 가지 지혜를 갖추어 통달하지 않음이 없다. 부처님은 공관(空觀)을 닦을 때 일체지(一切智)를 얻고, 가관(假觀)을 닦을 때 도종지(道種智)를 얻으며, 중도관(中道觀)을 닦을 때 일체종지(一切種智)를 얻는다. 따라서 부처님은 일심에 세 가지 지혜를 갖췄으며, 이것은 부처님의 지혜가 깊음을 나타낸다.

⑥ 연세가 많다[年耆] : 석가모니 부처님은 금생에 비로소 부처를 이룬 것이 아니라 구원겁 이전에 이미 정각을 이루었다. 『범망경』에서 말씀하시기를 "나는 이 사바세계에 팔천 번이나 왔었다."라고 하였다.

⑦ 행이 청정하다[行淨] : 부처님의 삼업은 지혜를 따라 행한다. 몸과 말과 뜻의 모든 세 가지 업은 지혜를 따라 행하므로 일체의 행에 잘못된 곳이 없다. 그러므로 행이 청정하다고 하는 것이다.

⑧ 예를 갖추다[禮備] : 부처님의 마음은 바다와 같아서 위의를 잃지 않는다. 그래서 조금도 예에 부합되지 않은 곳이 없다. 그래서 예를 갖췄다고 하는 것이다.

⑨ 위에서 찬탄하다[上歎] : 시방제불이 모두 석가모니 부처님을 찬탄한다. 부처는 본래 평등하여 위아래와 높고 낮음이 없다. 시방제불은 아주 오래 전에 부처를 이룬 분으로서 석가모니 부처님보다 성불의 연령이 많다. 그래서 위에서 찬탄한다고 한다.

⑩ 아래에서 귀의하다[下歸] : 일곱 가지 방편으로 같이 의지한다는 것이다. 일곱 가지 방편은 여러 종류의 설명이 있으나, 천태종의 설명에 의거하여 해설하고자 한다. 일곱 가지의 방편은 인승(人乘), 천승(天乘), 성문승, 연각승, 장교(藏敎)의 보살승, 통교(通敎)의 보살승, 별교(別敎)의 보살승을 가리킨다. 이 일곱 가지의 승은 또한 칠현(七賢)이라고도 하며, 일곱 방편[七方便]이라고도 한다. 일곱 방편의 중생이 모두 부처를 의지한다. 의지(依止)한다는 것은 또한 귀의한다는 뜻이다.

기년쇠매(其年衰邁) 우리가 덕성을 논할 때 "연세가 많고 덕이 있다.[年高有德]"라고 한다. 연세가 들었다[年邁]는 것은 덕성이 있다는 것이다. 그러나 덕성에는 안의 덕과 바깥의 덕이 있다. 안의 덕은 지혜에 속한다. 너희에게 지혜가 있으면 덕성을 가질 것이다. 바깥의 덕은 재물을 갖춘 것이다. 재물을 갖추어야 바깥의 덕을 닦을 수 있다.

장자는 연세가 매우 많은데, 그것은 곧 고금에 널리 통달한 것을 뜻한다. 연세가 들면서 많은 일을 겪었기 때문에 이전의 일도 알고 지금의 일도 이해하는 것을 뜻한다. 이것도 비유로서 부처님의 지덕(智德: 지혜의 덕성)을 비유한다.

쇠하다[衰]는 것은 힘이 쇠약하다는 것이고, 연세가 들었다[邁]는 것은 연령이 많다, 즉 늙었다는 뜻이다. 비록 노쇠하지만 그의 근기와 뜻은 순숙(純熟)하였다. 이것도 비유로서 부처님의 단덕(斷德)을 뜻한다. 단이란 번뇌가 다함이 없지만 끊기를 서원한다는 뜻이다. 마땅히 끊어야 할 것은 끊어야 하며, 만약 끊지 못하면 반드시 손해를 보게 된다. 부처님은 우리와 달리 응당 끊어야 할 것은 끊었다. 부처님은 이러한 단덕을 구족한 것이다. 부처님은 지덕을 갖추었기 때문에 일체를 매우 명료하게 보며 미혹하지 않는다. 무슨 경계를 만나도 분명하게 보지 않음이 없는 것이다.

재부무량(財富無量)• 재부(財富)는 부처님의 복덕을 비유하며, 또한 부처님의 만덕장엄을 비유한다. 그래서 재부가 무량하다고 한 것이다.

다유전택(多有田宅)• 우리는 밭을 갈고 씨를 뿌려 곡식을 수확한다. 그런 연후에 우리의 생명을 기르면서 생존한다. 이것이 밭[田]의 작용이다. 여기서 밭은 우리의 법신혜명(法身慧命)을 배양한다는 뜻이다. 혜명이란 우리 지혜의 생명을 뜻한다. 우리의 법신혜명은 어떻게 생장할 수 있는가? 우리는 참선을 하고 선정의 공부를 닦아야 한다. 선정을 닦을 때는 반드시 반야의 지혜를 빌려야 비로소 법신혜명을 증장시킬 수 있다. 이것이 밭의 뜻이다.

집[宅]이란 우리의 신체를 머물게 하고 감출 수 있다. 우리의 신체가 집에 머무는 것은 '실제의 경계는 지혜가 의탁하는 곳'이라는 것을 표시한다. 집 안에 사람이 머물 수 있듯이, 실상의 경계 속에 진정한 지혜를 갖추고 있다. 따라서 집이란 '실제 경계의 참된 지혜[實境的眞智]'를 비유한다. 만약 부처님의 복덕을 논하자면, 부처님은 육바라밀의 만행을 널리 닦아 어떠한 작은 미세한 행도 닦지 않은 것이 없다. 만약 부처님의 지혜를 논하자면, 비추지 않는 경계는 없는 것이다. 따라서 전택이 많다고 말하는 것이다.

급제동복(及諸僮僕)• 동복이란 모든 일을 하는 고용된 일꾼이란 뜻이다. 이것은 부처님의 방편지견을 모두 원만히 구족하였다는 것을 비유한다. 그는 무엇이든 할 수 있으며, 이러한 방편의 지혜가 원만하다. 부처님은 육도의 중생 속에서 화광동진(和光同塵)한다. 화광이란 마치 등불이 서로 화합하여 비추어도 서로 충돌하지 않는 것을 말한다. 부처님은 육도 속에서 생사를 나타내지만 생사에 머물지 않는다. 무엇 때문에 육도 속에서 화광하는가? 권교방편의 법으로써 중생을 교화하기 위함이다. 동복이란 이러한 방편의 지견을 비유하며, 이것을 '진실한 지혜의 동복[實智的僮僕]'이라고 부른다.

기가광대(其家廣大) 유유일문(唯有一門)• 그 집이란 누구의 집인가? 바로 장자의 집이다. 장자의 집은 광대하다. 얼마나 광대한가? 중생은 삼계 속에서 이리 가고 저리 가면서 생과 사를 되풀이한다. 집[家]이란 욕계·색계·무색계의 삼계를 비유하며, 하나의 문[一門]이란 일승(一乘)의 불도를 나타낸다. 단지 일승의 불도가 있어 삼계를 벗어날 수 있다.

다제인중(多諸人衆) 일백이백(一百二百) 내지오백인(乃至五百人) 지주기중(止住其中)• 이것은 오도(五道)의 중생을 뜻한다. 일백은 천도(天道), 이백은 인도(人道), 삼백은 축생도, 사백은 아귀도, 오백은 지옥도를 나타낸다. 그러면 육도윤회를 말하면서 어째서 아수라도는 없는가? 왜냐하면 아수라는 이 다섯 세계에 포함되어 있기 때문이다. 아수라는 천도 속에도 있고 인도 속에도 있으며, 축생도 속에도 있고 아귀도 속에도 있다. 아수라는 성미가 매우 사나워서 싸우기를 좋아한다.

당각후고(堂閣朽故)• 삼계 가운데서 당(堂)은 욕계를 비유하고, 각(閣)은 색계와 무색계를 비유한다. 사람으로 설명하자면, 당은 사람의 하반신이며, 각은 사람의 머리와 상반신을 비유한다. 후(朽: 썩다)는 폐단과 악행이 항상하지 않음을 나타낸다. 이것은 삼계 속에서 윤회가 멈추지 않으며, 어떤 때는 좋았다가 얼마 지나지 않아서 나빠진다는 것을 말한다. 고(故)란 삼계는 지금 현재 만들어진 것이 아니라 이전에 있는 것이라는 뜻이다.

장벽퇴락(牆壁隤落)• 우리가 집을 지을 때는 담장과 벽이 있어야 한다. 무엇이 삼계 속의 담장과 벽인가? 이것은 사대(四大: 지·수·화·

풍)를 비유한다. 사면의 벽을 나타낸다. 그리고 일반인이 알고 있는 주(酒)·색(色)·재(財)·기(氣)도 네 가지 벽이다. 이 네 종류 물건은 마치 네 가닥 자물쇠와 같아서 사람을 묶어 자물쇠를 채우는 것과 같다. 그래서 이러한 게송이 있다.

주색재기 네 가지 담장 속에
많은 중생이 그 안에 갇혀 있네.
어떤 사람이 담장 밖으로 벗어나면
곧 장생하고 늙지 않는 왕이로구나.
酒色財氣四堵牆 許多衆生裏邊藏
有人跳出牆門外 就是長生不老王

우리의 몸은 또한 삼계와 같아서 이 담장은 우리의 피부와 살을 비유한다. 퇴락이란 바로 삼계는 편안함이 없으며 곧 허물어질 것이라는 뜻이다.

주근부패(柱根腐敗)• 주근(柱根)이란 바로 사람의 생명을 비유한다. 그리고 우리 각자의 두 다리를 말할 수 있다. 기둥의 뿌리가 부패했다는 것은 위험하고 안전하지 못하다는 것을 비유한다. 이것은 삼계는 편안함이 없으며 마치 불타는 집과 같아서 곧 위험이 발생할 것이라고 말하는 것이다. 즉 우리의 생명은 곧 없어질 것이라는 뜻이다.

양동경위(梁棟傾危)• 양동(梁棟)은 대들보를 뜻하며, 우리의 의식(意識)을 비유한다. 의는 의념(意念)이고 식은 팔식(八識)이다. 만약 개개인의 몸에서 본다면 바로 신체의 척추를 가리킨다. 경위(傾危)란 대들보가 기울어지고 위험하다는 뜻으로서 곧 변천함이 그치지 않는다는 것을 말한다. 이때는 매우 위험하다. 바로 사람이 죽을 때가 이르렀다는 것이다.

이 단락의 경문을 보면, 우리의 수명은 영원히 존재하는 것이 아님을 알 수 있다. 당신이 무슨 재주를 가지고 있든지, 무슨 귀중한 물건을 가지고 있든지, 무슨 가장 가치 있는 보배를 가지고 있든지 간에 죽을 때에 이르면 우리의 두 손은 텅 비어 아무것도 가지고 갈 수 없다. 따라서 우리가 이 세계에서 명예와 이익을 다투는 것은 어리석은 행위라는 것이다. 마땅히 반본환원(返本還原)하여 우리의 본래면목을 인식해야 한다.

본래면목은 또 어떤 모양인가? 모양이 없다. 만약 모양이 있다면 그것은 곧 상이 있는 것이다. 상이 있으면 곧 허물어지고 소멸될 것이다. 우리 본래자성은 더러움도 없고 청정함도 없으며, 생하지도 않고 멸하지도 않으며, 늘어나지도 않고 줄어들지도 않는다. 우리의 본래면목은 어떠한 귀찮음도 없다. 우리의 본래면목은 바로 『능엄경』에서 말하는 "여래장성(如來藏性) · 상주진심(常住眞心) · 성정명체(性淨明體)"이다. 만약 우리가 본래면목을 회복하고 이해하면, 어떠한 번뇌도 모두 보리(菩提: 깨달음)로 변할 것이다. 만약 본래면목을 이해하지 못하면, 보리는 번뇌로 변할 것이다. 따라서 "천하에는 본래 일이 없는데, 어리석은 사람은 스스로 그것을 걱정하네."라고 말한다.

천하에는 본래 아무런 일도 없는데, 어리석은 사람들은 일을 찾아 한다는 것이다. 따라서 당신이 그에게 해설하는 이것도 어리석은 것이니, 그는 당신이 어리석다고 말한다. 왜 그는 이렇게 말하는가? 그는 그가 한 일을 당신은 하기를 원하지 않는다고 생각하기 때문에 당신이 어리석다고 말하는 것이다. 너희가 진정으로 자성을 이해하면 곧 "눈으로는 몸의 색상이 안으로 없음을 관하고, 귀로는 먼지같이 많은 일을 들어도 마음은 알지 못하네."라고 말할 것이다.

같은 사람이라도 보는 것이 다를 수 있다. 그래서 일체유심조(一切唯心造)라고 말한다. 당신이 어떻게 행하고 어떻게 생각하느냐에 따라 같은 일이라도 같은 법이 아니다. 우리가 불법을 얼마나 많은 세월 동안 배웠든지 간에 경계를 만나 마음이 움직이지 않아야 한다. 마음이 움직이지 않는 것이 바로 선정력이다. 만약 어떤 경계를 만나 그 경계에 마음이 움직이면, 그것은 선정력이 없는 것이다. 그러면 늙어 죽을 때까지 불법을 배워도 아무런 쓸데가 없는 것이다.

따라서 우리는 지금 『법화경』을 강의하는데, 이 세계가 가장 나쁘다고 말한다. 어느 정도로 나쁜가? 바로 불타는 집과 같다는 것이다. 우리가 머무는 집이 불타고 있으며, 그 안에 있어서 매우 위험하여 쉽게 불에 탈 수 있다는 것이다. 그러면 어떻게 하면 불에 타지 않는가? 내가 방금 말한 바와 같이 경계에 움직이지 않으며, 너희의 본래면목을 이해하는 것이다. 너희는 본래 누구인가? 너희는 본래 부처이다. 본래 부처이므로 마땅히 돌아가야 한다. 반본환원하여 부처의 길에 올라서 가야 한다. 부처는 만덕을 구족하고 만덕으로 장엄하였기 때문에 우리가 부처의 길 위에 올라갈 때는 또한 마땅히 갖가지의 착한 일을 지어야 한다. 그래야 비로소 우리가 성공하는 것을 도울 수 있다. 이것이 가장 중요한 것이다. 그러므로 그렇게 할 수 있는 힘이 있을 때, 좋은 일을 지어야 한다는 것이다.

무엇이 좋은 일인가? 남을 돕고 남을 이롭게 하는 것이 좋은 일이다. 보살은 자신도 이롭게 하고 남도 이롭게 하며, 스스로도 깨닫고 남도 깨닫게 하기 위하여 이러한 일을 한다. 어떤 사람은 이렇게 말할 것이다. "이러한 도리를 나는 많이 들었다." 그러나 그렇게 많이 들었어도 실제로 행한 것은 얼마나 되는가? 단지 듣기만 하고 행하지 않으면 무슨 소용이 있는가? 그래서 "도는 행하는 것이다."라고 말한다.

방금 앞에서 주색재기(酒色財氣)는 사면(四面)의 담장이라고 말했는데, 보살도 '주·색·재·기'라는 사면의 담장을 가지고 있어 벗어나지 못한다. 보살은 '중생제도'를 술[酒]로 삼는다. 중생을 제도하는 것이 범부가 술을 마시는 것과 같아서, 많이 제도할수록 보살도 술을 많이 마시게 되고 더욱 많이 취하게 된다. 그리고 보살은 삼장십이부의 경전을 색(色)으로 삼는다. 따라서 보살은 삼장십이부의 경전을 배우려고 한다. 보살도 재물[財]을 좋아하는데, 재물이 묘법이기 때문이다. 보살은 불법(佛法)으로 재산을 삼는다. 따라서 보살은 재산이 많은 것을 아주 좋아한다. 또한 보살은 육도만행을 성미[氣]로 삼는다. 매일 육도만행을 행하므로 보살도 성미를 가지고 있다. 보살이 가지고 있는 것은 우리 중생도 가지고 있는 것으로서 그 이름은 같으나 사실은 같지 않다. 나는 여러분이 보살의 중생제도와 같은 술 마시기를 배우기 바란다. 따라서 불법은 본래 말할 것이 없지만, 어떤 사람들이 말하기를 원하지 않는 것을 설명하는 것이다.

주잡구시(周匝俱時)• 주잡이란 주위를 돈다는 뜻인데, 여기에서는 보편(普遍)하다는 뜻이다. 무엇이 보편하다는 것인가? 바로 여덟 가지의 고통[八苦], 즉 사대(四大: 지·수·화·풍)와 사생(四生: 태·난·습·화)에 두루하다는 것이다.

팔고란 태어나는 고통[生], 늙는 고통[老], 병의 고통[病], 죽는 고통

[死], 사랑하는 사람과 헤어지는 고통[愛別離苦], 원수와 만나는 고통[怨憎會苦], 구하여도 얻지 못하는 고통[求不得苦], 오음(五陰)이 치성하는 고통[五陰盛苦]을 말한다. 태생에는 태생의 고통이 있고, 난생에는 난생의 고통이 있으며, 습생에는 습생의 고통이 있고, 화생에는 화생의 고통이 있다. 하지만 우리는 태생의 중생으로서 단지 태생의 고통만 알고 다른 생의 고통은 모른다.

무엇 때문에 다른 생의 고통을 말하는가? 부처님은 큰 지혜를 가지신 분으로서 이미 우리에게 이 도리를 알려주어 이해할 수 있도록 해주셨다. 그래서 우리는 팔고가 사생과 사대에 두루하다는 것을 안다. 사생과 사대와 팔고는 완전히 무상(無常)한 것이다. 무상하기 때문에 '때를 갖췄다[俱時]'고 하는 것이다. 구시란 동시(同時)라고 말할 수 있다. 동시에 팔고가 있으며, 또한 동시에 다른 고통이 있다고 말할 수 있다. 그러나 그것은 모두 무상한 것이다.

훌연화기(欻然火起) • 훌연(欻然)이란 갑자기, 문득이란 뜻이다. 본래 없던 것이 지금 갑자기 생겼다는 것이다. 불이 있기 때문에 고통이 있는 것이다. 괴로움은 본래 없는 것인데 무명 때문에 갖가지 괴로움이 있는 것이다. 그래서 이 무명이 가장 나쁜 것이다. 불이 일어난다[火起]는 것은 무명의 불이 일어난다는 것이다. 무명의 불이 한 번 일어나면 아무것도 이해하지 못한다. 지혜가 없으므로 어리석음이 일어난다. 어리석기 때문에 괴로움이 있다. 이것을 훌연화기라고 한다. 무명의 불이 일어나는 것은 또한 오음(五陰)의 불이 일어난다고도 할 수 있다. 색·수·상·행·식의 오음이 마치 불과 비슷하다는 것이다.

분소사택(焚燒舍宅) 우리의 신체가 오음의 불에 타서 무너지는 것을 뜻한다. 사택은 우리의 신체를 비유한다. 왜냐하면 오음은 신체 속에 머물러 있기 때문이다. 신체는 마치 집과 같으며, 따라서 오음은 다섯 가지 불을 발생하여 집을 불태운다. 불은 또한 우리의 성미를 말한다.

무명의 불은 호랑이처럼 대단하며, 이것은 전생의 죄업으로부터 온다. 전생에 지은 죄업이 많고 공덕이 없으므로 금생에 성미가 고약한 것이다. 성미가 고약한 것은 가장 나쁜 것이지만 또한 가장 좋은 것이라고도 말할 수 있다. 세간의 무슨 일이든지 좋은 이면에 나쁜 점이 있으며, 나쁜 이면에 좋은 점이 있다. 너희는 화를 한 번 내고 나면 몸이 부자유스럽다는 것을 느낄 것이며, 아울러 매우 괴롭다는 것을 느낀다. 이것이 신체에 대하여 가장 나쁜 면이다. 그러면 어떤 것이 가장 좋은 것인가? 화를 낸 후에 괴롭다고 느끼고, 이렇게 화를 내서는 안 되겠다고 생각하고, 이후에는 화를 내지 않는 것이다. 그래서 보살은 화를 내지 않는다. 어째서 성미가 없어졌는가? 깨달았기 때문이다. 화를 내는 것이 좋지 않다고 아는 것이다.

불법을 배우는 사람은 무명을 타파해야 한다. 무명은 어떻게 타파하는가? 바로 깨닫는 것이다. 깨달으면 무명을 타파할 수 있다. 만약 화를 내는 것이 어리석은 행위라는 것을 깨닫지 못한다면, 다시 화를 낼 것이다. 따라서 불교에서는 인욕을 닦으라고 말한다. 인욕은 매우 참기 힘든 일이 닥쳐왔을 때, 그런 일이 없는 것처럼 그것을 놓아버리고 머리를 냉정하게 하는 것이며 안정시키는 것이다. 안정하고 그 일을 분석해 보면 그러한 큰 무명을 가지지 않을 것이다. 어쨌든 우리가 만약 무명의 불을 가지면, 우리 자신을 불태워버리고 자기의 집을 불태워서 재로 만들어 버릴 것이다.

장자제자(長者諸子) 약십이십(若十二十) 혹지삼십(或至三十) 재차택중(在此宅中)• 장자는 부처님을 비유한다. 그런데 장자의 자식이 십, 이십, 삼십이라고 말한 것은 무엇 때문인가? 삼십 명의 자식에 대해서는 이미 설명하였다. 그런데 왜 팔이나 구를 말하지 않았는가? 십, 이십, 삼십을 합하면 육십(六十)이다. 육십은 대승 가운데의 육바라밀을 나타내며 육도만행을 비유한다. 무엇 때문에 또 십(十)을 말하는가? 보살과 성문, 연각의 삼승은 모두 열 가지 지혜를 가지고 있으며, 이것은 열 종류의 지혜를 나타내기 때문이다. 이 열 종류는 어떤 것인가?

① 세간의 지혜[世智] : 비록 세간의 지혜를 말하지만 또한 출세간의 지혜를 포괄한다. 왜냐하면 삼승은 세간의 일체법을 깨달았으며, 그런 연후에 출세간의 법을 구하기 때문이다. 만약 너희에게 세간의 지혜가 없으면, 어떻게 출세간의 지혜가 있겠는가? 출세간의 지혜는 세간의 지혜로부터 나오는 것이다.

② 타인의 마음을 아는 지혜[他心智] : 성문·연각·보살은 모두 타심의 지혜를 가지고 있다. 타심의 지혜는 또한 타심통이다. 이러한 신통지혜는 선정 가운데서 나오는 것이다. 아라한은 성문으로서 마음을 써서 관찰해야 타심을 알 수 있다. 만약 관찰하지 않으면 그 사람의 마음이 생각하는 것이 무엇인지를 모른다. 성문이 마음을 쓰는 것은 선정에 들어야 할 때이다. 그리고 연각의 타심지도 마음을 써야 한다. 하지만 좌선하여 선정을 닦는 것은 필요 없다. 연각은 한 번 마음을 쓰면 너희가 말하고자 하는 것이 무엇인지, 하고자 생각하는 것이 무엇인지 곧 안다. 연각은 성문보다 한 단계 높은 것이다. 보살은 경계에 이르면 이러한

타심지를 써야 할 필요가 없다. 보살은 너희 마음이 생각하는 바를 알려고 하지 않는 것을 제외하고는 언제든지 알 수 있다. 보살은 연각보다 타심지가 높기 때문이다.

③ 괴로움을 아는 지혜[苦智] : 만약 괴로움을 안다면 괴로움을 그치려고 할 것이다. 괴로움을 그치려고 해야 비로소 괴로움이 없어질 수 있다. 만약 지혜가 없으면 어떻게 괴로움을 알겠는가? 괴로울 때 괴롭지 않다고 느낄 수도 있다. 그러므로 괴로움을 아는 지혜를 가지고 있어야 괴로움을 그치게 할 수 있는 것이다.

④ 괴로움의 원인을 아는 지혜[集智] : 집(集)이란 본래 번뇌를 모으는 것이다. 하지만 우리는 집이 번뇌라는 것을 안다. 그러면 집이 어째서 지혜를 가질 수 있는가? 만약 집의 지혜가 없으면 근본적으로 이것이 번뇌라는 것을 모르기 때문이다. 그래서 번뇌가 와도 우리는 여전히 이것을 빵이라고, 혹은 우유라고 생각하면서 먹는 것으로 달려간다. 그러나 지혜가 있으면 번뇌가 왔을 때 '이것이 원래 번뇌구나'라고 깨닫는다. 깨달으면 이것이 어찌 지혜가 아니겠는가?

⑤ 번뇌를 멸하는 지혜[滅智] : 무엇을 멸하는가? 번뇌를 멸하는 것이다. 이미 지혜가 있으면 멸하는 지혜를 가지게 된다. 멸하는 지혜는 번뇌를 소멸시킨다. 번뇌가 소멸되면 깨달음이 나오며, 열반의 네 가지 덕인 '상·낙·아·정'의 좋은 점을 얻게 될 것이다.

⑥ 도를 닦는 지혜[道智] : 도를 닦을 때에도 지혜를 가져야 한다. 만약

지혜가 없으면 도를 닦지 않고 하루 종일 시간을 헛되이 보낼 것이다. 따라서 도를 닦는 데 이러한 수도의 지혜를 가져야 한다.

⑦ 법의 지혜[法智] : 법은 불법이며, 지는 지혜이다. 불법을 닦으려면 법을 선택하는 안목[擇法眼]을 가져야 한다. 법을 선택하는 눈을 가지는 것이 바로 지혜이다. 택법안은 그러므로 지혜의 눈이다. 지혜의 눈이 있으면 어리석은 일을 저지르지 않는다. 무엇을 어리석은 일이라고 하는가? 바로 열 가지의 악을 저지르는 것이다.

⑧ 비교하는 지혜[比智] : 비교하는 지혜는 본래 법을 선택하는 지혜이다. 수승한 법문을 선택하여 수행하는 것을 가리킨다.

⑨ 극점에 이른 지혜[盡智] : 이것은 삼승에 대하여 말하는 것이다. 이 지혜는 극점에 이르러 일체의 도리를 궁진하여 모르는 것이 없고, 보지 못하는 것이 없으며, 깨닫지 못하는 것이 없다.

⑩ 무생법인의 지혜[無生智] : 만약 무생법인을 얻으면 삼계 안에서 법이 생하는 것을 보지 못하고, 또한 법이 멸하는 것을 보지 못한다. 이러한 경계는 말하려고 해도 말할 수 없으며, 잊으려고 해도 잊을 수 없으며, 없애려고 해도 없앨 수 없다. 이러한 경계를 무생법인의 지혜라고 한다. 단지 마음에서 참는 것이며, 단지 자기만이 안다. 이른바 물을 마셔 봐야 그 물맛을 스스로 아는 것과 같은 것이다.

이러한 열 종류의 지혜는 각각 하나의 승(乘)에 모두 있다. 그래서 "십,

이십 혹은 삼십에 이른다."고 말한다.

"장자는 큰불이 사방에서 일어나는 것을 보고 크게 놀라고 두려워하면서 이런 생각을 하였다. '나는 비록 이 불타는 집의 문을 안온하게 나갈 수 있지만, 여러 자식들은 불타는 집 안에서 노는 데 즐거워하여 불이 난 것을 느끼지 못하고 알지도 못하며, 놀라지도 않고 두려워하지도 않는구나. 불이 몸을 핍박하면 고통이 심하게 닥칠 것인데, 마음은 싫어하고 걱정하지 않으며, 이 속에서 벗어날 생각을 하지 않는구나.'"

長者見是大火•, 從四面起•, 卽大驚怖•, 而作是念。我雖能於此所燒之門, 安隱得出•。而諸子等, 於火宅內, 樂著嬉戲•, 不覺不知•·不驚不怖•, 火來逼身•, 苦痛切己•, 心不厭患, 無求出意•。

장자견시대화(長者見是大火)• 이것은 부처님께서 불안(佛眼)으로 육도의 중생을 보는 것을 비유한다. 육도의 중생이 윤회 속에서, 삼계의 불타는 집에서, 오음의 불에 타서 매우 위험하다.

종사면기(從四面起)• 사면에서 일어난다는 것은 사념처(四念處)를 비유한다. 사념처란 관신부정(觀身不淨)·관수시고(觀受是苦)·관심무상(觀心無常)·관법무아(觀法無我)를 말한다.

① 관신부정(觀身不淨) : 우리의 신체는 정결하지 못한 것이다. 어째서 정결하지 못한가? 보라. 온몸에서는 땀이 흘러나오며, 땀이 나오면 고약한 냄새가 난다. 두 눈에서는 눈물이 나오고 눈곱이 낀다. 두 콧구멍에서는 콧물이 흐르고, 입에서는 침과 가래가 흘러나온다. 일곱 구멍에

서는 항상 청정하지 못한 것이 흘러나오고, 게다가 대소변이 나온다. 이 아홉의 구멍에서는 항상 부정한 것이 흘러나온다. 이러한 부정한 것은 사람마다 알고 있다. 또 우리 사람들의 피와 살 사이에는 갖가지의 병균이 있다. 이것도 부정한 것인데 사람들은 잘 모른다. 흐르는 혈액도 깨끗하지 못하고, 살도 깨끗하지 못하다. 이렇게 말하면 어떤 사람은 믿지 못할 것이다. 하지만 장래 과학이 더욱 진보하면 과학의 방법으로 피와 살 사이의 깨끗하지 못한 것을 측정할 수 있을 것이다. 더욱이 사람은 갖가지 괴상한 것을 먹으니 기혈 속에도 괴상한 것들이 생긴다. 뱃속에 존재하는 것도 모두 깨끗하지 못한 것들이다. 따라서 첫 번째는 몸이 부정하다고 관해야 한다.

② 관수시고(觀受是苦) : 수(受)란 갖가지 경계를 받아들이는 것이다. 이러한 누림은 처음에는 좋다고 생각하는데, 실제로는 이 '좋음' 속에 '좋지 않음'이 들어 있다. 이것은 분명한 것으로서, 받아들여 누리는 것도 아무런 의의가 없는 것이다.

③ 관심무상(觀心無常) : 우리의 마음은 생각 생각이 천류하고, 생각 생각이 변천한다. 마치 바다의 파도와 같이 앞의 생각이 소멸하면 뒤의 생각이 일어나고, 뒤의 생각이 소멸하면 앞의 생각이 다시 일어난다. 이러한 생멸은 멈추지 않는다. 따라서 마음은 무상한 것이다. 『금강경』에서 말하기를, "과거심도 얻을 수 없고, 현재심도 얻을 수 없고, 미래심도 얻을 수 없다."고 하였다. 세 가지 마음을 전혀 얻을 수 없으므로 관심무상이라고 말한다.

우리 각 사람은 항상 마음이 어디로 가는지 모른다. 중국의 사서(四

書) 가운데 하나인 『맹자(孟子)』에 이런 말이 있다. "사람이 닭이나 개를 잃어버리면 그것을 찾으려고 하는데, 마음을 잃어버리면 찾으려고 하지 않는다.[人有鷄犬放之 則求之 有放心 而不知求]" 키우던 닭이나 개가 도망가면 도처로 그것을 찾으러 다니면서도 마음이 도망가면 돌이킬 줄을 모른다는 뜻이다.

마음은 어디로 도망가는가? 마음이 어째서 도망가는가? 망상을 지으면 마음이 도망간다. 하루 종일 돈 벌고 벼슬하고 명예를 구하고 이익을 구하는 망상을 짓는다. 당신이 만약 벼슬을 할 운명이면 자연히 높은 관리가 될 것이고, 돈을 많이 벌 운명이면 자연히 재물을 많이 모을 것이다. 좋은 명예가 있을 운명이면 장래 이름이 날 것이다. 얼마의 재산이 있을 것인가도 정해진 것이 있다. 그러므로 온갖 망상을 지으면서 그것을 구하지 말아야 한다. 그러나 우리는 단지 명예와 이익을 구하고 벼슬과 재물을 구할 줄은 알지만, 좋은 일 할 줄은 모른다. 만약 당신이 장래에 전도가 밝기를 원한다면, 마땅히 '단지 좋은 일을 행하고, 앞일을 물을 필요가 없다.' 당신이 힘써 좋은 일을 하면 자연히 좋게 될 것이기 때문이다.

④ 관법무아(觀法無我) : 일체의 법에는 모두 나가 없다는 것을 관해야 한다. 나가 없을[無我] 뿐 아니라 법도 없다[無法]. 사람도 공하고 법도 공하고, 공함도 공하다.

즉대경포(卽大驚怖)• 부처님은 두려움이 없는데 어째서 공포를 느낀다고 하는가? 크게 놀란다[大驚怖]는 것은 부처님의 대자비를 비유한다. 부처님은 중생이 타락하거나 보리심을 잃을까 걱정하는 것이다.

보리심에서 물러나면 약이 없다. 따라서 부처님께서 크게 놀라는 것은 큰 자비이다.

아수능어차소소지문(我雖能於此所燒之門) 안은득출(安隱得出)• 여기서 문(門)은 불타는 집의 문으로서 융통(融通)하다는 뜻을 가지고 있으며, 공(空)과 유(有)를 나타낸다. 문의 사각형은 유를 표시하고, 문 중간의 통하는 공간은 공을 나타낸다. 공의 문과 유의 문 두 가지는 본래 공하지도 않고 유도 없다. 부처님은 불타는 집 속에서 중도의 요의[中道了義]를 닦아 부처의 과위를 이루어 이미 화택을 벗어났다. 따라서 불타는 문에서 편안하게 벗어날 수 있다고 말한 것이다. 부처님은 오온과 팔고에 핍박받지 않으므로 편안[安]하다고 하며, 네 가지 전도된 견해에 동요되지 않으므로 온(穩: 평온하다)이라고 한 것이다.

그러면 네 가지 전도된 견해란 무엇인가? 바로 네 가지 전도된 지견을 말한다. 즉 항상하지 않은데 항상하다고 생각하며, 즐겁지 않은데 즐겁다고 생각하며, 나가 없는데 나가 있다고 생각하며, 청정하지 않은데 청정하다고 생각하는 것이다. 본래 열반의 네 가지 덕은 상·낙·아·정이다. 하지만 그것과는 상반된다. 네 종류의 전도된 견해는 외도가 주장하는 것이다. 부처님은 네 종류의 전도된 지견에 동요되지 않는다. 그래서 평온한 것이다. 평안무사하다.

이제자등(而諸子等) 어화택내(於火宅內) 낙착희희(樂著嬉戲)• 아들들인 중생은 불타는 집 안에서 노는 데 빠져 있다. 낙착희희(樂著嬉戲)에서 희(嬉)는 견해에 집착하는 것을 뜻하고, 희(戲)는 사랑에 집착하는 것을 가리킨다. 즉 전도된 견해와 사랑의 경계에 동요된다.

대비참(大悲懺)에서 "사랑과 견해가 근본이 되고, 몸과 입이 돕는 연이 된다.[愛見爲本 身口爲緣]"라고 하지 않던가? 애견의 근본번뇌로 말미암아 몸과 입은 돕는 연(조건)이 되어 모든 세계 가운데서 미혹하여 깨어나지 못한다. 모든 삼계 25유(有: 중생세계) 속에서 전도된 견해에 집착하고 깊이 빠져 미혹한 것을 희(嬉)라고도 한다. 이때는 조금의 성취도 없게 되는데, 이것을 희(戱)라고 한다.

그리고 색·성·향·미·촉의 오진(五塵)과 재·색·명·식·수의 다섯 가지를 모두 진(塵)이라고 한다. 이 다섯 가지의 대상에 탐착하는 것을 희(嬉)라고 하며, 그리하여 시종 조금의 장점도 얻지 못하는 것을 희(戱)라고 한다. 너희는 헛되이 태어나서 헛되이 살다가 죽는다. 한 번의 생사에서 아무런 좋은 점도 없이 흐리멍덩하게 태어나 흐리멍덩하게 죽는다. 비록 이렇게 태어나 죽더라도 그곳을 벗어나려고 생각하지 않으며, 또한 흐리멍덩한 생사를 벗어날 줄을 모른다. 어째서 태어나고 어째서 죽는지를 모른다. 모르는 것은 그렇다 하더라도, 이 생사를 벗어나려고 생각하지 않는다. 마치 어린아이의 놀이와 같다. 아이들이 이리 뛰고 저리 뛰어다니면서 하루 종일 노는 것과 같다. 그러나 노는 그 속에 불이 들어 있다.

불각부지(不覺不知)• 불 속에 있는 것을 느끼지 못하고 알지 못한다. 불이 났는데 빨리 도망갈 생각을 하지 않는 것은 불각(不覺)이라고 하며, 불이 뜨겁다는 것을 이해하지 못하는 것은 부지(不知)라고 한다.

불경불포(不驚不怖)• 불의 뜨거움이 능히 신체를 상하게 할 수 있다는 것을 모른다. 그래서 놀라지 않는다[不驚]. 마치 어린아이가 호랑이를 본 적이 없어 우연히 호랑이를 만나도 무서운 줄을 모르는 것과 같다. 아이 눈에는 큰 고양이처럼 보일 뿐이니 그래서 놀라지 않는 것이다. 불이 사람의 목숨을 끊을 수 있는데도 그렇게 무서운 것이라는 것을 모른다. 그래서 두려워하지 않는다[不怖]라고 한다.

우리 중생은 괴로움을 깨닫지 못하고, 괴로움의 원인을 알지 못하고, 그것이 도를 장애한다는 것에 놀라지 않고, 고통을 소멸하는 길을 잃어버리는 것에 대하여 두려워하지 않는다. 사제법(四諦法)을 들어도 듣고 사유하는 지혜[聞思智]가 없다. 듣고, 사유하고, 수행하는 세 가지 지혜가 있는데, 듣고 사유하는 두 가지 지혜가 없는 것을 불각(不覺)이라고 하며, 불타는 집 속에 있으면서 수행을 모르는 것을 부지(不知)라고 한다. 이러한 견해가 없는 것은 불경(不驚)이라고 하며, 다시 사유하는 견해가 없는 것을 불포(不怖)라고 한다.

화래핍신(火來逼身)• 다섯 세계의 중생과 삼승은 화택 속에 있으면서 놀라지도 않고, 두려워하지도 않고, 알지도 못하고, 느끼지도 못하므로 불이 바로 태워 죽이려고 한다. 몸을 핍박한다는 것은 제5식을 말하는 것이며, 제5식은 바로 신체를 말한다. 신체의 제5식과 세 가지 받아들임[三受]은 서로 통한다. 삼수(三受)는 세 가지 고통[三苦]의 다른 이름이다. 삼고는 고고(苦苦), 괴고(壞苦), 행고(行苦)를 말한다. 이러한 세 가지의 고통을 받는 것을 '불이 몸을 핍박하는 것'이라고 하며, 또한 고통이 몸을 핍박한다고도 한다.

고통절기(苦痛切己)• 고통이 이미 몸과 접촉하였다는 뜻이다. 기(己)는 누구를 가리키는가? 부처님을 말하기도 하고 중생을 말할 수도 있으며, 삼승이라고 말할 수도 있다. 다섯 세계의 중생과 삼승은 모두 부처님의 자식이다. 그러면 부처님의 자식이 불에 타 죽는데, 부처님은 괴로우실까 괴롭지 않으실까? 따라서 고통이 자기의 몸에 다가왔다는 것이다. 삼승과 중생의 관점에서 말하자면, 불이 그의 앞에 도달하여 몸을 태우기 시작한 것이다. 이 어찌 고통이 자기에게 온 것이 아니겠는가?

심불염환(心不厭患) 무구출의(無求出意)• 불이 몸 옆에서 타고 있는데, 마음은 여전히 싫어하거나 걱정하지 않는다. 마음이 싫어하거나 걱정하지 않는다는 것은 제6식을 말한다. 제6식과 제5식은 서로 통한다. 따라서 의식은 걱정하지 않고 화택에서 벗어나려고도 생각하지 않는다. 이것이 어찌 미혹한 것이 아닌가? 만약 미혹한 것이 아니라면, 불이 타고 있는데 어떻게 아직 밖으로 도망갈 줄을 모르는가? 이것이 미혹이다. 무엇에 미혹되었는가? 탐·진·치 삼독에 미혹되었다. 삼독에 미혹되면 고통 위에 더욱 고통이 가중되고, 더욱 미혹이 깊어진다.

오탁악세에 의거하여 이 단락의 경문을 설명하면 다음과 같다.

'낙착희희(樂著嬉戲)'는 중생의 견탁과 번뇌탁을 설명하며, 바로 견해와 사랑을 말한다. 전도된 견해가 생기면 깨달음을 등지고 번뇌와 합치게 된다. 번뇌가 있는 것은 당신에게 애정이 있기 때문이며, 애정이 있으면 곧 번뇌가 생긴다.

'불각부지 불경불포(不覺不知 不驚不怖)'는 중생탁을 비유한 것이다.

'화래핍신 고통절기(火來逼身 苦痛切己)'는 명탁을 비유한 것이다. 명이 탁하지 않으면 어떻게 불이 몸을 핍박하고 고통이 자기에게 닥치겠는가?

'심불염환 무구출의(心不厭患 無求出意)'는 겁탁을 비유한 것이다.

따라서 우리는 오탁악세에서 돌아갈 것을 잊어버리고, 아상과 인상과 시비의 생각을 내면서 하루 종일 이리 뛰고 저리 뛰면서, 떴다가 가라앉기를 그치지 않는다. 어떤 때는 공중으로 솟았다가 어떤 때는 다시 가라앉는다. 마치 물고기가 물에서 사는 것과 같이 물에서 즐겁게 놀다가 그물이 언제 덮칠지를 모르는 것과 같다. 그물이 덮치면 목숨도 없다. 우리에게도 오탁악세의 그물이 있다. 이 그물은 더욱 무섭다.

무엇이 사람의 그물인가? 바로 업(業)이다. 죄업은 곧 사람의 그물과 같다. 마치 바다에서 그물이 한 번 펼쳐지면 물고기가 잡혀 올라오듯이 우리의 죄업도 마찬가지다. 우리는 지금 이 세계에서 업을 짓고 있다. 염라왕이 그물을 한 번 치면 지옥으로 잡혀가 괴로움을 받게 되니, 두렵지 않은가? 이곳이 안락국이라고 생각하지 말아야 한다. 가장 좋다고 생각하면 아직 꿈에서 깨지 못한 것이다. 꿈에서 깨어나면 이곳이 안전한 지대가 아님을 알 것이다.

"사리불이여, 이 장자는 이렇게 사유하였다. '나의 몸과 손은 힘이 있으니 마땅히 옷의 주머니와 작은 탁자, 큰 탁자로써 이 집으로부터 그들을 벗어나게 해야겠다.' 다시 또 사유하였다. '이 집에는 오직 하나의 문이 있으나 협소하며, 많은 자식들은 어리고 아는 것이 없어 즐겁게 놀던 곳을 그리워하고 집착하므로 혹시 타락하여 불에 탈 것이다.'"

舍利弗。是長者作是思惟。我身手有力，當以衣裓·若以几案，從舍出之。復更思惟。是舍唯有一門，而復狹小。諸子幼稚，未有所識，戀著戲處，或當墮落，爲火所燒。

아신수유력(我身手有力) 몸[身]은 부처님의 신통을 비유한다.

부처님의 신통은 말할 수 없을 정도로 묘하다. 손[手]은 부처님의 지혜를 비유한다. 부처님의 지혜는 일체중생을 향상시키고, 부처님의 신통은 일체중생의 무거운 업력을 짊어질 수 있다. 따라서 부처님은 신통력으로 무거운 업력을 부담하며, 지혜로 중생을 조금씩 교화하여 이해하게 한다. 이 지혜는 삼매로부터 나온다. 삼매는 곧 부처님의 단덕(斷德)이다. 부처님은 일체의 일에 대하여 끊겠다고 말하면 곧 끊는다. 우리 중생은 결점을 제거하겠다고 말해도 제거하지 못하고, 욕념의 습기를 끊겠다고 말하면서도 끊지 못한다. 그래서 이르기를 "마땅히 끊어야 할 것을 끊지 못하면 반드시 그 어지러움을 받게 된다."고 하는 것이다.

부처님은 단덕을 가지고 있으므로 일체제법의 실상을 분별할 수 있다. 이러한 지혜는 부처님의 지덕(智德)을 나타낸다. 지덕을 가지고 있으므로 법을 설한다. 부처님이 법을 설하는 데 지덕과 단덕이 있으며, 이것으로 부처님의 법신을 성취할 수 있다. 지덕과 단덕의 두 가지 덕행은, 권유하고 경계하는 두 종류의 문으로부터 비로소 들어갈 수 있다. 권유하는 문은 위인실단(爲人悉檀)에 속하고, 경계하는 문은 대치실단(對治悉檀)에 속한다.

무엇을 실단이라고 하는가? 네 가지 실단이 있다. 위인실단(爲人悉檀), 대치실단(對治悉檀), 세계실단(世界悉檀), 제일의실단(第一義悉檀) 이 네 가지 실단에 의지하여 불법을 설명한다. 본래 불법은 말할 것이 없는 것이며, 말하는 것은 모두 지엽적인 것이다. 나는 이전에 이렇게 말한 적이 있다. "불이법문은 입을 열지 못하게 하고, 제일의제는 본래 말이 없네.[不二法門休開口 第一義諦本無言]" 설명할 말이 없는 것을 불이법문이라고 하며, 두 개가 없고 단지 하나이므로 말로 표현할 수 없다. 제일의제도 말로 할 게 없다. 그러면 법은 이미 말할 것이 없는데, 석가모니 부처님은 무엇 때문에 법을 설하려고 하는가? 바로 네 가지 실단에 근거하기 때문이다. 실단이란 보편적으로 널리 보시한다는 뜻을 가지고 있다.

권유하는 문은 위인실단에 속하고, 무엇을 하지 말라고 경계하는 문은 대치실단에 속한다. 위인이란 일체중생을 위하여 법을 설하는 것이고, 대치란 중생의 습기와 잘못을 대치하기 위하여 법을 설하는 것이다. 이 두 종류의 실단을 무엇 때문에 설하는가? 제일의제실단을 설하기 위함이다. 세계실단도 제일의제를 위하여 설하는 것이다. 부처님께서 우선 법을 설한 것은 권유하는 문으로 일체중생이 많은 선을 받들어 행하게 하기 위함이며, 일체중생이 모든 착한 일을 행하도록 인도하는 것이다.

중선봉행(衆善奉行)을 하면 무슨 좋은 점이 있는가? 종합적으로 말하자면 바로 여래의 열 가지 힘[十力]을 성취할 수 있다. 부처님께서 열 가지 힘을 구족한 것은 권유하는 문으로 말미암으며, 만약 우리가 중선봉행하면 이러한 열 가지 힘을 성취할 수 있다. 또한 네 가지 두려움[四無所畏]도 구족한다.

그리고 또한 무엇을 얻을 수 있는가? 일체종지의 지혜를 얻을 수 있다. 이것은 부처님이 말씀하신 권문(權門)에 따라 수행하면 갖가지의 좋은 점을 얻을 수 있다는 것이다. 그러나 중생은 공교롭게도 나쁜 성미를 가지고 있다. 좋은 일을 하라고 가르쳐도 기어코 하지 않는다. 반면 나쁜 일을 하라고 하면 재빠르게 한다. 나는 이것을 '나쁜 성미'라고 이름 지었으며, 또한 '나쁜 습기'라고도 한다. 중생은 이러한 권문의 가르침을 받아들이려고 하지 않기 때문에 부처님께서는 경계하는 문[誡門]의 법을 설하셨다. 계(誡)란 경계(警誡)한다는 뜻이다. '그런 것은 하지 마라'는 것이다. 마치 부모가 자녀에게 잘못된 일을 하지 말라고 하는 것과 같다. 모든 악은 짓지 말라[諸惡莫作]는 것이다.

모든 악을 짓지 않으면 무슨 좋은 점이 있는가? 좋은 점은 너무나 크다. 대열반을 증득하여 상락아정의 열반덕을 얻을 수 있다. 그러나 중생은 오직 악을 지으려고 하니, 중생은 경계하는 문의 이 가르침도 받아들이지 못한다. 그래서 부처님께서는 신통과 지혜의 힘으로 중생을 교화하신다. 신수유력(身手有力)이란 즉 지덕과 단덕의 작용이다.

당이의극(當以衣裓) 의극이란 무엇인가? 인도에서 꽃을 담는 주머니를 말하는데, 부처의 지견(知見)을 비유한다. 이 주머니에는 많은 물건을 담을 수 있다. 부처의 지견은 비록 간단한 것 같아도 일체중생의 지견을 포괄하여 담는다는 뜻이다. 지(知)란 일체종지의 지혜를 뜻하고, 견(見)이란 부처의 눈을 뜻한다. 일체종지는 알지 못하는 것이 없으며, 부처의 눈[佛眼]은 보지 못하는 것이 없다. 따라서 의극이란, 부처님께서 부처의 지견으로 일체중생을 육도윤회에서 구제하는 것을 비유한다.

약이궤안(若以几案) 약이(若以)는 혹은[或者]이란 뜻이다. 즉 혹은 작은 탁자와 큰 탁자를 사용한다는 뜻이다. 궤(几)는 작은 탁자이고, 안(案)은 큰 탁자를 가리킨다. 궤는 네 개의 다리를 가지고 있으며, 안은 많은 다리를 가지고 있다. 궤도 비유이다. 앞에서 말한 네 가지 두려움 없음[四無所畏]을 비유한다. 네 가지 두려움 없음은 다음과 같다. ① 일체종지무소외(一切種智無所畏), ② 설법무소외(說法無所畏), ③ 설장도법무소외(說障道法無所畏), ④ 설진고도법무소외(說盡苦道法無所畏)이다. 즉 부처님은 네 가지 두려움 없음으로 법을 설하여 중생을 교화하는 것이며, 또한 중생이 삼계의 고통에서 벗어나 육도윤회의 어려움을 제거하도록 하는 것이다. 그러나 이 궤가 네 가지의 두려움 없음을 나타내긴

하지만, 이 법은 비교적 작다. 궤는 안(案)에 비하여 작다. 작다는 것은 넓지 못하다는 것이다. 그래서 안(案)을 말하는 것이다. 안(案)은 부처의 십력(十力)을 비유한다. 부처님은 십력으로 육도중생을 교화하여 괴로움에서 벗어나 즐거움을 얻게 하신다.

부처님께서 사용하시는 방법에는 권문과 계문이 있다고 앞에서 설명하였다. 권문은 또한 자비문으로서 섭수(攝受)에 속한다. 섭이란 마치 자석이 쇠를 끌어당기는 것과 같다. 반면 계문은 절복문(折服門)이라고 한다. 말을 듣지 않으면 엄격한 방법으로 교화하여 절복시키는 것이다. 따라서 부처님은 법을 설하는 데 섭수와 절복의 두 문으로 중생을 교화하며, 네 가지 두려움 없음과 열 가지의 힘과 여래의 지견으로써 일체 중생이 화택으로부터 벗어나게 하신다.

시사유유일문(是舍唯有一門) 이부협소(而復狹小)• 이 집에는 오직 하나의 문이 있다. 하나의 문이란 바로 일불승(一佛乘)을 뜻한다. 그러나 문이 좁고 작아서 많은 사람들이 이 문으로 빠져나가기에는 혼잡하다. 여기서 문이 작다는 것은 일승(一乘)의 도리를 말하기도 하고, 하나의 길의 청정함을 말하기도 한다. 문이란 바른 가르침[正教], 즉 진정하고 정정당당한 불교를 비유한다. 또한 문은 통한다는 뜻이다. 어디로 통하는가? 소통되는 곳으로 통한다. 이 바른 가르침은 교화될 중생을 교화한다. 이것을 '소통되는 곳에 통한다'고 하는 것이다.

그런데 어째서 좁고 작다고 하는가? 외도는 이 문으로 들어올 수 없다. 여기서 말하는 외도는 단견과 상견에 집착하는 무리이다. 일곱 방편의 중생도 들어올 수 없다. 반드시 대승의 원교보살(圓教菩薩)이라야 비로소 이 문으로 들어갈 수 있다. 무엇을 일곱 방편[七方便]이라고 하는가? 인승, 천승, 성문승, 연각승, 삼장교의 보살승, 통교의 보살승, 별교의 보살승을 말한다.

일곱 방편은 모두 소승의 근성이다. 대승이 본래 갖춘 원만한[圓融無礙] 이치의 경계에는 도달하지 못하였다. 그래서 그들은 이 문으로 들어올 수 없다. 이 문은 대승의 문이라 부처와 원교의 보살이라야 이 문으로 나가고 들어올 수 있다. 소승인은 대승의 원융한 묘리를 이해하지 못하므로 이 문이 좁고 작다고 말한다. 사실 협소(狹小)한 것은 협소한 것이 아니고 가장 큰 것이다.

그런데 어째서 '이치가 하나[理一]'라고 하는가? 왜냐하면 유일한 불승의 묘리는 순일(純一)하고 무잡(無雜)하기 때문이다. 오직 하나의 묘리만 있으며, 다른 도리가 섞이지 않는다. 이 도리는 하나일 뿐 아니라 하나의 길로서 매우 청정하다. 그래서 '문이 하나[門一]'라고 말한다. 이 문이 유일한 것이다. 왜 협소하다고 말하는가? 이치가 하나이고 길이 하나인 이 법은 미묘하고 불가사의하여 이해하기가 쉽지 않기 때문이다. 이것은 이론에 의거하여 말한 것이므로 '이치가 하나[理一]'라고 하는 것이다.

지금까지 하나의 문에 대해 이론적으로 살펴보았는데, 이제 행(行)에 따라 하나의 문을 이야기하자면, 다시 협소하다. 이 행은 원교를 수행하는 행으로서, 곧바로 가는 행이며 굽은 행위가 없다. 따라서 이것을 '행이 하나[行一]'라고 한다. 우리가 보살도를 수행하면 곧바로 부처의 과위에 이르러 보리도량에서 불과를 증득한다. 이것을 문(門)이라고 하는데, 우리는 줄곧 이것을 통해 가야 하므로 하나의 문으로 비유하는 것이다. 그러나 이 문을 가는 것은 일종의 묘행(妙行)이다. 묘행은 가기 어려우며, 수행하기가 쉽지 않다. 대승의 불법은 수행하기가 쉽지 않으며, 일체의 방편법문은 소용이 없다. 앞에서 이야기하였듯이, 이 법은 '바르고 곧아서 방편법은 버린다[正直捨方便]'는 것이다. 이 때문에 문이 협소하다고 말한 것이다. 실제로 이 법문은 결코 협소한 것이 아니고 가장 광대한 문이다.

제자유치(諸子幼稚) • 많은 자식[諸子]이란 바로 성문, 연각, 보살의 삼승의 불자를 말한다. 우리는 어린아이를 무지하고 무식하다고 여긴다. 그들은 불을 보고도 놀라지 않고 두려워하지도 않는다. 그래서 유치(幼稚)하다고 하는 것이다. 삼승인은 대승의 불법에 대하여 선근이 미약하다. 박약하고 힘이 없다. 그래서 불법 속에서 삼승인은 모두 어린아이 같다고 말한다.

미유소식(未有所識) • 삼승인은 선근이 미약하기 때문에 대승의 불법을 들으면 곧 훼방하려는 마음을 낸다. 마치 『법화경』을 설하기 시작하려고 할 때 오천 명이 자리에서 물러난 것과 같다. 증상만을 가진 사람은 이러한 불법을 들으면 믿는 마음을 내지 못하고 도리어 도망을 간다. 이것을 '아는 것이 없다[未有所識]'고 하며, 무지(無知)하다고 한다.

연착희처(戀著戲處) • 즐겁게 놀던 곳을 그리워하고 집착한다는 뜻이다. 그들은 대승의 불법을 받아들이지 못할 뿐 아니라 보리심에서 물러난다. 보리심에서 물러난다는 것은 지견과 애정의 두 가지 잘못에 집착한다는 것이다. 지견과 애정에 집착하는 것을 연착희처(戀著戲處)라고 한다.

보리심을 퇴실(退失)하면 어떤 때는 여덟 가지의 고통이 핍박하여

의보(依報)와 정보(正報)에 집착하게 된다. 이것은 일반 범부의 경우를 말하는 것이다. 의보는 산하대지와 집과 건물을 가리키며, 기세간(器世間)이라고도 한다. 정보는 바로 우리 신체의 보신을 말하며, 유정세간(有情世間)이라고도 한다. 삼계 중생은 욕계, 색계, 무색계를 말한다.

욕계 중생은 다섯 가지 욕망에 집착한다. 다섯 가지 욕망이란 재물·색·명예·음식·수면을 말하며, 또 색·성·향·미·촉을 말하기도 한다. 색계의 중생은 선정의 맛에 애착한다. 선정의 즐거움으로 음식을 삼으며, 법의 즐거움이 충만하다. 하루 종일 매우 즐겁다. 그야말로 말할 수 없을 정도로 즐겁다. 그래서 초선천은 이생희락지(離生喜樂地), 이선천은 정생희락지(定生喜樂地), 삼선천은 이희묘락지(離喜妙樂地), 사선천은 사념청정지(捨念淸淨地)라고 부른다. 이 청정함은 선정의 경계이며, 이 즐거움도 선정의 달콤한 경계이다. 따라서 색계의 중생은 이 즐거움에 집착하여 머문다. 마치 어린아이가 사탕을 먹는 것처럼 하나를 먹고 나면 더 먹고 싶어지는 것이다. 이것은 모두 집착이다.

무색계도 집착하는 것이 있는데, 정(定)이다. 정에 애착하는 것도 집착이다. 따라서 이렇게 많은 집착이 있으므로 삼계를 벗어나지 못하는 것이다. 삼계를 벗어나지 못하는 것을 연착희처(戀著戲處)라고 한다.

혹당타락(或當墮落)• 혹(或) 자가 있는 것이 다행이다. 만약 혹 자가 없으면 정식으로 타락할 것인데, 혹 자가 있기 때문에 아직 약간의 희망이 있다. 혹은 타락하거나 혹은 타락하지 않을 수도 있다는 것이기 때문이다. 이것은 움직일 수 있는 여지가 있다는 의미다. 만약 잘못을 고쳐 스스로를 새롭게 하고, 집착하지 않고, 미혹의 길에서 되돌아올 줄 알고, 조속히 조금이라도 깨달을 수 있다면, 혹시 타락하지 않을 수도 있다는 뜻이다. 그러나 만약 깨닫지 못하면 혹은 타락할 수 있다는 것이다. 이렇듯 혹 자는 일정함이 없는 것이다.

어째서 타락하는가? 유치하기 때문이다. 유치하다는 것은 어리석은 것이다. 어린아이는 무지하고 어리석어서 오욕에 집착한다. 오욕에 집착하면 삼악도에 떨어진다. 타락하는 데는 두 가지의 원인이 있다. 첫 번째는 유치하여 타락하는 것이고, 두 번째는 무지하기[未有所識] 때문에 타락하는 것이다.

위화소소(爲火所燒)• 여덟 가지의 괴로움과 오온(五蘊), 오탁(五濁)의 불에 태워진다. 이러한 불에 타면 더욱 깨달을 수 없다.

"'나는 응당 그들에게 이러한 두려운 일을 말해야 한다. 이 집은 이미 불에 타고 있으니 즉시 빨리 나가야 불에 타는 해를 입지 않을 것이다.' 이러한 생각을 한 후 자식들에게 '너희들은 빨리 나가라'고 일렀다. 부친은 비록 아이들을 불쌍히 여겨 좋은 말로 이끌고 가르쳤지만, 아이들은 즐겁게 노는 데 집착하여 아버지의 말을 믿고 받아들이지 않으며, 놀라지도 않고 두려워하지도 않으면서 전혀 화택에서 벗어날 마음이 없었다. 그리고 무엇이 불이고, 무엇이 집이며, 어찌하여 잃는 것인지를 모르고, 단지 동쪽으로 가거나 서쪽으로 가서 놀면서 부친을 웃으면서 바라볼 뿐이었다."

我當爲說怖畏之事, 此舍已燒, 宜時疾出, 無令爲火之所燒害。作是念已, 如所思惟, 具告諸子, 汝等速出。父雖憐愍·善言誘喩, 而諸子等樂著嬉戲, 不肯信受, 不驚不畏, 了無出心。亦復不知何者是火•, 何者爲舍•, 云何爲失, 但東西走•, 戲視父而已•。

역부부지하자시화(亦復不知何者是火)• 아이들은 나이가 어리기 때문에 무엇이 불인지도 모른다. 우리 중생도 팔고(八苦)와 오음(五陰)의 불이 법신(法身)을 태우고 선근(善根)을 태워 끊는다는 것을 모른다.

하자위사(何者爲舍)• 그리고 오음과 십팔계를 이해하지 못하고 있다는 뜻이다. 오음은 색·수·상·행·식을 말하며, 육입(六入)인 안·이·비·설·신·의가 색·성·향·미·촉·법을 만나는 것을 십이처(十二處)라고 한다. 중간에 다시 안식·이식·비식·설식·신식·의식의 여섯 가지 식을 낸다. 이것을 합하여 십팔계(十八界)라고 한다. 십팔계의 갖가지 법은 마치 모든 고통을 담는 그릇과 같으며, 고통이 오는 근원이다. '음(陰)·처(處)·계(界)'의 법을 모르기 때문에 고통의 그릇인 것이다. 이것이 바로 무엇이 집인지를 모르는 것이다.

운하위실(云何爲失) 단동서주(但東西走)• 법신을 상실하는 연유를 모르는 것이다. 그래서 동쪽으로 가거나 서쪽으로 가는 등 일정한 방침이 없고, 일정한 종지가 없이 가고 싶은 데로 어지럽게 가는 것이다. 어지럽게 가는 것은 밝음을 등지고 어둠으로 향하는 것을 뜻한다. 따라서 생과 사를 반복하면서 윤회하는데, 일정한 주재(主宰)가 없다.

희시부이이(戲視父而已)• 부친이 비록 그들을 화택 밖으로 나가라고 하여도, 그들은 무엇이 불인지, 무엇이 집인지, 어째서 잃게 되는지를 이해하지 못한다. 그들은 생사에 윤회하면서도 조금도 놀라거나 두려워하지 않는다. 그래서 부친을 웃으면서 바라본다[戲視]. 마치 아무 일도 없는 듯이 매우 재미있게 생각하는 것이다. 이것은 어떤 뜻인가 하면, 대승의 불법을 따라 수행하지 않고 대승의 불교를 듣지 않는 것을 비유한다. 그래서 부친인 장자는 다른 방법을 생각한다.

다. 수레의 비유

1) 세 가지 수레

"그때 장자는 즉시 이러한 생각을 하였다. '이 집은 이미 큰불에 타고 있으니, 나와 많은 자식들이 만약 즉시 나가지 않으면 반드시 불에 탈 것이다. 나는 지금 방편을 베풀어 모든 자식들이 불의 피해를 당하지 않도록 해야겠다.' 부친은 모든 자식들이 이전에 각자 좋아하던 것을 알고 있으므로 갖가지의 진기한 보물과 완구, 희귀한 물건들을 좋아할 것이라고 생각하여 자식들에게 말하였다. '너희가 가지고 놀기를 좋아할 이런 물건들은 희유하여 얻기가 어려운 것이다. 너희가 만약 지금 갖지 못한다면 나중에 반드시 후회할 것이다. 이와 같은 갖가지의 양의 수레, 사슴의 수레, 소의 수레가 지금 문 밖에 있으니, 가지고 놀 수 있다. 너희는 이 불타는 집에서 빨리 나가야 하며, 그러면 너희가 좋아하는 대로 모두 줄 것이다.'"

爾時長者, 卽作是念。此舍已爲大火所燒, 我及諸子若不時出, 必爲所焚。我今當設方便, 令諸子等得免斯害。父知諸子先心各有所好, 種種珍玩, 奇異之物, 情必樂著, 而告之言。汝等所可玩好,希有難得。汝若不取，後必憂悔。如此種種羊車·鹿車·牛車，今在門外，可以遊戲。汝等於此火宅，宜速出來，隨汝所欲，皆當與汝。

부지제자선심각유소호(父知諸子先心各有所好) 자식을 잘 아는 것은 부모보다 나은 사람이 없다고 하듯이, 중생을 아는 것은 부처님보다 더 잘 아는 사람이 없다. 부처님은 중생의 모든 욕구를 안다. 중생이 무엇을 좋아하고, 중생이 어떤 근성인지를 모두 안다. 따라서 부처님은 일체중생의 성질을 알고, 일체중생의 선심소호(先心所好)를 안다. 선심이란 이전에 배운 소승의 불법을 뜻한다. 각자는 모두 그가 좋아하는 것이 있다. 보시를 닦은 사람, 사제법을 닦은 사람, 십이인연을 닦은 사람 등이 있다. 각자가 닦은 법은 모두 각자가 마음으로 좋아하는 것이다. 이렇듯 부처님은 중생의 마음이 무엇을 좋아하는지를 아신다.

종종진완(種種珍玩) 기이지물(奇異之物) 그들은 갖가지 진기한 보물과 완구, 희귀한 물건을 좋아하는데, 이것은 모두 사제, 십이인연, 육바라밀 등등을 비유한다. 이것은 일체중생은 삼승의 법문에 대하여 각각 좋아하는 것이 있다는 것을 말하는 것이다.

여차종종양거(如此種種羊車) 녹거(鹿車) 우거(牛車) 금재문외(今在門外) 가이유희(可以遊戲) 양의 수레는 성문승을 비유하고, 사슴의 수레는 연각승을 비유하고, 소의 수레는 보살승을 비유한다.

"그때 모든 자식들은 부친의 말을 듣고, 진기한 놀이 물건이 자기들의 원에 적합한 까닭으로, 각자의 마음은 용맹하고 예리하여 서로 밀고 줄을 서서 경쟁하듯이 함께 내달리며, 다투어 불타는 집에서 뛰쳐나왔다."

爾時, 諸子聞父所說, 珍玩之物, 適其願故。心各勇銳, 互相推排, 競共馳走, 爭出火宅。

적기원고(適其願故) 그들이 바라는 삼승법은 그들의 원을 만족시켰다. 그래서 부처님은 그들에게 삼승법을 설하셨다. 이 삼승법은 권교방편의 법문이다. 그러나 만약 처음부터 진실한 불승을 설하였다면 당시 이 어린아이들은 노는 데 정신이 팔려 모든 일체의 법을 잊어버리고 삼계를 그리워할 것이다. 그래서 부처님은 권교방편의 법을 중생들에게 설하신 것이다. 부처님께서는 먼저 삼승의 법문을 세워 다섯 세계의 중생을 제도하였으며, 마지막에야 일불승의 진실법을 설하신 것이다. 『법화경』에서 설하신 것이 바로 진실한 지혜의 묘법이며, 이는 방편의 법이 아니다. 그래서 지자 대사(智者大師)는 『법화경』이 순수하고 원만하며 홀로 뛰어난 묘법이라고 찬탄하였다. 이것은 원교(圓教)의 법문이다.

경을 배우고 강의하는 여러분은 이전의 선배들에 대하여 반드시 공경심을 가져야 한다. 이후 무릇 경을 강의할 때 선배와 조사 스님의 이름을 직접 부르면 안 되며, 반드시 조사(祖師) 혹은 대사, 존자 등의 명칭을 붙여 불러야 할 것이다. 예를 들면 육조 대사를 혜능이라고 부르면 안 되는 것이다. 이것은 가장 불경한 것이며, 가장 예의가 없는 행위다. 불법을 배우는 사람은 이 점을 반드시 주의하여야 한다.

또 여러분은 한편으로 불법을 배우면서 한편으로 죄업을 지어서는 안 된다. 본래 불법을 배우는 것은 죄업을 소멸하기 위함인데, 불법을 배우면서 한편으로 불법을 공경하지 않고 한편으로 불법을 훼방하면, 이것은 죄업을 소멸할 수 없을 뿐 아니라 심지어 죄업을 증가시키는 것이다.

심각용예(心各勇銳)• 마음은 일체중생의 마음을 가리키며, 용은 용맹함, 예는 예리함을 뜻한다. 마음이 각각 용맹하고 예리하다는 것은 일종의 사혜(思慧), 즉 사유하는 지혜를 나타낸다. 이 사유는 반야로써 관조하는 사유이며, 보통사람이 망상을 짓는 그런 사유가 아니다. 또한 참선하고 정려(靜慮)하는 사유를 말한다. 너희가 용맹하게 앞을 향하여 수행하려면 반드시 예리한 지혜가 필요하다. 이 예리한 지혜는 즉 우리 지혜의 검이다. 지혜의 검은 옳고 그름을 분별하게 하여 잘못된 길로 들어가지 않게 한다.

잘못된 길로 간다는 것은 어떤 것인가? 명확히 알면서 고의로 범하는 것이다. 지혜의 검이 없는 사람은 어리석은 사람이다. 우리가 불법을 이해하기 전에 잘못된 길을 가는 것은 진리를 모르기 때문이다. 불법의 문에 들어와서, 심지어 삼보에 귀의한 후에는 반드시 가르침에 따라 행하여야 한다. 만약 가르침에 따라 행하지 않으면 장래 반드시 지옥에 떨어질 것이다. 그것은 조금도 의심할 수 없는 것이다. 무엇 때문인가? 명백히 알면서 고의로 범하기 때문이다. 만약 진정한 지혜가 있다면 잘못을 저지르지 않을 것이다.

호상추배(互相推排)• 이때 어린아이들은 놀기 좋은, 신기한 물건을 들었는데, 이것은 방편의 법문을 가리킨다. 그래서 고집멸도의 네 가지 진리를 추구하며, 그런 연후에 견혹(見惑)을 조복한다. 견혹이란 대상을 보고 애착하는 마음을 내는 것이다. 견혹을 조복하는 것을 '밀고 줄을 서는[推排]' 것이라고 하는데, 견혹을 끊는 것이다. 사제법을 관하여 닦는 것을 '서로 밀고 줄을 서는[互相推排]' 것이라고 한다. 서로 관찰하는 것이다. 이것은 네 가지 가행[四加行]을 비유하며, 난(暖)과 정(頂)의 법에 속한다. 네 가지 가행이란 난(煖)·정(頂)·인(忍)·세제일(世第一)을 말한다.

경공치주(競共馳走)• 경이란 수승한 묘리를 쟁취하는 것을 뜻한다. 수승한 묘한 이치는 무생법인에 속하며, 이것은 인위(忍位)에 속한다. 함께하다라는 뜻의 공(共)은 사가행(四加行: 煖, 頂, 忍, 世弟一)에서 세제일위(世弟一位)에 속한다.

그리고 내달리다[馳走]라는 것은 견도위(見道位)에 속한다. 초과의 아라한을 증득하면 견도위를 얻어 견혹을 끊는다.

쟁출화택(爭出火宅)• 그런 후에 다투어 화택을 빠져나온다. 이것은 사유의 도에 속하며, 사혹(思惑)을 끊어 무학위(無學位)를 증득한다. 무학위는 사과(四果)의 아라한을 가리킨다. 아라한을 증득하면 견혹과 사혹을 모두 끊어 비로소 삼계를 벗어난다. 이때 기운에 구속되지 않고 물욕에 움직이지 않는다. 우리는 태어난 이래로 부모의 유전자와 산천수맥의 관계로 말미암아 일종의 나쁜 습기(習氣)를 가지게 된다. 그것을 벗어나려고 해도 벗어날 수 없으며, 놓으려고 해도 놓지 못한다. 마치 이러한 습기에 묶인 것처럼 조금의 자유도 얻지 못한다.

예를 들면 영화 보기를 좋아하는 습기가 있으면 하루 종일 영화를 본다. 도대체 영화를 보는 것이 무슨 의의가 있는가? 그러나 그는 그것이 가장 좋다고 말한다. 오락을 즐기는데, 그런 연후에는 또 어떠한가? 무슨 이익이 있는가? 그는 그 시간이 즐겁다고 말하는데, 한때의 즐거움이 지나가면 괴로움은 얼마나 길지 모른다. 영화를 한 번 보고 난 후 집에 돌아오면 눈도 피로하고 정신도 부족하다. 이것이 현실적인 고통이지만, 너희는 느끼지 못한다. 혹은 오락을 하러 가면 그것을 즐거움으로 생각하지만, 사실 그것은 괴로움의 근본이다. 고통을 즐거움으로 생각하여 이러한 기운에 묶여서 삼계를 벗어나려고 해도 벗어날 수 없다.

너희가 약간의 불법을 배우려고 생각해도 이러한 기운을 받아 너희를 배우러 가지 못하게 한다. '불법을 배워 무엇 하려고? 잠이나 자는 것이 가장 좋지!' 혹은 '맛있는 음식을 먹으러 가서 몸이나 보해야지!'라고 생각한다. 이런 것이 바로 습관의 기운을 받아 구속되고, 물욕에 가리게 된 것이다. 물욕에 의하여 본래 갖추고 있는 지혜를 가리지만, 너희 자신은 아직 모른다. 이러한 물욕은 너희 자성의 광명과 반야의 지혜를 가려서 전도된 일을 하게 만든다. 전도된 일이란 삿된 지견과 진정한 지혜가 없는 것으로 말미암아 조성된 것이다. 따라서 기운에 구속되고 물욕에 가려져서 우리는 삼계 안에서 언제나 벗어나지 못한다.

너희는 벗어나고 싶은가? 반야의 지혜검으로 일체의 습기와 물욕을 끊어내야 한다. 그러면 반드시 삼계를 벗어날 것이다. 그러므로 화택을 다투어 벗어나려면[爭出火宅], 앞을 다투어 남의 뒤에 처지지 말고 화택을 가장 놀기 좋은 오락장으로 생각하지 않아야 한다. 놀기 좋은 오락장은 가장 위험성이 큰 곳이다. 따라서 불법을 배우는 사람은 바른 지견을 내어야 비로소 삼계를 벗어날 수 있다.

"이때 장자는 모든 자식들이 안온하게 화택에서 벗어나 네 거리 가운데의 노지에 앉아 있으며, 다시는 장애가 없는 것을 보고 그 마음이 편안하고 뛸 듯이 기뻤느니라."

是時, 長者見諸子等安隱得出, 皆於四衢道中•, 露地而坐, 無復障礙•, 其心泰然, 歡喜踊躍•。

개어사구도중(皆於四衢道中)• 이곳은 사통팔달한 거리이다. 사구도(四衢道)는 사제의 관법을 비유한다. 사제(四諦)는 고집멸도를 말하고, 관법은 고집멸도를 관하는 것을 뜻한다. 이러한 지혜를 얻으면 오도(五道)의 윤회에서 벗어날 수 있다. 왜 네 거리에 있다고 말하는가? 그들은 이곳에서 수행한다는 것이다.

노지이좌(露地而坐) 무부장애(無復障礙)• 이것은 사제의 관법을 닦아 과를 증득한 것을 비유한다. 삼계의 견혹과 사혹을 모두 끊었기 때문에 가린 것이 없다. 그래서 "노지에 앉아 있다.[露地而坐]"라고 한 것이다. 이 앉다[坐]라는 것은 과를 증득한 후에 더 이상의 진보를 구하지 않는 것을 비유한다. 예를 들면 초과를 증득하고 이과를 구하지 않고, 이과는 삼과에 나아가기를 구하지 않고, 삼과는 사과(四果)의 아라한을 구하지 않는 것을 뜻한다. 이곳에 앉아서 멈춘다는 것이다. 지금은 "노지에 앉아" 육도윤회를 벗어났다. 육도윤회를 벗어났기 때문에 다시는 장애가 없다[無復障礙].

기심태연(其心泰然) 환희용약(歡喜踊躍)• 일체의 중생이 모두 삼계의 화택을 평온하게 벗어났다. 그래서 장자, 즉 부처님은 마음속으로 매우 즐겁고 뛸 듯이 기쁘다. 왜 매우 기쁜가? 이러한 불자들이 모두 재난을 면하게 되었기 때문이다. 무슨 재난인가 하면, 화택 속에서 팔고, 오음, 육입, 십이처, 십팔계 등의 고통이 모두 그친 것이다. 이러한 고통을 그쳤으므로 부처님의 마음은 매우 즐거운 것이다. 마치 자녀가 무슨 위험과 재난을 받다가 이를 피하게 되었다는 소식을 들으면 부모의 마음은 매우 기쁜 것과 같은 도리다.

"그때 모든 자식들은 각자 부친에게 말하였다. '아버지께서는 먼저 저희에게 주시기로 약속하신 놀기 좋은 완구, 즉 양 수레, 사슴 수레, 소 수레를 즉시 주시기 바랍니다.'"

時諸子等各白父言，父先所許玩好之具，羊車·鹿車·牛車，願時賜與。

◉ 장자의 자식들은 장자에게 세 가지의 수레를 요구하였다. 세 수레는 삼승, 즉 성문승, 연각승, 보살승의 과위를 비유한다. 삼승의 과위를 얻고 싶었기 때문에 우선 삼계를 벗어나려고 한 것인데, 삼계를 벗어난 후 삼승의 과위도 얻을 수 없다. 이 삼승은 모두 방편의 가르침[權敎]이므로 전혀 얻을 수 없다고 말하는 것이다. 즉 그런 과위는 없다는 것이다.

부처님께서 수십 년의 교화를 통하여 아라한과를 얻은 사람과 보살승을 닦는 사람을 배출하였다. 지금 『법화경』을 강설하시면서 이렇게 말씀하신다. "이전의 세 종류 가르침은 완전히 모두 방편법이며, 진실한 법이 아니다. 너희는 잘못 인식해서는 안 된다. 이전에는 너희의 수준이 부족하여 참된 법을 설할 수 없었는데, 지금 이 법화회상에서 비로소 참된 법을 설한다." 법화회상에 이르러 진실법을 설하신 것이다.

2) 큰 수레

"사리불이여, 그때 장자는 각각의 모든 자식들에게 평등한 하나의 큰 수레를 주었느니라."
舍利弗。爾時長者, 各賜諸子•, 等一大車•。

각사제자(各賜諸子)• 모든 자식은 일체중생을 비유한다. 일체중생은 모두 평등하기 때문에 모든 자식[諸子]이라고 한 것이다. 일체중생과 부처도 모두 평등하다. 따라서 일체중생은 모두 불성을 가지고 있으며, 모두 부처가 될 수 있다는 것을 비유한다.

등일대거(等一大車)• 부처님의 마음은 일체중생을 편애하지 않고 평등하게 대한다. 그래서 평등한 큰 수레를 주신 것이다. 여기서 등(等)은 평등하다는 뜻이다. 이것은 대승불법은 평등하며 차별이 없음을 비유한다. 따라서 일체법이 모두 불법이라고 말하는 것이다. 진실한 불법인 대승법은 이전의 세 종류 방편법과는 같지 않다. 비록 방편법이지만 그것은 진실한 법을 위하여 세우신 것이며, 이 성품은 같은 것이다. 따라서 대승의 불법을 내려주신 것을 "각사제자(各賜諸子) 등일대거(等一大車)"라고 하였다. 각각의 중생에게 모두 큰 수레를 주었다.

그러나 비록 그들에게 대승의 불법, 진실한 묘한 도리를 주었지만, 모든 중생 각각은 이전에 자기만의 습기를 가지고 있으며, 학습한 공력의 업[功業]을 가지고 있다. 고집멸도의 사제법을 닦은 것은 모두 이전 소승인이 배우고 닦은 것이다. 십이인연법도 이전에 닦아 익힌 것이다. 육바라밀도 이전에 닦은 것이다. 그리고 그밖에 많은 법이 있다. 즉 색법과 심법, 의보(依報)의 법과 정보(正報)의 법, 일을 수행하는 법과 이치를 수행하는 법 등등. 그리고 복을 닦는 법과 지혜를 닦는 법이 있다.

복을 닦는 법은 어떤 것인가? 너희가 곳곳에서 공짜를 바라지 않고 손해를 보는 것이다. 남을 이롭게 하고 자기를 이롭게 하지 않는 것이다. 언제나 남을 돕는 것이다. 남을 돕는 시간이 오래 되면 너희는 자연히 복이 생기게 된다. 어떤 사람은 조금의 복보도 없는 것을 보게 된다. 만약 그의 수중에 약간의 돈이 생기면, 병이 나거나 다른 걱정거리가 생긴다. 이것이 바로 복이 없는 것이다. 왜 복이 없는가? 복을 닦지 않았기 때문이다.

복을 닦는 것은 단지 남을 돕는 것만을 말하는 것이 아니라, 남을 방해하지 않고 다른 사람이 불만족하지 않게 하는 것도 포함된다. 모든 일을 할 때 다른 사람의 불만족을 없게 하는 것도 남을 돕는 것이다. 이치상으로 다른 사람을 방해하지 않아야 한다. 너희가 다른 사람을 방해하면 너희의 복이 깎인다[折福]. 절복이란 너희의 복을 버리는 것이다.

하나의 예를 들어 보겠다. 수행하는 도량에는 출입하는 문이 있는데, 그 안에 많은 사람이 각자의 수행을 하고 있다. 참선·좌선을 하거나 경전을 공부하거나 혹은 다른 일을 하고 있는데, 너희가 나가면서 부주의하여 문을 "꽝" 하고 닫으면 그 소리가 울려 다른 사람의 공부를 방해할 수 있다. 그리하여 수행하는 사람의 정신을 흩어지게 한다. 이런 것이 바로 복을 깎는 것이다. 그리고 삼보에 귀의하여 가르침에 따라 실천해야 하는데, 건성으로 배우면서 열심히 실천하지 않아 스승을 걱정하게 하는 것도 복을 버리는 것이다.

지혜를 닦는 것은 즉 경전을 공경하는 것이다. 내가 경전을 본다고 곧 지혜가 열린다는 것이 아니다. 천태종의 조사이신 지자 대사는 단지

『능엄경』이라는 경전 이름을 듣고 18년 동안 절을 하였다. 그러나 결국 『능엄경』을 보지는 못하였다. 지자 대사는 중국에서 『법화경』을 보고 깨달은 분이다. 그리고 다른 많은 법사들이 『화엄경』에 절하고, 『법화경』에 절하고, 『능엄경』에 절하였다. 일자(一字)에 한 배씩 절을 하였다. 일생 동안 이렇게 경전에 절을 하신 분들이 많다. 이와 같이 반드시 경전을 공경해야 한다. 경전에 절을 해도 지혜를 열 수 있으며, 경전을 보아도 지혜를 열 수 있다.

하지만 나는 다시 한 번 여러분에게 가장 중요한 것을 말하려고 하니, 귀를 스치는 바람으로 여기지 말고, 듣고도 기억하지 못하면 안 된다. 무엇인가? 즉 만약 너희가 경전의 도리를 알았으면 행해야 한다는 것이다. 단지 경전을 보고 그 도리를 이해하면 그만인 것이 아니다. 실제로 실천해야 한다는 것이다. 경전에서 너희에게 가르치는 것에 따라 모든 결점을 제거해야 한다. 만약 잘못을 제거하지 않으면 불법을 배우지 말아야 한다. 불법이란 손해를 보는 것이며, 잘못을 없애야 하는 것이다. 너희가 불법을 배우려고 생각하면서 잘못을 없애지 않으면, 그것은 배울 수 없는 것이다. 이 점을 특별히 주의해야 한다. 내가 여러분에게 재미있는 유머를 말하려는 것이 아니다. 너희가 만약 잘못을 제거하지 않고 명백히 알면서 고의로 범하려면, 불법을 배우지 말아야 한다. 그것은 그야말로 사이비다. 사이비가 되지 말아야 한다. 사이비가 되면 장래 반드시 지옥에 떨어질 것이다. 그리고 우리가 수도를 하는 데 있어 각자 스스로 자기를 관리하여 자기의 습기와 결점을 힘써 고쳐나가야 한다.

나는 어떤 분이든지 막론하고 여러 신도님을 평등하게 대한다. 그리고 여러분이 무언가를 즉시 잘하기를 바라지는 않는다. 나는 여러분이 천천히 좋은 방향으로 바뀌기를 바라며, 모든 결점을 하나씩 고쳐나가 나의 걱정을 없애주기를 바란다. 나는 여러분 각자에게 특별한 관심을 가지고 특별히 애호하고 있다. 만약 여러분 중 어떤 분이 결점이 있으면 나의 결점보다 더욱 걱정을 많이 한다. 무엇 때문인가? 나의 모든 제자와 여러 신도님들은 모두 나보다 낫기 때문이다. 여러분 모두는 이 서방세계에서 불교를 개척하고, 불교의 모범이 되며, 불교의 선구자가 되기 때문이다. 자기를 너무 가볍게 보지 않아야 한다.

이 불법은 말하자면 무량무변의 법이다. 그래서 "일체의 법이 모두 불법이다."라고 말하는 것이다. 너희가 이해하면 바로 불법이며, 이해하지 못할 때도 불법이다. 하지만 너희는 그것을 이해하지 못할 뿐이다. 우리는 지금 불법의 뜻을 조금 얻었으며, 앞으로 나아가서 실제로 실천해야 한다. 대충 해서는 안 된다. 이들 성문들, 즉 이 어린아이들은 모두 이전에 닦은 도법이 있다. 그러나 모두 방편의 법이지 진실한 가르침은 아니다. 이제 진실한 법을 열려고 한다.

따라서 오늘 내가 여러분에게 설하는 법도 진실한 법이다. 어떤 사람을 막론하고 허물이 있는 것을 두려워하지 않고, 허물을 고치지 않는 것을 걱정한다. 너희가 만약 허물을 고치지 않으면 나도 방법이 없을 뿐 아니라 석가모니 부처님도 너희를 구제하지 못할 것이다. 왜냐하면 이전에 배운 법이 같지 않으므로 각자[各]라고 말한 것이다. 그러나 지금은 평등하고 평등하여 그들에게 마하연의 대법을 주는 것이다. 마하연의 대승법은 일체법을 섭수하고 무엇이든 구족하며, 어떤 중생도 모두 이러한 법을 얻을 수 있다. 따라서 큰 수레[大車]라고 이름한 것이며, 또한 진실한 지혜를 가리킨다. 따라서 장자가 자식들에게 모두 같은 큰 수레를 준 것은 각각의 중생에게 모두 평등하게 대승법을 내려준 것을 비유한다.

"그 수레는 높고 넓으며, 갖가지 보배를 서로 연결하여 장식하였고, 둘레를 난간으로 만들어 사면에 방울을 달았다. 또한 그 위에 비단 덮개를 설치하였으며, 다시 진기한 여러 가지 보배로 아름답게 장식하였는데, 보배의 줄로 서로 연결하여 여러 가지 꽃술을 아래로 드리우고, 중첩하여 방석을 깔고 붉은 베개를 안치하였다. 수레를 모는 흰 소는 피부색이 윤택하고 청결하며, 형체는 매우 아름답고 큰 근력이 있고, 걷는 걸음걸이가 평온하고 바르며, 빠르기는 바람과 같았다. 그리고 많은 노복과 시종들이 그 수레를 따르면서 호위하였다."

其車高廣, 衆寶莊校, 周匝欄楯, 四面懸鈴。又於其上, 張設幰蓋, 亦以珍奇雜寶而嚴飾之, 寶繩絞絡, 垂諸華纓, 重敷婉綖, 安置丹枕。駕以白牛, 膚色充潔, 形體姝好, 有大筋力, 行步平正, 其疾如風。又多僕從而侍衛之。

기거고광(其車高廣) 그 수레는 높고 넓다고 하는데, 궁극적으로 얼마나 높고 얼마나 넓은가? 높고 넓다는 것은 수레의 모양을 가리키는 비유로서, 그것이 얼마나 높고 넓은지는 구체적으로 말할 수 없다. 이 수레도 임시의 이름일 따름이며, 대승법을 비유한다.

어떤 사람은 물을 것이다. "어떤 사람이 대승의 법을 배우고, 어떤 사람이 소승의 법을 배우는가?" 나도 그에게 묻겠다. "대승은 얼마나 크고, 소승은 얼마나 작은가? 얼마나 커야 비로소 대승이라고 할 수 있고, 얼마나 작아야 비로소 소승이라고 할 수 있는가?" 따라서 대승은 높아서 그 꼭대기가 보이지 않고, 넓어서 그 끝이 보이지 않는다.

높고 넓다는 것도 비유이다. 바로 여래의 지견을 비유한다. 여래의 지(知)는 일체의 지혜이며, 여래의 견(見)은 불안(佛眼)을 뜻한다. 여래의 지는 모르는 것이 없으며, 여래의 견은 보지 못하는 것이 없다. 따라서 넓이로 말하자면, 부처님의 지견은 심원(深遠)하여 법계의 끝까지 두루한 것을 비유한다. 그러면 법계의 끝은 얼마나 큰가? 그것보다 큰 것은 없다. 그것의 끝을 발견할 수 있는 사람은 없다. 무엇 때문인가? 삼천대천세계가 모두 이 법계에 포함되기 때문이다. 궁극적으로 삼천대천세계를 우리는 수학으로 계산해 낼 수 있는가? 계산해 낼 수 없다. 그러므로 이것은 여래의 지견이 법계에 두루한 것이다. 또한 높이로 말하자면, 여래의 지견은 삼제(三諦)의 밑바닥 근원까지 통한다. 삼제란 공제(空諦)·가제(假諦)·중제(中諦)를 말한다. 공·가·중 삼제는 일체의 불법을 포괄한다. 따라서 여래의 지견은 또한 일체의 불법을 구족하고 있다. 수레의 높고 넓다는 대략적인 뜻은 이러하다.

중보장교(衆寶莊校)• 교(校)는 서로 연결되어 있다는 뜻이다. 갖가지 보배가 장엄하게 서로 연결되어 있다. 갖가지 보배는 육바라밀의 만행을 비유한다. 만행으로 우리의 법신을 장엄하는 것으로서, 만행이 바로 갖가지 보배이다. 장엄하게 연결되어 있는[莊校] 것은 우리가 수행해야 비로소 만행을 원만히 할 수 있다는 뜻이다. 너희가 만약 수행하지 않으면 원만할 수 없다. 따라서 중보장교(衆寶莊校)란, 우리가 착실하게 궁행 실천하여 만행의 행문을 닦아야 한다는 뜻이다.

주잡난순(周匝欄楯) 사면현령(四面懸鈴)• 수레 사면의 주위를 모두 난간으로 두르고 사면에 방울을 달았다는 뜻이다. 방울을 위에 달면 수레가 움직일 때 소리가 울린다. 이것도 일종의 비유다.

「비유품(譬喩品)」은 모두 비유이므로 자구의 뜻에 따라서만 설명할 수 없다. 『법화경』에서 「비유품」이 가장 설명하기 어려우며 이해하기도 쉽지 않다. 그러나 『법화경』의 도리 속으로 깊이 들어가면 「비유품」이야말로 가장 설명할 가치가 있으며, 마땅히 해설해야 할 품이다. 『법화경』에서 만약 「비유품」을 이해한다면 나머지는 모두 이해하기가 쉽다. 그러므로 또한 「비유품」은 가장 설명하기가 쉽다고도 말할 수 있다. 어째서 그렇게 말하는가? 이해하면 매우 쉽고, 이해하지 못하면 가장 어려운 것이다. 모든 일이 이러한 것이다.

중보장교(衆寶莊校)는 인지(因地)에서 수행할 때 만행을 닦아 과지(果地)에서 만덕이 원융한 성취를 얻는 것을 비유한다. 그리고 주잡난순(周匝欄楯)은 다라니(陀羅尼)를 비유한다. 이 다라니의 용처는 무량무변하게 많다. 그래서 총지(總持)라고 번역한다. 총지는 일체법을 한곳으로 모아 무량하고 미묘한 도리를 지닌다는 뜻이다. 그리고 다른 하나의 뜻이 있는데, 신·구·의 삼업을 범하지 않게 하고 일체의 불법을 수지하게 하는 것을 총지라고 한다. 그러면 무엇 때문에 여기에서 주잡난순이라고 하는가? 다라니의 공용은 만 가지의 선을 지니게 할 수 있다. 모든 선을 짓게 할 수 있다는 것이다. 그것은 또한 모든 악을 막는다는 것이다. 일체의 악을 무형무상으로 소멸시킨다. 따라서 주잡난순은 다라니를 비유한다.

사면현령(四面懸鈴)이란 방울을 치면 소리가 울리거나 혹은 그것이 움직이면 소리가 난다는 뜻이다. 이것은 네 가지 무애변재[四無碍辯]를 비유한다. 즉 사무애변(辭無碍辯: 말이 무애함), 법무애변(法無碍辯: 법이 무애함), 의무애변(義無碍辯: 의리와 이치가 무애함), 낙설무애변(樂說無碍辯: 설법이 흐르는 물과 같이 무애함)을 말한다.

우어기상장설헌개(又於其上張設幰蓋) • 이것을 글자 그대로 해석하면, '또한 수레 위에 비단으로 만든 덮개를 씌웠다'는 뜻이다. 이것은 부처님의 사무량심(四無量心)을 비유한다. 사무량심은 자(慈)·비(悲)·희(喜)·사(捨)를 말한다. 자는 중생에게 즐거움을 주는 것이며, 비는 중생의 고통을 뽑아주는 것이며, 희는 일체중생을 즐겁게 교화하는 것이며, 사는 모든 빈궁한 중생에게 베풀어주는 것이다.

부처님께서 가장 큰 덕행을 구족하게 된 것은 네 가지의 무량심 때문이다. 모든 덕행 가운데 자비가 가장 높고 크다. 자비는 일체중생을 덮어 보호한다. 따라서 너희가 자비하고 만약 십력과 사무소외를 구족하면 이것을 여래의 자비라고 한다. 부처님의 자비희사는 무량하고 무변하다. 그래서 헌개(幰蓋)는 부처님의 사무량심을 비유하는 것이다. 부처님은 사무량심이라는 행문을 닦아서 청정한 범행을 성취한다. 이것을 장설헌개(張設幰蓋)라고 한다.

역이진기잡보이엄식지(亦以珍奇雜寶而嚴飾之)• 사무량심은 만행을 닦아서 장엄한다. 진기한 갖가지 보배란 즉 갖가지 행문(行門)을 뜻한다. 그래서 수레를 아름답게 꾸민다. 이것은 대승법 속에서는 육도만행을 구족해야 한다는 것이다. 일체의 행문으로써 대승법을 장엄하고 돕는 것이다.

보승교락(寶繩絞絡)• 여기서 보배의 끈[寶繩]은 사홍서원(四弘誓願)을 비유한다. 중생무변서원도(衆生無邊誓願度), 번뇌무진서원단(煩惱無盡誓願斷), 법문무량서원학(法門無量誓願學), 불도무상서원성(佛道無上誓願成)을 말한다. 그러나 사홍서원은 이렇게 글로 읽는다고 되는 것이 아니라 반드시 몸으로 행해야 한다. 너희가 만약 실천하지 않으면 소용이 없다. 너희는 회광반조하여 자기에게 물어야 한다.

수제화영(垂諸華纓)• 수레의 비단 덮개에 많은 꽃술을 드리우고 늘어뜨리는 것이다. 이것은 사섭법(四攝法)과 사섭의 신통을 비유한다. 섭이란 섭수한다는 뜻이다. 중생을 섭수하는 네 가지 법이란 무엇인가?

① 보시(布施) : 중생을 부처의 지혜로 들어오게 하려면, 먼저 욕망으로 걸어서 끌고 와야 한다고 하였다. 중생이 무엇을 좋아하고 무엇을 원하는지를 알아야 한다. 그가 좋아하는 것으로 인도하는 것이다. 일체중생은 모두 돈을 좋아한다. 그래서 먼저 약간의 돈을 보시하는 것이다. 이것은 재물의 보시다. 보시를 하면 그는 생각할 것이다. '아, 나는 지금 돈을 쓸 데가 없는데, 어떤 사람이 약간의 돈을 주네.' 그래서 그는 마음속으로 기뻐한다. 그런 가운데 약간의 불법을 이야기하면 그는 쉽게 받아들인다. 재물의 보시가 첫 번째이며, 법보시는 두 번째이다.

본래 법보시가 제일이지만 법보시를 먼저 하면 상대방이 즐거워하지 않으므로 그에게 법을 설하여도 들으려고 하지 않는다. 따라서 재물을 먼저 보시한 연후에 법을 설하여야 한다. 이것이 법보시다. 그런 연후에 다시 무외(無畏)의 보시를 한다. "너는 무슨 일이 있으면 걱정하지 말라. 너희가 불법을 이해하면 자연히 마음먹은 대로 이루어질 것이며, 모든 두려움도 없어질 것이다."라고 말해 주는 것이다.

② 애어(愛語) : 부드러운 말로 자애스럽게 말하는 것을 말한다. 아이를 돌보는 것처럼 주도면밀하게 보살피는 것이다. 부모가 자녀에게 말하기를 "나는 너를 정말로 좋아하고 사랑한다."고 하는 것과 같다. 애어는 애

정의 표현만을 말하는 것이 아니며, 그가 듣기 좋아하는 말을 해주는 것이다. 너희가 중생에 대하여 자애스런 말을 하면 중생을 섭수할 수 있다.

③ 이행(利行) : 갖가지 착한 일을 하여 중생을 이익되게 하는 것이다.

④ 동사(同事) : 중생을 교화하려면 그 중생과 같아져야 하며, 먼저 그와 친구가 되어야 한다. 그가 장사를 하면 너희도 장사를 하고, 그가 공부를 하면 너희도 공부를 하는 것이다. 그와 같은 일을 하는 것을 동사라고 한다. 그와 같은 일을 하고 그와 친구가 되어 오래 지나면 그를 제도하여 불법을 믿게 하고 깨달음으로 들어가게 할 수 있다.

보살이 중생을 교화하는 것은 세밀하게 두루 보살피는 것이다. 일체중생을 세밀하게 두루 보살피는 마음은 부모가 자녀에게 하는 것보다 더 정성스럽고 진지하다. 보살이 보살도를 행하는 것은 중생에게 환희심이 나게 하는 것이다. 따라서 보살은 중생에게 허물과 잘못이 있어도 용서하고 이해한다. 그러면 장래 이 중생은 반드시 허물을 고쳐 자신을 새롭게 할 것이며, 영원히 미혹에 빠져 깨어나지 못하지는 않을 것이다. 이렇게 하는 것을 사섭법이라고 한다.

사섭법을 닦음으로부터 네 가지 신통을 얻어 중생을 교화하는 것을 사섭의 신통이라고 한다. 무엇이 네 가지 신통인가? 즉 보시의 신통, 애어의 신통, 이행의 신통, 동사의 신통이다. 이것은 단지 실천하는 데 그치지 않고, 모두 일종의 신통한 묘용을 가져서 보이지 않는 가운데 중생을 교화시킨다. 허물이 있는 어떤 중생조차도 자기의 허물이 어떻게 고쳐졌는지 모른다. 그는 보살의 감응하는 힘이 보이지 않는 가운데 중생의 마음을 감화시키는 것을 모른다. 보살은 어떤 중생이 감화되지 않아도 그를 포기하지 않으며, 장래에 그가 고쳐질 것이라는 희망을 가진다. 따라서 사섭법은 말할 수 없이 묘하다.

중부완연(重敷婉筵)• 수레 안에 중첩해서 담요(방석)을 깐다. 이것은 일체의 선나(禪那: 선정)의 공부를 비유한다. 너희가 매일 관조반야에 의거하여 수행하기를 오래 하면 성취가 있을 것이다. 여기서 중(重)자는 중복하다, 유연하다의 뜻으로서 선정을 닦아 경안(輕安)의 경계를 얻는 것을 나타낸다.

경안이란 자기의 전체 몸이 매우 편안하고 특별히 즐거운 감각을 느끼는 것이다. 이런 감각은 계속 이어져 끊어지지 않는다. 길을 걸어갈 때도 마치 바람같이 느끼는데, 결코 걷는 것이 빠른 것은 아니다. 자기는 걷는 것 같지 않지만 마치 바람이 서서히 불듯이 이미 걸어가고 있는 것이다. 걸어도 걷는 줄을 모르고, 앉아도 앉은 줄을 모르며, 서도 선 줄을 모르고, 누워도 누운 줄을 모른다. 그리하여 무인(無人), 무아(無我)의 경계에 이르게 된다. 이러한 경계는 반드시 수행을 해야 비로소 얻을 수 있다. 너희가 수련하면 그 가운데의 묘한 점을 정말로 알 수 있다. 그러나 열심히 수련하지 않으면 알 수가 없다. 진정한 맛은 자기 스스로 맛보아야 한다.

안치단침(安置丹枕)• 붉은 색의 베개를 안치한다는 뜻이다. 이것은 붉은 색의 빛을 표시하며, 또한 무분별법(無分別法)을 비유한다. 수레에는 내침(內枕)과 외침(外枕)이 있다. 움직이는 수레를 멈추려면 외침으로 수레를 받친다. 만약 이것이 없으면 수레 앞부분의 끌채가 땅에 닿게 된다. 수도하고 수련하는 데 있어서 움직임은 고요함을 장애하지 않고[動不礙靜], 고요함은 움직임을 장애하지 않음을[靜不礙動] 비유한다. 수레가 가는 것은 동이고, 수레가 멈추는 것은 정이다. 동과 정은 모두 하나의 수레이다. 따라서 우리가 수도하는 데 동과 정도 모두 우리 한 사람에게서 일어나는 것이다. 내침은 수레 안에 있는 사람의 신체를 받쳐주는 베개로서 눕거나 휴식할 때 사용한다. 즉 몸과 마음을 휴식하게 하는 것이다. 이것은 일행삼매(一行三昧)가 진정한 반야지혜를 낼 수 있음을 비유한다.

가이백우(駕以白牛)• 수레를 흰 소가 몰게 한다는 뜻이다. 백우(白牛)도 비유다. 우리에게 새는 것이 없는 무루(無漏)를 비유한다. 앞서 무루의 지혜에 대하여 설명한 적이 있지만, 무루의 반야지혜를 흰 소가 수레를 몬다고 비유한 것이다. 무루는 쉽지 않은 것이다. 우리의 모든 습기와 결점은 새는 것[漏]이고, 우리의 모든 욕념도 새는 것이다. 이 새는 것은 자기를 해친다.

우리는 왜 성불하지 못하는가? 바로 새기 때문이다. 왜 깨닫지 못하는가? 그것도 새기 때문이다. 왜 습기가 이렇게 중한가? 그것도 새기 때문이다. 욕념이 왜 이렇게 강한가? 그것도 새기 때문이다. 만약 새지 않으면 곧 해탈을 얻을 수 있다. 무루의 지혜를 얻으면 사제법을 닦아도 성취하고, 십이인연법을 닦아도 성취하며, 또한 깨달을 수 있다. 육바라밀을 닦아도 피안에 도달할 수 있다.

어떤 것을 무루라고 하는가? 무루의 지혜를 간직하고 일체의 삿된 지견의 일을 하지 않으면, 이것이 모두 무루이다. 만약 스스로 자기 집을 볼 수 있으면, 이것이 바로 무루이다.

중국에 이런 말이 있다. "매일 불을 예방하고, 날마다 적을 방비한다." 당신은 집을 잘 지켜야 한다. 매일 불을 예방해야 하는데, 무슨 불을 예방하는가? 우리 무명의 불을 방비하는 것이다. 이 무명이 한 번 일어나면 하늘도 두렵지 않고 땅도 겁나지 않으며, 신도 두렵지 않고 귀신도 두렵지 않다. 아무것도 두려워하지 않으며, 요정이 오면 그와 감히 싸운다. 왜 이렇게 하는가? 바로 무명의 불이 일어나기 때문이다. 따라서 매일 이러한 무명의 불을 방비해야 한다.

날마다 적을 방비한다는 것은 너희 속의 적을 방비하는 것을 말한다. 바깥의 적을 말하는 것이 아니다. 그래서 집 안의 적은 막기가 어렵다고 한다. 바깥의 적은 보물이 어디에 있는지 모르지만, 집 안에 적이 있으면 무슨 보물을 가지고 있는지를 알아 훔쳐간다. 안·이·비·설·신·의 육근(六根)의 여섯 도적을 날마다 방비해야 한다. 너희 마음은 여섯 도적에 지배당해 전도되고 번뇌가 많으니, 가련하지 않은가! 여섯 도적은 너희 자성(自性)의 법보를 훔쳐간다.

따라서 자기 집을 잘 지키지 않는 것이 곧 새는 것이다. 한 번 새면 시류에 영합하게 되고, 일반인과 같이 살아가는 것이다. 만약 무루를 잘 간직하면 종국에 성불할 것이다. 그러므로 새는 것은 가장 범하기 쉬운 결점이다. 만약 새지 않으면, 그것은 흰 소의 수레를 타는 것이다.

내가 『반야심경』을 게송으로 설명하면서 말하기를 "흰 소의 큰 수레는 깨끗하게 돌고, 누른 얼굴의 어린아이가 뛰면서 구멍을 뚫네.[白牛大車粼粼轉 黃面小兒跳跳鑽]"라고 하였다. 흰 소의 큰 수레는 무루를 뜻하고, 누른빛의 얼굴을 한 어린아이가 뛰면서 구멍을 뚫는다는 것은 의식이 쉬지 않고 이리 뛰고 저리 뛰고 반복하면서 일정함이 없는 것을 비유한다. 그러나 너희에게는 흰 소의 큰 수레가 있다. 따라서 어린아이가 뛰면서 구멍을 뚫어도 소용이 없다. 왜냐하면 뜻을 잘 간직하기 때문이다. 흰색은 색의 본체로서 오염됨이 없음을 뜻한다. 이것은 법의 본체가 청정하여 오염됨이 없기 때문이다. 색의 본체는 무루의 지혜와 상응하며 오염이 없다.

흰 소의 큰 수레는 또한 사념처(四念處)를 표시하며, 또한 사념처를 닦아 깨달아 원만히 성취함을 나타낸다. 사념처는 앞에서 설명하였다. 그리고 흰 소는 사정근(四正勤)을 표시하며, 또 사여의족(四如意足)을 대표한다.

네 가지 정근이란 다음과 같다. 아직 생기지 않은 선근을 생기게 하고, 이미 생긴 선근을 증장시키며, 아직 일어나지 않은 악은 생기지 않게 하고, 이미 생긴 악은 소멸시키는 것이다. 선근이 이미 생하고 증장하는 것은 다음 구절인 부색충결(膚色充潔)의 부충(膚充)을 나타낸다. 즉 피부가 윤택하여 광택이 나면 보기도 좋은 것이다. 악이 생기지 않게 하고 악을 소멸시키는 것은 색결(色潔)을 비유한다. 즉 피부의 색이 청결한 것을 말한다.

네 가지 여의족은 욕(欲)여의족, 정진(精進)여의족, 염(念)여의족, 사유(思惟)여의족을 말한다.

① 욕(欲)여의족 : 무슨 일을 하려고 하면 곧 심원을 만족시킨다. 이 욕은 욕망이 아니고 수도하여 성공하기를 바라는 것이다.

② 정진(精進)여의족 : 정진을 열심히 하면 원을 만족시킨다. 이를테면 사람이 『법화경』에 매일 계속해서 절을 하는 것이다.

③ 염(念)여의족 : 심(心)여의족이라고도 하며, 마음을 따라 원을 만족시키는 것이다. 무엇을 하려고 생각하면 곧 성공하는 것이다.

④ 사유(思惟)여의족 : 단지 마음속으로 한 번 생각하면 목적을 달성하는 것이다.

이 네 가지 여의족은 모두 무루의 지혜에 의거해야 한다. 따라서 만약 새는 것이 있으면 여의족을 성공할 수 없다. 새는 것이 없는 것은 곧 음욕심이 없는 것인데, 이것이 무루의 근본이다. 만약 음욕심이 없으면 무루의 지혜를 가진 것이며, 음욕심이 있으면 무루의 지혜를 얻지 못한 것이다.

따라서 '가이백우 부색충결(駕以白牛 膚色充潔)'은 사념처, 사정근, 사여의족 모두를 대표할 수 있다.

형체주호(形體姝好)• 주호(姝好)란 통함을 얻는[得通] 것이라고 말할 수 있다. 이것은 대승심을 발하는 마음을 비유하며, 마치 형체가 아름답고 보기 좋은 것과 같은 것이다. 마음이 일체법을 갖추는 것이 대승법의 전체 대용(大用)이다. 단지 하나의 마음 심(心) 자가 일체법을 포괄한다.

유대근력(有大筋力)• 흰 소는 큰 근력을 가졌다는 뜻이다. 근(筋)은 오근(五根)을 비유하고, 역(力)은 오력(五力)을 비유한다. 오근은 다섯 가지 선근을 말한다. 무엇 때문에 근(根)이라고 하는가? 근은 생장(生長)의 뜻을 가지고 있기 때문이다. 이른바 뿌리가 깊고 견고하면 가지와 잎도 무성하고 화려한 것이다. 다섯 가지의 선근은 다음과 같다. 신근(信根), 진근(進根), 염근(念根), 정근(定根), 혜근(慧根)이다.

불법은 마치 바다와 같이 넓다. 하지만 오직 믿음이 있어야 비로소 불법의 바다 속으로 들어갈 수 있다. 따라서 믿음은 불법을 배우는 사람에게는 하나의 뿌리와 같은 것이다. 당신에게 믿는 마음이 있으면 뿌리를 내릴 수 있다. 뿌리가 땅에 내리면 당신에게 얼마의 신심이 있느냐에 따라 뿌리는 더욱 깊이 내려갈 것이다. 반면 믿음이 없으면 뿌리가 없을 것이다. 따라서 여러분은 반드시 믿는 마음을 내야 하며, 그러면 뿌리가 잘 내릴 것이다.

당신에게 믿음이 있다면 다시 진보해 가야 하며, 앞으로 정진해야 한다. 단지 믿기만 하고 행하지 않으면 소용이 없다. 이것이 진근이다. 또한 언제나 행함을 생각하면서 영원히 잊지 않는 것이 염근이다. 그리고 당신에게 염근이 있으면 남들에게 동요되지 않아야 한다. 먼저 남을 제도하려고 하지 않아야 한다. 불법이 좋다고 남을 제도하려고 중생과 접촉하면 중생은 말하기를 "예수교가 가장 좋아! 천주교는 더욱 좋아! 당신이 우리에게 와서 영세를 받아. 그러면 진정한 교도가 되는 거야!"라고 할 것이다. 이때 정력(定力)이 없으면 그런 사람들에게 마음이 동요된다. 그러면 남을 교화하기는커녕 도리어 남에게 교화되어 버린다. 이것은 정근(定根)이 없는 것이다. 만약 정근이 있다면, 너희를 교화하려는 사람이 와서 교화를 받을 것이다. 그리고 혜(慧)란 지혜를 말한다. 정근이 있으면 일종의 혜근(慧根)을 생한다. 지혜의 근이 뿌리내리면 더욱 동요되지 않을 것이다.

큰 근력의 힘이 있다고 하였는데, 역(力)은 오력을 비유한다. 다섯 가지 힘이란 신력(信力), 진력(進力), 염력(念力), 정력(定力), 혜력(慧力)을 가리킨다. 위의 오근으로부터 이 다섯 가지의 힘[五力]이 생긴다. 오력이 있으면 무루의 지혜를 증득할 수 있으며, 일체의 선근을 성취할 수 있다. 또한 일체의 보리(菩提)종자를 성취할 수 있다.

행보평정(行步平正)• 흰 소는 큰 근력을 가지고 있기 때문에 걷는 걸음걸이도 안정되어 있으며, 한 걸음도 잘못되게 걷지 않는다. 이는 정혜(定慧)가 균등함을 비유한다. 정이 있으면 혜도 있으며, 혜가 있으면 정도 있다. 정이 조금 증가하면 혜도 조금 증가한다. 혜가 조금 증가하면 정도 조금 증가한다. 따라서 정혜가 균등하게 된다. 만약 정은 있으나 혜가 없으면 어리석은 수행자로 변하며, 만약 혜는 있는데 정이 없으면 날뛰는 수행자로 변할 것이다. 그러므로 반드시 정은 혜를 돕고, 혜는 정을 도와야 한다.

"걷는 걸음이 안정되고 바르다.[行步平正]"는 것은 또 다른 비유로도 쓰이는데, 칠각(七覺)이 조화롭고 균등하다는 것을 비유한다. 칠각은 칠각지(七覺支)를 말하며, 칠보리분(七菩提分)이라고도 한다. 또 보리란 깨달음을 말하므로 칠각분(七覺分)이라고도 하며, 일곱 종류의 깨달음의 법문을 말한다. 부처님께서 이승인을 위하여 말씀하신 37조도품(助道品)은 대승 가운데도 37조도품을 포괄한다. 37조도품은 사념처, 사정근, 사여의족, 오근, 오력, 칠보리분, 팔정도를 가리킨다. 칠각지는 다음과 같다.

① 택법각분(擇法覺分) : 택법각지라고도 한다. 택(擇)이란 법과 비법을 선택하고, 정법과 사법을 선택하고, 참된 법과 거짓의 법을 선택하고, 진실한 법과 허위의 법을 선택하는 것이다. 이러한 법은 모두 선택을

해야 한다. 무엇으로써 선택하는가? 무루지혜의 택법안으로써 법을 선택한다. 법 속에서 우리는 정법, 참된 법, 진실한 법, 선법을 선택하여 수행해야 하며, 삿된 법, 거짓의 법, 허위의 법, 정당하지 못한 일체의 사견법은 선택하지 말아야 한다.

② 정진각분(精進覺分) : 법을 선택한 연후에는 정진각분이 있어야 한다. 정진이란 당신이 정법이라고 인식한 법을 선택하여 수행하는 것이다. 바른 법문에 의거하여 참되게 정진해야지 거짓 법에 따라 정진하면 안 된다. 만약 허위의 법에 따라 정진하면, 정진을 해도 허위로 변하고 만다. 그러므로 정진을 하는 데도 각분을 가져야 하며, 이것이 마땅히 가야 할 길이라는 것을 이해해야 한다.

③ 희각분(喜覺分) : 즐거움에도 바르고 삿된 것이 있다. 바르지 못한 길에 따라 수행하면 정당하지 못한 즐거움, 즉 일종의 전도되고 미친 즐거움을 얻는다. 전도된 즐거움이란 무엇인가? 즉 너희의 욕념에 따른 즐거움이다. 이러한 미친 즐거움은 전도된 행위를 하게 한다. 이때 당신이 기쁘고 즐겁다고 느끼는 것도 전도된 즐거움이다. 그러므로 선을 좋아하고 법을 좋아하며 선열(禪悅)을 식사로 삼고 법희가 충만해야 한다. 법희란 불법을 얻는 것이다. '아, 나는 이전에 불법에 대하여 조금도 이해하지 못하였는데, 지금 비로소 불법에 이렇게 많은 도리가 있는 것을 알게 되었다. 이렇게 높고 깊으며, 이렇게 오묘하구나!' 따라서 일종의 환희심이 나오게 된다.

④ 제각분(除覺分) : 만약 어떤 법이 참되고 어떤 법이 거짓인가 알면, 참

된 것은 보존하고 거짓된 것은 제거하며 번뇌를 끊어 없애야 한다.

⑤ 사각분(捨覺分) : 여기서 사(捨)란 연연하지 말아야 할 것은 모두 버려야 함을 뜻한다. 좌선을 할 때도 좌선의 좋은 점에 집착해서는 안 된다. 어떤 사람은 좌선하여 약간의 경계가 생기면 집착하여 놓지 못하고 언제나 그 즐거운 경계를 연연해한다. 그러나 이러한 경계는 버려야 한다. 그것을 버린 후에야 비로소 선정이 생긴다.

⑥ 정각분(定覺分) : 정(定)은 선정이다. 수행은 일체를 집착하지 않는 것이며, 그래야 선정의 공부에 성취함이 있다. 선정의 공부를 성취하면, 이것이 바로 정각분이다. 정각분 상에서 외도의 정(즉 심의식을 일어나지 않게 하는 선정)을 알아야 한다. 그러니 이런 정에 의거하여 닦아서는 안 되며 바른 선정[正定]을 닦아야 한다. 바른 선정이란 '집착함이 없는 바른 지견'을 말하며, 이러한 바른 지견으로부터 바른 선정이 생겨 나온다.

⑦ 염각분(念覺分) : 마음속에는 혼침(昏沈)과 부조(浮躁)가 생기는데, 이 모두 염(念)이다. 택법각분·정진각분·희각분은 마음에 속한다. 만약 혼침이 생기면 이 세 가지 각분으로 마음의 혼침을 대치해야 한다. 만약 마음이 뜨고 번잡하면 제각분·사각분·정각분으로 그것을 대치해야 한다. 따라서 칠각분을 칠보리분이라고 하는 것이다. 이것은 일곱 종류의 깨달음의 방법이다. 우리 수도하는 사람은 마땅히 칠보리분을 알아야 한다. 보리심을 발한 사람은 반드시 칠보리분에 의거하여 수도해야 한다. 왜냐하면 칠보리분에 따라 수행하면, 몸과 마음이 조화롭고 위험이 없다. 따라서 이것을 "걷는 걸음이 안정되고 바르다.[行步平正]"고 하

는 것이다. 이것은 수련하여 힘을 얻은 것을 나타낸다.

기질여풍(其疾如風)• 흰 소가 큰 수레를 끌고 가는 것이 마치 바람같이 빠르다. 이것은 팔정도(八正道)를 비유한다. 팔정도는 여덟 가지 정당한 길을 뜻하며, 수도인은 마땅히 이 길을 따라 수행해야 한다. 여덟 가지 길은 다음과 같다.

① 정견(正見) : 어째서 정견이 있어야 하는가? 너희가 삿된 지견을 가지고 있으면 진정한 불법을 받아들이지 못하기 때문이다. 따라서 반드시 무루의 지혜로써 일체의 삿된 지견을 타파하고 정지정견(正知正見)을 수지해야 한다. 그리고 예(禮)가 아니면 보지 말아야 한다.

② 정사유(正思惟) : 예가 아니면 듣지 말고, 예에 부합하지 않는 말은 사유하지 말아야 한다. 왜 사유가 있는가? 바로 청각이 있어 들은 연후에 생각하는 것이다. 이 일은 어떠하고 저 일은 어떠하다고.

③ 정어(正語) : 예가 아니면 말하지 말고, 예에 부합하지 않는 말은 하지 않아야 한다. 시비를 말하지 말고, 어째서 좋지 않고 어째서 맞지 않은지를 말하지 않아야 한다. 저 사람에게 잘못이 있다는 것을 명확히 알지만 그를 용서하고 이해한다. 사람이 만약 잘못된 일이 없으면 일찍이 부처를 이루었을 것이다. 사람의 습기는 너무 무거워 누구나 한두 가지 잘못을 하지 않는 사람은 없을 것이다. 그러므로 사람의 옳고 그름을 말하지 않아야 한다. 이것이 정어다.

④ 정업(正業) : 예가 아니면 움직이지 않는 것이다. 또한 정당한 일을 하는 것이며, 삿된 일을 하지 않는 것이다. 삿된 업이란, 예를 들면 도박을 하는 사람을 모아 도박장을 열어 돈을 벌고, 남을 속이는 사람을 이용하여 주사위를 던져 무엇을 변화해 내는 것이다. 이것은 모두 일종의 도박 신통에 속한다. 이런 짓을 하는 것이 삿된 업이다. 내가 알기로 지금 샌프란시스코시에도 이런 사람이 많은데, 젊은 아가씨를 모아 정당하지 못한 짓을 시키면서 돈을 벌 희망을 품게 한다. 이것도 삿된 업이다. 정당하지 못한 일은 모두 삿된 업이다. 따라서 그런 일을 하면 안 된다. 무엇이 정당한 일인가? 참선하고 좌선하며, 망상을 짓지 않는 일이 가장 정당한 일이다. 불법을 배우는 것이 정당한 일이다. 불법을 배우면 누가 밥을 먹여 주는가? 너희가 불법을 잘 배우면 자연히 먹을 밥이 생긴다. 그러므로 걱정할 필요가 없다.

⑤ 정명(正命) : 명은 생명을 말한다. 정당하게 일을 하면 일생 광명정대하다. 이것이 정명이다. 무엇을 삿된 목숨[邪命]이라고 하는가? 삿된 목숨에는 다섯 가지가 있다.

첫 번째, 이상한 것을 표방하고 기이한 것을 드러내는 것이다. 본래 남자는 꽃을 달지 않는다. 그런데 머리에 꽃을 달고 거리를 활보하면서 남들의 시선을 끄는 사람이 있다. 이것이 이상한 현상을 드러내는 것이다. 혹은 사회에는 근본적으로 그런 옷차림이 없는데 그런 옷차림을 하는 것이다. 혹은 모두가 옷을 입고 걸어가는데 홀로 옷을 입지 않고 거리를 달리며 사람들의 이목을 끄는 것이다.

두 번째, 자기에게 공덕이 있다고 말하는 것이다. 어떤 곳에 무슨 절을 지었고, 어느 곳에 무슨 교량을 놓아 주었으며, 어느 지방에 얼마의 보시를 한 적이 있다고 공덕을 자랑하는 것이다.

세 번째, 다른 사람의 점을 치거나 관상을 봐주는 것이다. 다른 사람의 점을 쳐주면서 "큰일 났어! 당신은 내일 죽겠다. 만약 나에게 얼마의 돈을 공양하지 않으면 너의 목숨을 보전하기 어려워."라고 말한다. 그러면 그 사람은 그 말을 듣고 돈을 주면서 자기의 목숨을 길게 하려고 한다. 그렇게 다른 사람의 호주머니에 들어 있는 돈을 자기 주머니로 가져오는 것이다. 혹은 말하기를, "당신은 장래 대단하겠어! 장래 대통령이 되겠어. 하지만 지금 공덕을 지어야 해. 최소한 오천만 원으로 나에게 좋은 일을 좀 하게. 그러면 반드시 성공할 거야!" 그 사람은 이 말을 듣고 "오천만 원으로 대통령을 살까? 기회를 놓치지 말아야지. 이건 아주 싼 거야."라고 생각하고 그에게 돈을 준다. 장래 대통령이 되든 안 되든 다시는 그를 찾지 못한다. 그는 이미 다른 곳으로 가버렸으니. 점을 치고 관상을 보면서 전문적으로 남을 속이는 것도 삿된 목숨이다.

네 번째, 큰소리로 위엄을 드러내는 것이다. 말을 하면 큰소리로 고함을 치며, 듣는 사람은 이렇게 생각한다. '이 사람은 대단하구나. 매우 이상한 사람이야!' 그래서 그를 공경하면서 공양하게 된다.

다섯 번째, 다른 사람에게 공양하라고 말하는 것이다. 어떤 사람이 자기에게 몇십만 원을 공양하였다거나, 혹은 어떤 사람이 나에게 일백만 원을 공양하였으며 그는 나에게 신심이 있나고 말한다. 왜 이렇게 말하는가? 그도 자기를 공양하기를 바라는 것이다. 이것은 일종의 반연심으로서 남들이 공양하기를 바란다.

⑥ 정정진(正精進) : 정진에도 삿된 정진이 있다. 일종의 삿된 법을 수행하면서 남을 해치는 것이다. 어떻게 남을 해치는가? 방문좌도(旁門左道)

의 방법으로 주야로 용맹정진하면서 갖가지 고행을 닦는다. 그러나 무익한 고행으로서, 소의 행위를 배우거나 개의 행위를 배우거나 닭의 행위를 배우는 것이다. 그들은 소가 풀을 먹는 것을 배우면서 이것이 정진이라고 말한다. 소가 풀을 먹음으로써 천상에 태어난다고 생각하면서 그도 풀을 먹는 것이다. 이러한 것이 삿된 정진이다.

바른 정진은 부처님의 사념처, 사정근, 사여의족, 오근, 오력, 칠보리분, 팔정도에 의거하여 수행하는 것이다. 고집멸도의 사제법에 의거하여 수행하는 것이 바른 정진이다. 십이인연법에 따라 수행하는 것이 바른 정진이다. 육바라밀에 의거하여 수행하는 것이 바른 정진이다. 이와 같이 불법에 따라 수행하는 것이 바른 정진이다. 부처님의 가르침에 따라 행하는 것이다.

바른 정진은 또 몸의 정진과 마음의 정진으로 나눈다. 마음의 정진은 열심히 삼보를 생각하면서 잊지 않고 정법을 사유하는 것이다. 몸의 정진은 몸으로 행하는 것이다. 예를 들면 부처님께 절을 하거나, 경을 보거나, 경에 절하거나, 예참하거나, 부처님의 명호를 칭념하는 것이다.

⑦ 정념(正念) : 염이란 상념(想念)이며, 염에도 삿된 염이 있다. 삿된 염은 염견(念見), 염애(念愛), 염사(念私)를 말한다. 염견은 무슨 견을 염하는가? 정견이 아닌 편견을 염하는 것이다. 염애란 애정을 늘 잊지 못하는 것이다. 염사란 사사로운 것으로서, 언제나 자기를 위해서 머리를 굴리는 것이다. 남을 잊으라고 해도 남을 잊지 못하며, 나를 없애라고 해도 나를 없애지 못한다.

그러므로 정념은 바로 염불, 염법, 염승을 말한다. 염불이란 시간이 나면 부처님을 염하는 것이다. '나무아미타불'을 염해도 좋고, '나무본

사석가모니불'을 염해도 좋고, '나무소재연수약사불'을 염해도 좋다. 염법이란 대비주나 능엄주를 염하는 것이다. 또 『금강경』, 『법화경』, 『능엄경』을 염하는 것도 모두 염법이다. 이곳에 있는 어떤 거사는 낮에는 일하고 저녁에는 밥도 먹지 않고 이곳에서 경을 읽는데, 목탁을 치는 소리가 아주 듣기 좋다. 이것이 정념이다. 염승이란 시방의 현성승(賢聖僧)을 염하는 것이다. 시방의 현성승이란 누구를 말하는가? 즉 대보살마하살, 대아라한, 대비구승을 말한다. 현재 이 세계에서 출가인은 모두 승이다. 스님을 염한다면 스님을 공양해야 한다. 염법은 법을 공양해야 하며, 염불은 부처님을 공양해야 한다. 삼보를 잊지 않는 것이 삼보를 공양하는 것이다. 삼보를 공양하려면 삼보를 공경해야 한다. 삼보를 공양하는 것은 곧 복을 심는 것이다. 복을 얻으려고 하면 반드시 삼보를 공양해야 하며, 그래야 비로소 복을 심는 것이다.

⑧ 정정(正定) : 바른 정이란 삿된 정과는 다르다. 정에도 삿된 정이 있는가? 삿된 정이란 집착하고 놓지 못하는 것이다. 마치 어떤 사람이 술 마시기를 좋아하는 것과 같이, 당신이 술 마시지 말라고 권해도 고치지 못한다. 무엇 때문인가? 그에게 삿된 정이 있기 때문이다. 어떤 사람이 와서 경을 듣는데, 들어도 귀에 들어가지 않는다. 무엇 때문인가? 집착이 있어서 자기가 옳다고 여기기 때문이다. 이것이 삿된 정이며, 삿된 지견의 정을 가지고 있는 것이다.

바른 정이란 네 가지 선[四禪]과 여덟 가지 정[八定]을 닦는 것이다. 사선이란 초선천·이선천·삼선천·사선천을 말하며, 팔정이란 사선천에 무색계의 네 가지 정을 더한 것이다. 즉 공무변처천·식무변처천·무소유처천·비상비비상처천이다. 이 법을 닦으려면 먼저 아상을 없애야 한다. 모든 것을 자기를 위하지 말고, 자기를 잊는 것이다. 기왕 자기를 잊었는데, 어째서 또 술을 마시는가? 어째서 자기의 이 몸뚱이를 도우려고 하는가? 어째서 또 자기의 이 신체를 집착하는가? 선정을 닦으려면 모든 사람이 가장 좋아하는 것조차도 잊어야 한다. 이것이 바른 선정[正定]이다.

우다복종이시위지(又多僕從而侍衛之)• 복(僕)은 일을 하는 하인이며, 종(從)은 따르면서 보호하는 사람이다. 시(侍)는 옆에서 돌보고 시봉하는 사람이며, 위(衛)는 경호하며 옆에서 지켜주는 사람이다. 이것은 글자의 뜻에 따라 말한 것이다.

복종(僕從)은 방편법문, 방편바라밀을 비유한다. 방편법으로써 피안에 도달하는 것이다. 방편법은 완곡하게 사람의 뜻을 따르는 것이다. 그리고 남을 위하여 봉사활동을 하는 것을 방편바라밀이라고 한다. 천마외도와 이승인은 방편의 지혜를 떠날 수 없으며, 방편의 지혜를 따라 도를 닦는다. 그러므로 『유마경』에서 이르기를, "모두 나의 시자다.[皆吾侍者]"라고 하였다. 전부 나를 모시는 사람이라는 뜻이다.

복종(僕從)은 또 다른 뜻이 있다. 과지(果地)에서 얻은 신통을 뜻한다. 과지의 보살은 이미 과를 증득하여 십지의 지위를 얻었다. 과지의 보살은 모두 신통이 있어 마음과 뜻에 따라 무엇이든 성취할 수 있다. 이러한 신통을 자기의 마음대로 하여 마치 시종이 자기를 보호하는 것과 같다는 것이다. 이것은 대승법은 많은 방편법으로 도와주고 성취해주는 것이 필요하다는 뜻이다. 그러므로 "또한 많은 시종들이 그를 모시고 보호한다.[又多僕從而侍衛之]"고 한 것이다.

◉ 이제부터는 이 단락을 관심(觀心)의 입장에서 설명하고자 한다. 우리에게 현전하는 한 생각의 심성(心性)은 세로로 말하자면 먼저와 나중이 없으며, 시작과 마침이 없다. 만약 가로로 말하자면, 이 마음도 끝이 없다. 끝이 없으므로 현전하는 이 한 생각의 심성은 또한 공제(空諦)이기도 하고, 가제(假諦)이기도 하고, 중제(中諦)이기도 하다. 제(諦)란 도리라는 뜻인데, 그것이 공·가·중의 삼제를 구족하고 있기 때문에 높다[高]고 하는 것이다. 이것이 바로 "그 수레는 높고 넓다.[其車高廣]"의 고(高)이다.

그리고 우리의 현전하는 이 마음은 십법계(十法界)를 구족하고 있다. 즉 불·보살·성문·연각·천상·아수라·인간·축생·아귀·지옥법계를 가리킨다. 이 십법계는 모두 현전하는 이 마음을 벗어나지 않으므로 그것을 넓다[廣]고 하는 것이다. 왜냐하면 십법계는 너무나 넓기 때문이다.

우리 성품의 덕[性德]은 자성의 덕으로서 항하사수를 초과한다. 그러므로 많다[衆]고 한다. 성덕의 본체는 즉 보배[寶]다. 따라서 『법화경』의 이 단락에서 그것을 '중보장교(衆寶莊校)'라고 한 것이다. 장교(莊校)란 서로 이어져 끊어지지 않는다는 뜻이다.

그리고 우리의 마음 밖에는 법이 없으며, 법 밖에는 마음이 없다. 이른바 "부처님께서 일체의 법을 설하시면 중생의 일체 마음에 응하며, 만약 일체의 마음이 없으면 일체의 법이 무슨 소용이 있겠는가?"라고 한다. 따라서 "마음 밖에 법이 없고, 법 밖에 마음이 없으며, 마음이 법이고 법도 마음이다."라고 한 것이다. 외도는 어째서 외도라고 하는가? 그들은 마음 밖에서 법을 구하고 찾는다. 이미 마음 밖에 법이 없으니, 이 마음은 세간법과 출세간법을 포괄한다. 세간법과 출세간법은 모두 이 마음 안에 있으므로 이러한 것을 '주잡난순(周匝欄楯)'이라고 하였다.

그리고 이 마음은 일체에 보편적으로 감응하는 감응도교(感應道交)

의 능력을 가지고 있다. 따라서 '연제음교(演諸音教)'라고 하였다. 일체의 음성과 언교(言教)가 한 생각을 벗어나지 않는다는 것이다. 따라서 '사면현령(四面懸鈴)'이라고 하였다. 사면에 방울을 달았다는 것이다.

또 "우어기상 장설헌개(又於其上 張設幰蓋)"도 이 마음을 말하고 있다. 이 마음이 일체제법 가운데 가장 묘하다는 것이다. 그러므로 이 마음 안에 포괄하지 않는 법이 없고 또한 덮지 않는 법이 없으니, 이 마음은 모든 일체법 위에 있다. 그러므로 '우어기상 장설헌개'라고 말한 것이다.

우리의 마음에는 심왕(心王)과 심소(心所)가 있다. 심왕은 팔식을 일컫고, 다른 것은 모두 심소라고 부른다. 이 심왕은 어떤 때는 일종의 관상(觀想)을 짓는다. 심왕이 이곳에서 관상을 지으면 그 밖의 모든 심소는 그것에 응한다. 그의 부름에 말을 듣는 것이다. 그래서 이를 '역이진기잡보이엄식지(亦以珍奇雜寶而嚴飾之)'라고 비유한 것이다.

경을 강의할 때 관심(觀心)을 이렇게 설명하면 많은 사람이 쉽게 이해하지 못한다. 이해하지 못하면 듣지 않으며, 그래서 더 이해하지 못하는 것이다. 보라. 사람마다 이 마음이 있다는 것은 알지만, 마음에 이렇게 많은 설명법이 있어 설명하면 도리어 이해하지 못한다. 심소에는 선심(善心)의 심소가 있는데, 선심의 심소는 서로 도우며 서로 이어져 끊어지지 않는 인연이 있다. 이것은 앞에서 설명한 '보승교락(寶繩交絡)'을 비유한 것이다. 또 선심의 심소 속에서는 무량의 지혜를 낼 수 있으며, 또한 무량의 복덕을 성취할 수 있다. 그러므로 이것을 '수제화영(垂諸華纓)'이라고 비유한 것이다.

그리고 한 생각의 심성은 유연한 법을 구족하고, 또 경안(輕安)의 법을 구족하며, 그리고 일체의 법을 구족하고 있다. 따라서 중중무진(重重無盡)하여 설하려고 해도 다 설할 수 없다. 심성은 이렇게 큰 작용을 가지고 있으므로 이것을 '중부완정(重敷婉筵)'이라고 비유한다. 이 심성은 움직임이기도 하고 고요함이기도 하며, 움직임은 고요함을 방해하지 않고 고요함은 움직임을 방해하지 않으니, 동정이 일여하여 둘이 아니다. 이것은 곧 '안치단침(安置丹枕)'을 나타내는 것이다.

다시 한층 더 깊이 들어가 관찰하면, 이 심성의 이치는 묘관찰지로부터 나타나는 것이다. 따라서 이것은 '가이백우(駕以白牛)'를 비유한다. 진정한 믿음의 공덕은 미묘하여 불가사의하다. 이것은 '부색충결(膚色充潔)'의 '부충(膚充)', 즉 피부가 매우 윤택한 것을 비유한다. 또 심성이 무량한 공덕을 구족해 번뇌가 섞이지 않은 것을 '색결(色潔)'이라고 한다. 피부색이 깨끗한 것을 말한다. 심성 속에 무명번뇌가 섞이지 않았기 때문이다. 이 마음은 원융자재함을 구족하는데, 이것은 '형체주호(形體姝好)'라고 비유한다.

관심(觀心)에서 원만한 관[圓觀]은 곧 원융무애한 관찰지혜를 뜻한다. 그것은 일체의 선근을 자라게 하므로 '유대근(有大筋)'이라고 한다. 이러한 원만한 관은 또 삼계 내의 견(見)과 애(愛)를 꺾어 조복할 수 있으니, 이를 '유대력(有大力)'이라고 한다. 견애(見愛) 또는 애견(愛見)이란 전도된 생각을 말한다.

이러한 원만한 관은 정(定)과 혜(慧)가 둘이 아니며, 정이 곧 혜이고 혜가 곧 정이라서 정혜가 원융하다. 따라서 '행보평정(行步平正)'을 비유한다. 이 원관(圓觀)은 또한 마음대로 피안에 도달할 수 있다. 따라서 이것은 '기질여풍(其疾如風)'을 비유한다. 이 원관은 일체의 심소를 부리고 일체의 심소를 지배할 수 있다. 그래서 이것을 '우다복종이시위지(又多僕從而侍衛之)'라고 한다.

"이것은 무엇 때문인가? 이 대장자는 재물의 부유함이 한량없어 갖가지 곳간이 모두 충족하고 가득하기 때문이다."

所以者何。是大長者, 財富無量•, 種種諸藏•, 悉皆充溢•。

◉ 앞에서 말하기를, 수레가 높고 넓으며, 위쪽 사면에 방울을 달고 비단 덮개를 덮고 진기한 여러 가지 보배로 화려하게 장식하였으며, 또한 여러 시종들이 따르면서 수레를 호위한다고 했는데, 무엇 때문인가? 이 장자는 재물이 무량하고 갖가지 보물을 간직하고 있기 때문이다.

재부무량(財富無量)• 여기서 재부란 일체의 법보를 말하며, 부처님께서 설하신 갖가지 법문을 가리킨다.

종종제장(種種諸藏)• 갖가지 보장(寶藏)은 그 안에 모든 일체법을 포괄하고 있다는 것이다. 이것은 일체법을 비유한다. 일체법은 곧 육바라밀을 말한다.

육바라밀이란 보시·지계·인욕·정진·선정·지혜이다. 단지 우리가 여섯 가지 이름을 읽는다고 피안에 도달하는 것은 아니다. 또한 단지 이런 이름들을 배운다고 육바라밀을 이해하는 것도 아니다. 실제로 행해야 한다. 보시는 재물의 보시, 법보시, 무외시(無畏施)를 말하며, 몸으로 실천해야 한다. 지계란 모든 악은 짓지 말고 많은 선을 받들어 행하는 것을 말하므로, 또한 실제로 행해야 한다. 인욕은 가장 행하기가 쉽지 않다. 보시나 지계는 그렇게 어렵지 않으나, 오직 인욕은 행하기가 쉽지 않다.

무엇 때문인가? 아상(我相)이 공하지 못하기 때문이다. 아상이 공하지 않으면 인욕을 할 수 없다. 인욕은 역경계를 순경계처럼 받아들이는 것이며, 당신에게 잘못하는 사람도 당신은 잘하는 것으로 생각해야 하는 것이다. 어떤 사람은 이를 너무나 어리석은 짓이라고 말할 것이다. 그러나 불법을 배울 때는 지나치게 총명함을 배우지 말아야 한다. 너무 총명하면 또 지나가 버린다. 만약 아상이 없고 아집이 없고 아견이 없다면, 나를 한쪽으로 던져버리고 나를 요구하지 않아야 한다. 그리고 생각해야 한다. '태어나기 전에는 누가 나인가? 태어난 후에 나는 누구인가? 성장하여 어른이 되어 거짓 이름인 나는 눈 깜짝하는 사이에 몽롱하여 또 누구인가?' 너희가 항상 자신을 공하게 볼 수 있고 거짓을 볼 수 있다면, 이때 곧 역경계를 순경계처럼 받아들일 수 있을 것이다. 비록 나에게 잘못하는 사람일지라도 나는 그를 아무런 문제가 없다고 생각할 수 있다. 그러므로 우리 수행인은 시시각각으로 남에게 번거로움을 더해서는 안 된다. 자기를 잘 관리하여 아무런 연고도 없이 번뇌를 내지 않아야 한다. 이것이 인욕이다.

정진은 게으르지 않고 나태하지 않고 주야로 항상 정진하는 것이다. 선정은 좌선하여 정을 닦는 것이다. 그리고 지금까지 설명한 보시·지계·인욕·정진·선정을 복덕장(福德藏)이라고 이름한다. 마지막 여섯 번째의 지혜바라밀은 반야장(般若藏)이며, 또한 지혜장(智慧藏)이다. 그러므로 여기서 '종종제상(種種諸藏)'이라고 한 것은 바라밀을 비유한 것이다.

실개충일(悉皆充溢)• 모든 것이 충족하고 가득하다는 뜻이다. 이것은 방편과 진실의 두 가지 지혜를 비유한다. 방편의 지혜가 원만한 것을 일(溢)이라 하고, 진실한 지혜가 원만한 것을 충(充)이라 한다. 권

(權)과 실(實)의 두 가지 지혜가 모두 원만한 것을 나타낸 것이다.

"장자는 이러한 생각을 하였다. '나의 재물은 한량이 없으므로 마땅히 하열한 작은 수레를 자식들에게 줄 수는 없다. 지금 이 어린아이들은 모두 나의 자식이므로 치우침이 없이 사랑한다. 게다가 나에게는 이와 같은 칠보로 만든 큰 수레의 수량이 한량없지 않은가. 마땅히 평등한 마음으로 그들 각각에게 큰 수레를 줄 것이며, 응당 차별을 해서는 안 될 것이다. 무슨 까닭인가? 나의 이러한 재물은 한 나라의 모든 사람들에게 다 줄 수 있을 정도로 부족함이 없고, 하물며 그들은 나의 자식인데, 왜 줄 수 없겠는가?' 이때 모든 자식들은 각자 큰 수레를 타고 이전에 타 보지 못한 것을 얻었으니, 본래 바라던 것은 아니었다."

而作是念。我財物無極•, 不應以下劣小車與諸子等•, 今此幼童, 皆是吾子•, 愛無偏黨•。我有如是七寶大車, 其數無量•, 應當等心, 各各與之, 不宜差別•。所以者何。以我此物, 周給一國, 猶尙不匱, 何況諸子•。是時諸子, 各乘大車, 得未曾有, 非本所望•。

아재물무극(我財物無極)• 이보다 더 높고 존귀한 나의 법은 없다는 뜻이다.

불응이하렬소거여제자등(不應以下劣小車與諸子等)• 나는 마땅히 소승법으로 일체중생을 제도할 수는 없다는 뜻이다. 즉 성문·연각·보살의 모든 자식들에게 이러한 소승법을 줄 수 없다는 뜻이다.

금차유동(今此幼童) 개시오자(皆是吾子)• 지금 이 어린아이들은 모두 내 자식이라는 뜻이다. 여기서 어린아이는 삼승의 사람을 비유한다. 수도한 시간이 오래되지 않아 모두 초발심이며, 마치 어린아이처럼 아는 것이 없지만, 그럼에도 모두 나의 자식들이다.

애무편당(愛無偏黨)• 일체중생을 편애하는 것이 아니고 다 같이 평등하게 대한다는 뜻이다.

아유여시칠보대거(我有如是七寶大車) 기수무량(其數無量)• 나에게는 이와 같은 칠보로 만든 큰 수레가 있으며, 그 수가 무량하다. 칠보로 만든 큰 수레는 즉 사념처, 사정근, 사여의족, 오근, 오력, 칠보리분, 팔정도의 37도품(道品)으로 장엄한 대승불법이다.

응당등심(應當等心) 각각여지(各各與之) 불의차별(不宜差別)• 나는 응당 평등한 마음으로 그들에게 큰 수레를 줄 것이며, 차별해서는 안 된다는 뜻이다.

소이자하(所以者何) 이아차물(以我此物) 주급일국(周給一國) 유상불궤(猶尙不匱) 하황제자(何況諸子)• 무슨 까닭인가? 나의 모든 재물, 즉 법보는 한 나라의 모든 사람들에게 두루 줄 수 있을 정도로 부족함이 없는데, 하물며 나의 자식인데 줄 수 없겠는가? 여기서 한 나라[一國]는 상적광정토(常寂光淨土)를 비유한다. 유상불궤(猶尙不匱)에서 불궤(不匱)는 부족함이 없다는 뜻으로, 이 불법은 영원히 써도 부족함이 없다는 것을 비유한다.

시시제자(是時諸子) 각승대거(各乘大車) 득미증유(得未曾有) 비본소망(非本所望)• 이때란 장자가 모든 자식들에게 큰 수레를 내려 줄 때를 가리킨다. 그런데 본래 이 자식들이 바라던 작은 수레가 아니라 큰 수레를 받고 보니, 이전에 본 적도 없고 타 본 적도 없는 아주 놀기 좋은 것이었다. 이것은 무엇을 비유하는가? 이승인은 본래 소승법을 닦아 분단생사(分段生死: 목숨과 과보에 길고 짧음이 있는 범부들의 생사)를 이미 마쳤다. 그러나 지금 또 별도의 공부를 할 필요가 없이 그들이 본래 수습하던 것을 빌려 대승법을 성취한 것이다. 그래서 자연적으로 변역생사(變易生死: 삼계에서 나고 죽고 하는 몸을 떠난 뒤 성불하기까지의 성자가 받는 삼계 밖의 생사)를 마쳤다. 이것은 그들이 본래 바라던 것은 아니었다. 그들이 본래 바라던 것을 크게 초과한 것이다.

"사리불이여, 너희의 생각은 어떠한가? 이 장자가 모든 자식들에게 진기한 보배로 만든 큰 수레를 평등하게 준 것이 어찌 허망함이 있겠는가?" 사리불이 말하였다. "아닙니다, 세존이시여! 이 장자가 모든 자식들에게 화재의 난을 면하게 하여 생명을 온전하게 구한 것은 허망하지 않습니다. 왜냐하면 만약 신명을 보전하였으면, 곧 이미 놀기 좋은 도구를 얻은 것인데, 하물며 다시 방편으로 저 화택에서 그들을 구출한 것이겠습니까? 세존이시여, 이 장자가 자식들에게 가장 작은 수레를 주지 않은 것도 오히려 허망하지 않습니다. 왜냐하면 이 장자는 먼저 '나는 방편으로 아이들을 구출해야겠다'고 생각한 때문이며, 이러한 인연으로 허망하지 않습니다. 하물며 장자는 자기의 재물이 무량하다는 것을 스스로 알고, 모든 자식을 이롭게 하고자 평등하게 큰 수레를 준 것 아니겠습니까?"

舍利弗, 於汝意云何。是長者等與諸子珍寶大車, 寧有虛妄不。舍利弗言。不也, 世尊。是長者但令諸子得免火難, 全其軀命, 非爲虛妄。何以故。若全身命, 便爲已得玩好之具, 況復方便, 於彼火宅, 而拔濟之。世尊, 若是長者, 乃至不與最小一車, 猶不虛妄。何以故。是長者先作是意, 我以方便令子得出, 以是因緣, 無虛妄也。何況長者自知財富無量, 欲饒益諸子, 等與大車。

라. 비유에 대한 해설

1) 화택에 대한 해설

부처님께서 사리불에게 말씀하였다. "좋고, 좋구나! 너희의 말과 같도다. 사리불이여, 여래도 이와 같아서 일체 세간의 아버지가 되어 모든 두려움, 쇠락하는 것에 대한 번뇌, 모든 근심과 걱정, 무명의 가림을 영원히 없애어 남지 않게 하느니라. 그리고 무량의 지견과 십력, 사무소외(四無所畏)를 모두 성취하게 하고, 큰 신통과 지혜의 힘을 가지게 하며, 방편과 지혜바라밀을 구족하여 대자대비로 항상 나태하거나 피곤하지 않고 영원히 선한 일을 구하며, 일체중생을 이익되게 하기 위해 삼계의 오래되고 허물어진 화택에 태어난 것이니라."

佛告舍利弗。善哉, 善哉。如汝所言。舍利弗, 如來亦復如是, 則爲一切世間之父, 於諸怖畏 · 衰惱 · 憂患 · 無明闇蔽, 永盡無餘。而悉成就無量知見·力·無所畏, 有大神力及智慧力•, 具足方便·智慧波羅蜜, 大慈大悲, 常無懈惓, 恒求善事, 利益一切, 而生三界朽故火宅。

유대신력급지혜력(有大神力及智慧力)• 부처님은 대신통력으로 일체중생을 제도하여, 고통에서 벗어나 즐거움을 얻게 한다. 부처님의 지혜에는 네 가지가 있다.

① 묘관찰지(妙觀察智) : 부처님은 묘관찰지로써 일체를 아신다.

② 성소작지(成所作智) : 부처님은 무슨 일을 하시든지 모두 성공할 수 있다. 왜냐하면 성소작지의 지혜를 가지고 있기 때문이다.

③ 대원경지(大圓鏡智) : 부처님의 지혜는 마치 큰 거울과 같아서, 일이 오면 비추고 일이 가면 없어진다. 제법의 공한 모습을 비추고 원융무애하다.

④ 평등성지(平等性智) : 부처님의 지혜는 평등하여 일체중생을 분별하지 않는다.

"중생의 생로병사, 근심, 비애, 고뇌, 우치, 무명의 가림, 삼독의 불을 제도하기 위해 일체중생을 교화하여 무상정등정각을 얻게 하느니라. 내가 보니, 모든 중생은 생로병사와 근심, 비애, 고뇌에 태워지고, 오욕(五欲)과 재물의 이익 때문에 갖가지의 괴로움을 받으며, 오욕을 탐착하고 추구하는 원인으로 현생에서 많은 고통을 받고 있다. 또한 죽은 후에는 지옥, 축생, 아귀의 고통을 받으며, 만약 천상이나 인간에 태어나더라도 빈궁하고 곤란한 고통, 사랑하는 사람과 헤어지는 고통, 원수와 만나는 고통 등 이와 같은 갖가지의 고통을 받고 있다. 그러나 중생들은 그 가운데 빠져 즐겁게 놀고 있으면서 깨닫지 못하고 알지 못하며, 놀라지도 않고 두려워하지도 않으며, 또한 싫어하는 마음을 내지도 않고 해탈을 구하지도 않는다. 이 삼계의 화택 속에서 이리 뛰고 저리 뛰면서 도처로 가다가, 비록 큰 고통을 만나도 걱정하지 않는구나."

爲度衆生, 生老病死·憂悲·苦惱·愚癡·闇蔽·三毒之火。敎化令得阿耨多羅三藐三菩提。見諸衆生, 爲生老病死·憂悲苦惱之所燒煮。亦以五欲財利故, 受種種苦。又以貪著追求故, 現受衆苦, 後受地獄·畜生·餓鬼之苦。若生天上及在人間, 貧窮困苦·愛別離苦·怨憎會苦, 如是等種種諸苦。衆生沒在其中, 歡喜遊戲, 不覺不知·不驚不怖。亦不生厭, 不求解脫, 於此三界火宅, 東西馳走, 雖遭大苦, 不以爲患。

"사리불이여, 부처님은 중생들의 이런 고통을 보고 곧 이러한 생각을 하였다. '나는 중생의 아버지로서 마땅히 그런 고난을 뽑고 무량무변한 부처 지혜의 즐거움을 주어서 그들이 즐거이 놀게 해야겠다.' 사리불이여, 여래는 다시 이러한 생각을 하였다. '만약 내가 단지 신통력과 지혜력만을 사용하며, 방편을 버리고 모든 중생을 위하여 여래의 지견과 십력, 사무소외의 법을 찬탄하기만 한다면, 중생을 제도할 수 없을 것이다.' 무엇 때문인가? 이 모든 중생은 아직 생로병사와 근심, 비애, 고뇌를 면하지 못하여 삼계의 화택에서 불에 태워지는데 어떻게 부처의 지혜를 이해할 수 있겠는가?"

舍利弗, 佛見此已, 便作是念。我爲衆生之父, 應拔其苦難, 與無量無邊佛智慧樂, 令其遊戲。舍利弗, 如來復作是念。若我但以神力及智慧力, 捨於方便, 爲諸衆生, 讚如來知見·力無所畏者, 衆生不能以是得度。所以者何。是諸衆生, 未免生老病死, 憂悲苦惱, 而爲三界火宅所燒, 何由能解佛之智慧•。

하유능해불지지혜(何由能解佛之智慧)• 그들은 아직 어린아이와 같아서 인생의 도리를 이해하지 못한다. 그래서 삼계의 화택에서 태워진다. 그러니 어떻게 여래의 지혜를 알 수 있겠는가? 그들은 지금까지 불법이 있다는 것도 알지 못했는데 지금 부처의 지혜를 설명해 준다 한들 어떻게 이해하겠는가? 마치 이곳 미국에서 많은 사람이 부처[佛]라는 이름을 들은 적도 없기 때문에 불법을 배우는 것을 사람마다 두려워하는 것과 같다.

오늘 온 한 여학생에게 내가 물었다. 너희는 왜 이렇게 오랫동안 오지 않았느냐고. 그 학생은 두려워서 오지 못했다고 했다. 무엇이 두렵냐고 물었더니, 대답을 하지 못했다. 사람은 깨닫는 것을 두려워하고, 성불하는 것을 겁내고, 이해하는 것을 무서워한다. 너희가 진정 이해하면 다시는 어리석은 일을 하지 않는다. 이해한 후에도 다시 잘못을 저지르면, 그것은 알면서 죄를 범하는 것이 되어 그 죄가 세 배나 가중된다.

그러므로 잘못을 저지른 사람은 조속히 고쳐야 한다. 그리고 잘못을 짓지 않았으면 더욱 앞을 향하여 용맹정진해 나가야 한다. 무엇보다도 알면서 저지르면 안 된다. 그것은 잘못된 가운데 잘못된 것이며, 미혹한 가운데 미혹한 것이며, 괴로운 가운데 괴로운 것이다. 이것은 위험한 가운데의 위험이다. 장래 반드시 삼악도에 가까이 갈 것이다. 알면서 계속 범하면 자기의 죄업은 증가할 것이며, 죄업이 무거울수록 더욱 타락하게 될 것이다. 길을 잘못 들었으면 속히 머리를 돌려야 한다. 이른바 "고해가 무변해도 머리를 돌리면 피안이다."라고 하였다.

2) 수레에 대한 해설

"사리불이여, 저 장자와 같이 비록 다시 몸과 손에 힘이 있어도 그것을 사용하지 않고 단지 은근한 방편으로 모든 자식들을 화택의 재난에서 억지로 구제한 연후에 각각에게 진기한 보배로 만든 큰 수레를 주었듯이, 여래도 이와 같다. 비록 십력과 사무소외의 법이 있지만 그것을 사용하지 않고, 단지 지혜의 방편으로 삼계의 화택에서 중생을 제도하기 위하여 성문승, 연각승, 불승을 설하며 다음과 같이 말씀하였다. '너희는 삼계의 화택에 즐거이 머물지 말 것이며, 거칠고 나쁜 색·성·향·미·촉의 오욕을 탐하지 말라. 만약 오욕의 경계를 탐착하여 애착의 마음을 내면 불에 태워질 것이니, 너희는 속히 삼계를 벗어나 마땅히 성문승, 연각승, 불승을 얻어야 한다. 나는 지금 너희를 위하여 이러한 성불의 일을 보증하니, 절대로 허망하지 않을 것이다. 너희는 오직 마땅히 부지런히 정진을 닦아야 한다.'

여래는 이러한 방편법문으로 중생을 인도하여 나아가게 하니, 다시 이런 말을 하였다. '너희는 마땅히 알아야 한다. 이 삼승의 법은 모두 시방의 일체제불께서 칭찬하고 찬탄하시는 것으로서, 자재하여 매임이 없으며 의지하고 구하는 바가 없다. 이 세 가지의 수레를 타고, 무루(無漏)의 오근(五根), 오력(五力), 칠각지(七覺支), 팔정도(八正道), 사선팔정(四禪

八定), 팔해탈(八解脫), 세 가지의 삼매(三昧) 등으로 수행하면서 스스로 즐기면, 곧 무량한 안온과 즐거움을 얻을 것이다.'"

舍利弗。如彼長者, 雖復身手有力, 而不用之。但以殷勤方便, 勉濟諸子火宅之難。然後各與珍寶大車。如來亦復如是。雖有力·無所畏, 而不用之。但以智慧方便, 於三界火宅拔濟衆生。爲說三乘, 聲聞·辟支佛·佛乘。而作是言。汝等莫得樂住三界火宅, 勿貪麤弊色聲香味觸也。若貪著生愛, 則爲所燒。汝速出三界, 當得三乘, 聲聞·辟支佛·佛乘。我今爲汝保任此事, 終不虛也。汝等但當勤修精進。如來以是方便誘進衆生。復作是。汝等當知。此三乘法皆是聖所稱歎。自在無繫, 無所依求。乘是三乘。以無漏根·力·覺·道·禪定·解脫·三昧等, 而自娛樂, 便得無量安隱快樂。

연후각여진보대거(然後各與珍寶大車) 장자는 양의 수레, 사슴의 수레, 소의 수레를 문 밖에 놓아두고 어린아이들을 문 밖으로 나오게 한 뒤 각자에게 흰 소의 큰 수레를 주었다. 이 큰 수레는 많은 진기한 보배로 장식하였는데, 이것은 육도만행을 장엄함을 비유한다. 큰 수레는 대승을 뜻한다. 대승은 결코 보살승이 아니며 불승(佛乘)이다. 유일한 불승이며, 다른 승은 없다.

석가모니 부처님께서는 이전에는 왜 진기한 보배의 큰 수레가 아니라 세 종류의 작은 수레를 설하셨는가? 만약 큰 수레가 있다고 말했어도 아이들이 반드시 좋아한다고 할 수 없다. 따라서 작은 수레를 말하신 것이다. 아이들은 작은 것을 좋아한다. 그런데 큰 것이 있다고 말한다면, 혹은 놀라고 두려워할 수 있고, 그러면 감히 요구하지 않을 수도 있다. 만약 그들에게 성문승, 연각승을 말하지 않고 즉시 불승을 말하면 일종의 두려운 마음을 가질 수 있다. 그들에게 참된 것을 말하면, 도리어 두려워하며 놀라는 마음을 내어 "어디에 그런 도리가 있어 성불할 수 있겠는가?"라고 믿지 않을 수 있다. 그러면 그들은 앞으로 나아가지 않고 퇴보할 것이다. 그래서 부처님께서는 이러한 권교방편으로 아이들을 달래는 것이다. 중생은 이러한 큰 지혜를 가지고 있지 않음을 알기 때문에 소승법을 설하고 성문승을 설하신 것이다. 그리고 법화회상에 이르러 비로소 전부를 다 드러내신 것이다. 모든 불법을 다 중생에게 넘기시면서 "일체중생은 모두 부처를 이룰 수 있다."고 알려주신 것이다.

아금위여보임차사(我今爲汝保任此事)• 이 일이란 무슨 일인가? 바로 성불의 일이다. 대승불법에 따라 수행하면 반드시 성불할 수 있으며, 나는 너희가 성불할 것을 보증한다는 뜻이다.

자재무계(自在無繫)• 자연의 지혜를 얻는 것을 자재라고 한다. 자연지(自然智)를 얻지 못하면 자재롭지 못하다. 자연지란 타심지(他心智)라고도 할 수 있다. 즉 일체중생의 마음을 이해하므로 매우 자재로운 것이다. 계(繫)란 끈으로 묶는 것이다. 끈으로 묶으면 해탈을 얻을 수 없다. 이제 해탈을 얻으니 걸림이 없으며, 멀리 전도된 몽상을 떠났다. 그래서 묶임이 없다고 한 것이다. 또한 이것은 최고의 지혜를 얻어 모든 것을 놓을 수 있다.

무소의구(無所依求)• 의지함이 없다[無所依]는 것은 금생을 마치면 다시는 뒤의 몸[後有]을 받지 않는 것이다. 즉 생사를 마쳤기 때문에 다시는 내생이 없다. 내생이 있는 것은 유(有)라고 한다. 내생이 없으므로 후유를 받지 않는다. 우리의 자성(自性)은 능의(能依: 주체)이며, 생사는 소의(所依: 대상)로서 이 생사를 의지한다. 이제 생사가 없으므로 의지하는 것[所依]이 없다.

구하는 것이 없다[無所求]는 것은 해야 할 일은 이미 하였고 범행은 이미 성취하였다는 것이다. 그래서 바라던 것을 이루었으므로 무소구(無所求)라고 한 것이다. 무소의와 무소구의 정도에 이르려면, 곧 과를 증득하고 생사를 벗어나야 한다.

이무루근(以無漏根) 역(力) 각(覺) 도(道) 선정(禪定) 해탈(解脫) 삼매등(三昧等)• 근은 오근을 말한다. 다섯 가지의 근은 신근·진근·염근·정근·혜근이다. 역은 오력을, 각은 칠각지를, 도는 팔정도를 가리키며, 선(禪)은 네 가지 선(禪)을, 정(定)은 네 가지 무색정(無色定) 즉, 공무변처정·식무변처정·무소유처정·비상비비상처정을 가리킨다. 네 가지 선에 네 가지 무색정을 합치면 팔정(八定)이라고 한다.

해탈은 여덟 가지의 해탈[八解脫]을 말한다. 즉 내유색상관외색해탈(內有色想觀外色解脫)·내무색상관외색해탈(內無色想觀外色解脫)·정해탈신작증구족주(淨解脫身作證具足住)·공무변처해탈(空無邊處解脫)·식무변처해탈(識無邊處解脫)·무소유처해탈(無所有處解脫)·비상비비상처해탈(非想非非想處解脫)·멸수상정신작증구족주(滅受想定身作證具足住)이다.

내유색상관외색해탈(內有色想觀外色解脫)에서 내유색상이란, 너희 안에 색욕의 생각이 있는 것을 뜻한다. 사람은 범부이기 때문에 처음에 도를 닦을 때 이러한 색법을 없애기가 어렵다. 너희가 끊으려고 생각하지만, 안에 여전히 이러한 종자가 있다. 이러한 마음과 뜻과 생각이 있다는 것이다.

그러면 바깥의 색을 어떻게 관하는가? 본래 구상관(九想觀) 혹은 부정관(不淨觀)으로 바깥의 색을 관해야 한다. 만약 그것이 부정하다고 알면 이러한 색에 마음이 집착해서 머물지 않을 것이다. 또한 그것을 놓아버리면 색에 집착하지 않을 것이다. 그러면 해탈을 얻으며, 자재하게 된다. 이것이 첫 번째 해탈이다. 그러나 만약 색을 놓지 못하면 색에 집착하여 해탈을 얻지 못하고 자재롭지 못하게 된다.

어떻게 하면 색을 놓을 수 있는가? 만약 그것을 간파(看破)할 수 있으면 놓을 수 있다. 간파하지 못하면 놓을 수 없다. 그러므로 먼저 내유색상관외색해탈관을 닦아야 한다. 열심히 노력하는 사람은 오랫동안 수행하면 자기도 느끼지 못하는 사이에 색욕의 마음이 없어진다. 색욕이 없어지면 다시 바깥의 색을 관해야 한다.

아름다운 여인을 어떻게 보는가? 그런 여인도 장래 반드시 늙을 것이며, 반드시 죽을 것이다. 그녀가 죽으면 신체는 썩게 될 것이다. 죽으면 신체가 썩어 가면서 벌레가 생길 것이다. 그 벌레는 그녀의 살을 먹을 것이며, 나중에는 뼈만 남을 것이다. 뼈도 썩으면 흙으로 변할 것이다. 사대가 분리되면 각각으로 돌아간다. 풍대는 바람으로 돌아가고, 지대는 땅으로 돌아가고, 수대는 물로 돌아가고, 화대는 불로 돌아간다. 그러면 모두 공하다. 이렇게 관해야 한다. 한 사람을 관하는 것도 이렇게 하고, 열 사람을 관하는 것도 이렇게 한다.

부정한 관상을 이해하면 남자가 여자를 관하든지 여자가 남자를 관하든지, 모두 이렇게 관하면 탐애가 생기지 않을 것이며 애욕의 마음이 없게 될 것이다. 그러면 해탈을 얻게 된다. 해탈을 얻은 연후에 깨끗한 해탈의 몸[淨解脫身]을 얻게 된다. 그때 정해탈신으로 구족주(具足住)

를 증득한다. 구족주란 또한 하나의 해탈을 뜻하며, 청정한 본체 상에 머무는 것이다. 그런 연후에 공도 해탈하고, 식도 해탈하고, 유(有)도 해탈하고, 상도 해탈하며, 최후에는 멸수상신(滅受想身)을 얻어 멸수상정을 닦는다. 이때 식도 소멸된다. 그러나 소멸하지 않으면 팔만사천 겁의 시간이 지나 그것은 다시 생긴다. 그러므로 네 공처의 경계를 얻고 멸수상정을 얻을지라도 생사를 마친 것이 아니다. 네 가지 선에 네 가지 공처정을 더하고 다시 멸수상정을 더하면, 이것을 아홉 개의 차제정[九次第定]이라고 한다.

삼매는 세 종류가 있다. 즉 공삼매(空三昧)·무상삼매(無相三昧)·무원삼매(無願三昧)를 말한다. 이 세 삼매를 성취하면 공·무상·무원을 이룬다.

이자오락(而自娛樂) 변득무량안은쾌락(便得無量安隱快樂)• 위에서 설명한 공부를 닦으면 선의 즐거움을 얻어 법희가 충만해진다. 따라서 매우 즐겁다. 그러면 선정의 가운데에 유희하면서 무량한 안온함과 즐거움을 얻게 된다. 만약 진공의 열반을 얻으면, 영원히 일체의 재난과 환난을 떠나게 된다. 그러므로 무량의 안온과 쾌락이라고 한 것이다.

앞에서 설명한 선정과 해탈은 이곳에 앉아서 아무것도 생각하지 않는다고 얻을 수 있는 것이 아니다. 아무것도 생각하지 않으면 그것은 목석같은 사람이 아닌가? 이것은 아무 쓸 데가 없다. 그러나 목석같은 사람처럼 망상을 짓지 않으면 너희 성품의 광명과 지혜는 법계에 충만할 것이다. 너희는 무엇 때문에 지혜가 법계에 충만하지 못한가? 그것은 너희가 그렇게 착실하지 못하기 때문이다.

가) 양의 수레

"사리불이여, 만약 어떤 중생이 이전부터 안으로 지혜의 종자가 있어 부처님, 세존으로부터 법을 들어 믿고 받아들이며, 부지런히 정진하여 속히 삼계를 벗어나려고 자기만의 열반을 구한다면, 이것을 성문승이라고 이름하나니, 저 많은 자식들이 양의 수레를 구하여 화택에서 벗어난 것과 같으니라."
舍利弗, 若有衆生, 內有智性•, 從佛世尊聞法信受, 殷勤精進, 欲速出三界, 自求涅槃, 是名聲聞乘, 如彼諸子, 爲求羊車出於火宅。

내유지성(內有智性)• 안으로 지혜의 성품이 있다는 것은 어떤 뜻인가? 즉 숙세로부터 부처님에게서 법을 들어 지혜의 종자가 있다는 것이다. 이전에 부처님을 따라 삼승의 법문을 배웠기 때문에 지금 비로소 안으로 지혜의 종자가 있다는 뜻이다.

나) 사슴의 수레

"만약 어떤 중생이 부처님, 세존으로부터 법을 들어 믿고 받아들이며, 매우 부지런히 정진하여 자연의 지혜를 구하고 홀로 고요함을 즐기며 제법의 인연을 깊이 안다면, 이것을 벽지불승이라고 이름하나니, 저 많은 자식들이 사슴의 수레를 구하여 화택에서 벗어난 것과 같으니라."
若有衆生, 從佛世尊聞法信受, 慇懃精進, 求自然慧, 樂獨善寂, 深知諸法因緣, 是名辟支佛乘, 如彼諸子, 爲求鹿車出於火宅。

다) 소의 수레

"만약 어떤 중생이 부처님, 세존으로부터 법을 들어 믿고 받아들이며, 부지런히 정진을 닦아 일체지, 불지, 자연지, 무사지(無師智)와 여래의 지견, 십력, 네 가지 두려움 없음[四無所畏]을 구하며, 일체중생을 불쌍히 여겨 무량한 중생을 안락하게 하기 위해 대자비심을 발하여 천상과 인간을 이익되게 하고 일체중생을 제도하면, 이것을 대승보살이라고 이름한다. 대승을 구하는 까닭으로 마하살이라고 이름하나니, 마치 많은 자식들이 소의 수레를 구하여 화택에서 벗어난 것과 같으니라."

若有衆生, 從佛世尊聞法信受, 勤修精進, 求一切智 · 佛智 · 自然智 · 無師智• · 如來知見 · 力 · 無所畏。愍念 · 安樂無量衆生, 利益天人, 度脫一切, 是名大乘菩薩。求此乘故, 名爲摩訶薩, 如彼諸子, 爲求牛車 · 出於火宅。

자연지(自然智) · 무사지(無師智)• 자연지는 벽지불이 구하는 지혜이다. 무사지는 스승이 없는 지혜가 아니라, 단지 부처님만이 무사지를 가진다는 뜻이다. 왜냐하면 부처님은 인천(人天)의 스승으로서 부처님의 스승이 될 만한 사람이 없기 때문이다. 일체지 · 불지 · 자연지 · 무사지 모두 부처의 지혜다. 이 네 가지 지혜는 비록 네 종류로 나뉘지만, 사실 모두 부처님의 대원만 깨달음의 지혜이다.

라) 큰 수레

"사리불이여, 저 장자가 모든 자식들이 평온하게 화택에서 나와 두려움이 없는 곳에 이른 것을 보고 스스로 생각하기를 나의 재산은 무량하므로 모든 자식들에게 평등하게 큰 수레를 주려고 하였듯이, 여래도 이와 같다. 일체중생의 아버지로서 만약 무량한 억천의 중생을 보면, 불교의 문으로 삼계의 고통인 두렵고 위험한 길에서 벗어나 열반의 즐거움을 얻게 하느니라.

여래는 이때 곧 이러한 생각을 한다. '나는 무량하고 무변한 지혜와 십력, 사무소외 등 제불의 법장(法藏)을 가지고 있다. 이 모든 중생은 모두 나의 자식들이니, 평등하게 대승의 불법을 내려주어 자기 혼자만 열반을 얻는 사람이 없게 할 것이며, 여래가 열반을 얻은 것과 같이 모든 중생도 열반을 얻게 할 것이다.'

이 모든 중생으로서 삼계를 벗어나려고 하는 자에게는 모두 제불의 선정, 해탈 등의 놀기 좋은 도구를 줄 것이니, 이것은 모두 실상과 일체종지로서 시방의 제불께서 칭찬하신 것이며, 청정하고 미묘한 제일의 즐거움을 생기게 할 것이다."

舍利弗, 如彼長者, 見諸子等安隱得出火宅, 到無畏處, 自惟財富無量, 等以大車而賜諸子, 如來亦復如是。爲一切衆生之父, 若見無量億千衆生, 以佛教門, 出三界苦, 怖畏險道, 得涅槃樂。如來爾時, 便作是念。我有無量無邊智慧·力·無畏等諸佛法藏, 是諸衆生皆是我子, 等與大乘, 不令有人獨得滅度, 皆以如來滅度而滅度之。是諸衆生脫三界者, 悉與諸佛禪定·解脫等娛樂之具, 皆是一相·一種, 聖所稱歎, 能生淨妙第一之樂•。

개시일상일종(皆是一相一種) 성소칭탄(聖所稱歎) 능생정묘제일지락(能生淨妙第一之樂)• 일상(一相)은 또한 실상이며,

부처의 세 가지 덕 중 법신덕(法身德)을 대표한다. 앞에서 이미 많은 도리, 즉 삼십칠도품·육바라밀·사제·십이인연 등을 설명하였는데, 이제 마지막으로 삼덕(三德)을 설명하고 「비유품」을 마치려고 한다. 실상은 상이 없으며, 상이 아닌 것도 없다. 모든 것은 상이 있으며, 실상으로부터 나온다. 이것은 또한 진공(眞空) 속의 묘유(妙有)다. 묘유가 묘유인 것은, 보이지 않고, 들리지 않으며, 냄새 맡을 수 없고, 맛볼 수 없으며, 만질 수 없고, 뜻으로 알 수도 없기 때문이다. 따라서 실상은 부처님의 법신덕이다.

일종(一種)은 일체종지다. 종지란 지혜의 종자를 뜻하며, 그러므로 일체종지는 반야덕(般若德)이다. 부처님에게는 법신덕, 반야덕, 해탈덕이 있다. 해탈덕은 이 법이 시방의 제불께서 칭찬하시는 것이며, 청정하고 미묘한 즐거움을 생기게 한다는 것이다. 즐거우면 괴로움이 없으며, 괴로움이 없으면 바로 해탈이다. 따라서 해탈덕(解脫德)이라고 한다. 이 삼덕의 비장(秘藏)은 불가사의한 것이다.

"사리불이여, 저 장자와 같이 처음에 세 가지의 수레로써 모든 자식을 유인한 연후에 오직 큰 수레를 주었으며, 그 수레는 보물로 장엄하여 편안하기가 제일이었다. 그러나 저 장자에게 거짓말을 한 허물이 없듯이, 여래도 이와 같이 허망함이 없다. 처음에 삼승의 법문으로 중생을 인도한 연후에 오직 대승의 법문으로 그들을 제도한 것은 무슨 까닭인가? 여래는 무량한 지혜와 십력, 사무소외와 모든 법문을 가지고 있으므로 일체중생에게 대승의 법을 줄 수 있다. 그러나 모든 중생이 다 받아들일 수 있는 것은 아니다. 사리불이여, 이러한 인연 때문에 제불의 방편력으로 일불승의 법에서 삼승으로 분별하여 설한다는 것을 알아야 한다."

舍利弗, 如彼長者, 初以三車誘引諸子。然後但與大車, 寶物莊嚴, 安隱第一, 然彼長者無虛妄之咎。如來亦復如是, 無有虛妄。初說三乘引導衆生, 然後但以大乘而度脫之。何以故。如來有無量智慧·力·無所畏諸法之藏, 能與一切衆生大乘之法, 但不盡能受。舍利弗, 以是因緣, 當知諸佛方便力故, 於一佛乘, 分別說三。

마. 게송으로 거듭 일불승을 설하다

1) 불타는 집의 고통스런 모습

가) 삼계의 비유

부처님께서 그 뜻을 거듭 선설하려고 게송으로 말씀하셨다.

비유하면 장자가 하나의 큰 집을 가지고 있는데
그 집은 오래된 옛날 집이며 곧 무너지려고 하네.
집 건물은 매우 위험하여 기둥뿌리는 썩고
대들보는 기울어지고 집의 기초는 허물어졌네.
담장과 벽은 무너지고 칠한 진흙은 떨어지며
지붕 덮은 풀은 어지럽게 떨어지고 서까래 빠졌으며
사면의 주위가 무너지고 굽어져서 더러움 가득한데
집 안에는 오백 명의 사람이 살고 있구나.

佛欲重宣此義, 而說偈言。

譬如長者 有一大宅 其宅久故 而復頓弊
堂舍高危 柱根摧朽 梁棟傾斜 基陛隤毁
牆壁圮坼 泥塗褫落 覆苫亂墜 椽梠差脫
周障屈曲 雜穢充遍 有五百人 止住其中

기택구고(其宅久故) 이부돈폐(而復頓弊) 집은 욕계·색계·무색계의 삼계를 말한다. 그 집이 오래되어 매우 위험하다는 뜻이다. 돈(頓)은 무너지는 모습이고, 폐(弊)는 부서진다는 뜻이다. 왜 무너지고 부서지려고 하는가? 시간이 오래되었기 때문이다. 그래서 구(久)라고 하였다. 이 삼계는 지금 조성된 것이 아니다. 그래서 고(故)라고 한 것이다. 즉 이 집은 오래되었으며 새로 지은 집이 아니다. 그리고 곧 무너지려고 하며 이미 사용할 수 없다. 이 집은 또한 우리의 신체를 비유하기도 한다.

주근최후(柱根摧朽) 주근(柱根)은 우리의 두 다리를 비유하고, 최후(摧朽)는 생로병사의 네 모습이 변천한다는 것이다. 태어나서 장성하고 늙으며 죽는 것을 나타낸다.

기폐퇴훼(基陛隤毁) 퇴훼(隤毁)도 곧 무너지려는 모습을 말한다. 무엇을 기폐(基陛)라고 하는가? 본래 사람의 몸에서 엉덩이를 말하며, 바로 우리의 모든 업장을 비유하고 있다. 이 업장이 바로 기폐(基陛)다.

장벽비탁(牆壁圮坼) 장벽이 무너지려고 한다. 여기서 장벽은 우리 몸의 피부와 살을 비유한다. 피부와 살이 늙어서 곧 무너지려고 하는 것이다. 비탁(圮坼)은 무너진다는 뜻이다.

이도탈락(泥塗陁落)• 이도(泥塗)는 우리 몸의 피부색을 비유한다. 탈락(陁落)은 무너지고 떨어지는 것을 뜻한다. 즉 우리 몸의 피부가 늙으면 터지고 무너지는 것을 비유한다.

부점난추(覆苫亂墜)• 지붕을 덮고 있는 풀이 어지럽게 떨어져 내리는 모습이다. 이것은 우리의 머리카락이 떨어지는 것을 비유한다.

연려차탈(椽梠差脫)• 집 건물 처마의 서까래가 어긋나고 떨어지는 것을 뜻한다. 연려(椽梠)는 지붕의 서까래를 말한다. 이것은 신체의 사지 골절이 어긋나는 것을 비유한다.

주장굴곡(周障屈曲)• 사면의 주위가 무너지고 굽어진 모습을 뜻하며, 우리 몸의 등과 허리가 굽은 것을 비유한다.

잡예충변(雜穢充遍)• 더러운 것이 가득하다는 뜻으로, 우리 몸의 뱃속에 더러운 것이 가득 들어 있는 것을 비유한다.

유오백인(有五百人) 지주기중(止住其中)• 이 큰 집에 오백 인이 머문다고 한다. 이 오백 인은 오도(五道)의 중생을 말한다. 즉 천도·인도·축생도·아귀도·지옥도를 말하며, 아수라도는 없다. 아수라가 없는 것이 아니라 다섯 세계에 각각 포함되어 있다. 다섯 세계의 중생 모두 화택 속에 머물고 있다는 것이다.

솔개, 올빼미, 매, 독수리, 까마귀, 까치, 꿩, 비둘기와
독사, 뱀, 살무사, 전갈, 지네, 그리마와
도롱뇽, 백족충, 족제비, 너구리, 생쥐, 쥐 등
모든 악한 독충들이 이리 뛰고 저리 뛰며 날뛰네.
똥과 오줌 냄새나는 곳에 부정한 것이 흘러넘치고
구더기와 같은 많은 벌레들이 그 위에 모이네.
여우, 늑대, 이리들이 먹을 것을 씹고 버리며
시체의 피 빨아먹고 뼈를 먹으니 뼈와 살이 낭자하네.
그리하여 개의 무리들 다투어 달려와 먹을 것 싸우며
배고프고 여위어 두려워하면서 곳곳에서 먹이 구하네.
싸우고 잡아끌며 눈 부라리고 이빨 드러내 짖어대니
그 집이 매우 공포스럽게 변한 모습이 이와 같구나.

鴟梟鵰鷲 烏鵲鳩鴿 蚖蛇蝮蠍 蜈蚣蚰蜒
守宮百足 鼬貍鼷鼠 諸惡蟲輩 交橫馳走
屎尿臭處 不淨流溢 蜣蜋諸蟲 而集其上
狐狼野干 咀嚼踐蹋 嚌齧死屍 骨肉狼藉
由是群狗 競來搏撮 飢羸慞惶 處處求食
鬪諍摣掣 啀喍嘷吠 其舍恐怖 變狀如是

치효조취(鴟梟鵰鷲) 치(鴟)는 솔개, 효(梟)는 올빼미다. 올빼미는 『시경(詩經)』에서 불효의 새라고 한다. 왜냐하면 태어나서 곧 어미를 잡아먹기 때문이다. 그러나 다른 한편으로는 어미새가 가장 자비롭다

고 말할 수 있다. 어미가 자기의 생명을 자식에게 주기 때문이다. 또한 일종의 과보라고 말할 수 있다. 숙세에 부모에게 불효하였기 때문에 금생에 새가 되어 자기의 자식에게 잡아먹히는 것이다. 중국에서는 올빼미를 가장 재수 없는 새라고 해서 싫어한다. 이 새가 집에 오면 집에 길상하지 못한 일이 발생한다고 한다. 이런 새가 되는 것은 부모에게 불효하고 또한 매우 교만하기 때문이다.

조(鵰)는 매, 취(鷲)는 독수리를 말한다. 이 새들은 죽은 것을 먹기 좋아한다. 사람이 죽으면 그 시체를 먹는다. 이 새들은 깨끗하지 못한 것을 먹는다. 무엇 때문인가? 이 새들은 전생에 사람이었을 때 매우 교만하고 비현실적으로 이상만 높았기 때문이다. 그는 무슨 일을 할 때 생각은 좋은데 일을 처리하는 것은 매우 거칠거나 아예 하지 않아서 뜻만 높고 되는 것이 하나도 없다.

오작구합(烏鵲鳩鴿)• 까마귀 · 까치 · 산비둘기(꿩) · 비둘기를 말한다. 앞서 네 종류 새를 포함해 이 여덟 종류 새는 모두 오둔사(五鈍使: 貪 · 瞋 · 癡 · 慢 · 疑) 중에서 아만[慢]을 비유한다. 무엇 때문인가? 날아다니는 새들은 전생에 사람이었을 때 이상만 높고 게으르면서 매우 오만하고 다른 사람을 무시하며 남을 괴롭혔기 때문이다. 여덟 종류 새의 비유를 세세히 설명하면 다음과 같다.

① 치(鴟)는 성장교(盛壯驕)를 비유한다. 즉 자기의 힘이 대단히 세다고 생각하는 교만이다.

② 효(梟)는 성교(姓驕)를 비유한다. 즉 자기의 종성(種姓: 핏줄, 혈통)이 가

장 귀하다고 생각하는 교만이다.

③ 조(鵰)는 부교(富驕)를 비유한다. 즉 자기가 누구보다도 부유하다고 생각하는 교만이다. 부유하면 교만해진다. 사람이 만약에 자기가 다른 사람보다 돈이 많고 부유하다고 생각한다면, 이것은 이 새와 같이 부유한 교만이 있는 것이다.

④ 취(鷲)는 자재교(自在驕)를 비유한다. 즉 독수리는 자기가 아무런 구속이 없고 걸림이 없이 자재하다고 생각한다. 썩은 음식을 좋아하기 때문에 먹을 것도 언제나 있다. 그는 이것이 고행이며 매우 자재한 행이라고 생각한다. 그러나 이것도 무익한 고행이다.

⑤ 오(烏)는 수명교(壽命驕)를 비유한다. 까마귀는 자기가 오래 산다고 생각한다.

⑥ 작(鵲)은 총명교(聰明驕)를 비유한다. 까치는 자기가 가장 총명하다고 교만하게 생각한다.

⑦ 구(鳩)는 행선교(行善驕)를 비유한다. 즉 산비둘기는 일종의 선을 행한다는 교만을 가진다. 이 새는 벌레를 잡아먹지 않고 곡식만 먹기 때문에 자기가 벌레를 잡아먹지 않은 것을 선을 행한다고 생각하는 것이다.

⑧ 합(鴿)은 색교(色驕)를 비유한다. 즉 비둘기는 자기가 가장 아름답다고 교만하게 생각한다.

원(蚖) 사(蛇) 복(蝮) 갈(蠍) 오공(蜈蚣) 유연(蚰蜒)• 원(蚖)은 독사, 사(蛇)는 뱀, 복(蝮)은 살무사, 갈(蠍)은 전갈, 오공(蜈蚣)은 지네, 유연(蚰蜒)은 그리마라는 벌레로서 모두 독을 가진 것이다. 이 벌레들은 일종의 독물(毒物)이다. 이러한 독물은 무엇을 표시하는가? 오둔사(五鈍使) 가운데의 진(瞋), 즉 진한(瞋恨)을 나타낸다. 사람도 누구나 성내는 마음을 가지면 이러한 독물로 변하기 쉽다. 절대로 진한심을 가져서는 안 된다. 크게 화를 내지 말아야 할 것이다.

수궁(守宮) 백족(百足) 유(鼬) 리(貍) 혜(鼷) 서(鼠)• 수궁은 도롱뇽, 백족은 지네와 비슷한 백족충, 유(鼬)는 족제비, 리(貍)는 너구리, 혜(鼷)는 생쥐, 서(鼠)는 일반적인 쥐를 뜻한다. 이런 동물은 오둔사 가운데 치(癡: 어리석음)를 비유한다.

수궁과 백족은 아무런 지혜가 없기 때문에 독두무명(獨頭無明)을 비유한다. 무명에는 두 종류가 있는데, 하나는 독두무명이고 다른 하나는 상응무명(相應無明)이다. 유(鼬)·리(貍)·혜(鼷)·서(鼠)는 상응무명을 비유한다. 이것은 무명이 서로 돕는 것이다.

제악충배(諸惡蟲輩) 교횡치주(交橫馳走)• 이러한 모든 악충들[諸惡蟲輩]은 독두무명과 상응무명을 비유한다. 교횡치주(交橫馳走)는 이러한 악충들이 이리 뛰고 저리 뛰어다니는 것을 가리킨다. 큰 집에 불이 났기 때문에 악충들이 서로 이리 달리고 저리 달리는 것이다. 삼계의 업상(業相)이 그치지 않을 때를 교횡이라고 한다. 이러한 업상이 이것이 일어나고 저것이 또 일어나는 것이 매우 빠르다는 것이다. 그래서 치주(馳走)라고 하였다.

시뇨취처(屎尿臭處) 부정유일(不淨流溢)• 보라. 이 집 안에는 또 똥과 오줌이 있다. 우리의 몸속에도 똥과 오줌이 있다. 바깥을 깨끗하게 수습해도 안에는 그렇게 냄새가 나고 또 깨끗하지 않다. 향기나는 기름을 먹어도 안에 이르면 마찬가지로 냄새난다. 이러한 깨끗하지 않은 것을 너희는 사랑하여 보배같이 여긴다. 이것은 바로 매우 어리석다는 것을 표시한다. 이상의 이러한 벌레와 쥐는 또한 어리석음의 부림[癡使]을 대표한다. 똥과 오줌 냄새가 나는 것은 우리 사람이 깨끗하지 않은 곳에서 깨끗하지 않은 것을 집착하고 탐착하기 때문이다. 그리하여 이러한 더러운 것들이 도처로 흘러넘친다는 것이다.

강랑제충(蜣蜋諸蟲) 이집기상(而集其上)• 강랑(蜣蜋)이란 똥 속에 사는 구더기를 말한다. 그것은 똥 속에서 생존한다. 구더기는 전문적으로 그곳에 머물면서 좋은 장소를 찾았다고 즐거워한다. 그는 어떤 때는 똥을 부처님께 올리는데, 그것을 좋은 것이라고 생각하기 때문이다. 이는 그에게 일종의 공경심이다. 그에게는 다른 것이 없으므로 단지 똥이 가장 귀중한 것이다. 그가 한 번 부처님께 올리면 곧 구더기의 몸을 벗고 내생에는 사람이 될 수 있다. 하지만 사람이 되어도 대다수는 빈궁하고 하천하며, 혹은 보지 못하거나 듣지 못하거나 말하지 못하거나 하는 사람이 된다. 왜냐하면 숙세의 업장이 너무 중하기 때문이다.

금년 봄에 수도하는 몇 분이 이곳으로 왔다. 그들은 나에게 이곳은 무엇을 배우는 곳이냐고 물었다. 나는 그들에게 이런 도리를 말해 주었다. "너희가 어떤 곳과 인연이 있으면, 너희는 그곳으로 갈 것이다. 너희가 거짓을 배우기를 좋아하면 거짓의 사람이 있는 곳으로 달려갈 것이며, 참된 것을 배우기 좋아하면 참된 그곳으로 달려갈 것이다. 비유하면, 너희가 만약 화장실의 벌레를 향기 나는 기름 그릇 속으로 옮겨 주더라도 그것은 그곳에서 살 수 없으며, 그곳을 가장 불편한 곳으로 느낄 것이다."

따라서 불법을 배우는 사람은 응당 냄새나지 않는 곳을 선택하여 최소한 매일 불전에 향을 올려야 한다. 우리도 참된 것을 배워야지, 참되지 않은 것을 배워서는 안 될 것이다.

호랑야간(狐狼野干) 저작천답(咀嚼踐蹋) 제설사시(嚌齧死屍) 골육낭자(骨肉狼藉)• 여우·늑대·이리는 양이 적은 것은 꼭꼭 천천히 씹어 먹고[咀嚼], 많은 것은 함부로 짓밟으며 먹는다[踐蹋]. 제설사시(嚌齧死屍)란 죽은 사람의 시체를 입으로 먼저 피를 빨아먹은 후 다시 이빨로 뼈를 먹는 것을 뜻한다. 골육낭자(骨肉狼藉)는 먹을 것을 먹은 후 뼈와 살이 도처에 난잡하게 어질러져 있는 것을 뜻한다.

유시군구(由是群狗) 경래박촬(競來搏撮) 기리장황(飢羸慞惶) 처처구식(處處求食)• 이렇게 늑대가 먹고 남은 것을 개의 무리들이 와서 경쟁하듯이 달려들어 먹을 것을 가지고 싸운다[競來搏撮]. 이들은 배고프고 여위어 두려워하면서[飢羸慞惶] 곳곳에서 먹을 것을 구한다.

투쟁사체(鬪諍摣掣) 애재호폐(啀喍嘷吠)• 투쟁사체(鬪諍摣掣)는 다투면서 잡고 끌어당긴다는 뜻이다. 이것은 서로 도리를 쟁론하고, 옳고 그름을 쟁론하는 것을 말한다. 옳다고 했다가 조금 후에는 옳지 않다고 말하는 것이다.

애재호폐(啀喍嗥吠)란 개가 화를 낼 때 이빨을 드러내고 눈을 부라린다는 뜻이다. 눈을 부라리는 것을 애(啀)라고 하며, 이빨을 치켜세우고 드러내는 것을 재(喍)라고 한다. 호폐(嗥吠)란 개가 큰소리로 짖고 으르렁거리는 것이다. 이것은 오둔사 가운데 의심[疑]을 비유한다.

기사공포(其舍恐怖) 변상여시(變狀如是) 이 집은 매우 공포스럽다. 이 오온의 집에는 이렇게 많은 괴상한 것들이 있다. 따라서 가장 두려워할 만하고 가장 불안하다. 이 집의 변화한 상태가 이와 같은 것이다. 이 게송은 시작부터 여기까지 탐·진·치·만·의 오둔사를 형용하고 있다. 오둔사는 우리를 지배하여 전도되게 한다. 깨닫고 싶어도 쉽지 않다. 오둔사에 부림을 당하는 것은 마치 묶인 것과 비슷한 것이다. 그래서 이 집은 매우 위험하다. 우리는 재빨리 방법을 생각해서 오둔사를 죽여야 한다. 너희가 오둔사를 죽이는 것은 계를 범하는 것이 아니므로 보살계를 범하는 것을 걱정할 필요가 없다.

곳곳에 모두 이매망량의 귀신과
야차와 악귀가 사람의 고기를 먹으며
독충의 무리와 모든 악독한 금수들은
새끼를 기르고 각자 스스로 감추고 보호하네.
야차는 다투어 달려와 먹을 것을 쟁취하고
먹고 배부르면 악심이 더욱 치성하여
싸우는 소리가 매우 공포스럽고 두렵네.

處處皆有 魑魅魍魎 夜叉惡鬼 食噉人肉
毒蟲之屬 諸惡禽獸 孚乳產生 各自藏護

夜叉競來　爭取食之　食之旣飽　惡心轉熾
鬪諍之聲　甚可怖畏

처처개유(處處皆有) 이매망량(魑魅魍魎) 야차악귀(夜叉惡鬼) 곳곳에 모두 이매망량과 야차와 악귀가 있다는 것이다. 도처란 크게 말하자면 욕계·색계·무색계를 뜻하며, 작게 말하자면 우리의 몸을 말한다. 이매망량(魑魅魍魎)은 어떤 귀신들인가? 이(魑)는 산의 정[山精]으로서 사람으로부터 먼 곳에 사는 귀(鬼)다. 산속에 머무는 요괴다. 매(魅)는 귀매(鬼魅)로서 주택 안에 사는 요괴다. 이 귀매는 사람 가까이에 사는데, 수작을 잘 부린다. 귀매에는 여러 종류가 있다. 매우 드러내는 귀매는 갖가지 괴이한 일을 벌인다. 괴이한 일이란 보통사람이 알 수 없고 볼 수 없는 것이다.

망량귀는 나무와 바위가 변한 것이다. 나무와 바위가 시간이 오래 지나 정(精)을 이룬 것이다. 이러한 것이 정을 이루려면 약간의 인연이 있어야 한다. 바위가 어떻게 정을 이루는가? 사람의 피를 빌려야 한다. 설에 따르면 사람의 가운뎃손가락[中指]의 피가 만약 무슨 물건 위에 떨어지면 모두 정을 이룰 수 있다고 한다. 사람의 영기(靈氣)를 빌려야 비로소 정을 이룰 수 있다는 것이다.

망량귀는 매우 크다. 마치 하나의 산과 같다. 중국에는 종종 사람이 밤에 밖에 나가서 이러한 귀를 만나는 경우가 있는데, 눈앞에 마치 산이 하나 가로막고 서 있는 것 같아서 아무것도 보이지 않는다. 내가 동북지방에 있을 때 어떤 형이 저녁에 밖에 나가서 이런 귀를 만났는데, 온밤을 시종 그곳에서 돌며 나가지 못했으며, 새벽에 닭이 울자 이 검은 경계가 비로소 사라졌다고 한다. 이매귀는 매우 작은 것으로서 단지 삼척(三尺) 정도 되며, 망량귀는 삼장(三丈) 정도 높고 심지어 삼십 몇 장 높은 것도 있다.

야차와 악귀도 있다. 도대체 이런 것은 무엇을 표시하는가? 이것은 모두 오리사(五利使)를 나타낸다. 오둔사(五鈍使)의 둔은 오는 것이 약간 느리고 둔하다는 뜻이며, 오리사의 리는 날카롭고 빠르다는 뜻이다. 오리사의 민감성은 매우 크며, 오리사도 사람을 전도되고 집착하게 하며 망령된 행위를 하게 한다. 오리사는 다음과 같다.

① 신견(身見)

언제나 자기 신체에 집착하며, 하루 종일 이 신체를 돕는다. 사탕을 먹이고, 향수를 뿌리고, 좋은 옷을 입히고, 맛있는 것을 먹이고, 머물기에 좋은 집을 찾는다. 이 신체를 바로 자기[我]라고 생각하는데, 사실 잘못 생각하는 것이다. 이 신체는 단지 '나의 것[我的]', '나의 신체'라고 말할 수 있을 뿐, 이 신체가 바로 나라고는 말할 수 없다. 무엇 때문인가? 이 신체는 마치 하나의 집과 같은 것으로서, 너희가 이 집에 산다면 이 집이 나라고 말할 수 없으며, 단지 '나의 집'이라고 말할 수 있기 때문이다. 우리의 신체는 단지 '나의 신체'라고만 말할 수 있다. 너희는 주인공을 잘못 인식하면 안 될 것이다. 따라서 이 신체를 나라고 집착하는 것은 잘못 생각하는 것이다.

이 마음이 비로소 너희의 진정한 주인공이다. 마음이라는 주인공이 신체에 머물고 있는 것이다. 너희의 '상주진심(常住眞心), 성정명체(性淨明體)'가 진정한 너희이며, 진정한 나[我]이다. 이것은 또한 여래장이며 불성이다.

너희의 진정한 나는 불생불멸하고, 불구부정하며, 부증불감하는 참된 나[眞我]다. 그러나 그러한 진아를 쓰지 않고 거짓의 나[假我]를 힘써 쓰려고 하면서 지엽상으로 달려가 이 신체를 나라고 생각한다. 이 신체가 만약 너희라면, 신체가 장래 죽으면 너희는 없어지는가? 만약 없어진다면, 그것은 단멸(斷滅)하는 것이다. 이것이 바로 변견(邊見)이다.

그러나 사람이 죽으면, 마치 우리가 어느 집에 살다가 그 집이 무너지면 다른 집을 찾아 이사를 하는 것과 같다. 어느 곳으로 이사를 가는가? 그것은 지금 무슨 업을 짓는가를 보아야 한다. 선업을 지으면 좋은 집으로 이사 갈 것이고, 악업을 지으면 나쁜 집으로 이사 갈 것이다. 그러므로 사람이 죽으면 결코 단멸하는 것이 아니다. 우리는 이 신견을 간파하고 놓아버려야 한다. 집착해서는 안 될 것이다.

② 변견(邊見)

단멸하는 것을 집착하거나 항상함을 집착하는 것은 외도의 두 가지 집착이다. 단멸을 집착하는 것[斷見]이란 사람이 죽으면 곧 등이 꺼지는 것처럼 없어진다고 생각하는 것이다. 너희가 선을 지어도 과보가 없고, 악을 지어도 과보가 없으며, 죽으면 그만이라는 것이다. 내생이 없으므로 원인도 믿지 않고 결과도 믿지 않는다. 인(因)도 없고 과(果)도 없다는 단견은 인과를 부정한다. 그들은 부처가 있다는 것도 믿지 않고, 귀신이 있다는 것도 믿지 않으며, 심지어 사람조차도 믿지 않는다. 사람도 마치 초목과 같이 저절로 나고 저절로 죽는다고 생각하는 것이다. 이렇듯 인과의 순환도 없고 육도의 윤회도 없다고 생각하는 것이 단견이다.

항상함을 집착하는 것[常見]이란 사람은 좋은 일을 하든지 악한 일을 하든지 영원히 사람이 되며, 귀신은 영원히 귀신만 되고 바뀌지 않는다고 생각하는 것이다. 그래서 천주는 영원히 천주이고, 소와 말은 영원히 소와 말이 된다고 말한다. 무엇 때문인가? 그들은 말하기를, 그러한 종자를 가졌기 때문이라고 한다. 사람은 사람의 종자를 가졌고, 축생은 축생의 종자를 가졌기 때문에 정해져 있다는 것이다.

단견과 상견은 모두 편견이고 변견이다. 중도에 부합하지 않는 것이다. 그들은 똥을 가지고 있으면서 과자를 주어도 똥과 바꾸려고 하지 않는다. 이 변견은 가장 바꾸기 쉽지 않은 것이며, 가장 나쁜 견해이고, 또한 가장 불합리한 견이다.

③ 계금취견(戒禁取見)

이것은 외도가 닦는 일종의 계이다. 원인이 아닌데 원인으로 생각하고, 결과가 아닌데 결과로 생각한다[非因計因 非果計果]. 그는 무익한 고행을 닦으면서 열반을 얻을 수 있다고 말한다. 그가 닦는 고행은 방문외도(旁門外道)가 닦는 것이다. 사실 이 외도는 고행을 닦기 때문에 어떤 이는 천안(天眼)이 열린다. 천안이 열려 보니 소·개·돼지·닭 가운데 어떤 축생은 천상에 태어나는 것을 보게 되며, 그래서 그는 곧 소·개·돼지·닭의 행위를 배우게 된다. 소가 풀을 먹으니 그도 밥을 먹지 않고 풀을 먹는다. 소가 풀을 먹기 때문에 천상에 나는 것이라고 여긴 것이다. 풀을 먹는 것이 진정한 수행이라고 생각한다. 이것을 소의 계[牛戒]라고 한다.

또 어떤 외도는 개가 바깥의 개집에서 자면서 집을 지키는 것을 보고 배우며, 이것을 진정한 수행이라고 생각한다. 또 어떤 외도는 돼지를 배우면서 온몸에 진흙을 바르고 더럽게 살면서 이것을 수행이라고 생각한다. 또 어떤 외도는 침대에 못을 박아놓고 그 위에서 자는 것을 수행으로 여긴다. 또 어떤 외도는 거꾸로 매달려 자는 것을 수행으로 여긴다. 또 어떤 외도는 밥을 먹지 않고 배가 고프면 흙을 먹으면서 생활한다.

사실 이러한 외도는 천안통을 얻어 단지 소, 개 등이 천상으로 가는 것만 보고, 왜 천상에 나는가는 관찰하지 못한 것이다. 소는 절을 짓는 데 일체의 자재를 운반하고 수레를 끈 공덕으로 천상에 태어난 것이며, 개는 사람의 생명을 구제한 적이 있기 때문에 천상에 간 것이다. 돼지와 닭은 사람이 방생한 것으로서 절에서 기르게 되었을 경우, 절에서 스님들의 독경소리를 듣거나 염불소리를 듣고 묵묵히 마음속으로 염불을 한 공덕으로 천상에 난 것이다. 외도는 그들이 천상에 나는 원인을 모르기 때문에 축생들이 하는 행위만 그대로 따라 하는 것을 수행으로 여긴 것이다. 따라서 우리는 모든 일에서 그 내막을 알아야 한다. 수도(修道)는 흐리멍덩하게 닦아서는 안 되며, 진정한 지혜를 가지려면 모든 일에서 한층 더 깊이 연구해야 할 것이다.

이상에서 언급한 모든 것이 계금취견으로서 무익한 고행을 지속한다. 그래서 무슨 의의가 있는가? 무슨 좋은 점이 있는가?

④ 사견(邪見)

정당하지 못한 견이다. 예를 들면 수도인은 마땅히 부모에게 효도를 해야 하는데, 사견을 가진 사람은 "필요 없어! 부모에게 효순하는 것이 무슨 의의가 있어? 그가 자녀를 낳는 것은 그의 본분이고 그가 마땅히 낳아야 하는 거야. 부모에게 효순할 필요가 없어!"라고 생각한다.

우리는 살생을 옳지 않은 것으로 알지만, 그는 살생을 많이 하는 것이 가장 좋다고 말한다. 훔치는 것도 법에 부합하지 않는데, 그는 사람들에게 갖가지 방법으로 훔치게 한다. 사음도 정당하지 못한 행위인데,

그는 사람들에게 사음하게 한다. 거짓말도 마땅히 금해야 하는 것인데, 그는 사람들에게 거짓말을 하게 한다. 이러한 것이 사견이다.

그리고 어떤 사람은 채식을 반대하며 말한다. "천지간의 소·양·닭들은 근본적으로 사람에게 먹히게 태어난 것인데, 고기를 먹지 않는 게 무슨 소용이 있나?" 그는 언제나 이런 도리를 말한다. 이처럼 옳은 것을 옳지 않다고 말하면서 억지 주장을 드러내는 것이 사견이다.

⑤ 견취견(見取見)

그는 모든 것을 보고 자기를 위하여 취하려고 생각한다. 무슨 수단을 쓰든지 간에 그는 자기 자신을 도울 것만 생각한다. 이것은 일종의 사사로움[自私]의 표현이다.

오리사는 너희의 진정한 지혜를 막는다. 마치 다섯의 고용인과 같이 너희를 포위하고 있으면서 모든 것에서 자유롭지 못하게 하며, 이 다섯 사람의 말만 듣도록 지배하고 교사(教唆)하는 것이다. 그러므로 너희 불법을 배우는 사람은 너희의 지혜의 검을 꺼내어 오리사를 베어 죽여야 한다. 그런 연후에야 비로소 삼계를 벗어날 수 있다. 이것이 오리사의 대략적인 뜻이다.

이 단락에서 "처처개유 이매망량 야차악귀(處處皆有 魑魅魍魎 夜叉惡鬼)"는 오리사 가운데 사견(邪見)을 비유한다. 왜냐하면 이매망량과 야차와 악귀의 무리들은 모두 그림자는 있어도 형체는 없는 것으로서, 어떤 일이든 몰래 하고 광명정대하지 못하기 때문이다. 이는 사견을 가진 사람이 하는 행위가 어둡고 하늘을 보지 못하며 광명을 보지 못하는 것과 비슷하다.

식담인육(食噉人肉)• 사람의 고기[人肉]는 세간의 착한 과보[善報]를 비유한다. 이 세계에서 너희가 선한 일을 하면 선한 과보가 있고, 악한 일을 하면 악한 과보가 있다. 어째서 사람의 고기를 먹는다[食噉人肉]고 하는가? 인육은 선한 과보를 비유하며, 선한 과보가 그런 귀신들과 야차에게 먹힌다는 것이다. 이것은 바로 사견의 사람이 인과를 부정하는 것을 비유한다. 그들은 말하기를, 이 세상에는 인과가 없으며 인과를 두려워하지 말라고 한다. 이것은 선보를 먹는 것이다. 선보를 먹으면 선보가 없어진다.

독충지속(毒蟲之屬) 제악금수(諸惡禽獸) 부유산생(孚乳産生) 각자장호(各自藏護)• 앞에서 나온 독사류 등 모든 악독한 금수는 알로서 나거나 태생으로 나는 것이며, 각자는 스스로 감추고 보호한다는 뜻이다. 즉 어미는 새끼를 보호하기 위하여 감추며, 다른 동물에게 잡아먹힐 것을 걱정하여 항상 보호한다.

여기서 각자장호(各自藏護)는 세간의 인과를 비유한다. 인(因)에는 반드시 과(果)가 있으며, 그러한 인을 심으면 비록 지금은 과가 없더라도 그곳에 저장되어 장래 반드시 과가 있을 것이다. 그래서 장(藏: 저장하다)이라고 한 것이다. 이 인과는 반드시 잃지 않으며 반드시 얻게 된다. 그래서 호(護: 보호하다)라고 한 것이다. 그러므로 신인을 심으면 신과를 맺고, 악인을 심으면 악과를 맺게 되는 것은 정해져 있는 것이다. 어떻게 하더라도 이 인과에서 벗어날 수 없다. 따라서 각자장호(各自藏護)라고 한 것이다.

야차경래(夜叉競來) 쟁취식지(爭取食之)• 야차는 용맹한 귀로서 행동이 매우 빠르므로 경쟁하듯이 와서 먹을 것을 서로 다투어 먹는다. 먹을 것은 적고 야차는 많으니, 서로 싸우면서 먹는다. 이것은 세간의 인과를 부정하는[撥無因果] 것을 비유한다.

식지기포(食之旣飽) 악심전치(惡心轉熾)• 그것을 먹은 후에는 배가 부르다[食之旣飽]. 이것도 비유로서, '사견이 성취된 것'을 비유한다. 사견이 성취되지 않았을 때는 단지 생각만을 가지고 있었는데, 성취되니 사실이 된 것이다. 사견이 성취된 연후에는 또 증장한다. 이것은 악심이 치성하게 바뀐다[惡心轉熾]는 것이다. 사견이 나날이 증장되고 커진다는 것을 비유한다.

투쟁지성(鬪諍之聲) 심가포외(甚可怖畏)• 싸우고 다투는 소리가 매우 두렵다고 한다. 다툰다는 것은 승부를 가르는 것이다. 그러나 다툼은 도와 서로 위배되며 도에 부합하지 않는다. 너희가 다투면 곧 아상(我相)과 인상(人相)이 나온다. 아상과 인상이 합해져서 중생상이 나오며, 중생상이 있으면 수자상이 있게 된다. 그래서 삼매를 얻지 못하는 것이다. 투쟁지성(鬪諍之聲)은 인과를 부정하는 삿된 이론을 비유한다.

심가포외(甚可怖畏)는 매우 두렵다는 것이다. 사람들이 만약 이러한 삿된 이론을 들으면 곧 미혹된다는 것을 비유한다. 미혹되면 악업을 짓게 되고, 악업을 지으면 삼악도에 떨어진다. 삼악도에 떨어지면 매우 두렵게 된다. 두려운 것은 바로 삼악도다. 왜냐하면 한 번 떨어지면 다시 나오기가 쉽지 않기 때문이다. 혹은 특별한 인연이 있으면 나올 수는 있지만, 그것은 매우 어렵고 어려운 일이다.

구반다 귀신은 흙무더기에 걸터앉아 있다가
때로는 땅에서 한 자나 두 자 뛰어오르며
오가며 노닐고 방종하고 게을러 장난하며
개의 두 다리를 잡고 던지니 소리를 지르고
다리로 개의 목 누르고, 겁주며 즐거워하네.

鳩槃茶鬼 蹲踞土埵 或時離地 一尺二尺
往返遊行 縱逸嬉戲 捉狗兩足 撲令失聲
以脚加頸 怖狗自樂

구반다귀(鳩槃茶鬼) 구반다귀는 생긴 것이 동과(冬瓜)와 같아서 머리도 없고 발도 없이 불룩한 게 둥근 북 같다. 이 귀는 또 염매귀(魘魅鬼)라고도 한다. 내가 『지장경』을 강의할 때 원귀(遠鬼)라고 하였는데, 사람과 멀리 떨어져 지내기 때문이다. 너희가 잠에서 깨어나면 멀리 달아나고, 잠을 자면 너희를 찾아와서 괴롭힌다. 우리 몸을 눌러 숨도 쉴 수 없게 하고, 말도 나오지 않게 하고, 움직이려고 해도 움직일 수 없게 한다. 이 귀도 비유로서, 오리사 가운데 계금취(戒禁取)를 비유한다.

준거토타(蹲踞土埵) 구반다 귀신이 흙무더기에 걸터앉는 것을 뜻한다. 이것은 외도가 계금취에 따라 십선을 수행하여 욕계의 여섯 하늘의 높은 곳에 나는 것을 비유한다. 즉 외도가 소의 계, 개의 계, 돼지의 계 등을 지니면서 열 가지 선을 닦는다. 그리하여 욕계의 여섯 천상(사왕천·도리천·야마천·도솔천·화락천·타화자재천)에 나는 것이다.

혹시이지(或時離地) 일척이척(一尺二尺) 혹은 어떤 때는 땅에서 일 척이나 이 척을 뛰어오른다는 뜻인데, 이것은 외도가 계금취에 따라 수행하여 사선(四禪)을 얻어 색계천에 나기도 한다는 것을 비유한다. 땅에서 일 척 뛰어오르는 것은 색계천에 나는 것을 의미한다. 다시 계금취에 따라 수행하여 네 가지 공정[四空定]을 얻어 무색계의 천상에 나기도 하는데, 이것을 땅에서 이 척 뛰어오른다[離地二尺]고 한다.

왕반유행(往返遊行)• 왕(往)이란 색계·무색계로 가는 것을 비유하며, 반(返)이란 다시 욕계로 돌아오는 것을 비유한다. 욕계·색계·무색계에서 어떤 때는 약간 상승했다가 어떤 때는 아래로 내려온다. 그래서 우리 사람은 이 세계에서 매우 위험한 것이다. 마치 한 낱 먼지와 같아서 바람에 따라 갑자기 높이 올랐다가 갑자기 내려오며, 오르고 내리기를 반복한다. 사람도 업의 바람에 따라 선업을 지으면 천상으로 올라가고, 악업을 지으면 지옥으로 떨어진다. 이 업풍은 너희를 불어 너희의 머무는 곳을 옮기게 한다. 따라서 이것을 왕반유행(往返遊行)이라 한다.

종일희희(縱逸嬉戱)• 방종하고 게으르며, 놀이하며 논다는 뜻이다. 이 삼계 속에서 방종하며 논다. 이 삼계를 놀기 좋다고 여기는데, 사실 가장 위험한 곳이다. 방종하며 논다는 것도 비유로서, 우리 인간이 만약 진정한 도리를 이해하지 못하면 진실한 즐거움을 수용하지 못하며 또한 진실한 즐거움도 없다. 모든 즐거움은 놀이를 하는 것과 같다. 너희는 놀이하는 즐거움을 참된 것으로 보는가, 거짓된 것으로 보는가? 그것은 완전히 거짓된 즐거움이다.

착구양족(捉狗兩足) 박령실성(撲令失聲)• 야차가 개의 두 다리를 잡고 멀리 던져버리니 개가 자기도 모르게 고통의 소리를 낸다는 뜻이다. 이것도 비유로서, 고행을 닦는 외도는 이러한 고행이 장래 그의 도업을 성취할 수 있을 것이라고 생각하는 것을 비유한다. 그는 청정한 과를 얻을 것이라고 생각하지만, 사실 이것은 무익한 고행이다. '원인이 아닌데 원인으로 생각하는[非因計因]' 것이다. 축생의 행위를 배우는 것은 아무런 이익도 없다.

이각가경(以脚加頸)• 이 야차가 두 다리로 개의 목을 누른다는 것인데, 축생의 계를 배우는 고행으로 망령되게 즐거움의 과를 얻으려고 하는 것을 비유한다. '결과가 아닌데 결과로 생각하는[非果計果]' 것이다. 그는 이러한 고행으로 열반의 즐거움을 얻을 것으로 생각하지만, 결코 즐거운 과보를 얻을 수 없다.

포구자락(怖狗自樂)• 개가 두려워하는 것을 보고 야차가 스스로 즐거워한다는 뜻이다. 이것은 외도가 고행을 닦아 잠시 그의 번뇌를 항복시키는 것을 비유한다. 그러나 이것은 마치 돌로써 풀을 누르는 것과 같다. 번뇌는 풀로 비유하고, 고행은 돌로 비유한다. 그러나 풀 위의 돌을 치우면 풀은 여전히 자라나기 때문에 근본적으로 번뇌를 끊은 것이 아니다.

다시 어떤 귀신은 그 몸이 장대하며
헐벗은 모습에 검고 여위며 항상 그 안에 머물면서
크게 악한 소리 내고 울부짖으며 먹을 것 구하고

또 어떤 귀신은 그 목구멍이 바늘처럼 가늘구나.

復有諸鬼 其身長大 裸形黑瘦 常住其中•
發大惡聲• 叫呼求食• 復有諸鬼 其咽如針•

부유제귀(復有諸鬼) **기신장대**(其身長大) **나형흑수**(裸形黑瘦) **상주기중**(常住其中)• 야차만 있는 게 아니라 이상한 모습의 귀신도 많다. 몸이 장대한 귀신, 나체를 한 귀신, 검고 마른 귀신 등이 그 집 가운데 항상 머문다. 여기서 "어떤 귀신은 몸이 장대하다.[其身長大]"는 것은 오리사 가운데 신견(身見)을 비유한다. 장(長)이란 삼계 안에 그의 몸이 다 있다는 것이고, 대(大)란 그의 신체가 색수상행식 오음에 편만하여 있다는 것을 뜻한다.

그의 신견은 자기의 신체가 가장 자재하며, 일체의 선법(善法)을 닦을 필요가 없다고 생각한다. 이것은 곧 참괴심(慚愧心)이 없다는 것이다. 참괴심이 없으니 자기에게 잘못이 있다고 느끼지 않는다. 이런 참괴심이 없는 사람을 헐벗은 모습[裸形]이라고 한다. 나형은 옷을 입지 않은 것이다. 왜 그는 헐벗은 모습이라고 말하는가? 바로 참괴심이 없기 때문이다. 그래서 자기가 이렇게 추함을 모르는 것이다.

그리고 어째서 검다[黑]고 하는가? 즉 죄악으로 덮였기 때문이다. 죄악은 검은색이다. 그는 온몸이 죄악이다. 무엇을 여위다[瘦]고 하는가? 덕행이 없는 것을 여위다고 한다. 그는 그의 신체를 도울 아무런 공덕도 없는 것이다. 신견의 귀신은 헐벗은 모습이고, 검고 여위다. 그 자신은 언제나 삼계 안에 머물기를 생각하고 영원히 삼계를 벗어나지 못한다. 그래서 항상 그 가운데 머문다[常住其中]고 한 것이다.

발대악성(發大惡聲)• 크게 악한 소리를 낸다는 뜻이다. 이것은 그러한 외도는 갖가지 아상(我相)의 말을 한다는 것을 비유한다. 그는 이 아상을 떠나지 못하고, 갖가지 외도의 고행을 닦는다. 그는 아상이 너무 중하다.

규호구식(叫呼求食)• 크게 울부짖으며 먹을 것을 구한다는 뜻이다. 이것도 비유로서, 아상에 집착함으로써 열반을 얻으려고 하는 것이다. 아상으로써 열반을 얻으려고 하는 것은 망상이다. 너희에게 아상이 있으면 열반을 얻지 못한다.

부유제귀(復有諸鬼) 기인여침(其咽如針)• 또 어떤 귀신은 그의 목구멍이 바늘처럼 가늘다는 것이다. 그런데 배는 매우 크다. 그러니 언제 배가 부르겠는가? 아무리 많이 먹어도 배가 부르지 않다. 목이 가늘고 배가 크기 때문에 심지어 물 한 모금을 마시려고 해도 많은 시간을 소비해야 하니, 이것이 괴롭지 않은가? 이런 귀신은 오리사 가운데 견취견(見取見)을 비유한다. 그는 목구멍이 가늘어 목숨도 위험하다. 그러나 언제나 그의 수명을 보호하려고 하며, 도처로 가서 먹을 것을 찾는다. 이것은 비상비비상처천을 비유한다. 비상비비상처천의 수명은 팔만 대겁이나 길다. 그러나 그의 수명이 다한 후에는 다시 떨어진다. 그래서 비상비비상처천도 무상한 것이다. 그러나 그는 비상비비상처천의 경계상에서 열반을 얻었다고 생각한다.

또 어떤 귀신은 머리에 두 뿔 달린 소의 머리 같으며
혹은 사람의 고기를 먹고, 혹은 개의 고기를 먹네.

머리카락 헝클어지고 잔인하게 상해하여 위험하며
배고프고 목마름에 핍박받아 울부짖으며 달리네.
復有諸鬼 首如牛頭• 或食人肉 或復噉狗•
頭髮鬔亂• 殘害凶險• 飢渴所逼• 叫喚馳走•

부유제귀(復有諸鬼) 수여우두(首如牛頭)• 이 귀신은 머리에 두 개의 뿔이 달려 있는 소머리 형상을 하고 있다. 귀신은 소의 얼굴뿐 아니라 개의 얼굴, 돼지의 얼굴, 닭의 얼굴 등 많은 모습이 있다. 심지어 인간에 있는 축생이면 그러한 모습의 귀신이 있다. 이 귀신이 소머리와 비슷하다고 한 것은 변견(邊見)과 신견(身見)을 의지함을 비유한다. 변견과 신견 상에서 또 두 종류의 견이 나온다. 즉 단견과 상견이다. 소의 뿔은 단견과 상견을 비유한다. 단견과 상견은 가장 나쁜 것이며, 세간을 벗어나는 선근을 끊을 수 있다.

혹식인육(或食人肉) 혹부담구(或復噉狗)• 사람의 고기를 먹는다는 것은 세간을 벗어나는[出世] 선근을 끊는 것을 비유한다. 사람의 고기는 선근을 비유한다. 그리고 개의 고기를 먹는 것도 세간의 선근을 끊음을 비유한다. 출세의 선근이란 계·정·혜를 닦고, 탐·진·치를 소멸하며, 사성제·육도만행·십이인연의 공덕을 구족하는 것이다. 세간의 선근은 오계를 지니고 십선을 닦는 것이다. 단견과 상견은 세간의 선근을 끊으며, 출세의 선근도 끊을 수 있는 것이다.

두발봉란(頭髮鬔亂)• 머리카락이 헝클어져 어지럽다는 뜻이다. 머리카락은 본래 응당 잘 빗어 고르게 해야지 어지럽게 하면 안 된다.

어째서 머리카락이 헝클어져 어지러운가? 이것도 비유이며, 외도의 사람은 어떤 때는 상견을 가지고, 또 어떤 때는 단견을 주장한다. 그들은 단견이 아니면 상견을 주장하고, 상견이 아니면 단견을 주장하면서 앞뒤가 모순된다. 그래서 머리카락이 어지러운 것으로 비유한 것이다.

잔해흉험(殘害凶險) 머리카락이 어지러운 것은 단견과 상견에 대하여 분별할 지혜가 없는 것을 나타낸다. 진정한 지혜를 이해하지 못하는 것이다. 그들의 단견과 상견은 무상(無常)의 바른 도리를 파괴한다. 그래서 단견의 구덩이와 상견의 구덩이에 빠진다. 빠지면 벗어나오기가 쉽지 않다. 그래서 잔인하게 상해를 가해 매우 위험한[殘害凶險] 것이라고 한다.

기갈소핍(飢渴所逼) 기갈이 핍박한다는 뜻이다. 기갈이란 무엇인가? 먹을 지혜의 밥과 선정의 물이 없는 것이다. 우리 수도인은 지혜의 밥을 먹어야 한다. 그러나 그런 밥이 없으므로 배가 고프다. 수도인은 선정의 물을 마셔야 한다. 그러나 그런 물이 없으므로 목이 마르다.

무엇이 지혜의 밥인가? 경을 듣는 것이다. 경을 들어 도리를 이해한 연후에 시간을 내어 좌선을 해야 한다. 무엇이 선정의 음료인가? 좌선을 하는 것이다. 좌선을 하면 자연히 감로가 생겨 입과 뱃속에 충만하다. 경을 듣지 않으면 지혜의 밥이 없고, 좌선하지 않으면 선정의 음료가 없다. 따라서 기갈이 핍박하게 된다. 기갈이 핍박한다[飢渴所逼]는 것은 즉 지혜의 밥과 선정의 음료가 없는 것을 비유한다.

규환치주(叫喚馳走) 배가 고프고 목이 마르니 울부짖으며 달린다는 것이다. 울부짖는다[叫喚]는 것은 상견과 단견의 삿된 이론을 선양하는 것을 비유한다. 달린다[馳走]는 것은 육도에서 윤회하는 것을 비유한다. 태어났다가 죽고, 죽었다가 다시 나면서 윤회하는 것이다.

야차와 아귀, 모든 악한 새와 짐승들은
배고픔이 심하여 사방으로 창문을 엿보며
이러한 모든 어려움과 두려움이 무량하네.
夜叉餓鬼　諸惡鳥獸　饑急四向　窺看窓牖•
如是諸難　恐畏無量•

기급사향(饑急四向) 규간창유(窺看窓牖)• 욕계의 중생은 모두 유루(有漏)이며, 새기 때문에 수도와 선의 참된 맛을 얻지 못한다. 그래서 모든 아귀와 조수(鳥獸)들은 배고픔이 대단하다. 이것을 기급(饑急)이라고 하였다. 또한 외도가 닦는 삿된 관은 진리를 깨달을 수 없으므로 그들은 도과(道果)와 선(禪)의 좋은 점을 매우 부러워한다. 이러한 일종의 부러운 마음이 있는 것을 사향(四向)이라고 하였는데, 즉 사방 바깥으로 찾는 것이다. 하나의 바른 지견을 가지고 오둔사와 오리사를 멀리하면, 이러한 도과와 선의 맛을 얻을 수 있다는 것을 그는 모른다.

그들은 도과를 얻지 못하므로 사방의 창과 문으로 몰래 엿본다[窺看窓牖]. 규(窺)는 몰래 엿본다는 뜻이다. 보아도 명료하게 보지 못한다. 이것은 외도인은 정체된[滯] 마음이 많다는 것을 비유한다. 정체된 마음이 많아서 진정한 진리를 이해하지 못한다. 마치 창문과 같이 비록 허공을 보지만 무애의 경계를 얻지 못하고 여전히 막힘이 있다.

여시제난(如是諸難) 공외무량(恐畏無量)• 앞에서 말한 이러한 갖가지의 재난, 갖가지의 고난은 정말로 두려운 것이다. 그 두려움이 무량하다는 것이다.

이 썩고 오래된 집은 한 사람에게 속하는데
그가 집에서 나온 지 오래되지 않은 사이에
사택의 뒤쪽에서 갑자기 불이 일어났구나.
是朽故宅 屬于一人• 其人近出• 未久之間
於後舍宅 忽然火起•

시후고택(是朽故宅) 속우일인(屬于一人)• 이 썩고 오래된 집은 삼계가 편안함이 없는[三界無安] 것을 형용한다. 삼계 속에는 어디에도 안전한 곳이 없으며, 도처가 모두 위험하다. 이 집은 지금 만들어진 것이 아니므로 고택이라고 하였다. 삼계는 시작이 없으므로 노후된 것이라는 말이다. 그러나 이 집은 한 사람에게 속한다고 한다. 즉 욕계·색계·무색계의 삼계는 부처님께서 응신으로 중생을 교화하시는 곳이라 한 사람에게 속한다[屬于一人]고 하였다. 한 사람이란 큰 부자인 장자를 가리키며, 또한 부처님을 뜻한다.

기인근출(其人近出)• 석가모니 부처님께서는 대통불의 시기에 일체중생을 교화하여 오탁을 항복시키고 중생의 업의 감응이 다하였다. 그래서 부처님께서도 열반에 들었다. 부처님께서 열반에 드신 후 일체중생은 이른바 "지팡이를 멀리하자 곧 넘어졌다.[離了拐杖就倒了]" 마치 걸을 수 없는 사람이 지팡이를 잡고 있다가 지팡이가 없어지자 곧 걸을 수 없는 것과 같다. 일체중생은 부처님께서 열반에 드신 후 다시 오탁의 생각을 일으켰다. 부처님께서는 이 세계에서 열반에 드신 후 다른 곳으로 가서 인연이 성숙하면 다시 중생을 교화하신다. 기인근출(其人近出)이란 오래 지나지 않아 부처님께서 다시 세상에 나오신 것을 뜻한다.

또 다른 하나의 해석이 있다. 부처님께서 교화하는 중생은 이미 무생법인을 얻었다. 그래서 다시는 삼계에 몸을 받고 나지 않는다. 이것을 출(出)이라고 한다. 그리고 부처님께서 성불하여 삼계를 벗어났지만 부처님이 다시 세상에 오셔서 중생을 교화하는 것을 근(近)이라고 한다.

어후사택(於後舍宅) 홀연화기(忽然火起)• 택(宅)은 삼계를 비유하고, 사(舍)는 오음을 비유한다. 얼마 지나지 않아 사택의 뒤쪽에서 갑자기 불이 일어났다는 것은, 우리의 삼계는 마치 화택과 같으며 우리 오음의 불이 삼계를 불태운다는 것이다.

사방에서 일시에 화염이 함께 치성하고
기둥과 대들보, 서까래 등이 터지고 갈라지며
부러지고 꺾이고 떨어지며 장벽이 무너져
모든 귀신들이 큰 소리로 부르짖으며
수리와 독수리 등 모든 새와 구반다 귀신 등은
당황하고 두려워하여 스스로 벗어나지 못하네.

四面一時　其炎俱熾　棟梁椽柱　爆聲震裂•
摧折墮落　牆壁崩倒　諸鬼神等　揚聲大叫•
鵰鷲諸鳥　鳩槃茶等　周章惶怖　不能自出•

사면일시(四面一時) 기염구치(其炎俱熾) 동량연주(棟梁椽柱) 폭성진열(爆聲震裂)• 사면은 사념처(四念處)를 비유하고, 일시는 네 가지 전도[四倒]·오탁(五濁)·팔고(八苦)가 모두 나오려고 하는 때를 비유한다. 네 가지 전도란 항상함이 아닌데 항상함으로 생각하고, 즐겁지 않은데 즐거움으로 생각하며, 나가 없는데 나가 있다고 생각하고, 청정하지 않은데 청정하다고 생각하는 것을 말한다. 동량연주(棟梁椽柱)는 신체의 사지와 척추와 다른 부분을 비유하고, 폭성진열(爆聲震裂)은 신체의 목숨이 끊어지는 것을 비유한다.

최절타락(摧折墮落) 장벽붕도(牆壁崩倒) 제귀신등(諸鬼神等) 양성대규(揚聲大叫)• 최절타락(摧折墮落)은 목숨이 끊어져 골육이 분리되는 것을 비유하고, 장벽붕도(牆壁崩倒)는 신체를 이루고 있던 지·수·화·풍 사대가 해체되어 돌아가는 것을 비유한다. 제귀신등(諸鬼神等)은 오둔사와 오리사를 비유한다.

불능자출(不能自出)• 스스로 삼계를 벗어날 수 없다는 것이다. 따라서 불법을 배우는 우리는 오둔사와 오리사에 움직이지 않고, 이것을 교화하여 호법으로 만들 수 있다. 욕계는 벗어나기가 쉽지 않으므로 반드시 불법승 삼보의 힘을 빌려야 한다.

나) 색계의 비유

악독한 짐승과 벌레들은 구멍으로 들어가 숨고
비사사 귀신도 빈 구멍 가운데 머물지만

복덕이 적은 까닭으로 불의 핍박을 받으며
서로 잔인하게 해치며 피 마시고 살을 먹네.
이리의 무리는 이미 이전에 죽은
모든 큰 악한 짐승들을 다투어 와서 먹으며
연기가 자욱하게 피어올라 사방에 가득 차네.

惡獸毒蟲　藏竄孔穴　毘舍闍鬼　亦住其中•
薄福德故　爲火所逼　共相殘害　飮血噉肉•
野干之屬　竝已前死　諸大惡獸　競來食噉•
臭煙熢㶿　四面充塞•

악수독충(惡獸毒蟲) **장찬공혈**(藏竄孔穴) **비사사귀**(毘舍闍鬼) **역주기중**(亦住其中)• 이것은 색계를 말한다. 집에 불이 나니 악수와 독충은 구멍 속으로 숨으며, 정기를 먹는 비사사 귀신도 그 속에 머문다고 한다. 이것은 초선·이선·삼선·사선을 얻어 색계의 하늘에 나서 머무는 것을 비유한다.

박복덕고(薄福德故) **위화소핍**(爲火所逼) **공상잔해**(共相殘害) **음혈담육**(飮血噉肉)• 왜 불이 일어나는가? 왜 화를 내는가? 바로 복덕이 적기 때문이다. 복이 없기 때문에 덕행이 없다. 덕행이 없으므로 화를 잘 낸다. 그래서 불의 핍박을 받는 것이다. 공상잔해(共相殘害)란 색계의 천상은 욕계를 싫어하며, 무색계는 색계를 싫어하는 것을 비유한다. 무색계의 중생은 일종의 집착이 있는데, 묵언을 집착하는 것이다. 이것이 음혈(飮血)이다. 하루 종일 말을 하지 않는 것이다. 그들은 말하지 않는 것을 수행이라고 생각한다. 어떤 수도인이 묵언을 하는 것도 일종의 집착이다. 색계의 중생도 집착이 있는데, 공덕을 집착하는 것이다. 그가 한 선행을 집착한다. 이것은 담육(噉肉)으로 비유한다.

야간지속(野干之屬) 병이전사(竝已前死) 제대악수(諸大惡獸) 경래식담(競來食噉)• 이리는 욕계의 탐욕을 비유한다. 이제 색계에서는 욕계의 탐욕은 이미 죽었다. 모든 큰 악수들이 와서 다투어 먹는다는 것은 색계의 탐욕이 욕계의 탐욕을 먹는 것을 비유한다.

취연봉발(臭煙熢㶑) 사면충색(四面充塞)• 비록 그들이 욕계의 탐욕을 먹어 맹렬한 화염은 없지만, 아직 적은 열기는 남아 있다. 미세한 집착이 남아 있는 것이다. 즉 선의 맛을 탐하는 경계가 있기 때문에 이것을 취연봉발(臭煙熢㶑)이라고 비유하였다. 이러한 연기가 사면에 가득 찬다는 것은 사념처를 비유하고, 나아가 지·수·화·풍 사대를 비유한다. 왜냐하면 이러한 연기가 사대에도 통하고, 사념처에도 통하기 때문이다.

다) 무색계의 비유

지네와 유연, 독사의 무리는
불에 태워지니 다투어 구멍에서 나오며
구반다 귀신은 마음대로 잡아서 먹네.
蜈蚣蚰蜒 毒蛇之類 爲火所燒 爭走出穴•
鳩槃荼鬼 隨取而食•

오공유연(蜈蚣蚰蜒) 독사지류(毒蛇之類) 위화소소(爲火所燒) 쟁주출혈(爭走出穴)• 이 단락은 무색계를 설명한다. 수도인은 색계천에서 다시 이 색계를 볼 수 있는 형상이 있다고 싫어한다. 마치 새장에 갇힌 것과 같이 자유롭지 못하다고 생각한다. 그래서 그는 무색계로 가서 색계의 새장을 벗어나려고 한다. 무색계로 가면 형상이 없어지며 공함을 부러워한다. 이것을 위화소소(爲火所燒)라고 비유한 것이다. 그들은 색계의 네 가지 전도·오음·팔고에 핍박된다. 그래서 그것이 마치 불에 태워지는 것과 같다는 것이다. 그래서 다투어 구멍에서 벗어나려고 한다. 혈(穴)은 바로 색계천을 비유한다. 구멍을 벗어나면 무색계천에 이르는 것이다. 무색계의 정을 얻어 색의 인연을 소멸하였다.

구반다귀(鳩槃荼鬼) 수취이식(隨取而食)• 구반다귀는 오둔사와 오리사를 비유한다. 오둔사와 오리사 모두 무색계천의 무색정을 얻을 수 있는데, 지금 이 단락은 오둔사에 집착하는 것이다. 그는 색계를 싫어하여 무색계를 얻으려고 한다. 오리사는 이미 무색계를 증득하여 색계를 소멸하였다. 그래서 수취이식(隨取而食: 취하는 대로 먹는다)이라고 한 것이다.

또 어떤 아귀는 머리에 불이 타고
기갈과 뜨거움으로 어지럽게 번민하며 치달리니
그 집은 이와 같이 매우 두려우며
독해와 화재의 온갖 어려움이 하나가 아니구나.

又諸餓鬼　頭上火燃　飢渴熱惱　周慞悶走•
其宅如是　甚可怖畏　毒害火災　衆難非一•

우제아귀(又諸餓鬼) 두상화연(頭上火燃) 기갈열뇌(飢渴熱惱) 주장민주(周慞悶走)• 이 아귀는 먹지 못하는 귀신이다. 그는 목구멍이 바늘과 같이 가늘고 배는 커서 배가 부를 방법이 없다. 이 아귀의 머리에 불이 붙어 타고 배고프고 목마르며 뜨겁고 괴롭다. 그래서 목적지도 없이 도처로 가려고 날뛴다.

여기서 아귀는 네 공처천(空處天)의 중생을 비유한다. 그는 비록 공하지만 단지 하나의 식(識)이 있다. 그러나 이러한 중생은 아직 생사를 마친 것이 아니며, 무루의 음식을 얻지 못하여 마치 아귀가 음식을 먹지 못하는 것과 같다. 그는 삼계의 가장 높은 네 공처천에 이르렀지만, 아직 생사를 마치지 못했다. 비상비비상처천의 수명은 팔만사천 겁이나 길지만, 천복이 다하면 다른 세계로 떨어진다. 떨어지기 때문에 마치 아귀 머리에 불이 붙어 타는 것처럼 무상(無常)에게 태워진다. 그래서 두상화연(頭上火燃)이라고 하였다.

또한 어째서 배고프다[飢]고 하는가? 정도(正道)의 음식을 얻지 못하였기 때문이다. 정도란 진정한 도를 수행하는 것이다. 그는 진정한 생사해탈의 도를 수행하지 못하였기 때문에 배고프다고 한 것이다. 그리고 그는 또 조도(助道)의 음료를 얻지 못하였다. 도를 닦는 데는 정도와 조도가 있다. 조도는 수도하는 인연을 돕는 것이다. 마치 목이 마르면 물을 마시는 것과 같다. 그래서 목마르다[渴]고 한 것이다.

네 공처천의 중생은 비록 삼계의 가장 높은 곳에 있지만, 아직도 미세하고 미세한 괴로움이 있다. 그의 팔식에는 이러한 괴로움이 존재하고 핍박한다. 그래서 뜨겁다[熱]고 비유한 것이다. 그리고 미세한 혹(惑)이 있으므로 괴롭다[惱]고 한 것이다. 즉 번뇌가 나온다는 것이다. 네 공처천의 중생은 생사의 윤회 속에 있으면서 벗어나려고 생각하지 않는다. 그래서 도처로 어지럽게 뛰어다니면서 어디로 갈 줄을 모른다[周慞悶走]고 한 것이다.

기택여시(其宅如是) 심가포외(甚可怖畏) 독해화재(毒害火災) 중난비일(衆難非一)• 이 화택은 앞에서 말한 것과 같이 이렇게 위험하다. 삼계 안은 안락한 곳이 한 곳도 없다. 모두 위험한 곳이다. 그래서 매우 두렵다[甚可怖畏]고 한 것이다. 이렇게 많은 독이 있는 해로운 곳이며, 또 불의 재난도 있다. 이러한 갖가지 재난이 한 가지가 아니다[衆難非一]. 삼계화택에서 만약 도를 닦지 않고 벗어날 방법을 생각하지 않으면, 시종 매우 위험하고 매우 두렵다. 왜냐하면 이곳은 독의 해로움이 너무나 많기 때문이다.

2) 장자가 불난 집으로 들어오다

이때 집의 주인은 문밖에 서서
어떤 사람 하는 말 들으니, 너희들 모든 자식은
먼저 놀고 즐기기 위하여 이 집에 들어왔다가
어리고 무지하여 놀고 즐기는 것에 탐착한다고.
장자는 이런 말 듣고 놀라 화택으로 들어갔네.
是時宅主 在門外立 聞有人言 汝諸子等
先因遊戱 來入此宅 稚小無知 歡娛樂著
長者聞已 驚入火宅

때맞춰 구제하여 불에 태워지는 해 당하지 않도록
모든 자식에게 말하기를 위험한 환난이 많으며
악귀와 독충이 많고 화재가 만연하여
많은 고통 차례로 발생하여 끊임없이 이어지며
독사와 살무사, 큰 뱀과 모든 야차와
구반다귀와 이리, 여우, 개들과
수리, 독수리, 솔개, 올빼미와 다리 많은 벌레 무리들은
배고프고 목마르며 고뇌하고 초조하여 매우 두려워하네.
이러한 고난이 많은 장소에 하물며 다시 큰불이 나니
모든 자식들 무지하여 부친의 가르침을 듣고도
오히려 여전히 즐거움 집착하며 놀기를 멈추지 않네.

方宜救濟　令無燒害　告喩諸子　說衆患難
惡鬼毒蟲　災火蔓延　衆苦次第　相續不絶
毒蛇蚖蝮　及諸夜叉　鳩槃荼鬼　野干狐狗
鵰鷲鵄梟　百足之屬　飢渴惱急　甚可怖畏
此苦難處　況復大火　諸子無知　雖聞父誨
猶故樂著　嬉戲不已

3) 수레의 방편으로 자식을 구제하다

이때 장자는 이러한 생각을 하였네.
모든 자식이 이렇게 나를 걱정케 하고 괴롭게 하네.
지금 이 집에는 즐거운 것이 하나도 없는데

자식들은 노는 데 탐닉하고 빠져서
나의 가르침 듣지 않으면 화재를 당할 것이니
그래서 즉시 방편을 사용해야겠다고 사유하였네.
是時長者　而作是念　諸子如此　益我愁惱
今此舍宅　無一可樂　而諸子等　耽湎嬉戲
不受我教　將爲火害　即便思惟　設諸方便

◉ 지금 어떤 사람에게 작은 경계가 왔는데, 그것은 무엇인가? 그가 보는 것은 무엇이든지 움직인다는 것이다. 이 모든 것은 마치 먼지[塵]와 같은 것이다. 먼지는 움직이는 것이다. 창문과 문틈으로 햇빛이 들어오면 먼지가 움직이는 것을 볼 수 있다. 만약 햇빛이 없으면 볼 수 없다. 지금 그는 왜 모든 물건이 움직이는 것을 보는가? 이 또한 마치 햇빛이 비쳐 들어오는 것과 같다. 지혜의 광명이 곧 열리려고 하기 때문이다. 그래서 모든 것이 움직이는 것으로 보이는 것이다. 심지어 탁자, 의자, 집이 모두 돌며 입체적으로 움직인다. 입체 영화의 영상이 너희 앞까지 오는 것과 같다. 그도 마치 태양광을 얻은 것과 같으므로 모든 먼지의 경계가 움직이는 것으로 보인다.

이것은 또한 오안(五眼)이 곧 열리려는 것이다. 이때에는 이러한 경계가 있을 뿐 아니라 또한 장래 아무것도 보이지 않는다. 어떤 때는 심지어 맹인처럼 물체가 보이지 않는다. 그가 이러한 오안이 열리려고 하거나 아직 열리지 않을 때, 마치 화학작용과 같은 특별한 작용이 있다. 이러한 작용이 나오려고 할 때 그가 만약 상에 집착하거나, 혹은 기뻐하거나 기뻐하지 않거나, 혹은 그것을 얻으려고 하거나 얻지 않으려고 하는 마음이 생기면, 쉽게 마에 들어가기 쉽다.

한 번 오안이 열린 후라 해도 영원히 그것을 얻을 수 있는 것은 아니다. 너희가 좋은 방향으로 행동하면 유지할 수 있지만, 만약 좋지 않게 행동하면 없어질 것이다. 오안이 열린 후 또한 닫힐 수 있는 것이다. 더욱이 너희가 무언가를 볼 때 불합리한 것은 보아서는 안 되며, 필요 없는 일에 관여해서도 안 된다. 너희가 만약 불합리한 일을 힘써 보려고 하면 그러한 능력이 없어질 것이다. 너희가 잘못된 일을 해도 없어질 것이다.

따라서 이러한 경계가 오면 스스로 착실하게 앞으로 나아가야 하며, 쓸데없는 일에 많이 관여하지 않아야 한다. 이것저것을 보려고 해서도 안 된다. 오안이 열리면 다른 사람의 일을 관여하려고 해도 안 되고, 내 이웃이 무엇을 하는지 보려고 해서도 안 된다. 남의 일에 관여하면 쉽게 그러한 능력을 잃게 된다. 따라서 오안이 열린 사람은 왕왕 이전에는 명료하게 보이던 것이 이후에는 명료하게 보이지 않으며, 심지어 근본적으로 보이지 않는다. 내가 만난 많은 사람이 이러하였다. 따라서 이것을 특별히 조심해야 하며, 이러한 경계가 오면 가장 중요한 것이 선정력을 가져야 한다는 것이다. 선정력을 구축하면 곧 지혜의 힘이 나올 것이다. 이것이 비로소 너희 자신의 참된 것이다.

모든 자식들에게 말하기를 나에게 갖가지의
놀기 좋은 도구인 묘한 보배로 만든 수레인
양 수레, 사슴 수레, 큰 소의 수레가
지금 문밖에 있으니 너희들은 나오너라.
나는 너희를 위해 이러한 수레를 만들었으니
각자 좋아하는 뜻에 따라 가지고 놀 수 있네.
모든 자식들은 이런 수레가 있다는 것 듣고

즉시 수레 얻으려고 다투어 달려 나왔으며
빈 땅에 이르러 모든 고난을 벗어났네.

告諸子等　我有種種　珍玩之具　妙寶好車
羊車鹿車　大牛之車　今在門外　汝等出來
吾爲汝等　造作此車　隨意所樂　可以遊戲
諸子聞說　如此諸車　卽時奔競　馳走而出
到於空地　離諸苦難•

도어공지(到於空地) 이제고난(離諸苦難)• 공지란 무학위(無學位)를 증득한 것을 비유한다. 사과(四果)의 아라한을 무학위라고 한다. 무학위에 이르러 비로소 분단생사(分段生死)를 벗어났다는 것을 뜻한다.

4) 자식들이 화택을 벗어나다

장자는 자식들이 화택을 벗어나
네거리에 머문 것을 보고 사자좌에 앉아
스스로 자축하며 나는 지금 즐겁다고 말하네.
이 모든 자식들은 낳아 기르기가 매우 어려우며
어리석고 어리며 무지하여 위험한 집에 들어갔네.
많은 독충과 이매망량의 귀신들은 두려우며
큰 불이 맹렬하게 사방에서 함께 일어나는데
그러나 이 자식들은 노는 데 탐착하였네.
내 이미 구제하여 재난을 벗어나게 하였으니

그래서 모든 사람 중에서 나는 이제 즐겁구나.

長者見子　得出火宅　住於四衢　坐師子座•
而自慶言　我今快樂　此諸子等　生育甚難
愚小無知　而入險宅　多諸毒蟲　魑魅可畏
大火猛炎　四面俱起　而此諸子　貪樂嬉戲
我已救之　令得脫難　是故諸人　我今快樂

좌사자좌(坐師子座)• 이전에 장자는 문밖에 서 있었는데, 지금은 사자좌에 앉았다. 이전에는 왜 문밖에 서 있었는가? 모든 중생을 제도하지 못했기 때문이다. 이는 걱정하고 염려하는 것이 있었음을 나타낸다. 그리고 또 다른 뜻도 있다. 이전에는 대승근기의 중생을 만나지 못해서 부처님은 서 있었는데, 지금은 소승의 중생을 교화하는 것을 이미 원만하게 마치고 곧 대승의 중생을 구제하려고 하므로 비로소 사자좌에 앉으신 것이다.

그때 자식들은 부친께서 편안히 앉아계심을 알고
모두 부친이 계신 곳으로 와서 말하기를
저희에게 세 종류의 보배 수레를 주소서.
이전에 약속한 대로 자식들이 화택에서 나오면
세 가지 수레를 저희 원대로 준다고 하였으니
지금이 바로 오직 수레를 내려줄 때입니다.

爾時諸子　知父安坐　皆詣父所　而白父言
願賜我等　三種寶車　如前所許　諸子出來
當以三車　隨汝所欲　今正是時　唯垂給與•

금정시시(今正是時) 유수급여(唯垂給與)• 부처님께서는 이전에 삼승법을 설하셨다. 이에 따라 각자가 좋아하는 바대로 성문·연각·보살의 과를 증득할 수 있었다. 그러나 이제 법화회상에서 삼승법은 모두 방편법이라고 말씀하신다. 그래서 지금이 바로 대승법을 닦을 때라고 말씀하시는 것이다.

5) 장자가 큰 수레를 주다

장자는 크게 부유하여 창고에 저장한 것 많으니
금, 은, 유리, 자거, 마노 등
갖가지 보물로써 큰 수레를 만들어
장엄하게 장식하여 주위 둘레에 난간 만들고
사면에 방울 달아 금 노끈으로 서로 연결하여
진주를 단 비단 그물을 그 위에 펼치고
금꽃과 많은 구슬을 곳곳에 드리우며
많은 색깔로 다양하게 장식하여 주위를 두르고
부드러운 비단 솜으로 방석을 만들어 깔고
귀하고 가장 좋은 자리를 가늘게 겹겹으로 쌓아
곱고 희며 정결한 것을 그 위에 덮었네.
건장하고 힘이 세며 형체가 매우 아름다운
큰 흰 소가 보배의 수레를 끌고
많은 시종이 따르며 수레를 호위하며
이 묘한 수레를 평등하게 자식들에게 주었네.

長者大富　庫藏衆多•　金銀琉璃　硨磲瑪瑙•
以衆寶物　造諸大車　莊校嚴飾　周匝欄楯
四面懸鈴　金繩交絡•　眞珠羅網　張施其上
金華諸瓔　處處垂下　衆綵雜飾　周匝圍繞
柔軟繒纊　以爲茵褥　上妙細疊　價直千億
鮮白淨潔　以覆其上　有大白牛　肥壯多力
形體姝好　以駕寶車　多諸儐從　而侍衛之
以是妙車　等賜諸子

고장중다(庫藏衆多)• 창고[庫]는 우리의 육근을 비유하고, 감추고 저장한 것[藏]은 육근 속에 여래장성, 또한 불성을 감춘 것을 비유한다. 불성은 육근의 문에서 고귀한 각성(覺性)을 드러낸다. 그리고 감춘다[藏]는 것은 만행(萬行)을 비유한다. 만행은 보물창고와 같다. 육근도 육바라밀[六度]이라고 말할 수 있다. 이 육도의 법으로써 만행의 과덕(果德)을 장엄한다. 따라서 각 하나의 바라밀 속에도 만행을 구족하며, 각 하나의 행 속에도 육바라밀을 구족한다. 만행은 모두 연결되어 있다. 일체의 법 속에도 일체의 행을 구족하고, 일체의 행 속에도 일체법을 구족한다. 이것은 법도 무량하고 행도 무량하다. 무량한 행으로 무량한 법을 닦으며, 무량한 법으로 무량한 행을 성취한다. 그러므로 육도만행을 '고장중다(庫藏衆多)'로 나타낸 것이다.

금은유리(金銀琉璃) 자거마노(硨磲瑪瑙)• 금·은·자거·마노는 세상에서 가장 가치 있는 보배로서 부처의 네 가지 지혜를 비유한다. 이 네 종류 지혜는 세상에서 가장 고귀한 것이며, 가치를 알 수 없는 진기한 보배다. 바로 대원경지·평등성지·묘관찰지·성소작지를 말한다.

금승교락(金繩交絡)• 금으로 만든 끈으로 서로 짜서 그물을 만들었다. 이것은 사홍서원(四弘誓願)을 비유한다. 사홍서원은 다음 네 가지다.

① 중생무변서원도(衆生無邊誓願度)

중생무변서원도라고 한 번 읽으면 되는 것이 아니다. 그럼 어떻게 해야 하는가? 자기를 회광반조(廻光返照)해야 한다. 나는 중생을 제도했는가? 만약 제도했으면 또한 제도하지 않아야 한다. 무엇 때문인가? 여래는 일체중생을 제도하지만 실제로 멸도한 자는 한 중생도 없다. 제도를 했다고 말하는 것은 제도하지 않은 것과 같은 것이다. 또 제도하지 않은 것은 또한 제도한 것과 같은 것이다. 그러나 이것은 또 같지 않다. 너희는 중생을 제도할 수 있으나, 중생을 제도한다는 상에 집착하지 않고 그것을 다시 내려놓으면 된다. 너희는 제도하지 않을 수는 없지만 집착하지 말아야 한다는 것이다. 부처님은 일체중생을 멸도하지만, 실제로 멸도하는 자는 한 중생도 없다. 부처님은 성불하여 중생을 제도하였지만 자기는 중생을 제도하지 않았다고 말한다. 우리는 지금 부처를 이루지 못하고 중생을 제도하지 못했으니, 이미 중생을 제도했다고 말할 수 없다.

무엇을 중생이라고 하는가? 바로 많은 인연이 화합하여 생하는 것이다. 갖가지 인연이 그가 태어나는 것을 돕는다. 얼마의 인연이 있는가? 열두 가지 인연이 있다. 즉 무명·행·식·명색·육입·촉·수·애·취·유·생·노사를 말한다. 이러한 많은 인연이 있기 때문에 중생이라고 부른다. 중생은 사람만을 이야기하는 것이 아니다. 가장 작은 개미, 모기,

그리고 갖가지의 세균도 모두 중생의 하나이다. 이미 이러하다면, 우리는 바깥으로 중생을 찾아 제도할 필요가 없다. 바로 우리의 자성 속에 이러한 중생은 무량하고 무변하다. 즉 우리 각자의 신체 속에 무량무변한 중생이 있다.

현재 과학이 이렇게 진보하고 의학이 발달하여 우리 각각 한 사람은 하나의 큰 벌레라는 것을 증명할 수 있다. 이 큰 벌레의 몸에는 많고도 많은 작은 벌레가 있다. 얼마나 있는가? 어떠한 과학과 의학도 증명할 수 없을 것이다. 왜냐하면 수량이 없기 때문이다. 우리의 오장육부 속에는 수많은 중생이 있다. 왜냐하면 우리가 먹는 것이 중생이기 때문이다. 어떤 중생인가? 돼지고기를 먹으면 돼지의 중생이며, 소고기를 먹으면 소의 중생이며, 양고기를 먹으면 양의 중생이며, 물고기를 먹으면 물고기의 중생이다. 닭고기, 오리고기 등 갖가지의 고기를 먹으면 이러한 중생이 있게 되는 것이다. 너희는 고기를 먹을 때 그 고기 안에 그러한 중생의 균이 함장되어 있는 것을 모른다. 따라서 그것을 먹으면 곧 그러한 종자가 너희 몸속에 있게 된다. 너희가 어떤 중생을 많이 먹으면 그 중생의 종자도 많아진다. 그 중생의 종자가 많아지면 그 중생과 한 가족이 되기 쉽다. 그와 권속으로 맺어지게 되는 것이다. 그와의 인연이 너무 깊기 때문이다. 따라서 그와 떨어질 수 없다. 그래서 돼지고기를 많이 먹으면 기회가 되면 곧 돼지로 변하고, 소고기를 많이 먹으면 기회가 되면 소로 변한다.

그러면 쌀을 먹으면 쌀로 변하는가? 쌀은 무정이며 중생의 생명은 유정이기 때문에, 무정의 것을 먹으면 쌀로 변하지 않을 뿐 아니라 법신의 혜명을 진정으로 도와준다. 그러므로 너희는 쌀로 변할까를 걱정할 필요는 없다. 그럴 일은 없다.

그럼 다른 중생을 먹으면 어째서 다른 중생으로 변하는가? 다른 중생은 기혈을 가진 중생으로서, 기혈이 있으면 기와 기가 합하고 혈과 혈이 합한다. 그것이 너희에게 많아지면 그러한 종류로 변하는 것이다. 따라서 중생을 제도한다고 할 때, 만약 어떤 종류의 중생을 먹지 않으면 곧 그 중생을 제도하는 것이다. 소고기를 먹지 않으면 소의 중생을 제도하는 것이다. 닭고기를 먹지 않으면 닭의 중생을 제도하는 것이다. 제도한다[度]는 것은 그들의 윤회를 정지시켜서 고통의 바다[苦海]를 건너 열반의 피안으로 올라가게 하는 것이다.

"법사 스님, 나는 정말로 믿지 못하겠소. 어째서 무엇을 먹지 않으면 그것을 제도한다는 것이오? 나는 안 먹어도 다른 사람은 여전히 먹습니다. 그런데 어떻게 그를 제도할 수 있습니까?"

너희는 지금 너희 자신을 관리해야 한다. 다른 사람은 이해하지 못하지만 너희는 이미 이해하였기 때문이다. 이해하지 못한 사람은 어리석은 일을 지을 것이지만, 이해한 사람은 마땅히 어리석은 일을 지으면 안 되므로 너희는 다른 사람을 관리할 필요는 없다.

우리는 자성 속의 무량무변한 중생을 먼저 제도해야 하며, 그런 연후에 바깥의 중생을 제도할 수 있다. 안의 중생을 다 제도하지 못하면 바깥의 중생도 제도하지 못한다. 비록 중생을 제도하더라도 제도한다는 상에 집착해서는 안 되며, 중생을 제도함이 없다는 상을 가져야 한다.

② 번뇌무진서원단(煩惱無盡誓願斷)

번뇌를 일으키지 않으려고 해도 번뇌가 나온다. 부지불식간에 무명이 나타난다. 『반야심경』을 강의할 때 수번뇌(隨煩惱)는 아무런 연고도 없이 나온다고 하였는데, 이것이 번뇌가 다함이 없다[煩惱無盡]는 것이다.

그러므로 끊기를 서원해야 한다. 우리가 쓸 돈이 만약 번뇌처럼 그렇게 많다면 좋을 것이다. 얼마든지 사용해도 늘 있으니까. 그러나 애석하게도 돈은 번뇌만큼 그렇게 많지는 않다. 그런데 어떤 사람은 번뇌를 가장 좋은 것으로 여기며 화를 내고, 심지어 그것이 만두를 먹는 것보다 언제나 좋다고 생각한다. 이상하지 않은가? 번뇌를 일으키면 자기의 공덕의 법재(法財)를 태워버린다. 따라서 모든 중생은 번뇌를 끊어야 한다.

③ 법문무량서원학(法門無量誓願學)

우리는 지난해에 『능엄경』을 배우고, 올해는 『법화경』을 배운다. 『반야심경』, 『금강경』, 『지장경』 등 많은 경을 배우고 지금은 또 『화엄경』을 강의한다. 각각의 경은 각각의 도리를 가지고 있다. 이러한 도리가 얼마나 많은가? 항하사수만큼이나 많다.

여러분은 왜 좌선을 하는가? 이 또한 우리가 본래 갖추고 있는 경전, 본래 갖춘 지혜를 배우기 위함이다. 본래 자성 속에는 무량의 경전이 있고, 무량의 지혜가 있으며, 무량의 법문이 있다. 팔만사천의 법문이 자성 속에 포함되어 있다. 하지만 너희는 이 자성을 이용할 줄을 모른다. 밖으로 향하여 찾으려고만 하고 회광반조하는 것을 모른다. 그래서 『반야심경』을 강의할 때 "회광반조관자재(廻光返照觀自在)"라고 말하지 않았던가? 너희는 너희가 자재한지 자재하지 못한지를 보라. 만약 자재하다면 곧 깊은 반야를 내어 오온이 모두 공함을 비춰볼 것이다[照見五蘊皆空]. 오온을 비춰 공해지면 다른 법도 모두 그치게 된다. 따라서 매일 정좌를 하는 것이 바로 회광반조하는 것이다. 그러려면 부지런히 법문을 배우고 또 닦아야 한다. 배우기만 하고 한쪽으로 제쳐두는 것이 아니라, 하나의 법문을 깨달았으면 그에 따라 수행해야 한다. 이것을 법문무량서원학이라고 한다.

④ 불도무상서원성(佛道無上誓願成)

이 세상의 어떠한 일도 성불보다 고귀한 것은 없다. 성불은 세간과 출세간에서 가장 존귀한 것이다. 따라서 세존이란 세간과 출세간의 존(尊)이다. 성불을 해야 비로소 궁극의 귀의처가 되며, 돌아갈 곳이다. 부처를 이루지 못하고 아홉 법계 속에 있는 사람은 모두 어리석은 사람이다. 성불한 후에야 비로소 진정으로 이해한 사람이다. 그러므로 불도무상서원성이라고 말한다. 나만 부처를 이루는 것이 아니라 일체중생을 제도하여 다 함께 불도를 이루는 것이다.

이 사홍서원은 얼마나 위대한가! "자성중생서원도, 자성번뇌서원단" 이것은 남들로 하여금 번뇌를 끊게 하는 것이 아니라, "너희가 불법을 배우면서 이렇게 많은 번뇌가 있으며, 아직도 이렇게 큰 화를 내다니! 너희는 불법을 배워서 어디로 가려는가?"라고 말한다. 남을 관리할 것이 아니라 자기를 관리해야 한다. 불법을 배우는 사람은 자기를 돌봐야 한다.

무엇을 망상이라고 하는가? 무릇 너희가 원하지 않는 것은 모두 번뇌망상이다. 무릇 너희가 원하는 것은 모두 즐거운 망상이다. 즉 망상은 원하는 것 또는 원하지 않는 것이다. 원하는 것도 망상이고, 원하지 않는 것도 망상이다. 그러면 어떻게 해야 하는가? 놓아버리는 것이다. 만약 놓아버리면 원하는 것도 없고 원하지 않는 것도 없다. 이것이 바로 중도요의(中道了義)다. 그러면 번뇌가 나지도 않고 근심도 생하지 않는다. 매일 이렇게 평온하게 중도를 지키고 중도에 머물면, 어느 날 깨닫게 될 것이다. 깨달으면 부처를 이룰 것이다. 이것이 불도무상서원성이다.

사홍서원은 가장 중요한 것이므로 금으로 만든 끈으로 서로 연결되게 하였다[金繩交絡]. 사홍서원을 부지런히 닦고 그것을 잊지 말아야 할 것이며, 언제나 사홍서원에 의거하여 수행해야 한다.

모든 자식들은 이때 뛸 듯이 기뻐하면서
이 보배 수레를 타고 사방으로 놀러 다니며
노는 것 즐거워함이 자재하고 걸림이 없네.
사리불에게 말씀하시기를, 나 또한 이와 같이
성인 중에 가장 존귀하며 세간의 아버지로서
일체중생은 모두 나의 자식이며
세간의 즐거움에 집착하고 지혜가 없으니
삼계는 편안함이 없어 마치 화택과 같아서
갖가지의 고통이 충만하여 매우 두려우며
항상 생로병사의 우환이 있으며
이러한 불이 치연하게 타면서 그치지 않네.

諸子是時　歡喜踊躍　乘是寶車　遊於四方
嬉戲快樂　自在無礙　告舍利弗　我亦如是
衆聖中尊　世間之父　一切衆生　皆是吾子
深著世樂　無有慧心　三界無安　猶如火宅
衆苦充滿　甚可怖畏　常有生老　病死憂患
如是等火　熾然不息

여래는 이미 삼계의 화택을 벗어나
고요히 한거하고 숲속에서 편안히 거처하며

지금 이 삼계는 모두 나의 소유이며
그 가운데의 중생은 모두 나의 자식이네.
그러나 지금 이곳은 환난이 많으니
오직 나 한 사람이 구호할 수 있으며
비록 거듭 가르쳐도 믿고 받아들이지 못함은
모든 욕망에 오염되어 깊이 탐착하기 때문이니
이런 방편으로 그들을 위해 삼승을 설하여
모든 중생에게 삼계의 고통을 알게 하고
법문을 연설하여 세간의 도를 벗어나게 하네.
이 모든 자식이 마음으로 결정하여 수행하면
삼명(三明)과 여섯 신통[六神通]을 구족하고
성문, 연각과 불퇴전 보살 과위 얻을 것이네.

如來已離　三界火宅　寂然閑居　安處林野
今此三界　皆是我有　其中衆生　悉是吾子
而今此處　多諸患難　唯我一人　能爲救護
雖復教詔　而不信受　於諸欲染　貪著深故
以是方便　爲說三乘　令諸衆生　知三界苦
開示演說　出世間道　是諸子等　若心決定
具足三明•　及六神通　有得緣覺　不退菩薩•

구족삼명(具足三明)• 삼명은 과거명·현재명·미래명을 말한다.

① 과거명 : 숙명통을 가리킨다. 전생의 일을 아는 것이다. 전생에 무슨 일을 했으며 어떤 사람이었는지를 아는 능력을 말한다.

② 현재명 : 누진통을 말한다. 누진이란 무루를 얻은 것이다. 무엇이 무루인가? 아주 얕은 비유를 하자면, 찻잔 밑에 구멍이 없으면 새지 않으며, 만약 구멍이 있으면 차를 담아도 샌다. 수도(修道)를 이해하지 못하는 사람은 모두 새는 것이며, 수행하여 도를 얻으면 비로소 새지 않게 된다. 너희가 새는 것을 새지 않게 하는 것을 현재명이라고 하며, 또한 진정으로 지혜를 얻은 것이다.

③ 미래명 : 천안통을 말한다. 장내(障內)와 장외를 막론하고 모두 볼 수 있다. 즉 집 안의 물건과 집 밖의 물건을 모두 볼 수 있다는 것이다.

불퇴보살(不退菩薩)• 보살에는 물러나는 보살도 있다. 마치 사리불과 같은 경우이다. 그는 어떤 사람이 눈을 보시하라고 해서 보시하였으나, 오른쪽 눈이 필요한데 왼쪽 눈을 뽑았다고 다시 오른쪽 눈을 요구하자 보살심이 물러났다. "보살도는 정말 행하기 쉽지 않구나! 나는 다시 보살도를 행할 수 없다."고 하면서 물러난 것이다. 보살이 물러나지 않는[不退] 것에 세 가지가 있다. 행불퇴(行不退)·위불퇴(位不退)·염불퇴(念不退)이다.

① 행불퇴(行不退)

불법을 수습하려고 생각한다면 먼저 할 것이 있다. 불법을 이해하지 못할 때는 불법이 간단하고 쉬운 것이라 생각하지만, 예상치도 않게 불법을 배우는 것이 가장 어렵다는 것을 알게 된다. 그래서 인내하는 마음이 필요하다. 즉 견고심(堅固心)·성심(誠心)·항심(恒心)이다. 첫 번째, 견고한 마음이 있어야 한다. 불법을 배우려는 마음이 금강보다 견고해야 한다. 가장 견고한 금강보다도 더 견고한 마음을 먹어야겠다는 생각을 해야 한다. 두 번째, 정성스런 마음이 있어야 한다. 괴로움을 두려워하지 않고, 어려움도 두려워하지 않고, 어떤 곤란함도 겁내지 않는 것이다. 세 번째, 변하지 않는 마음을 갖는 것이다. 곤란을 만나면 멈추는 것이 아니라, 멈추지 않는 것이다. 이것을 행불퇴라고 한다. 수행하는 데 단지 앞으로 향하여 정진하고 뒤로 물러나지 않는 것이다.

② 위불퇴(位不退)

이승(二乘)으로 물러나지 않는 것이다. 대승의 보살심을 발하여 어떻게든 분골쇄신하여 자기 신체의 모든 것을 중생에게 보시해도 후회하지 않으며, 다시는 이승으로 돌아가지 않는 것을 위불퇴라고 한다.

③ 염불퇴(念不退)

대승의 보살심은 정지해서는 안 된다. 언제나 보살심을 발해야 한다. 보살은 일체중생에게 이익을 주어야 하며, 일체중생을 잘 대해야 한다. 보살의 경계에 이르면 단지 남을 돕는 것만 알고 자기를 도울 줄은 모른다. 보살은 남을 도와도 '내가 남을 돕는다'는 마음을 간직해서는 안 된다. 내가 남을 돕는 것이 바로 나를 돕는 것이니, 사람들이 알지 못하게 해야 한다. 그리고 보살도를 행하면서 절대로 중생을 괴롭게 해서는 안 된다. 수행을 하고 싶다면 다른 중생이 번뇌를 내게 해서는 안 된다. 한 사람에게 번뇌를 내게 하면, 그것은 즉 너희의 보살도가 원만하지 못한 것이다. 두 사람에게 번뇌를 내게 하거나 즐겁지 못하게 하면, 두 중생에 대한 보살도가 원만하지 못한 것이다. 모든 행동마다 다른 사람이 만족하지 못하게 하는 행위를 해서는 안 될 것이다. 이렇게 수행을 해야 비로소 성취할 수 있다. 만약 '나는 다른 사람이 어떻게 생각하는지는 관여하지 않겠다. 나는 꼭 이렇게 해야겠다. 나는 이런 말을 해야겠어. 너희가 화를 내든지, 번뇌를 내든지 나는 모르겠다'는 마음을 가지면 도를 닦을 수 없다. 그러면 장래 도를 닦는 데 마장도 많이 발생할 것이다.

따라서 출가하여 수행하려고 하는 사람은 절대로 다른 사람을 방해하면 안 되며, 언제나 시시각각으로 자기의 몸과 마음을 점검해야 한다. 내가 잘못한 것은 아닐까, 내가 틀린 말을 한 것은 아닌가, 내가 오늘 다른 사람을 괴롭게 한 것은 아닌가를 살펴야 한다. 시시각각으로 회광반조하여 돌이켜 자기에게서 구해야 한다. 이것이 바로 보살심을 발하는 것이다.

6) 일불승을 찬탄하다

너희 사리불이여, 나는 중생을 위하여
이러한 비유로써 일불승을 설하는 것이니
너희가 만약 이 말을 믿고 받아들이면
너희들 모든 사람은 불도를 이룰 것이네.
이 불승은 미묘하고 제일의 청정한 법으로서
모든 세간에서 더 높은 법은 없네.
부처님이 가장 기뻐하는 법을 일체중생은
마땅히 찬탄하며 공양하고 예배하면
무량 공덕 있으며, 부처에게 십력과 팔해탈

선정과 지혜, 기타 다른 법들이 있으니
이와 같은 불승을 얻으면 모든 중생이
밤낮으로 오랜 겁 동안 항상 부처님 교화 받아
모든 보살과 성문, 연각의 대중과 더불어
이 불승을 타고 곧바로 보리도량에 이르네.
이런 인연으로 시방세계로 가서 이 법 구하면
부처의 방편법문 제외하고 더 높은 법은 없네.
汝舍利弗　我爲衆生　以此譬喩　說一佛乘
汝等若能　信受是語　一切皆當　成得佛道
是乘微妙　淸淨第一　於諸世間　爲無有上
佛所悅可　一切衆生　所應稱讚　供養禮拜
無量億千　諸力解脫　禪定智慧　及佛餘法
得如是乘　令諸子等　日夜劫數　常得遊戱
與諸菩薩　及聲聞衆　乘此寶乘　直至道場
以是因緣　十方諦求　更無餘乘　除佛方便

사리불에게 말씀하시길, 너희 모든 제자들은
모두 나의 자식이며 나는 너희의 부친이니
너희가 장구한 세월 동안 많은 고통에 태워짐을
나는 모두 구제하여 삼계에서 벗어나게 하였네.
내 비록 먼저 너희가 열반 얻었다고 말했지만
생사는 다했을지라도 실제로는 열반이 아니므로
지금 해야 할 일은 오직 불지혜를 닦는 것이네.
告舍利弗　汝諸人等　皆是吾子　我則是父

汝等累劫　衆苦所燒　我皆濟拔　令出三界
我雖先說　汝等滅度　但盡生死　而實不滅
今所應作　唯佛智慧

만약 대중 가운데 보살이 있어
일심으로 제불의 진실한 법 들을 수 있다면
제불세존은 비록 방편법문으로 교화하지만
교화를 받은 중생은 모두 보살이네.
만약 지혜 작은 사람이 애욕에 깊이 집착하여
이러한 중생을 위하여 고제(苦諦)를 설하면
중생은 이전에 듣지 못한 묘법을 얻고 기뻐하나
부처님께서 설하신 고제는 진실하여 잘못 없네.
만약 어떤 중생이 고의 근본을 알지 못하고
고의 원인에 집착하여 잠시라도 버리지 못하면
이들을 위한 까닭으로 방편법문을 설하여
모든 고의 원인은 탐욕이 근본임을 설하며
만약 탐욕이 소멸하면 의지할 것이 없어져
모든 고가 다 소멸하는 것을 멸제라고 하네.
멸제를 위한 까닭으로 도를 수행하여
모든 고의 속박 벗어남을 해탈 얻었다고 하나
이 사람은 어떻게 해탈을 얻었는가?
若有菩薩　於是衆中　能一心聽　諸佛實法
諸佛世尊　雖以方便　所化衆生　皆是菩薩
若人小智　深著愛欲　爲此等故　說於苦諦

衆生心喜　得未曾有　佛說苦諦　眞實無異
若有衆生　不知苦本　深著苦因　不能暫捨
爲是等故　方便說道　諸苦所因　貪欲爲本
若滅貪欲　無所依止　滅盡諸苦　名第三諦
爲滅諦故　修行於道　離諸苦縛　名得解脫
是人於何　而得解脫

단지 허망함을 떠나는 것을 해탈이라고 하지만
사실 아직 모든 진실한 해탈을 얻지 못했으므로
부처는 이 사람이 진실한 열반 얻지 못했다고 말하며
이 사람은 아직 위없는 도를 얻지 못하였기 때문에
나는 그들이 그러한 열반에 이르기를 원하지 않으며
나는 법왕으로서 법에 자재하며
중생을 안온하게 하기 위해 세상에 출현하였네.
但離虛妄　名爲解脫　其實未得　一切解脫
佛說是人　未實滅度　斯人未得　無上道故
我意不欲　令至滅度　我爲法王　於法自在
安隱衆生　故現於世

너희 사리불이여, 나는 이 실상법인을
세간 중생을 이롭게 하기 위한 까닭으로 설하며
너희는 다니는 곳에서 함부로 설해서는 안 되네.
만약 이 법을 듣는 자가 수희하고 깊이 받아들이면
이 사람은 불퇴보살이라는 것 마땅히 알아야 하네.

만약 이 경의 법을 믿고 받아들이면
이 사람은 이미 일찍이 과거 무량 제불을 뵙고
공경 공양하고 또한 이 대승법을 들은 사람이네.

汝舍利弗 我此法印• 爲欲利益 世間故說
在所遊方 勿妄宣傳 若有聞者 隨喜頂受
當知是人 阿鞞跋致 若有信受 此經法者
是人已曾 見過去佛 恭敬供養 亦聞是法

아차법인(我此法印)• 이 법인은 실상법인을 말하며, 부처님께서는 이러한 법인으로 일체중생이 모두 불도를 이룰 수 있다는 것을 증명한다. 따라서 이 실상법인은 가장 존귀한 것이다.

만약 어떤 사람이 네가 말한 경의 도리를 믿으면
즉 나를 보는 것이며, 또한 너를 보는 것이며
또한 비구승과 모든 대보살을 보는 것이니
이 법화경은 깊은 지혜의 사람을 위해 설하며
지식 옅은 사람 들으면 미혹해 이해하지 못하네.
모든 성문과 벽지불은
이 법화경 가운데서는 힘이 미치지 못하니
너희 사리불도 오히려 이 경전에 대하여
믿음으로 들어갔거늘 하물며 다른 성문들이랴!
다른 성문들은 부처님 말씀을 믿는 까닭으로
이 경을 수순하지, 자기 지혜의 몫은 아니네.

若人有能 信汝所說 則爲見我 亦見於汝

及比丘僧 幷諸菩薩 斯法華經 爲深智說
淺識聞之 迷惑不解 一切聲聞 及辟支佛
於此經中 力所不及 汝舍利弗 尙於此經
以信得入 況餘聲聞 其餘聲聞 信佛語故
隨順此經 非己智分

7) 『법화경』을 비방한 죄보

그리고 사리불이여, 교만하고 게으르며
아견에 집착하는 자에게 이 경을 설하지 말라.
범부는 지식이 얕고 오욕에 깊이 탐착하므로
들어도 이해할 수 없으니 또한 설하지 말라.
만약 어떤 사람이 이 경을 믿지 않고 비방하면
모든 세간의 부처 종자를 끊는 것이며
혹은 다시 이마를 찡그리고 의혹을 품으면
너희는 마땅히 이 사람의 죄보 들어야 하네.
만약 부처님이 세상에 계시거나 열반 이후에
어떤 사람이 이 경전을 비방하거나
이 경을 독송, 서사, 수지하는 자를 보고
경멸하거나 미워하고 질투하며 원한을 품으면
이 사람의 죄보를 너희는 지금 다시 들어 보게.
이 사람은 목숨을 마치고 아비지옥에 들어가
일 겁 경과하고 겁이 다하면 다시 지옥에 나며

이렇게 전전하기를 무수한 겁에 이를 것이네.
지옥에서 나오면 축생에 떨어져서
개나 이리가 되며 그 형상이 매우 야위고
검은 피부병이 생겨 사람들의 놀림 받네.

又舍利弗 憍慢懈怠 計我見者 莫說此經
凡夫淺識 深著五欲 聞不能解 亦勿爲說
若人不信 毁謗此經 則斷一切 世間佛種
或復顰蹙 而懷疑惑 汝當聽說 此人罪報
若佛在世 若滅度後 其有誹謗 如斯經典
見有讀誦 書持經者 輕賤憎嫉 而懷結恨
此人罪報 汝今復聽 其人命終 入阿鼻獄
具足一劫 劫盡更生 如是展轉 至無數劫
從地獄出 當墮畜生 若狗野干 其形領瘦
黧黮疥癩 人所觸嬈

그리고 다시 사람이 되면 미움과 천대 받으며
항상 곤궁하여 배고프고 목마르며 골육이 마르고
살아서는 고통 받고 죽어서는 돌무더기에 묻히리니
이것은 부처 종자를 끊은 까닭으로 이런 죄보 받네.
만약 낙타가 되거나 당나귀 가운데 태어나면
몸에는 항상 무거운 짐이 실리고 온갖 매 맞으며
오직 물과 풀만 생각나고 다른 아는 것 없으니
이 경을 비방한 까닭으로 이러한 죄보를 얻네.

又復爲人 之所惡賤 常困飢渴 骨肉枯竭

生受楚毒　死被瓦石　斷佛種故　受斯罪報
若作駱駝　或生中驢　身常負重　加諸杖捶
但念水草　餘無所知　謗斯經故　獲罪如是

이리가 되어 마을에 들어가면
몸에 검은 피부병 있고 하나의 눈이 없으니
많은 아이들이 때리고 돌을 던지니
온갖 고통을 받거나 때로는 죽기도 하네.
그곳에서 죽으면 다시 구렁이 몸을 받으며
그 몸은 오백 유순이나 장대하지만
귀 먹고 발이 없어 배로 기어서 가며
작은 벌레들 비늘 속에서 피와 살 파먹으니
이런 고통을 주야로 받고 쉴 새가 없으리니
이 경을 비방한 까닭으로 이런 죄보를 얻네.

有作野干　來入聚落　身體疥癩　又無一目
爲諸童子　之所打擲　受諸苦痛　或時致死
於此死已　更受蟒身　其形長大　五百由旬
聾騃無足　宛轉腹行　爲諸小蟲　之所唼食
晝夜受苦　無有休息　謗斯經故　獲罪如是

만약 사람 몸 얻으면 모든 근이 어둡고 둔하며
앉은뱅이, 소경, 귀머거리, 꼽추가 되어
말을 해도 사람들은 믿고 받아들이지 않으며
입에서는 항상 악취 나고 귀매가 들러붙고

빈궁하고 하천하여 남의 부림을 받으며
병이 많고 여위어도 의지할 데가 없네.

若得爲人　諸根闇鈍　矬陋攣躄　盲聾背傴
有所言說　人不信受　口氣常臭　鬼魅所著
貧窮下賤　爲人所使　多病痟瘦　無所依怙

비록 남에게 친근하고 아부하지만 사람들은 무시하고
만약 얻은 것이 있어도 곧 다시 잃어버리며
만약 의술을 닦아 처방대로 병을 치료하지만
다른 병을 늘리거나 혹은 죽게 만들며
만약 자신이 병들면 치료해 줄 사람 없고
좋은 약을 복용해도 다시 병이 악화되네.
만약 그가 반란을 만나면 겁탈당하고 훔쳐 가며
이러한 죄업과 횡화, 재앙이 그의 몸에 이르네.
이런 죄인은 영원히 부처님을 만나지 못하고
성인들의 왕인 부처님의 설법교화를 못 만나네.
이런 죄인은 항상 팔난(八難)의 곳에 나고
미치고 귀먹고 어지러워 길이 불법을 듣지 못하네.

雖親附人　人不在意　若有所得　尋復忘失
若修醫道　順方治病　更增他疾　或復致死
若自有病　無人救療　設服良藥　而復增劇
若他反逆　抄劫竊盜　如是等罪　橫罹其殃
如斯罪人　永不見佛　衆聖之王　說法敎化
如斯罪人　常生難處　狂聾心亂　永不聞法

항하사수와 같은 무수한 겁 동안
듣거나 말하지 못하고 제근이 갖춰지지 못하며
항상 정원을 구경 가듯이 지옥에 거처하고
마치 자기 집처럼 다른 악도에 들어가는데
낙타, 당나귀, 돼지, 개가 그의 가는 곳이니
이 경을 비방한 까닭으로 이러한 죄보를 얻네.
사람이 되어도 듣거나 보거나 말하지 못하고
항상 빈궁하고 모든 쇠락함으로 자기를 장엄하고
몸이 붓거나 마르거나 피부병과 부스럼이 생기며
이런 병들로 의복을 삼을 정도로 항상 걸리고
몸에는 항상 악취 나고 더러워 깨끗하지 못하네.
깊이 아견을 집착하고 날로 성미가 커지며
음욕심이 치성하여 금수를 가리지 않으니
이 경을 비방한 까닭으로 이러한 죄보 얻네.

於無數劫　如恒河沙　生輒聾啞　諸根不具
常處地獄　如遊園觀　在餘惡道　如己舍宅
駝驢豬狗　是其行處　謗斯經故　獲罪如是
若得爲人　聾盲瘖啞　貧窮諸衰　以自莊嚴
水腫乾痟　疥癩癰疽　如是等病　以爲衣服
身常臭處　垢穢不淨　深著我見　增益瞋恚
婬欲熾盛　不擇禽獸　謗斯經故　獲罪如是

사리불에게 이르노니, 이 경을 비방하는 자는
만약 그 죄 말하려면 겁 다해도 말할 수 없네.

이러한 인연으로 내 그대에게 말하노니
지혜가 없는 사람에게는 이 경을 설하지 말라.
告舍利弗　謗斯經者　若說其罪　窮劫不盡
以是因緣　我故語汝　無智人中　莫說此經

무지인중(無智人中) 막설차경(莫說此經) 지혜가 없는 사람 앞에서는 이 경을 설하지 말라고 한다. 무엇 때문인가? 이해하지 못하는 사람은 비방을 할 수 있기 때문이다. 비방을 하면 죄업이 생기고, 죄업이 있으면 과보를 받아야 한다. 따라서 지혜가 없는 사람 앞에서는 『법화경』을 설하지 말라는 것이다.

지금 내가 불교강당에서 『법화경』을 설하는 것은 너희가 모두 얼마간의 지혜를 가지고 있기 때문이다. 만약 어리석으면 들어도 멀리 도망갈 것이다. 마치 어떤 사람이 경을 듣는 것은 재미없으니 다른 곳으로 가서 선지식을 찾아야겠다고 말하는 것과 같다. 나는 믿는다. 만약 경을 듣지 않고 불법을 배우지 않고 세계를 두루 다니면서 선지식을 찾는다면, 결국 찾지 못할 것이다.

무엇 때문인가? 선지식은 반드시 먼저 너희가 경전의 도리를 이해하게 한 연후에 좌선과 참선을 하도록 가르칠 것이기 때문이다. 이것은 갖가지의 조연(助緣)으로 너희가 참선, 좌선하는 것을 돕는 것이다. 아무것도 모르는데 좌선하라고 말할 수 없다. 아무것도 모르면서 좌선하면 마의 경계에 쉽게 들어갈 수 있다. 마의 경계에 들어가면, 얻지 못하고서도 얻었다고 말하고, 증득하지 못하고서도 증득하였다고 말하게 된다. 이것은 큰 거짓말을 하는 것이다. 큰 거짓말을 하면 지옥에 떨어진다. 진정한 불법을 얻지 못하고 "나는 이미 얻었어, 나는 깨달았다. 나는 바로 조사다. 나는 바로 아라한이다. 나는 보살이다. 나는 부처다!"라고 한다. 그가 말하는 부처는 무슨 부처인가?

어떤 사람은 말한다. "부처님은 정말로 사람을 해친다. 부처님이 만약 『법화경』을 설하지 않았다면 어떻게 사람이 지옥에 가겠는가? 부처님이 『법화경』을 설하여 많은 사람들이 지옥에 떨어졌다. 무엇 때문에 지옥에 갔는가? 바로 『법화경』을 비방하였기 때문이다. 부처님이 만약 『법화경』을 설하지 않았다면 『법화경』을 비방하는 사람도 없을 것이 아닌가? 그러면 지옥에 들어가는 사람도 없을 것이다. 그러니 그가 지옥에 들어가는 것은 석가모니 부처님이 그를 지옥에 들어가게 한 것이다."

이 사람이 하는 말이 도리가 있는가, 없는가? 석가모니 부처님께서 『법화경』을 설하지 않았다면 지옥에 들어가는 사람도 없을 것이라고 말하는데, 그랬다면 또한 성불하는 사람도 없을 것이다. 게다가 부처님께서 『법화경』을 비방하면 죄가 있다고 분명히 말씀하셨는데도 『법화경』을 비방한다면, 이것은 고의로 부처님과 대적하는 것이 아니겠는가? 그러므로 지옥에 떨어지는 사람이 있는 것이 부처님께서 『법화경』을 설한 때문이라고 말할 수 없다.

석가모니 부처님께서 『법화경』을 설해 얼마나 많은 사람들이 보리심을 발하게 하여 장래 불과(佛果)를 이루게 할 것인가? 부처를 이루는 중생이 지옥에 떨어지는 사람보다는 많을 것이다. 지옥에 떨어지는 것은 가장 어리석은 사람이라고 나는 믿는다. 근본적으로 그 사람은 아무것도 믿지 않는 것이다. 따라서 『법화경』을 비방하면 죄가 있다는 것을 명백히 알면서도 여전히 비방하려는 중생을 누가 구제할 수 있겠는가? 그래도 구제할 사람이 있다. 바로 지장보살이 그런 중생을 구하는 것이다. 그가 지옥에 떨어져 고통을 받는 것이 어느 정도에 이르면 지장보살께서 그에게 법을 설하러 가실 것이며, 그는 그때에야 비로소 이해하고 곧 그의 죄업을 소멸하여 인간이나 천상으로 갈 것이다. 따라서 너희도 경을 비방하여 지옥에 떨어지는 사람을 위하여 걱정할 필요가 없다. 너희는 자기의 앞길을 잘 선택해서 앞으로 나아가는 것이 가장 좋은 것이다.

8) 『법화경』을 설할 수 있는 대상

만약 총명한 근기의 사람은 지혜가 밝으며
많이 듣고 기억력이 강하여 불도를 구하는
이러한 사람을 위하여 이 경을 설할 수 있네.
만약 과거생에 억백천의 수많은 부처님을 뵙고
많은 선근 심어 지혜가 깊고 견고한 마음 가진
이러한 사람에게는 법화경을 설할 수 있네.
若有利根　智慧明了　多聞强識　求佛道者
如是之人　乃可爲說　若人曾見　億百千佛
植諸善本　深心堅固　如是之人　乃可爲說

만약 어떤 사람이 정진하고 항상 자비심 닦으며
신명을 아끼지 않으면 그를 위하여 설할 수 있네.
만약 어떤 사람이 공경하면서 다른 마음 없으며
범부의 어리석은 지견 떠나 홀로 산택에 머무는
이와 같은 사람에게도 설할 수 있네.
또한 사리불이여, 만약 어떤 사람이

악지식을 버리고 선지식을 친근하는
이와 같은 사람에게는 설할 수 있네.
만약 어떤 불자가 계율을 광명보주와 같이
청정하게 지니면서 대승경전을 부지런히 구하는
이와 같은 사람에게는 설할 수 있네.
만약 어떤 사람이 성냄 없고 솔직하고 유연하며
항상 일체중생을 연민하고 시방제불을 공경하는
이와 같은 사람에게는 설할 수 있네.

若人精進 常修慈心 不惜身命 乃可爲說
若人恭敬 無有異心 離諸凡愚 獨處山澤
如是之人 乃可爲說 又舍利弗 若見有人
捨惡知識 親近善友 如是之人 乃可爲說
若見佛子 持戒淸潔 如淨明珠 求大乘經
如是之人 乃可爲說 若人無瞋 質直柔軟
常愍一切 恭敬諸佛 如是之人 乃可爲說

다시 어떤 불자가 대중 가운데서
청정심으로 갖가지의 인연과
비유의 언사로 법을 설하는 데 장애가 없는
이런 사람에게는 법화경을 설할 수 있네.
만약 어떤 비구가 일체의 지혜를 위하여
사방으로 법을 구하면서 합장하고 정례하며
오직 대승의 경전을 즐거이 수지하고
다른 경전의 한 게송도 받지 않고 수행하는

이와 같은 사람에게는 설할 수 있네.
만약 사람이 지성심으로 부처님 사리 구하듯
이렇게 경전 구하며 얻어 공경하게 수지하며
그 사람은 다시는 다른 경전을 구하지 않으며
또한 외도의 전적(典籍)을 읽은 적이 없는
이런 사람에게는 법화경을 설할 수 있네.

復有佛子　於大衆中　以淸淨心　種種因緣
譬喩言辭　說法無礙　如是之人　乃可爲說
若有比丘　爲一切智　四方求法　合掌頂受
但樂受持　大乘經典　乃至不受　餘經一偈
如是之人　乃可爲說　如人至心　求佛舍利
如是求經　得已頂受　其人不復　志求餘經
亦未曾念　外道典籍　如是之人　乃可爲說

내지불수(乃至不受) 여경일게(餘經一偈) 그는 대승경전을 구하고 오로지 이 한 문을 닦는다는 뜻이다. 예를 들면 『법화경』을 전문적으로 수지하고 다른 경전을 모두 배우지 않는다는 것이다.

기인불부(其人不復) 지구여경(志求餘經) 그 사람은 이미 대승의 경전을 얻었으면 다시는 다른 경전을 구하러 도처로 가지 않는다는 뜻이다.

사리불에게 이르노니, 내가 설한 이런 모습의 사람이
불도 구하는 자이며 겁 다하도록 다 말할 수 없으니

이러한 사람들은 법화경을 믿고 이해할 수 있으므로
너희는 마땅히 그들을 위해 법화경을 설하여라.

告舍利弗 我說是相 求佛道者 窮劫不盡
如是等人 則能信解 汝當爲說 妙法華經

◉ 이 단락의 경문을 읽고 의문이 들 수도 있을 것이다. "『화엄경』에서 말씀하시기를, '하나를 수지하고 다른 것을 수지하지 않으면 이것은 마의 업이다[持一非餘 這是魔業]'라고 하였습니다. 즉 전문적으로 하나의 경전을 닦고 다른 경전은 옳지 않다고 생각하는 것은 마의 업이라고 했습니다. 그러면 지금 『법화경』에서 이르시기를, '그 사람은 다시 다른 경전을 구하지 않는다[其人不復 志求餘經]'고 하면서 단지 하나의 경을 닦게 하고 다른 경전은 닦지 말라고 합니다. 이것이 어찌 『화엄경』의 뜻과 다른 것이 아니겠습니까?"라고 묻는다.

『화엄경』에서 '지일비여(持一非餘)'는 마업, 즉 마왕의 업장, 업력이라고 하였는데, 그러면 『법화경』에서 하신 말씀과 서로 위배되는 것이 아닌가라는 질문이다. 사실 너희가 하나의 경을 수지하는 것은 또한 다른 경을 수지하는 것이다. 하나로부터 비로소 다른 것이 생기므로 다른 경이란 것도 이 하나의 경에 포함된 것이다. 아울러 이 단락의 경문은 반드시 너희에게 단 하나의 경만 수지하라고 말하는 것이 아니다. 너희의 역량이 단지 하나의 경을 수지할 수 있을 뿐이라는 것이다. 너희가 만약 많이 수지할 수 있다면, 그것은 더욱 좋은 것이다. 따라서 너희는 『법화경』의 이런 말씀에 집착하지 않아야 한다. 경을 들음으로 인하여 다시 경의 집착을 내서는 안 된다. 그러므로 너희는 이런 도리를 동태적으로 보아야 한다.

四

신해품
(信解品)

일불승(一佛乘)을 믿고 이해하다

이제 설하는 것은 「신해품(信解品)」이다. 신심이 있어야 한다. 만약 신심이 없으면 어떤 법이라도 받아들이지 못한다. 너희가 받아들이지 못하면 이 법은 없는 것과 같다. 그래서 "믿음은 도의 근원이고 공덕의 어머니이며, 일체의 모든 선근을 증장한다.[信爲道元功德母 長養一切諸善根]"라고 하였다. 이처럼 믿음은 매우 중요한 것이다. 또 이르기를 "불법은 바다와 같으며, 오직 믿음으로 들어갈 수 있다.[佛法如大海 唯信可入]"라고 하였다. 오직 믿음이 있어야 불법의 대해 속으로 들어갈 수 있으며, 만약 믿음이 없으면 불법 속으로 들어갈 방법이 없다.

신(信) 자를 보면 사람 인(亻) 방변에 말씀 언(言)이 있는데, 이것은 바로 사람이 그곳에서 말을 하고 있는 것을 뜻한다. 사람이 너희에게 말을 하는데 너희가 만약 믿지 않으면 이 말은 소용이 없다. 너희가 이 경전에 대하여 믿는 마음을 내면 수용(受用)을 얻을 수 있으며, 믿음이 없으면 수용을 얻을 수 없다. 비유하면 본래 너희는 크게 화를 잘 내는데 경을 듣고 '나는 다시는 화를 내지 않아야겠다'고 생각하는 것이다. 그러면 알지 못하는 사이에 성미가 없어진다. 심지어 남들이 너희에게 화를 내어도 참을 수 있게 된다. 이것이 바로 믿음이다.

경전에서는 화를 내지 말라고 했다. 하지만 너희는 '경전에서 그렇게 말해도 누가 사람이 화를 내지 않을 수 있겠어'라고 생각한다. 이것은 믿음이 없는 것이다.

믿음이 없으면 너희는 경전의 좋은 점을 얻지 못한다. 너희가 만약 참고 화를 내지 않을 수 있다면, 무형 중에 덕행이 있게 되고 공덕이 생기게 된다. 너희가 만약 화를 내면 공덕이 없다. 공덕이 있으면 바로 너희가 받게 되니, 따라서 믿음을 가져야 한다는 것이다. 이것이 가장 중요한 것이다.

나는 너희에게 화를 내지 못하게 가르친다. 하지만 "저는 가르침에 따라 행하겠습니다."라고 해놓고 스승을 떠나자마자 변한다든지, 심지어 스승의 면전에서 여전히 화를 낸다면 그야말로 법도 없고 하늘도 없는 것이다. "스승님, 당신이 나에게 화를 내지 말라고 하시지만 나는 크게 화를 낼 테니 보십시오. 나는 이러한 재주가 있습니다." 이렇게 하면 즉 신심이 없는 것이다. 너희가 믿음이 있으면 가르침에 따라 행할 것이다.

해(解)는 너희가 믿음이 있은 연후에 비로소 이해하게 된다는 것이다. 너희가 믿는 마음이 없으면 이해할 수 없다. 경을 강의할수록 믿지 못하고 멍청해지면 지혜가 없는 것이다. 너희가 이해하여 '오, 경전에서 말씀하시는 것이 이렇게 묘하다니, 나는 마땅히 가르침에 따라 행해야지' 하면 이것이 경전에서 좋은 점을 얻는 것이다.

그러면 무엇을 믿고, 무엇을 이해하는가? 대승의 불가사의한 묘법을 믿고, 대승의 불가사의한 묘법을 이해하고 깨닫는 것이다. 그리하여 이 행문(行門)을 수행하는 것이다. 따라서 「신해품」이라고 하였다.

가. 불승(佛乘) 구하지 않음을 후회하다

그때 혜명수보리, 마하가전연, 마하가섭, 마하목건련은 부처님으로부터 이전에 듣지 못한 법을 듣고, 세존께서 사리불에게 무상정등정각(無上正等正覺)의 수기를 주시자, 희유한 마음을 내어 뛸 듯이 기뻐하였다. 즉시 자리에서 일어나 의복을 정돈하고 오른쪽 어깨를 드러내어 오른쪽 무릎을 꿇고, 일심으로 합장하며 몸을 굽혀 공경스럽게 존귀한 얼굴을 우러러보면서 부처님께 말하였다.

爾時, 慧命須菩提•·摩訶迦旃延·摩訶迦葉·摩訶目犍連, 從佛所聞未曾有法。世尊授舍利弗阿耨多羅三藐三菩提記, 發希有心, 歡喜踊躍。卽從座起, 整衣服, 偏袒右肩, 右膝著地, 一心合掌, 曲躬恭敬, 瞻仰尊顏, 而白佛言。

혜명수보리(慧命須菩提)• 왜 수보리에게만 혜명이라고 일컫고 그 다음에는 마하라고 하였는가? 수보리는 지혜로운 사람의 명을 받았기 때문이며, 또한 부처님 지혜의 생명을 이어가기[續佛慧命] 때문이다. 지혜를 가진 모든 사람에게는 부처의 지혜가 제일이기 때문이다. 부처님께서는 반야법회에서 수보리 존자에게 일체중생을 교화할 것을 분부하셨다. 이것을 지혜로운 사람의 명을 받은 것이라고 한다. 석가모니 부처님은 제일의 지혜로운 사람이며, 그런 부처님께서 수보리에게 명하신 것이다. 이것을 전교부재(轉敎付財)라고 한다. 전교란 모습을 바꿔가며 일체의 보살을 교화하는 것이며, 부재란 마치 돈이 많은 부친이 임종에 이르러 모든 재산을 자녀에게 넘겨주는 것을 말한다.

본래 수보리 존자도 응당 '마하수보리'라고 해야 할 것인데, 이번에는 특별하게 논하여 다른 제자와는 다르게 혜명수보리라고 하였다. 수보리에게는 세 개의 이름이 있다. 즉 선현(善現), 공생(空生), 선길(善吉)이다.

어째서 선길이라고 하였는가? 수보리가 출생할 때 그의 부친이 점을 치는 사람을 찾아 물어보니 선하고 길하다는 괘가 나왔다고 해서 선길이라고 하였다. 그런데 이상한 일이 생겼다. 그의 부친은 매우 돈이 많은 사람이라 가지고 있던 금은과 보물이 매우 많았으나, 그가 태어나

자 창고의 보물들이 모두 텅 빈 것이다. 그래서 그에게 다시 공생이라는 이름을 지어 주었다. 7일이 지나자 모든 창고의 보물이 다시 나타났다. 그래서 또다시 선현이라고 부르게 된 것이다. 이러한 세 가지 이름이 있기 때문에 수보리 하나에 세 가지의 뜻을 갖추고 있는 것이다.

수보리 존자는 또 하나의 재주를 가지고 있었는데, 공을 이해하는[解空] 능력이 제일이었다. 즉 그는 허공의 도리를 잘 이해했다. 허공을 더 이해할 것이 있는가? 당연히 이해해야 한다. 너희가 만약 허공을 이해하지 못하면 불법을 이해하지 못한 것이다. 너희가 불법을 이해하지 못하면 부처를 이룰 수 없을 것이다. 너희가 부처를 이루려고 하면, 먼저 허공을 이해해야 한다. 누군가 "허공은 아무것도 없는데 다시 이해할 무엇이 있는가?"라고 묻는다. '아무것도 없다'는 것을 이해해야 하는 것이다. 아무것도 없다는 것을 이해하지 못하면 너희는 영원히 범부에 그칠 것이다. 너희가 만약 아무것도 없다는 것을 이해한다면 무궁한 수용을 가질 것이다.

무엇이 공인가? 이를테면 허공을 가지고 논하자면, 허공은 취하지 않고[不取], 버리지 않고[不捨], 받지 않는다[不受]. 아무것도 가지지 않으며, 버릴 만한 것이 아무것도 없으며, 아무것도 받는 것이 없다. 따라서 수보리 존자는 불취, 불사, 불수의 도리를 이해하여 활연히 깨달았다. 즉 그는 공의 이치로부터 깨달은 것이다. 공에는 많은 공이 있다. 마치 제일의공(第一義空)과 같이, 아무것도 없는 것이다. 이 공 속에는 비록 아무것도 없다고 말하지만, 하나의 참된 물건이 있다. 만약 허공을 지배하는 하나의 참된 물건이 없다면, 이 허공은 파괴될 것이다. 우리 사람은 허공을 분쇄할 재주가 없다. 너희가 만약 허공을 분쇄한다면, 너희는 곧 도를 이룰 것이다.

허운 노스님께서 양주 고민사(高敏寺)에서 저녁에 좌선하면서 차를 마실 때였다. 차를 따르는 스님이 부주의하여 주전자를 찻잔에 부딪쳐 뜨거운 물이 손에 튀었다. 허운 대사의 찻잔이 바닥에 떨어져 펑하고 깨지는 소리가 나자, 이 소리가 허운 대사 무량겁 이래의 업의 식심(識心)을 놀라 깨어나게 하였다. '아, 원래 이러한 일이로구나!' 그는 활연히 깨달은 것이다. 그리하여 다음과 같은 게송을 읊었다.

> 찻잔이 땅에 떨어질 때 펑하는 소리가 명료하고 역력하여
> 허공이 분쇄되니 날뛰는 마음이 당장 쉬어지네.
> 杯子撲落地, 響聲明歷歷
> 虛空粉碎也, 狂心當下歇

찻잔이 땅에 떨어져 깨지는 소리에 허공도 없어진 것이다. 그럼 허공은 어디로 갔는가? 허운 노스님은 허공이 어디로 갔는지 아신 것이다. 이때 그의 반연심(攀緣心), 즉 날뛰는 마음, 바로 무명의 마음이 당장 멈추고 정지한 것이다. 『능엄경』에 이르기를 "날뛰는 마음이 만약 쉬어지면, 쉬어지면 즉 깨닫는다.[狂心若歇 歇卽菩提]"라고 하였다. 너희의 날뛰는 마음이 쉬게 되면, 보리심(깨달은 마음)이 나오는 것이다. 즉 날뛰는 마음이 바로 보리심이다.

"저희는 출가승들의 우두머리로서 나이도 많이 들었으며, 스스로 이미 열반을 얻어 할 일이 없다고 생각하여 무상정등정각을 구하려고 다시 나아가지 않았습니다. 세존께서는 이전에 법을 설하신 지 이미 오래되었으며, 저희는 항상 법회의 장소에 있었으나, 신체가 피곤하고 게을러

단지 공(空), 무상(無相), 무작(無作)을 생각할 뿐이었으며, 보살법에서 갖가지의 신통으로 중생을 교화하고 불국토를 청정하게 장엄하며 중생의 원력을 성취하는 것에 대해서는 즐거운 마음이 일어나지 않았습니다. 무엇 때문인가? 세존께서는 저희로 하여금 이미 삼계를 벗어나 열반을 증득하게 하셨으며, 또 지금 저희는 나이가 연로하여 부처님께서 보살들에게 무상정등정각을 얻게 하시는 가르침에 대하여 한 생각도 좋아하는 마음이 일어나지 않았습니다. 저희는 지금 부처님 앞에서 성문들에게 무상정등정각의 수기 주시는 것을 듣고, 마음이 매우 기쁘고 이전에 듣지 못한 법을 얻었습니다. 생각지도 않게 지금 갑자기 희유한 법을 듣고, 스스로 깊이 다행으로 여기고 큰 이익을 얻었으며, 한량없는 진기한 보배를 구하지 않고도 저절로 얻게 되었습니다."

我等居僧之首, 年竝朽邁, 自謂已得涅槃, 無所堪任, 不復進求阿耨多羅三藐三菩提。世尊往昔說法旣久, 我時在座, 身體疲懈, 但念空·無相·無作。於菩薩法, 遊戲神通·淨佛國土·成就衆生, 心不喜樂。所以者何。世尊令我等, 出於三界, 得涅槃證。又今我等, 年已朽邁, 於佛敎化菩薩阿耨多羅三藐三菩提, 不生一念好樂之心。我等今於佛前, 聞授聲聞阿耨多羅三藐三菩提記, 心甚歡喜, 得未曾 有。不謂於今, 忽然得聞希有之法, 深自慶幸, 獲大善利, 無量珍寶·不求自得。

단념공(但念空) 무상(無相) 무작(無作) 이때 무엇을 생각하였는가? 일체는 모두 공한 것이고, 상이 없는 것이며, 할 것이 없다고 생각한 것이다. 즉 보살도를 행하거나 혹은 공덕을 짓는 것이 필요 없다고 생각하였다.

나. 가난한 아들의 비유

1) 아들이 아버지를 떠나 유랑하다

"세존이시여, 저희는 지금 비유로써 이 뜻을 밝히고자 합니다. 어떤 사람이 나이가 어려 아버지를 버리고 멀리 도망을 가서 오랫동안 타국에 머물다가, 혹은 십 세, 이십 세에서 오십 세에 이르렀습니다. 나이가 들자 더욱 곤궁해져 음식과 의복을 구하기 위해 사방으로 유랑을 하였으며, 그렇게 유랑하다가 우연히 본래의 고국으로 향하게 되었습니다. 그의 아버지는 먼저 와서 아들을 찾았으나 찾지 못하고 어떤 성에 머물게 되었습니다. 그의 집은 큰 부자로서 재산과 보물이 무량하여 금, 은, 유리, 산호, 호박, 파리 구슬 등이 모든 창고에 가득하였으며, 하인과 대신, 보좌인, 관리, 백성도 많고, 코끼리와 말과 수레, 소와 양들이 무수히 많았으며, 나오고 들어가는 이식(利息)이 타국에 두루 미치고, 다니는 상인과 앉아서 물건을 파는 상인도 매우 많았습니다."

世尊。我等今者, 樂說譬喩, 以明斯義。譬若有人, 年旣幼稚, 捨父逃逝, 久住他國, 或十·二十, 至五十歲。年旣長大, 加復窮困, 馳騁四方, 以求衣食。漸漸遊行, 遇向本國。其父先來, 求子不得, 中止一城。其家大富, 財寶無量, 金·銀·琉璃·珊瑚·琥珀·玻璃珠等, 其諸倉庫, 悉皆盈溢。多有僮僕·臣佐·吏民, 象馬車乘, 牛羊無數。出入息利, 乃遍他國。商估賈客, 亦甚衆多。

비약유인(譬若有人) 연기유치(年旣幼稚) 사부도서(捨父

逃逝) 어떤 사람이란 이승(二乘)의 사람을 가리키며, 연령이 유치하다는 것은 선근이 적다는 것을 뜻한다. 선근이 적은 사람은 대승의 근성을 가진 사람이 아니며, 또한 그의 부친을 떠나 멀리 간 것이다.

부친을 버리다[捨父]란 이억(二億)의 부처님께서 출현하셨을 때 응신(應身)인 석가모니 부처님이 대중을 교화하다 원적하신 후 중생의 마음이 대승에서 멀어졌음을 비유한다. 본래 석가모니 부처님께서 그때 또한 대승법을 가르쳐 닦게 하였지만, 세존께서 떠나신 후 그들은 다시 대승의 근성을 퇴실한 것이다. 그래서 '부친을 버리다[捨父]'라고 한 것이다. 달아나다[逃]는 '무명으로 자기를 덮는다'는 것을 비유하며, 가다[逝]는 생사의 길로 가는 것을 비유한다.

구주타국(久住他國) 타국이란 욕계, 색계, 무색계의 삼계를 뜻한다. 삼계 안에서 재(財), 색(色), 명[名譽], 식(食), 수[睡眠]의 오욕에 빠져 본국으로 돌아가는 것을 잊고 가지 않은 것을 '타국에 오래 머물렀다'고 한 것이다.

혹십이십(或十二十) 지오십세(至五十歲) 십은 천도(天道), 이십은 인도(人道)를 비유하고, 오십 세에 이른다는 것은 다섯 세계[五道]를 비유한다.

연기장대(年旣長大) 나이가 들었다는 것은 대승의 근성이 과거 부처님의 교화를 받아 생겼으며, 지금 비록 대승의 마음이 퇴실하였지만, 대승의 종자는 모르는 가운데 자라난 것을 비유한다.

가부궁곤(加復窮困)• 하지만 대승의 복보가 없어지려고 한다. 대승의 종자는 만약 자라는데 어째서 그의 복보는 없어지려고 하는가? 왜냐하면 그는 대승의 마음이 퇴실하여 소승의 법을 닦기 때문이다. 소승의 법을 닦을수록 더욱 가난해지고 곤궁하게 된 것이다. 그의 곤궁함은 바로 그의 복덕이 부족하기 때문이다. 궁(窮)이란 삼계에서 팔고(八苦)를 두루 받는 것을 뜻한다. 곤(困)이란 팔고가 사방에서 핍박하는 것을 뜻한다. 마치 사방 주위에서 불이 타는 것과 같다.

치빙사방(馳騁四方) 이구의식(以求衣食)• 치빙(馳騁)이란 마치 말을 타고 사방으로 달리는 것과 같이 사면팔방 도처로 달리는 것이다. 사방이란 사념처(四念處)를 비유한다. 의복과 음식을 구한다는 것은 정도(正道)의 음식과 조도(助道)의 의복을 구하는 것을 비유한다.

점점유행(漸漸遊行) 우향본국(遇向本國)• 그는 본래 부친을 버리고 타국으로 도망을 갔다. 그러나 나이가 들어가면서 이 나라, 저 나라로 다니다가 자기의 본국으로 우연히 돌아오게 된 것이다. 우(遇)란 약속을 하지 않았는데 우연히 만나는 것을 뜻한다. 일체의 외도가 갖가지의 고행을 닦는 것은 본래 옳지 않은 것이나 억지로라도 교화를 받을 기연이 될 수 있다. 마치 석가모니 부처님께서 성불하신 후 각처로 가서 외도들을 교화하신 것과 같다. 이 외도들이 우선 해탈을 얻었다는 뜻이다.

기부선래(其父先來) 구자부득(求子不得) 중지일성(中止一城)• 부친은 부처님을 비유한다. 부처님은 대승법으로 중생을 교화하시지만, 중생은 대승을 닦지 않고 소승을 닦기 원한다. 그래서 아주 멀리 타국으로 도망간 것이다. 따라서 부처님께서는 먼저 아들을 찾으려고 하는 것이다. 이것은 즉 그의 제자를 찾는 것이다. 그러나 그들은 대승의 근성이 없으므로 부처님을 만나지 못한 것이다. 만나지 못한 것이 바로 '아들을 구하여도 얻지 못한[求子不得]' 것이다. 즉 대승의 제자가 없는 것이다. 이때 부처님께서는 한 성에 머물려고 하셨다. 중(中)이란 방편유여토(方便有餘土)와 실보장엄토(實報莊嚴土)의 중간을 말한다. 지(止)란 다시는 법을 설하여 중생을 교화하지 않으려는 것을 말한다. 하나의 성이란 열반의 성을 말한다. 부처님께서는 본래 열반에 들어 중생을 교화하지 않으려고 하였다.

기가대부(其家大富) 재보무량(財寶無量)• 비록 부처님께서는 열반에 드시려고 생각하셨지만, 이런 생각이 들었다. '나에게 이렇게 많은 법보가 있는데 계승할 사람을 찾지 못하였다. 즉 계속 중생을 교화할 사람을 찾지 못하였다. 이렇게 많은 가업을 누구에게 줄까?' 대부(大富)란 삼장십이부의 경전을 뜻한다.

금(金) 은(銀) 유리(琉璃) 산호(珊瑚) 호박(琥珀) 파려주등(玻璃珠等)• 부처님은 오근, 오력, 사념처, 사정근, 사여의족, 칠보리분, 팔정도의 삼십칠도품(三十七道品)을 가지고 있으며, 또 사제, 십이인연, 육바라밀 등의 법보를 가지고 있음을 비유한다.

기제창고(其諸倉庫) 실개영일(悉皆盈溢)• 모든 창고에 각종 보물이 충만하다는 것도 부처님의 무량한 법보를 비유한다.

다유동복(多有僮僕) 신좌이민(臣佐吏民)• 창고에 보물이 가득 들어 있을 뿐만 아니라 또한 하인, 대신, 보좌하는 사람, 관리, 백성들도 많다는 것이다. 이것은 부처님께서 선교방편의 법문을 가지고 있는 것을 비유한다.

상마거승(象馬車乘) 우양무수(牛羊無數)• 코끼리[象]는 대승 속에 있는 일심삼관(一心三觀)을 비유한다. 일심삼관이란 공(空)에 즉하고, 가(假)에 즉하고, 중(中)에 즉한다는 것이다. 바로 공이고, 가이며, 중이라는 뜻이다. 일심삼관은 일심에서 공·가·중을 모두 즉하며, 차제(次第)가 없다는 것이다. 공도 가이며, 가도 중이다. 원교(圓敎) 대승의 종자를 믿고 근성이 날카로워 점수(漸修)가 아니라 돈(頓)이다. 돈교법문이란 즉시 증득하는 것으로서, 이것을 일심삼관이라고 한다. 따라서 이것은 보살이 닦는 원교법문이며, 돈오의 법이다.

말[馬]은 차제삼관(次第三觀)을 비유하며, 한걸음 한걸음씩 수행하는 것이다. 먼저 공을 관하고, 다시 가를 관하며, 그런 연후에 중을 관한다. 순서에 따라 관하는 것을 뜻한다. 따라서 이것은 별교(別敎)의 보살을 대승의 과위에 이르게 한다.

소[牛]는 공을 분석하는 관[析空觀]을 비유한다. 이것은 통교(通敎)의 중생을 대승에 이르게 한다. 양(羊)은 공의 도리를 체험하는 관[體空觀]을 비유한다. 이것은 성문승을 대승에 이르게 한다. 양은 바로 성문승을 나타낸다. 부처님 재세 시에는 연각도 성문이며 성문도 연각으로서 성문과 연각을 같이 취급하였기 때문에 이곳에서는 연각승을 언급하지 않았다. 무수(無數)하다는 것은 소승의 근성을 가진 사람이 무량하다는 것이다.

출입식리(出入息利) 내변타국(乃遍他國)• 일심이 만법을 낼 수 있다는 것은 출(出)이며, 만법이 또 일심으로 돌아간다는 것은 입(入)으로 표현하였다. 식리(息利)란 중생을 교화하여 중생이 모두 이익을 얻는 것을 말한다. 마치 은행에 돈을 저축하면 이자를 얻는 것과 같다는 것이다. 부처님께서는 중생을 대승의 과위로 실어 옮길 수 있다. 내변타국(乃遍他國)이란 삼계에 두루 어디든지 갈 수 있다는 뜻이다.

상고고객(商估賈客) 역심중다(亦甚衆多)• 장사를 하는 상인은 각처로 다니면서 필요한 물건을 고객에게 운반하여 판매한다. 상고(商估)는 돌아다니면서 장사를 하는 상인을 뜻하며, 고객(賈客)은 앉아서 장사를 하는 상인을 말한다. 상인과 고객도 매우 많다는 것은 모든 대승의 근성과 소승의 근성, 보살과 성문도 매우 많다는 것을 비유한다.

2) 아들이 아버지의 성(城)에 이르다

"당시 빈궁한 아들은 많은 마을을 유랑하고 다른 나라와 작은 도시를 거쳐 곧 아버지가 머물고 있는 성에 이르게 되었습니다. 아버지는 언제나 아들을 생각하였으며 아들과 이별한 지 오십여 년이 되었으니, 아직 이러한 일을 사람들에게 말하지 않았습니다. 단지 스스로 사유하며 마음속에 회한을 품고 이렇게 생각하였습니다. '나는 나이가 들었으나 많은 재물과 금은보배가 창고에 가득한데 자식이 없구나. 일단 내가 죽으면 재물이 흩어질 것인데 넘겨줄 곳이 없구나.' 그래서 은근하게 언제나 자식을 억념하였습니다. 다시 이러한 생각을 하였습니다. '내가 만약 자식을 찾아 재물을 넘겨주면, 매우 즐겁고 다시는 걱정이 없을 것이다.'"
時貧窮子, 遊諸聚落, 經歷國邑, 遂到其父所止之城。父每念子, 與子離別五十餘年, 而未曾向人說如此事。但自思惟, 心懷悔恨, 自念老朽, 多有財物, 金銀珍寶, 倉庫盈溢, 無有子息。一旦終沒, 財物散失, 無所 委付, 是以慇懃, 每憶其子。復作是念, 我若得子, 委付財物, 坦然快樂, 無復憂慮。

3) 아버지와 아들이 서로 만나다

가) 아들이 아버지를 보다

"세존이시여, 그때 가난한 아들은 이곳저곳에 가서 일하며 다니다가 우연히 아버지의 집에 이르렀습니다. 문 옆에 서서 아버지를 멀리서 보니, 아버지는 사자좌에 앉아 있으며 보배의 작은 탁자가 발을 받치고 있었습니다. 많은 바라문, 찰제리, 거사들이 모두 공경스럽게 주위를 둘러싸고 있으며, 가치가 천만이나 되는 진주영락으로 몸을 장식하고 있으며, 관리·백성·하인들은 흰색의 불자를 손에 들고 좌우에 시립하고 있었습니다. 보배의 장막으로 덮고, 많은 꽃으로 만든 깃발을 아래로 내리며, 향수를 땅에 뿌리고 많은 귀중한 꽃을 흩날리며, 보물을 나열하여 출납하며 취하고 베풀며, 이와 같은 갖가지 장엄함이 있었습니다. 그 위덕이 특별히 존엄하였습니다."
世尊。爾時, 窮子傭賃展轉, 遇到父舍, 住立門側, 遙見其父·踞師子床, 寶几承足。諸婆羅門·刹利·居士, 皆恭敬圍繞。以眞珠瓔珞, 價直千萬, 莊嚴其身。吏民·僮僕, 手執白拂, 侍立左右。覆以寶帳, 垂諸華幡, 香水灑地, 散衆名華, 羅列寶物, 出內取與, 有如是等種種嚴飾, 威德特尊。

궁자용임전전(窮子傭賃展轉) 이 지방에서 하루 일하고 저 지방에 가서 하루 일하면서 생활하는 것을 용임전전(傭賃展轉)이라고 한다. 이것은 본래 대승의 근성과 대승의 종자를 가진 제자가 삼계 속으로 들어와 팔고(八苦)의 핍박을 받는 것을 뜻한다. 이때 그는 괴로움에서 벗어나는 길을 구하려고 이 지방으로 와서 찾고, 저 지방으로 가서 찾으면서 삼계를 벗어날 무슨 방법이 없을지를 보는 것이다. 전전하다는 것은 이렇게 도처로 다니면서 찾지만 시종 찾지 못하고 돌아다니는 것을 뜻한다.

우도부사(遇到父舍) 주립문측(住立門側) 그렇게 다니다가 아버지의 집, 즉 부처님께서 머무시는 집에 이르게 된 것이다. 이 집은 방편유여토와 실보장엄토를 가리킨다. 아버지의 집에 이르러 자식은 부친이 머무는 집이 매우 아름답고 장엄하여 감히 문의 중간에 서지 못하고 문의 한쪽에 섰다. 한쪽이란 소승을 뜻한다. 이승인은 양변에 머무는데, 한쪽은 공이고 한쪽은 가(假)이며, 중도(中道)가 아니다.

보궤승족(寶几承足) 보배의 작은 탁자가 발을 받치고 있다. 보궤란 부처님의 지혜를 표시하며, 승족(承足)이란 부처님의 지혜와 선정이 모두 원만함을 나타낸다.

제바라문(諸婆羅門) 찰리(刹利) 거사(居士) 개공경위요(皆恭敬圍繞)• 여기서 바라문은 화엄회상에서 등각위와 법운지의 보살을 비유하며, 찰리는 왕족·귀족의 뜻으로서 화엄회상에서 초지부터 구지까지의 모든 대보살을 비유한다. 거사는 화엄회상에서 십주, 십행, 십회향의 삼십심(三十心)의 법신대사를 비유한다.

이민동복(吏民僮僕) 수집백불(手執白拂) 시립좌우(侍立左右)• 관리와 백성은 과를 증득하거나 보살의 경계에 이른 사람을 비유하고, 동복(僮僕)이란 방편법문을 수행하는 사람을 비유한다. 그리고 흰색의 불진(拂塵: 먼지를 터는 도구)은 방편지혜의 사용을 비유한다. 좌우에 시립하다[侍立左右]에서 오른쪽은 공의 지혜[空智]에 들어가 불사주진(拂四住塵)을 사용하는 것을 나타내는데, 불진으로 네 가지 머무는 먼지를 제거한다는 것이다. 네 가지 머무는 먼지[四住塵]란 견애주진(見愛住塵), 욕애주진(欲愛住塵), 색애주진(色愛住塵), 무색애주진(無色愛住塵)을 말한다. 그리고 왼쪽[左]이란 가의 지혜[假智]에 들어가 무지진(無知塵)을 털어내는 것을 뜻한다. 따라서 좌우(左右)는 중의 지혜[中智]에 들어가 공진(空塵)과 가진(假塵)의 양변을 제거하는 것을 뜻한다. 가진은 곧 유진(有塵)을 말하며, 이것은 중도방편을 나타낸다.

부이보장(覆以寶帳) 수제화번(垂諸華幡)• 보배의 장막으로 덮는다[覆以寶帳]는 것은 일종의 대자비심을 나타낸다. 많은 꽃으로 만든 기를 아래로 내리다[垂諸華幡]에서 꽃은 사섭법(四攝法)을 비유하고, 번(幡)은 여섯 가지의 신통을 비유한다. 사섭법은 보시·애어(愛語)·이행(利行)·동사(同事)를 말하고, 육신통은 천안통·천이통·타심통·숙명통·신족통·누진통을 말한다.

향수쇄지(香水灑地)• 향수를 땅에 뿌리다. 향수는 법수(法水)를 비유한다. 이 법수는 모든 대승보살의 심지(心地) 상에 뿌려서 보살의 미혹의 먼지를 깨끗하게 씻는 것이다. 향수는 또한 선정의 물[定水]을 비유한다. 너희의 산란한 마음에 선정의 물을 뿌려서 산란하지 않게 하는 것이다.

산중명화(散衆名華)• 많은 귀중한 꽃을 뿌린다는 뜻이다. 향수를 땅에 뿌린 후 많은 귀중한 꽃을 흩날린다. 이것도 비유다. 대승의 근성을 가진 보살은 일곱 종류의 깨끗한 꽃[七淨華]을 가지고 있다. 무엇을 칠정화라고 하는가?

① 계정혜(戒定慧) : 첫 번째의 깨끗한 꽃은 바로 계화, 정화, 혜화이다. 너희에게 계화의 향, 정화의 향, 혜화의 향이 있는 것이다. 만약 계를 지니면 정이 있으며, 정이 있으면 혜가 있다. 만약 계를 지니지 않으면 정이 나오지 않고, 정이 생기지 않으면 지혜가 없다. 따라서 수도하는 사람에게는 지계(持戒)가 가장 중요하다.

② 능엄대정(楞嚴大定) : 바로 견고한 대정을 말한다. 너희가 무슨 일을 하든지 견고함을 가져야 한다. 만약 견고하지 않으면 오래갈 수 없고, 크게 될 수 없다. 이 정은 무궁무진하다. 능엄대정은 영원히 모든 것에 파괴되지 않으며, 모든 것을 이긴다.

③ 실혜(實慧) : 진실한 지혜를 말한다. 이 지혜는 사람마다 모두 가지고 있으나, 애석하게도 우리는 지금 이러한 지혜를 쓸 줄 모르며 또한 그것을 잊어버렸다. 그러면 무슨 지혜를 사용하는가? 방편의 지혜를 사용한다. 이것은 허망하여 진실하지 않은 지혜이며, 또 세간의 지혜다. 진실한 지혜란 출세간의 지혜이다. 너희가 진실한 지혜를 가지면 모든 제법의 실상을 통달할 수 있다.

④ 두 가지 진리의 의혹을 끊는다[斷二諦疑] : 두 가지 진리란 속제와 진제를 말한다. 속제는 세제, 세속제라고도 하며, 세간의 모든 상(相)을 가리킨다. 즉 범부가 보는 세간의 일체의 일과 모습을 말한다. 진제란 제일의제라고도 하며, 출세간의 성품, 즉 성인의 지혜로 보는 진실한 이치의 성품을 말한다. 성(性)과 상(相)은 복제(覆諦)라고 하며, 또 승제(勝諦)라고도 한다. 이것도 두 가지의 진리이다. 진제와 속제의 두 가지 진리는 궁극의 진리가 아니다. 진제는 또한 가제(假諦)이며, 속제는 또한 공제(空諦)이다. 그것은 중도에 부합하지 않으며, 두 가지 변(邊)에 떨어진 것이다. 따라서 두 가지 진리의 의혹을 끊는다고 한다. 너희가 두 가지 진리의 의혹을 가지고 있으면 청정하지 못하며, 그것을 끊으면 곧 청정함을 얻는다.

⑤ 정도에 맞지 않는 수행이 불도에 통달하다[行於非道 通達佛道] : 소승법을 닦거나 혹은 외도이거나 혹은 무익한 고행을 하는 것과 같이 너희가 비록 잘못된 수행의 길을 가지만, 점점 불도로 되돌아오는 것을 말한다. 장래 불도를 통달하게 되는 것이다.

⑥ 지덕이 원만하고 명료하게 성품을 본다[智德圓滿 了了見性] : 부처님은 지덕(智德)과 단덕(斷德)을 가지고 있다. 대승의 근성은 지덕과 단덕의 종자를 가지고 있으나 원만하지 못하다. 지혜의 덕행이 원만하면 명료하게 본성을 본다. 이른바 "자기의 본심을 알고, 자기의 본성을 본다.[識自本心 見自本性]"고 하였듯이 명료하게 마음을 밝혀 견성하는 것이다.

⑦ 단덕을 성취하고 영원히 무명을 없앤다[斷德成就 永盡無明] : 단덕을 성취하면 무명을 타파한다. 그리하여 무명이 없어진다. 잠시 없어질 뿐 아니라 영원히 없어진다.

나열보물(羅列寶物) 출납취여(出內取與)• 보물이란 대승의 묘법을 뜻한다. 출납취여(出內取與)에서 출(出)이란 지출하는 것이고, 납(內)이란 거두어들인다[納]는 뜻이다. 무엇을 거두어들이는가? 진실한 지혜를 거두어들인다. 무엇을 내보내는가? 나가서 마땅히 교화할 기연을 교화하는 것이다. 이 모두 응화될 기연을 비유한다. 취하고 준다[取與]는 것은 이승의 중생을 섭수하여 그들에게 대승의 불법을 주는 것을 비유한다.

유여시등종종엄식(有如是等種種嚴飾) 위덕특존(威德特尊)• 이와 같은 갖가지의 장엄이 있으며, 위덕이 특별히 존엄하다. 위덕특존(威德特尊)이란 부처님의 신통이 무량하고, 상호가 무량하다는 것을 나타낸다.

나) 아들이 아버지를 보고 도망가다

"가난한 아들은 아버지에게 큰 세력이 있음을 보고 즉시 두려움을 느껴 이곳에 온 것을 후회하며 몰래 이러한 생각을 하였습니다. '혹시 이 분은 마왕이거나 마왕의 자손이 아닐까, 이곳은 나의 보통의 힘으로는 재물을 얻을 곳이 아니므로 가난한 마을로 가는 것만 못하겠구나. 그곳으로 가면 마음대로 옷과 음식을 얻기가 쉬울 것이다. 만약 이곳에 오래 머물다가는 혹 핍박을 당하거나 강제로 나에게 일을 하라고 시킬 것이다.' 이러한 생각을 한 후 재빠르게 도망을 갔습니다."

窮子見父有大力勢, 卽懷恐怖, 悔來至此, 竊作是念。此或是王, 或是王等, 非我傭力得物之處, 不如往至貧里, 肆力有地, 衣食易得。若久住此, 或見逼迫, 强使我作。作是念已, 疾走而去•。

작시념이(作是念已) 질주이거(疾走而去)• 그는 대승법이 수행하기가 쉽지 않다는 것을 알았기 때문에 도망을 간 것이다. 보살이 닦는 대승법은 생사에 들어가야 한다. 이승인은 생사를 두려워한다. 대승인은 인간세상을 유희하면서 불국토를 청정하게 하며, 중생을 교화하고, 인연을 따라 변하지 않으며, 변하지 않으면서 인연을 따른다. 이렇게 생사에 들어가지만 생사가 없으며, 범부 속에 있지만 범부를 벗어났다. 대승의 경계는 이러하다. 이승인의 경계는 작기 때문에 생사를 겁내서 도망간 것이다. 어디로 도망갔는가? 소승(小乘)의 곳으로 도망갔다.

"이때 부유한 장자는 사자좌에서 아들을 보고 곧 알아보았으며, 마음속으로 크게 기뻐 즉시 이러한 생각을 하였습니다. '나의 재물 창고를 넘겨줄 사람이 이제 생겼구나. 나는 항상 이 아들을 생각했지만 만날 수 없었는데, 갑자기 스스로 찾아오니 나의 원에 매우 맞는구나. 나는 비록 나이가 들었지만 애석한 마음이 들었다.'"
時富長者。於師子座, 見子便識, 心大歡喜, 卽作是念。我財物庫藏, 今有所付。我常思念此子, 無由見之, 而忽自來, 甚適我願。我雖年朽, 猶故貪惜。

다) 사람을 보내 아들을 데려오게 하다

"장자는 즉시 다른 사람을 파견하여 급히 그를 쫓아가 데려오게 하였습니다. 그때 쫓아간 사람이 빨리 달려가 아들을 잡으니, 가난한 아들은 경악하면서 원망하며 크게 고함을 쳤습니다. '나는 잘못한 것이 없는데 어째서 나를 잡아가는가?' 아들을 잡으러 간 사람은 그를 잡아 조급하게 강제로 끌고 왔습니다. 이때 가난한 아들은 스스로 죄가 없는데 잡혀가면 이번에 반드시 죽을 것이라 생각하고, 더욱 두려워하면서 정신을 잃고 땅에 쓰러졌습니다."
卽遣傍人, 急追將還•。爾時, 使者疾走往捉, 窮子驚愕, 稱怨大喚。我不相犯, 何爲見捉•。使者執之愈急, 强牽將還•。於時窮子自念無罪, 而被囚執, 此必定死, 轉更惶怖, 悶絶躄地。

즉견방인(卽遣傍人) 급추장환(急追將還)• 이것은 부처님께서 보살을 보내 이승인을 교화하여 대승으로 돌아오게 하신 것을 뜻한다.

아불상범(我不相犯) 하위견착(何爲見捉)• '나는 이러한 대승법을 닦을 생각이 없는데, 왜 강제로 나에게 대승법을 닦게 하는가'라는 뜻이다.

사자집지유급(使者執之愈急) **강견장환**(强牽將還)• 보살은 조급하게 그로 하여금 대승법을 닦게 하지만, 그는 그럴수록 더욱 대승법을 듣지 않고 두려운 마음이 생겼다. 그래서 보살은 억지로라도 그에게 대승의 법을 사용하여 돌아오게 하려는 것이다.

"아버지는 멀리서 그것을 보고 사자(使者)에게 말했습니다. '그 사람은 필요 없으니 강제로 데려오지 말라.' 찬물을 그의 얼굴에 뿌려 깨어나게 하고는 다시 말하지 못하게 하였습니다. 무엇 때문인가? 아버지는 그 아들의 뜻과 의식이 하열함을 알았기 때문이며, 아들이 부귀를 어렵게 여기고 받아들이지 않을 것을 스스로 알았기 때문입니다. 그래서 이 아들은 방편으로 데려와야 한다는 것을 관찰하여 알고는 다른 사람에게 자신의 아들이라는 것을 말하지 않고 사자(使者)를 시켜 말하게 하였습니다. '나는 지금 너를 풀어줄 것이니 마음대로 가거라.' 그러자 가난한 아들은 이전에 없던 즐거움을 얻었다고 기뻐하면서 땅에서 일어나 가난한 마을로 가서 옷과 음식을 구하였습니다."

父遙見之, 而語使言。不須此人, 勿强將來。以冷水灑面, 令得醒悟•, 莫復與語。所以者何。父知其子, 志意下劣, 自知豪貴, 爲子所難•。審知是子, 而以方便, 不語他人, 云是我子。使者語之, 我今放汝, 隨意所趣。窮子歡喜, 得未曾有, 從地而起, 往至貧里 · 以求衣食。

이냉수쇄면(以冷水灑面) **영득성오**(令得醒悟)• 가난한 아들은 잡히는 것이 두려워 놀라 정신을 잃었는데, 장자는 찬물을 얼굴에 뿌려 깨어나게 하였다. 찬물을 얼굴에 뿌린다는 것은 그에게 사제법(四諦法)을 가르친 것을 뜻한다. 사제의 물을 사용하여 과를 증득하게 한 것이다. 깨어나게 한 것은 '더 기다려 그 스스로 생각하게 한 연후에 다시 말하겠다'는 것이다.

자지호귀(自知豪貴) 위자소난(爲子所難)• 부처님은 자기의 부귀함에는 큰 위덕의 힘이 있으며, 법신은 일체처에 두루하고, 보신과 응신은 모두 특별히 수승하고 존귀하다는 것을 안다. 그러나 소승의 사람은 쉽게 믿고 받아들이지 못한다.

라) 방편으로 아들을 회유하다

"그때 장자는 그의 아들을 유인하여 데려오려고 방편을 마련하였습니다. 몰래 두 사람을 파견하여 형색이 초췌하고 위덕이 없는 사람처럼 보이게 하고 말하였습니다. '너희는 저곳으로 가서 가난한 아들에게 천천히 말하여라. 이곳에 일할 곳이 있는데, 그에게 두 배의 돈을 주겠다고 말하라. 가난한 아들이 만약 승낙하면 데려와서 일을 시키고, 만약 하는 일이 무엇인가라고 물으면 곧 그에게 똥을 치우게 할 것이며, 너희 두 사람도 그와 함께 일할 것이라고 말하라.'
그러자 두 사람은 즉시 가난한 아들을 찾아서 장자가 시킨 대로 말하였습니다. 그때 가난한 아들은 먼저 그 일의 품삯을 받은 연후에 일을 찾아서 함께 똥 치우는 일을 하게 되었습니다. 그의 아버지는 아들을 보고 가련하게 생각하고 이상하게 여겼습니다."

爾時, 長者將欲誘引其子, 而設方便。密遣二人, 形色憔悴, 無威德者。汝可詣彼, 徐語窮子, 此有作處, 倍與汝直。窮子若許, 將來使作。若言欲何所作, 便可語之, 雇汝除糞。我等二人, 亦共汝作。時二使人, 卽求窮子。旣已得之, 具陳上事。爾時, 窮子先取其價, 尋與除糞。其父見子, 愍而怪之。

이시(爾時) 이승인이 견도위(見道位)와 수도위(修道位)를 닦을 때를 말한다. 즉 초과, 이과, 삼과의 아라한으로서 수행할 때를 뜻한다. 이것은 바로 가난한 아들이 빈궁한 곳에 있을 때이다.

밀견이인(密遣二人) 두 사람이란 부처님께서 보살로 하여금 변화하여 성문과 연각의 사람으로 되게 한 것을 뜻한다. 법상(法上)으로 설명하자면, 사제법과 십이인연을 뜻한다. 사제법과 십이인연으로 이러한 중생을 교화하는 것이다. 비밀하게 파견하다[密遣]라는 것을 교리(教理)에 근거하여 설명하자면, 만자교(滿字教)는 밀(密)이며 반자교(半字教)는 견(遣)이다. 부처님께서 법을 설하시는 데는 만자교(滿字教)와 반자교(半字教)의 구분이 있는데, 만자교는 『법화경』과 같은 원교(圓教)이고, 반자교는 삼장교(三藏教)와 통교(通教)이다.

사람에 따라 설명하면, 안으로 비밀하게 보살행을 하는 것을 밀이라고 하며, 밖으로 성문의 몸을 나타낸 것을 견이라고 한다. 권실(權實)에 따라 설명하면, 실교는 밀이며, 권교는 견이다. 따라서 보살은 밀이며, 성문은 견이다. 밀견이인(密遣二人)이란 보살로서 성문의 몸으로 변화한 것이다.

형색초췌(形色憔悴) 무위덕자(無威德者)• 소승인은 상호(相好)를 닦지 않으며, 단지 고·공·무상·무아·부정관의 법을 닦는다. 왜 고와 공을 닦는가? 그는 모든 것이 정말로 괴롭다고 느끼기 때문이다. 이렇게 괴로우니 나는 수행을 해야 해! 이 모든 것이 집착할 아무것도 없으며, 모두가 공한 것이며, 아무런 재미가 없어! 그래서 그는 수행을 한다. 그는 또 무상을 생각하고, '이 십이인연, 일체의 법이 무상한 것이니 탐하고 연연해 할 것이 무엇인가?' 하고 수행한다. 소승인도 무아를 중시하여 집착을 타파해야 한다. 또 부정관을 닦는데, 그가 보기에 이 오탁악세의 모든 것이 더러우며, 신체도 더럽고, 무엇도 더럽다. 그는 일체가 모두 청정하지 못하다고 본다. 그래서 그는 청정함을 구한다. 그는 상·낙·아·정을 얻으려고 치우친 공의 도리를 닦는다.

소승의 사람은 중도의 이치를 깨닫지 못하므로 부처님께서 32상, 80수형호(隨形好)를 갖추신 것처럼 상호를 구하지 않는다. 너희가 만약 천장(千丈)의 노사나신(盧舍那身)을 드러낸다 해도, 그는 전혀 믿지 못한다. 지금 부처님께서는 보살에게 성문과 연각의 모습으로 변하게 하였기 때문에 형색이 초췌하다. 그래서 위덕이 없다[無威德者]. 위덕이란 부처님의 십력과 네 가지 두려움 없음을 비유한다.

차유작처(此有作處) 배여여직(倍與汝直)• 작처(作處)란 본래 일하는 곳이다. 여기에서는 수도하는 곳을 비유한다. 무슨 도를 닦는가? 견도와 수도의 지위를 닦으며, 초과·이과·삼과의 아라한 과위를 닦는 것이다. 외도는 고행을 닦으면 단지 미혹을 항복시킬 수는 있지만 결코 끊는 것은 아니다. 그래서 이러한 혹(惑)이 여전히 남아 있다. 혹이란 이해하지 못하는 것을 뜻한다. 혹에는 거친 혹, 미세한 혹, 진사혹(塵

沙惑), 견혹, 사혹, 무명혹이 있다. 너희로 하여금 견혹과 사혹을 끊게 하는 것이 바로 차유작처(此有作處)이다. 천천히 그에게 고집멸도의 사제법을 설명하기 시작하는 것이다.

배여여직(倍與汝直)이란 사자(使者)가 가난한 아들에게 말하기를, 당신에게 두 배의 돈을 준다는 것이다. 사과(四果)의 아라한을 증득할 수 있는 것을 비유한다. 지금 그에게 사제, 십이인연의 법을 설하여 이러한 법에 따라 수행하면, 사과(四果)의 아라한을 증득할 수 있다는 것이다. 즉 생사를 벗어날 수 있는 것을 뜻한다.

변가어지(便可語之) 고여제분(雇汝除糞)• 그에게 똥 치우는 일을 시키는 것이다. 즉 화장실을 청소하는 일을 시킨 것이다. 이것도 비유로서 사제 가운데 고제와 집제를 비유하며, 견혹과 사혹을 제거하는 것을 뜻한다. 그가 만약 견도위와 수도위를 닦으면 견혹과 사혹을 끊어야 하며, 바로 그의 무명을 끊는 것이다.

궁자선취기가(窮子先取其價)• 장자는 비밀리에 두 사람을 파견하여 아들과 상의하게 한 연후에 그를 청하여 똥을 치우게 하였다. 이때 가난한 아들은 혹시 속임을 당할까 걱정하여 먼저 그 일을 하는데 품삯은 얼마 줄 것인가를 분명하게 물은 것이다. 이것은 소승인이 사제법과 십이인연법을 닦으면 어떤 이점과 이익이 있는지 물은 것을 비유한다.

기부견자(其父見子) 민이괴지(愍而怪之)• 이 장자는 이승인을 보고 곧 그를 연민하였다. 가련하게 여기고 이상하게 생각한다는 뜻이다. 나에게 대승의 법보가 있는데, 너희는 왜 닦지 않고 오로지 소승의 과를 닦는가? 이것을 가련하게 여기는 것이다. 그가 대승의 불과를 구하지 않는 것이 이상하다는 것이다.

◉ 『법화경』은 불가사의한 가치를 가지고 있으며, 매우 미묘하다. 하나의 이야기가 생각났다. 중국 진(晉)나라 시대에 담익(曇翼) 법사라는 분이 있었다. 이 법사의 전생은 산에서 날아다니는 꿩이었다. 그에게는 어떠한 내력이 있는가? 이전에 여항이라는 곳에서 법지(法智) 대사라는 분이 『법화경』을 강의하였다. 매번 강의할 때마다 언제나 꿩 한 마리가 와서 경의 강의를 들었으며, 그러기를 7년이 지나서 그 꿩은 죽었다.

이 꿩이 죽은 그날 밤에 법지 대사는 꿈을 꾸었다. 동자 한 명이 찾아와 그에게 말하였다. "저는 바로 당신께서 설하시는 『법화경』을 듣던 꿩으로, 오늘 죽었습니다. 하지만 『법화경』을 들은 힘으로 인하여 저는 다시 꿩이 되지 않고 사람이 되려고 합니다. 저는 내일 이 산 앞에 사는 왕 씨라는 거사의 집에 태어나 장래 당신께 출가하려고 합니다."

몇 년이 지난 후 왕 거사가 공양을 위해 법지 대사를 집으로 청하였다. 법지 대사가 그 집 문을 들어서자, 한 어린아이가 곧 말하였다. "아, 저의 법사께서 오셨다!" 법지 대사는 꿈을 꾼 적이 있기 때문에 이 아이가 꿩의 후신이라는 것을 알았다. 그래서 왕 거사에게 말하였다. "그대의 아들은 꿩이 사람으로 태어난 아이입니다." 그 어린아이의 옷을 벗겨보니 과연 등에 세 가닥의 꿩 털이 있었다. 왕 거사도 아들이 출가하는 것을 허락하였다. 그래서 7세 때 그를 출가시켰다.

출가한 후 그도 『법화경』을 배워 독송하였으며, 후에 그 지방에 법화정사라는 절을 세웠다. 담익 법사는 그곳에서 『법화경』을 염송하기를 십여 년을 하였다. 그러던 어느 날 저녁 무렵 갑자기 한 여인이 바구니를 들고 찾아왔는데, 그 안에는 작은 흰 돼지 한 마리와 두 개의 마늘이 담겨 있었다. 형색을 보니 단정하지 못한 여인 같았다. 그 여인이 말하기를 "산속에 약초를 채집하러 갔다가 약재도 얻지 못하고 이렇게 늦게 되었습니다. 집에까지 가려면 산짐승에게 해를 당할 것 같아 어찌됐든 이곳에서 하룻밤을 지내려고 합니다." 담익 법사는 거절하면서 말하였다. "이곳에 여인을 머물게 할 수 없으니, 다른 곳으로 가보세요!" 그러나 부근에 머물 곳이 없었다. 이 여인은 어쨌든 가지 않으려고 하였다.

보라. 그 여인이 트집을 잡으니 담익 법사도 방법이 없어 그녀를 풀더미 위에 자게 하였다. 그런데 이상한 일이 생겼다. 깊은 밤에 이 여인은 배가 아프다고 울면서 신음하였으며, 담익 법사에게 자기의 배를 주무르게 하였다. 이 법사는 어떻게 하였는가? 이러한 마장을 만난 것이다. 법사는 그 여인과 떨어져 지팡이를 천으로 싸서 여인의 배를 안마하였다. 대략 한 시간이 흐른 후 이 여인은 좋아졌다고 하였다.

다음 날 날이 밝을 때 보니 이 여인이 공중으로 날아가면서 오색의 상서로운 구름을 일으켰다. 또 작은 흰 돼지는 흰 코끼리로, 두 개의 마늘은 두 송이의 연꽃으로 변하는 것이 아닌가. 한 연꽃에는 코끼리가 서고, 다른 연꽃에는 그 여인이 서 있었다. 여인이 공중에서 담익 법사에게 말하였다. "나는 보현보살이다. 그대의 수행은 훌륭하다. 며칠 후 그대는 마땅히 나의 법회에 올 것이기 때문에 내가 먼저 와서 너의 수행의 정도를 시험해 본 것이다. 그대의 도심은 과연 훌륭하고 견고하다. 나의 시험에 너는 이미 합격하였다. 장래 그대는 나의 권속이 될 것이다." 이때 온 허공에는 상서로운 빛이 나왔으며, 당시의 황제도 이러한 상서를 보게 되었다. 그래서 이곳에 법화사를 세운 것이다. 한 마리의 꿩이 『법화경』을 듣고 이러한 감응이 있었는데, 우리는 사람으로서 『법화경』을 듣는다면 그 감응은 더욱 클 것이다.

다시 하나의 고사를 이야기하겠다. 양무제 때 비구니 한 분이 계셨는데, 법명은 도제(道濟)이고 별호는 총지(總持)로서 달마대사의 제자였다. 그녀는 초막 하나를 지어놓고 일생 『법화경』을 독송하였다. 이후 원적한 후 사람들은 그분을 그녀가 수행하던 초막 옆에 매장하였다. 7, 8년이 지난 후 그녀의 무덤에서 놀랍게도 한 송이의 청련화가 자라 나왔다. 이 일은 황제에게 보고되었다. 황제는 신하들에게 직접 가 봉분을 파보고 연꽃이 어디에서 나오는지 보라고 하였다. 봉분을 파보니 이 청련화는 그 비구니의 입에서 나온 것이었다. 이것은 모두 일종의 불가사의한 경계다. 어째서 그녀의 입에서 청련화가 나왔는가? 그녀가 살아 있을 동안 『법화경』을 지송하였기 때문이다. 이것은 사람들에게 보여주는 하나의 증명이다. 너희가 『법화경』을 지송하는 일이 불가사의한 것임을 증명한다.

그리고 화수(華手) 비구니가 있었는데, 그녀는 계율을 매우 청정하게 지니면서 『법화경』을 지송하였다. 그녀가 『법화경』을 한 권 지송할 때마다 손의 지문에 연꽃이 나타났다. 그녀는 일생 두 손바닥이 온통 연꽃으로 가득하였다. 황제가 그러한 사실을 안 후 특별히 그녀를 만나보고자 하였다. 그녀의 손바닥을 보니 이렇게 많은 연꽃이 있었다. 그래서 그녀에게 '화수 비구니'라는 이름을 하사하였다.

위에서 언급한 사례 모두 중국에서 『법화경』을 지송하여 일어난 불가사의한 경계이다. 그러므로 『법화경』이라는 이름만 들어도 모두 대선근이 있는 사람이다. 그렇게 말하면, 지금 『법화경』 강의를 듣고 있는 우리도 모두 선근이 있겠는가? 당연하다. 너희가 만약 선근이 없다면 이 문에 들어오지도 못할 것이다. 설령 들어와도 오래 있지 못하고 도망갈 것이다. 따라서 이것은 그렇게 쉬운 일이 아니다. 이 『법화경』의 가치는 불가사의한 것이다. 그러므로 우리가 지금 『법화경』을 강의할 수 있는 이러한 경계도 불가사의한 것이다.

이전에 법운(法雲) 법사라는 분도 『법화경』을 강의하였다. 그는 매우 총명하고 변재가 무애하였다. 경을 강의하는 것이 매우 좋았다. 당시 한 스님이 있었는데, 이 법사를 공양하기를 발원하고 또 세세생생 이 법사와 같아지기를 발원하였다. 즉 모습도 같고 변재도 같고 원력도 같아지기를 발원하고 이 법사를 배웠다. 발원한 그날 저녁 이 스님은 꿈을 꾸었는데, 꿈에서 어떤 사람이 그에게 말하였다. "당신은 그를 배우기가 쉽지 않을 것이다. 이 법운 법사는 일월등명불 그때 이미 『법화경』을 강의하였으며, 지금 비로소 강의하는 것이 아니다. 따라서 그의 강의는 미묘하고 불가사의한 것이다. 너희가 만약 그를 배우려고 생각한다면 천천히 배우면 가능할 것이다." 그래서 『법화경』을 강의하는 것도 만나기 어려운 묘법이다.

"그리고 장자가 다른 날에 창문을 통해 멀리 아들의 몸을 보니, 여위고 마르고 초췌하며, 똥과 흙먼지가 몸에 붙어 더럽고 깨끗하지 못하였습니다. 그래서 장자는 즉시 영락과 가늘고 부드러운 옷과 장신구를 벗어버리고, 다시 거칠고 낡으며 때 묻은 옷을 입었습니다. 그러고는 흙먼지를 몸에 묻히고 오른손에는 똥을 치우는 도구를 잡고 두려워하는 모습을 보이면서 일하는 사람들에게 말하기를 '너희는 부지런히 일하고 게으름 피우지 말라'고 하였습니다. 이러한 방편을 사용한 까닭에 그 아들에게 가까이 다가갈 수 있었습니다.

그런 연후에 다시 말하였습니다. '어이, 남자여! 너는 항상 이곳에서 일하고 다시는 다른 곳으로 가지 말라. 그러면 더 많은 노임을 줄 것이며, 그릇·쌀·면·소금·식초의 필수품들을 줄 것이니, 스스로 의심하거나 어려워하지 말라. 또한 늙은 심부름꾼도 필요하면 줄 것이니, 스스로 뜻을 편안하게 하라. 나는 너의 부친과 같으니 다시는 근심 걱정을 하지 말라. 무엇 때문인가? 나는 나이가 들었으나 너는 아직 젊고 건장하며, 항상 일을 할 때 속이거나 게으르거나 성내고 원한을 품거나 원망하는 말을 하지 않았으며, 너에게서는 다른 일꾼들처럼 이러한 모든 악이 있는 것을 보지 못하였기 때문이다. 지금부터 너를 내가 낳은 아들과 같이 여기겠다.' 즉시 장자는 그에게 다시 이름을 지어 주고, 아들이라고 불렀습니다.

그때 가난한 아들은 비록 이러한 만남을 기뻐하였지만, 그는 여전히 자기를 손님으로서 미천한 사람이라고 불렀으며, 이러한 까닭으로 이십 년 동안 항상 똥 치우는 일을 하였습니다."

又以他日, 於窓牖中, 遙見子身。羸瘦憔悴, 糞土塵坌, 汚穢不淨。卽脫瓔珞·細軟上服·嚴飾之具, 更著麤弊垢膩之衣。塵土坌身, 右手執持除糞之器, 狀有所畏。語諸作人, 汝等勤作, 勿得懈息。以方便故, 得近其子。後復告言。咄, 男子, 汝常此作, 勿復餘去, 當加汝價。諸有所須, 盆器米麵鹽醋之屬, 莫自疑難, 亦有老弊使人, 須者相給, 好自安意。我如汝父, 勿復憂慮。所以者何。我年老大, 而汝少壯, 汝常作時, 無有欺怠瞋恨怨言。都不見汝有此諸惡, 如餘作人。自今已後, 如所生子。卽時長者·更與作字, 名之爲兒。爾時, 窮子雖欣此遇, 猶故自謂客作賤人。由是之故, 於二十年中, 常令除糞。

이수초췌(羸瘦憔悴) 분토진분(糞土塵坌) 오예부정(汚穢不淨) 이(羸: 여위다)는 여기서는 지혜가 없는 것을 뜻하며, 수(瘦: 마르다)는 복덕이 없는 것을 뜻한다. 이승인은 삼아승기 동안 복과 지혜를 닦지 않았으며, 백겁 동안 상호를 닦지 않았다. 그래서 그의 신체가 여위고 마르다는 것이다. 삼계 속에서 안으로는 오온에 태워지는 것을 초(憔)라고 하며, 밖으로 팔고(八苦)에 태워지는 것을 췌(悴)라고 하였다.

분토진분(糞土塵坌)의 분토란 여기서는 견애주(見愛住)번뇌, 욕애주(欲愛住)번뇌, 색애주(色愛住)번뇌, 무색애주(無色愛住)번뇌를 뜻한다. 이 사주(四住)의 번뇌를 분토라고 한다. 그리고 무명번뇌는 진분이라고 한다. 이러한 네 가지의 번뇌와 무명의 먼지에 싸여 있으니 오염되어 깨끗하지 못하다[汚穢不淨]고 하였다. 망상과 반연심을 멈추지 못한 것이 바로 오예부정(汚穢不淨)이다. 망상이 없고 반연심이 없는 것이 곧 청정함이다.

즉탈영락(卽脫瓔珞) 세연상복(細軟上服) 엄식지구(嚴飾之具) 영락이란 부처님의 모든 법과 계, 정, 혜, 다라니 등의 법문을 비유한다. 여래의 천장(千丈)의 노사나신을 제거하며, 위덕 있고 존엄한 모습을 감춘 것을 곧 영락을 벗어버리다[卽脫瓔珞]라고 한 것이다. 세연상복(細軟上服)이란 가장 귀중한 의복 입은 것을 뜻하는데, 부처님의 대장엄신과 상해(相海), 수형호(隨形好)를 비유한다. 부처님은 무량한 상해의 몸을 가지고 있다. 신체가 무량하며, 모두 삼십이상과 팔십 가지의 수형호를 가지고 있으며, 위덕과 장엄을 갖추었다. 그래서 부처님의 모습을 상해(相海)라고 한다.

지금은 이러한 몸을 감추었는데, 무엇 때문에 감추는가? 왜냐하면 이승인은 이러한 존귀하고 특별한 몸을 인식하지 못하기 때문이다. 또한 이승인은 부처님을 알아보지 못하고, 아버지를 알지 못하기 때문이다. 부처님은 본래 그의 부친이지만 그는 감히 인정하지 못한다. 왜냐하면 부처님은 너무나 부유하기 때문이다. 이승인은 마치 이 가난한 아들과 같다. 만약 부처님께서 이러한 보신과 응신으로 이승인을 제도하시러 간다면 이승인은 곧 두려워할 것이다. 무엇 때문인가? 소승인은 이러한 존귀한 상해의 몸을 본 적이 없기 때문이다. 그래서 부처님께서는 영락과 가늘고 부드러운 의복을 벗어버리고 가신 것이다.

갱착추폐구이지의(更著麤弊垢膩之衣) 다시 거칠고 낡으며 때가 많이 낀 옷으로 바꿔 입었다. 거칠다[麤]는 것은 육척의 비구의 모습을 드러내신 것을 뜻하고, 폐(弊: 해지다)는 소승법의 생인(生忍)과 법인(法忍)을 뜻한다. 생인은 중생의 인이고, 법인은 일체법에 대하여 일종의 인내를 가져야 하는 것이다. 때가 낀[垢膩] 것이란 유위법과 유루의 인을 뜻한다.

진토분신(塵土坌身) 우수집지제분지기(右手執持除糞之器) 상유소외(狀有所畏)• 진토분신(塵土坌身)이란 번뇌가 먼지와 같다고 하여 번뇌가 있는 것을 비유한다. 오른손으로 똥을 치우는 도구를 잡는다[右手執持除糞之器]고 하였는데, 어째서 오른손을 사용하는가? 이것은 권교방편의 법문으로써 이승인을 교화하는 것을 표시한다. 똥을 치우는 도구란 견혹과 사혹을 타파하는 법문을 비유한다. 부처님은 이러한 법으로써 견혹, 사혹, 무명혹을 끊고 부처를 이루었기 때문이다. 따라서 부처님은 다시 이러한 법으로써 일체중생을 교화하고, 이승인을 교화한다. 이러한 방법으로 중생을 교화하므로 집지(執持)한다고 하였다.

부처님은 이승인을 교화하기 위하여 이승인의 모습으로 나타났으며, 어떤 때는 생사를 두려워하는 모습을 나타내었다. 보살은 생사에 있으면서 생사를 마치며, 또한 고통을 두려워하지 않고 생사도 두려워하지 않는다. 이승인은 생사를 두려워하고 무상과 고통을 두려워하므로, 부처님도 이러한 생사를 두려워하는 모습을 시현하신 것을 상유소외(狀有所畏)라고 하였다.

어제작인(語諸作人)• 일하는 사람들에게 말한다는 뜻이다. 이것은 사념처법을 비유한다. 사념처란 신념처, 수념처, 심념처, 법념처를 말한다.

여등근작(汝等勤作) 물득해식(勿得懈息)• 너희는 부지런히 일하고 나태하지 말라는 뜻이다. 여기서 부지런히 일한다[勤作]는 것은 사정근(四正勤)을 말한다. 사정근을 닦으면서 시시각각으로 잊지 않아야 한다. 무엇을 잊지 말아야 하는가? 간단하게 말하면, 너희의 선근이 증장되도록 하고 나쁜 생각이 일어나지 않도록 하는 것이다.

『능엄경』을 설명할 때 네 가지 가행위[四加行位: 暖, 頂, 忍, 世第一]를 언급하였는데, 이 사정근은 『법화경』에서 난위(暖位)에 속한다. 약간 따뜻해졌다는 뜻이다. 마치 나무를 비벼 불을 취할 때와 같이, 약간 뜨거워졌을 때를 말한다. 너희는 사정근으로 열심히 수행하는 사람으로서, 뜨거워졌을 때는 멈추지 말고 더욱 부지런히 정진해야 하며, 매일 수련하여 절대로 나태해지면 안 된다. 이 단계에서 나태하면 다시 식어버린다. 약간의 공부에 만족하다고 여겨서는 안 된다.

사실 너희가 열심히 수련할수록 그러한 경계는 더욱 불가사의하다. 그러므로 "너희는 부지런히 일하라.[汝等勤作]"고 한 것이다. 나무가 뜨거워졌을 때는 계속해서 나무를 비벼야 한다. 그래야 그곳에서 불을 취할 수 있는 것이다. 그래서 "나태하지 말라.[勿得懈息]"고 한 것이다.

돌(咄) 남자(男子)• 어이, 남자여! 돌(咄)이란 일깨우는 말이다. 남자라는 것은 무엇인가? 너희는 남자 대장부의 기개를 가져야 하며, 여자도 마땅히 기개를 가져야 한다. 스스로 생각하기를 '아, 나는 여인이니 한 명의 남자를 찾아야 한다' 이러한 생각을 가져서는 안 될 것이다. 너희가 곧 남자인데 다시 무슨 남자를 찾는가? 본래 도를 닦는 데는 남자도 없고 여자도 없다. 남녀도 없는 이러한 생각이 바로 진정한 청정이다. 이 사정근은 수도하는 데 남아의 기개가 있어야 한다는 것이다. 그러면 여자는 없는가? 또한 있다. 네 가지 여의족[四如意足]은 마치 여인과 같은 것이다. 사정근만 닦으면 참됨을 발할 수 없고 진정한 묘처를 얻을 수 없으니, 다시 네 가지 여의족으로 배합을 해야 한다.

여상차작(汝常此作) 물부여거(勿復餘去) 당가여가(當加汝價)• 가난한 아들에게 이르기를, 너는 항상 이곳에서 일하고 다른 곳으로는 가지 말라, 노임을 더 주겠다고 하였다. 여상차작(汝常此作)은 네 가행위에서 정위(頂位)를 나타낸다. 꼭대기에 이르렀으니 움직이면 안 된다. 즉 다시는 가지 말라는 것이다. 이 정위는 이미 최고봉에 도달했으니 다시 어디로 가려고 하는가? 갈 곳이 없다는 것이다. 다시 다른 곳으로 가면 곧 타락한다.

이 정상에서 다른 곳으로 가지 않으려면 인내의 힘을 가져야 한다. 이곳에서는 힘이 들어도 참아야 한다. 비록 약간 자유롭지 못하다고 느끼지만, 이것은 최고의 곳이다. 너희가 만약 자유를 생각한다면, 곧 가장 낮은 곳으로 갈 수 있을 것이다. 가장 낮은 곳이란 지옥, 아귀, 축생의 삼악도를 가리킨다. 그러나 너희가 이 정위에 있으려고 하면 반드시 약간은 인내하는 힘이 필요하다. 그래서 이른바 말하기를 "한 번 차가움이 골수에 사무치지 않으면, 어찌 매화의 향이 코를 찌르겠는가?"라고 하였다.

'다른 곳으로 가지 말라[勿復餘去]'는 외도의 법을 닦으러 가지 말라는 뜻이다. 너희가 만약 외도 속으로 달려가거나, 혹은 세속으로 가거나, 혹은 너희의 욕념과 사리사욕을 따라 가거나, 부당한 마음을 따라가면, 이것은 모두 다른 곳으로 가는[餘去] 것이다. 너희는 반드시 바른 마음을 간직하여 몸을 닦아야 한다. 지금 너희가 정도의 법을 닦고 조도의 법을 닦으면, 무루를 얻을 수 있다. 그래서 무학위를 증득할 수 있다. 이것이 바로 노임을 더 준다[當加汝價]는 것이다.

앞에서 난위, 정위는 사정근을 닦는 것이라고 말하였다. 그런 연후에 사여의족을 닦아야 한다. 사정근은 지혜에 속하고, 마치 남자 같은 것이며, 사여의족은 선정에 속하고 마치 여인과 같은 것이다. 정과 혜가 서로 도와야 비로소 무루의 지혜를 낼 수 있다. 그래서 "남자"라고 부른 것이다.

제유소수(諸有所須) 분기미면염초지속(盆器米麵鹽醋之屬)• 필요한 것은 무엇인가? 바로 정도(正道)의 음식과 조도(助道)의 옷이다. 그래서 필요한 것을 얻었다. 분기(盆器: 그릇)는 초선·이선·삼선·사선을 비유하며, 쌀[米]은 생공(生空)을 비유하고, 면(麵)은 법공(法空)을 비유한다. 생공이란 중생의 공으로서 인공(人空)을 말한다. 인공의 지혜를 얻는 것은 거친 지혜이며, 법공의 지혜를 얻는 것은 미세한 지혜다. 우리는 무엇 때문에 일마다 놓지 못하는가? 바로 사람이 공하지 못하기 때문이다. 왜 아무것도 버리지 못하는가? 법이 공하지 못하기 때문이다. 사람이 공하지 못하기 때문에 갖가지의 집착이 있다.

소금[鹽]은 무상(無常)을 비유하고, 식초[醋]는 괴로움[苦]을 비유한다. 왜 소금과 식초를 요구하는가? 왜냐하면 정도(正道)의 음식으로 쌀과 면을 비유하는데, 만약 소금과 식초로 맛을 조화시키지 못하면 먹기가 쉽지 않다. 정도는 비록 마땅히 닦아야 하지만, 조도(助道)의 인연이 서로 도와주어야 한다는 것을 비유한다. 즉 사정근, 사여의족, 오근, 오력, 칠보리, 팔정도를 닦는 것은 모두 조도품(助道品)이다.

사여의족으로 관하는 것을 사여의관(四如意觀)이라고 한다. 관은 관상(觀想)이다. 이 사여의족의 관으로부터 비로소 갖가지의 선정이 나올 수 있다. 따라서 사여의족은 또한 사정근을 돕는 것이다. 사정근만 닦으면 진정한 무루를 발할 수 없다. 이 사념처, 사정근, 사여의족의 수행으로부터 진정한 무루의 지혜가 나올 수 있다. 이것을 염초지속(鹽醋之屬)이라고 한다. 이것은 다른 법을 포괄하고 있으며, 또한 오근과 오력을 포함하고 있다.

역유노폐사인(亦有老弊使人) 수자상급(須者相給) 호자안

의(好自安意)• 이것은 사여의족을 닦으면 일종의 신통이 나온다는 것을 비유한다. 이 신통은 불가사의한 경계가 있으며, 너희의 손발을 대신하여 많은 행동을 면제하게 한다. 그래서 부리는 사람[使人]이라고 하였다. 그런데 왜 노폐(老弊: 늙고 폐를 끼치는)라고 말하는가? 왜냐하면 발하는 신통이 매우 열등하고 연약하여 마치 늙고 무너질 것 같기 때문이다. 사여의족을 닦으면 신통을 얻을 수 있지만 그 신통은 완전하지 못하므로 노인으로 비유한 것이다. 만약 너희가 신통이 필요하다면 단지 사여의족을 닦으면 가능하다. 그래서 필요한 것을 준다[須者相給]고 한 것이다. 스스로 뜻이 편안하다[好自安意]는 것은 인위(忍位)에 이른 것을 뜻한다. 편안하게 인내하며 이곳에서 망상을 짓지 말라는 것이다.

무유기태진한원언(無有欺怠瞋恨怨言)• 이것은 오근을 말하는 것이다. 즉 신(信)·진(進)·염(念)·정(定)·혜(慧)이다. 신근이 있기 때문에 속이지[欺] 않으며, 정진근이 있기 때문에 게으르지[怠] 않으며, 염근이 있기 때문에 성내는[瞋] 마음이 없으며, 정근이 있기 때문에 원한[恨]을 갖지 않으며, 지혜의 근을 가지고 있기 때문에 원망하는 말[怨言]이 없다.

도불견여유차제악(都不見汝有此諸惡) 여여작인(如餘作人)• 너에게는 이러한 속이고, 게으르며, 성내고, 원한을 품거나, 원망하는 말을 하는 모든 악을 볼 수 없다고 한다. 이것은 너희가 사념처, 사정근, 사여의족, 오근, 오력의 갖가지 법문을 닦으면 이러한 일체의 악이 없다는 것을 비유한다. 일하는 다른 사람[餘作人]이란 외도를 비유한다. 외도는 무익한 고행을 닦는다.

즉시장자갱여작자(卽時長者更與作字) 명지위아(名之爲兒)• 이때 장자는 그에게 다른 이름을 지어주고 자기의 아들로 삼았다. 갱여작자(更與作字)는 사가행(四加行) 가운데 세제일위(世第一位)에 속하며, 세제일의 과위를 얻은 것이다. 명지위아(名之爲兒)는 그를 아들이라고 부른다는 뜻으로서, 또한 범부에서 성인(聖人)이 되었다는 것이다.

유시지고(由是之故) 어이십년중(於二十年中) 상령제분(常令除糞)• 이러한 까닭으로 가난한 아들은 20년간 항상 똥을 치웠다. 이것은 견혹과 사혹의 똥을 제거하는 데 20년이 걸렸다는 것을 비유한다. 20년이란 무애의 뜻과 해탈의 뜻 두 가지를 비유한다. 도를 사유하는 가운데 아홉 가지의 무애, 아홉 가지의 해탈이 있으며, 다시 하나의 견제(見諦)와 하나의 무애를 합하여 20이다.

마) 가난한 아들에게 가업을 물려주다

"이러한 일들이 지난 후 마음으로 서로 믿게 되고 출입하는 데 어려움이 없었으나, 그가 거주하는 곳은 여전히 본래 살던 곳이었습니다.
세존이시여, 이때 장자는 병이 있어 장차 오래 지나지 않아 죽을 것이라는 것을 스스로 알고 가난한 아들에게 말하였습니다. '나는 지금 금은과 진기한 보물을 많이 가지고 있어 창고에 가득하고, 그중 얼마를 마땅히 받고 주어야 할 것인지를 너는 모두 알아야 한다. 나의 마음은 이와 같으므로 너는 당연히 나의 이러한 뜻을 체득해야 할 것이다. 무엇 때문인가? 지금 나와 너는 다르지 않기 때문이다. 너는 마땅히 특별히 마음을 써서 보물을 잃지 않도록 하여라.'

이때 가난한 아들은 즉시 가르침을 받고 모든 보물, 즉 금은과 진기한 보물과 모든 창고를 받아들여 알았지만, 한 끼의 밥도 취하려는 뜻이 없었습니다. 그러나 그가 거주하는 곳은 여전히 본래 머물던 곳이었으며, 하열한 마음도 아직 버리지 못했습니다."

過是已後, 心相體信, 入出無難, 然其所止, 猶在本處•。世尊。爾時長者有疾, 自知將死不久, 語窮子言。我今多有金銀珍寶, 倉庫盈溢, 其中多少·所應取與, 汝悉知之, 我心如是, 當體此意•。所以者何。今我與汝, 便爲不異, 宜加用心, 無令漏失。爾時, 窮子卽受敎敕, 領知衆物, 金銀珍寶, 及諸庫藏, 而無希取一餐之意。然其所止, 故在本處•, 下劣之心, 亦未能捨。

연기소지(然其所止) 유재본처(猶在本處)• 그러나 그가 거주하는 곳은 아직 본래 있던 곳이다. 이것은 이승인이 비록 대승불법이 자기에게도 가능하다는 것을 알지만 자기는 여전히 소승 속에 머물고 있으며, 아직 소승의 가르침을 버리지 못하고 소승의 경계에 있는 것을 말한다. 사람의 습관은 바꾸기가 쉽지 않은 것을 말한다.

아심여시(我心如是) 당체차의(當體此意)• 나의 마음은 내 모든 법보를 모두 너희에게 넘겨주었으니, 너희는 마땅히 나의 이런 뜻을 체득해야 한다는 뜻이다.

연기소지(然其所止) 고재본처(故在本處)• 그러나 가난한 아들이 거주하는 곳은 여전히 이승의 경계에 있다. 왜냐하면 그는 언제나 대승보살은 자기가 마땅히 해야 할 일이 아니라고 생각하기 때문이다.

비록 이승인은 부처님께서 이전에 갖가지의 대승을 찬탄하는 법문을 들었지만, 그는 아직 자기는 소승이라고 생각한다. 따라서 고재본처(故在本處)라고 하는 것이다.

"다시 약간의 시간이 지나 아버지는 아들의 뜻이 점차 확연히 열려 큰 뜻을 성취하려고 하며, 이전의 마음이 비루했다는 것을 스스로 이해하고 있음을 알았습니다. 목숨을 마치려 할 때 아들에게 명하여 친족, 국왕, 대신, 찰제리, 거사들을 모두 불러 모이게 한 후 즉시 스스로 선언하였습니다.

'여러분 모두는 마땅히 알아야 합니다. 이 사람은 나의 아들이고 나의 소생으로서, 어떤 성에서 나를 버리고 도망을 가서 떠돌며 힘들게 혼자 고생하며 오십여 년을 지냈습니다. 그의 본래 이름은 아무개이며, 나의 이름은 무엇입니다. 이전에 내가 본래 거주하던 성에서 걱정하며 아들을 찾다가 갑자기 이곳에서 우연히 만나게 되었으니, 이 사람은 진실로 나의 아들이며, 나는 진실로 그의 아버지입니다. 지금 나의 모든 재물은 아들의 소유이며, 이전에 출납한 것은 이 아들이 알고 있습니다.'

세존이시여, 이때 가난한 아들은 아버지의 이런 말씀을 듣고 즉시 이전에 느껴 보지 못한 큰 즐거움을 느끼며 이러한 생각을 하였습니다. '나는 본래 마음에 이러한 것을 바라지 않았는데, 지금 이러한 모든 보물이 저절로 나에게 오게 되었구나.'"

復經少時, 父知子意漸已通泰, 成就大志, 自鄙先心。臨欲終時, 而命其子, 并會親族·國王·大臣·刹利·居士, 皆悉已集。卽自宣言, 諸君當知, 此是我子, 我之所生, 於某城中·捨吾逃走, 伶俜辛苦五十餘年。其本字某, 我名某甲, 昔在本城懷憂推覓, 忽於此間遇會得之, 此實我子, 我實其父。今我所有一切財物, 皆是子有, 先所出內, 是子所知。世尊, 是時窮子聞父此言, 卽大歡喜, 得未曾有, 而作是念。我本無心有所希求, 今此寶藏自然而至。

부경소시(復經少時) 다시 약간의 시간이 지나갔다. 이것은 아함시부터 법화시에 이르기까지 약간의 시간이 흘렀다는 뜻이다. 즉 화엄, 아함, 방등, 반야의 시기를 지났다는 것이다.

병회친족(幷會親族) 국왕(國王) 대신(大臣) 찰리(刹利) 거사(居士) 그의 아들로 하여금 모든 친척, 국왕, 대신, 찰제리, 거사를 불러 모았다. 친족은 타방의 보살을 뜻하며, 국왕은 부처님께서 설하신 삼장십이부경을 말한다. 한 부 한 부가 같지 않으며, 모두 제일이다. 한 부는 하나의 나라에 속하고, 하나의 나라마다 국왕이 있으므로, 십이부경은 즉 많은 국왕을 가지고 있는 것이다. 대신은 등각의 보살을 지칭하고, 찰리는 십지의 보살, 거사는 십주·십행·십회향의 보살을 뜻한다.

영병신고오십여년(伶俜辛苦五十餘年) 영병(伶俜)이란 고생하고 고독한 모습을 뜻한다. 오십여 년이란 다섯 세계[五道] 속에서 범부로부터 부처에 이르기까지 십신, 십주, 십행, 십회향, 십지, 등각, 묘각의 52단계를 거치는 것을 나타낸다.

선소출납(先所出內) 시자소지(是子所知) 내가 이전에 출납한 것은 이 아들이 안다는 뜻이다. 여기서 출(出)이란 무엇을 내보낸다는 것인가? 소승을 내보낸다는 것이다. 그러면 무엇을 받아들이는가[內]? 대승을 받아들이는 것이다. 즉 부처님께서 이전에 설하신 법은 화엄시부터 현재 이미 대승법으로 돌아왔다. 작은 것을 돌려 큰 것으로 향한 것이다. 이러한 이승(二乘)의 불자들도 지금은 대승을 완전히 이해하였다는 것이다.

다. 비유에 대한 해설

1) 작은 열반을 얻고 만족하다

"세존이시여, 부유한 장자는 즉 여래이며, 저희들 모든 성문의 사람은 부처님의 아들과 같으니, 여래께서 항상 말씀하시기를 저희는 모두 불자라고 하셨습니다. 세존이시여, 저희는 세 가지의 괴로움 때문에 생사 중에서 많은 고뇌를 받았으며, 미혹하고 무지하여 작은 법을 좋아하고 집착하였습니다. 오늘 세존께서는 저희에게 사유하여 모든 법의 희론의 똥을 제거하라고 하셨습니다. 저희는 이 가운데서 더욱 부지런히 정진하여 하루의 노임인 열반을 얻었습니다.

이미 이것을 얻고 마음으로 크게 기뻐하며 스스로 만족하면서 곧 스스로 말했습니다. '불법 가운데서 정진한 까닭으로 얻은 것이 매우 많다.' 그러나 세존께서는 이미 저희가 마음으로 세간의 거친 욕망에 집착하고 작은 법을 좋아하는 것을 아시고, 곧 보고도 내버려두시면서, 저희에게도 마땅히 여래의 지견이라는 보물창고의 몫이 있다고 분별하여 설하시지 않았습니다."

世尊。大富長者則是如來, 我等皆似佛子。如來常說, 我等爲子。世尊。我等以三苦故, 於生死中, 受諸熱惱, 迷惑無知, 樂著小法。今日, 世尊令我等思惟, 蠲除諸法戲論之糞。我等於中, 勤加精進, 得至涅槃一日之價。既得此已, 心大歡喜, 自以爲足, 便自謂言, 於佛法中勤精進故, 所得弘多。然世尊先知我等, 心著弊欲, 樂於小法, 便見縱捨, 不爲分別, 汝等當有如來知見寶藏之分。

아등개사불자(我等皆似佛子) 우리들 모든 성문 대중은 지금에서야 비로소 '불자와 비슷하다[似佛子]'는 뜻을 알게 되었다. 본래 불자면 불자지 왜 불자와 비슷하다고 말하는가? 사(似)란 결코 진정한 불자가 아니라는 것이다. 보살이 진정한 불자이지, 성문은 '사불자'이다. 따라서 지금 이들 성문중은 아직 자기가 보살도를 행한다는 것을 모른다. 그래서 자기는 불자와 비슷하다고 말하였다.

견제제법희론지분(蠲除諸法戲論之糞) 이전에 배운 소승법을 제거한다는 뜻이다. 이전에 배운 소승법은 모두 제법 희론의 똥[諸法戲論之糞]이라고 부르며, 또한 견혹과 사혹의 번뇌를 가리킨다.

득지열반일일지가(得至涅槃一日之價) 단지 유여열반, 궁극이 아닌 열반을 얻기 위하여 정진하였다는 것이다. 이것은 마치 일하는 사람이 하루의 노임을 얻는 것과 같다는 것이다.

여등당유여래지견보장지분(汝等當有如來知見寶藏之分)•
너희는 장래 모두 여래의 지혜와 지견의 이러한 보물창고를 가질 것이다. 모든 부처의 보물창고는 모두 너희의 것이다. 그러나 부처님께서는 우리가 소승법을 좋아하는 것을 아시기 때문에, 분별하여 우리도 모두 진정한 불자라고는 설하지 않았다.

"세존께서는 방편의 힘으로 여래의 지혜를 설하셨지만, 저희는 부처님으로부터 열반이라는 하루 분의 노임을 얻은 것을 크게 얻은 것으로 생각하여, 이 대승법문에 대하여 구하려는 뜻이 없었습니다. 저희는 또 여래의 지혜로 모든 보살을 위해 법문을 설하실 때에도 스스로 대승법문을 원하는 뜻이 없었습니다. 무슨 까닭인가? 부처님께서는 저희의 마음이 소승법을 좋아하는 것을 아시고 방편력으로 저희의 근성을 따라 설하셨으므로 저희는 정말로 불자인 것을 몰랐기 때문입니다."
世尊以方便力, 說如來智慧, 我等從佛得涅槃一日之價, 以爲大得。於此大乘, 無有志求。我等又因如來智慧, 爲諸菩薩開示演說, 而自於此無有志願。所以者何。佛知我等心樂小法, 以方便力·隨我等說, 而我等不知眞是佛子。

2) 부처님의 방편법문을 이해하다

"이제 저희는 세존께서는 부처님의 지혜를 조금도 아끼는 것이 없다는 것을 비로소 알았습니다. 무슨 까닭인가? 저희는 이전부터 정말로 불자였지만 단지 소승의 법을 좋아하였기 때문입니다. 만약 저희가 대승의 불법을 좋아하는 마음을 가지고 있었다면, 부처님께서는 저희를 위하여 대승법을 설하셨을 것입니다. 이 경에서 오직 일승(一乘)을 설하시며, 이전에 보살들 앞에서 성문들이 소승법 좋아하는 것을 질책하셨지만, 부처님께서는 실제로는 대승법으로 교화를 하셨습니다. 이러한 까닭으로 저희는 '본래 대승법을 바라거나 구하는 마음이 없었는데, 마치 불자가 마땅히 얻어야 할 것을 이미 모두 얻은 것처럼, 지금 법왕의 큰 보물을 저절로 얻게 되었다'고 말씀드린 것입니다."

今我等方知，世尊於佛智慧，無所吝惜。所以者何。我等昔來眞是佛子，而但樂小法，若我等有樂大之心，佛則爲我說大乘法，於此經中，唯說一乘。而昔於菩薩前，毀呰聲聞樂小法者，然佛實以大乘教化。是故我等，說本無心有所悕求。今法王大寶，自然而至•，如佛子所應得者，皆已得之。

금법왕대보(今法王大寶) **자연이지**(自然而至)• 부처님께서는 중생의 기연을 관찰하여, 어떠한 근성이면 어떠한 법을 설할 것인지를 보신다. 여기서 법왕은 부처님이고, 대보는 일체의 불법이다. 부처님은 방편을 열어 진실을 드러내며, 오직 일불승을 위하여 성문·연각·보살의 삼승으로 분별하여 설하셨다. 지금 법화회상에 이르러 다시 셋을 모아 하나로 돌아가며[匯三歸一], 삼승을 일불승으로 모은다. 따라서 이것을 저절로 이르렀다[自然而至]고 한 것이며, 조금의 힘도 들이지 않고 부처님의 가업을 얻고, 부처님의 모든 법보를 얻은 것이다.

라. 마하가섭 존자의 게송

1) 아버지가 집 떠난 아들을 걱정하다

그때 마하가섭 존자는 이러한 뜻을 거듭 밝히고자 게송으로 설하였다.

저희들은 오늘 부처님의 음성과 가르침 들으니
이전에 듣지 못한 법문이라 뛸 듯이 기쁩니다.
부처님께서 성문도 부처가 될 수 있다 하시니
위없는 보배 무더기 구하지 않고 저절로 얻었네.

爾時, 摩訶迦葉, 欲重宣此義, 而說偈言。

我等今日　聞佛音教　歡喜踊躍　得未曾有
佛說聲聞　當得作佛　無上寶聚　不求自得

비유하면 아이가 어려서 아무런 지식이 없어
부친을 떠나 다른 나라로 멀리 도망을 가서
오십여 년 동안 많은 나라를 두루 유랑하였네.
부친은 아들 걱정하여 사방으로 찾았으며
찾다가 피로하여 하나의 성에 문득 머물렀네.
많은 집을 짓고 오욕으로 스스로 즐겼으며
그 집은 최고의 부잣집으로서 많은 금과 은
자거, 마노, 진주, 유리 등의 보배와
코끼리, 말, 소, 양과 각종 수레와
밭일하는 하인과 백성들 매우 많았으며

출입하는 이자는 다른 나라에 두루 미치고
물건 파는 상인은 없는 곳이 없었으며
천만억 대중들이 장자를 둘러싸고 공경하며
항상 왕들이 장자를 좋아하고 생각하였으며
군신과 호족들 다함께 공경하고 숭배하였네.
갖가지 인연으로 왕래하는 사람도 많았으며
그의 부유함이 이와 같이 큰 세력 있었으나
나이 들고 늙어서 더욱 아들을 걱정하며
밤낮으로 아들 생각하다가 죽을 때 이르렀네.
어리석은 아들은 나를 떠난 지 오십여 년이니
창고의 보배와 재물 어떻게 해야 하는가?

譬如童子　幼稚無識　捨父逃逝　遠到他土
周流諸國　五十餘年　其父憂念　四方推求
求之既疲　頓止一城　造立舍宅　五欲自娛
其家巨富　多諸金銀　車磲馬腦　眞珠琉璃
象馬牛羊　輦輿車乘　田業僮僕　人民衆多
出入息利　乃遍他國　商估賈人　無處不有
千萬億衆　圍繞恭敬　常爲王者　之所愛念
群臣豪族　皆共宗重　以諸緣故　往來者衆
豪富如是　有大力勢　而年朽邁　益憂念子
夙夜惟念　死時將至　癡子捨我　五十餘年
庫藏諸物　當如之何

오욕자오(五欲自娛)• 부처님이 다섯 세계의 중생을 제도하여 부처를 이루게 하시는 것이 마치 중생이 오욕락을 즐기는 것처럼 하신다는 뜻이다.

부처님은 제법을 구족하였으므로 제법 가운데 왕이시다. 부처님에게는 갖가지의 법보가 있으므로 일체의 대보살, 성문, 나한이 위요하여 공경하며, 부처님의 지위는 가장 존귀한 것이다. 또한 시방의 제불도 모두 오셔서 옹호하시고, 시방의 보살도 모두 와서 도량을 보호한다. 그래서 부처님은 무상의 법륜을 굴려 무변한 중생을 교화하신다.

2) 가난한 아들이 아버지의 성에 이르다

그때 가난한 아들은 옷과 밥을 구하여 찾으면서
여러 읍과 나라로 여기저기 떠돌면서
얻는 것이 있거나 어떤 때는 얻는 것도 없어
배고프고 여위어 몸에 부스럼과 버짐이 생겼네.
점차로 떠돌다가 부친이 머무는 성에 이르러
품팔이로 전전하다 마침내 부친 집에 이르렀네.

爾時窮子 求索衣食• 從邑至邑 從國至國•
或有所得 或無所得• 飢餓羸瘦 體生瘡癬•
漸次經歷 到父住城• 傭賃展轉 遂至父舍

구색의식(求索衣食)• 그는 구법을 위하여 십이처(十二處)와 십팔계(十八界)를 지나왔다. 십이처는 육근(六根: 안·이·비·설·신·의)과 육진(六塵: 색·성·향·미·촉·법)을 말하고, 십팔계는 십이처에 육식(六識: 안식·이식·비식·설식·신식·의식)을 더한 것이다. 이승인이 십이처와 십팔계 속에서 왔다갔다하면서 도를 구하는 것을 '정도의 음식과 조도의 옷을 구한다'고 한 것이다.

종읍지읍(從邑至邑) 종국지국(從國至國)• 눈을 거쳐 귀에 이르고, 귀로부터 코에 이르며, 마침내 몸에서부터 뜻에 이르는 것을 종읍지읍(從邑至邑)이라고 하였다. 또한 안근이 색을 보면 중간에 안식을 낸다. 이와 같이 마침내 뜻은 법을 인연하여 의식을 낸다. 이것을 종국지국(從國至國)이라고 하였다.

혹유소득(或有所得) 혹무소득(或無所得)• 얻은 것이 있다는 것은 '유루(有漏)의 선근'을 가리키고, 얻은 것이 없다는 것은 '무루(無漏)의 선근'을 가리킨다. 유루의 선이란 착한 일을 하는 것이 궁극이 아니고 철저하지 않은 것을 뜻하며, 무루의 선이란 생사를 마치고 열반에 들어가는 것을 뜻한다. 비록 생사를 마치고 열반에 들어가지만, 실로 얻은 것이 없다는 것이다.

기아리수(飢餓羸瘦) 체생창선(體生瘡癬)• 배고픈 것[飢餓]은 대승의 불법을 먹지 못했기 때문이다. 여위다[羸]는 것은 큰 이익을 얻지 못한 것을 말하며, 마르다[瘦]는 것은 큰 공덕을 얻지 못한 것을 말한다. 가난한 아들은 몸에 부스럼과 버짐이 생겼다[體生瘡癬]. 이것은 무엇을 뜻하는가? 바로 진리를 미혹하여 잃어버린 것을 뜻한다. 그는 거짓을 참된 것으로 인식하고, 도적을 자식으로 인식하며, 근본을 버리고 말엽을 좇았기 때문에 진리를 미혹하여 이해하지 못한다.

진리를 이해하지 못하기 때문에 견혹과 사혹이 생기게 된다. 견혹이란 경계를 대하여 탐애를 일으키는 것, 즉 탐심을 내고 애심을 내는 것이다. 눈으로 보고서도 곧 의혹하고, 미혹하여 이해하지 못한다. 따라서 이 견혹은 무명으로부터 나온다. 근본무명을 타파하지 못했기 때문에 탐애가 나오는 것이다. 견혹은 눈으로 보면서 내는 것이고, 사혹은 눈으로는 보지 않으나 마음속에서 이해하지 못하는 것이다. 이해하지 못한다는 것은 제6(第六) 의식으로 분별하는 것이다. 선악, 시비, 장단, 좋고 나쁨을 분별하며, 갖가지의 정황을 분별하는 것이다.

사람들은 분별심을 좋은 것으로 생각하지만, 실제로는 가장 나쁜 것이다. 분별하고 분별하고 분별하다가 미혹한다. 한 번 미혹하면 어리석은 일이 발생한다. 따라서 이것을 사혹(思惑)이라고 한다. 견혹과 사혹을 내는 것을 여기서는 부스럼과 버짐이 생겼다[體生瘡癬]고 하였다.

점차경력(漸次經歷) 도부주성(到父住城)• 이것은 이승인이 바깥으로 가서 도처로 법을 구하고, 도를 참방하는 것을 나타낸다. 이리저리 참방하다가 궁극의 법을 참방하지 못하고 마침내 부처님의 가르침으로 들어온 것이다.

3) 아버지와 아들이 서로 만나다

가) 아들이 아버지를 보고 달아나다

그때 장자는 자기가 거주하는 집의 문 안에서
큰 보배 장막을 치고 사자좌에 앉아 있었으며
권속들 둘러싸고 많은 사람들이 시위하며
혹은 금은과 보물, 출납하는 재산을 계산하고
혹은 증서를 등기하고 상세한 내역을 기록하네.
가난한 아들은 부친이 부귀하고 존엄함을 보고
국왕이거나 국왕과 동등한 사람이라 생각하고
놀라고 두려워서 왜 이곳에 왔는지 자책하네.
다시 생각하기를 내가 만약 이곳에 오래 머물면
나를 핍박하여 강제로 일을 시킬 것이라 여겨
이러한 생각을 한 후 빨리 달리며 도망쳐서
가난한 마을에 가서 할 일이 있는지 묻네.

爾時長者　於其門內　施大寶帳　處師子座
眷屬圍遶　諸人侍衛　或有計算　金銀寶物
出內財產　注記券疏•　窮子見父　豪貴尊嚴
謂是國王　若是王等　驚怖自怪　何故至此
覆自念言　我若久住　或見逼迫　强驅使作
思惟是已　馳走而去　借問貧里　欲往傭作

출납재산(出內財產) 주기권소(注記券疏)• 지출과 수입의 재산을 등록하고 기재하며 증서로 남기고, 내역의 설명을 다는 작업을 한다는 뜻이다. 여기서 주(注)는 광범한 도리를 간략하게 설명하는 것을 비유한다. 마치 우리가 경전이 이해되지 않으면 주해를 달아 이해하기 쉽게 하는 것과 같다. 기(記)는 기록한다는 뜻으로서, 기록하여 잊지 않는 것이다. 권(券)이란 사홍서원을 비유한다. 너희가 사홍서원을 가지고 있으면 성불의 증서를 갖는 것이다. 소(疏)는 수행을 나타낸다.

나) 아버지가 아들을 강제로 데려오다

장자는 이때 사자좌에 앉아 있다가
멀리서 그의 아들을 보고 말없이 알아차렸네.
즉시 사자를 보내 그를 쫓아가 잡아 오게 하니
아들은 놀라 고함치며 혼미하여 땅에 쓰러졌네.
이 사람이 나를 잡아 반드시 죽일 것이니
어찌 옷과 음식 때문에 내가 이곳에 왔던가?
장자는 아들이 어리석어 속이 좁고 열등하여
내 말 믿지 않고 아비임을 안 믿을 줄 알았네.

長者是時　在師子座　遙見其子　默而識之
卽敕使者　追捉將來　窮子驚喚　迷悶躄地
是人執我　必當見殺　何用衣食　使我至此
長者知子　愚癡狹劣　不信我言　不信是父•

불신아언(不信我言) 불신시부(不信是父)• 아들은 지금 지식이 없기 때문에 부친이 지금 그에게 '내가 너의 아버지다'라고 말하여

도, 자신을 속인다고 생각할 것이다. 그는 아무리 해도 부친의 말을 믿지 않을 것이다. 보라. 이 부친은 아들을 잃어버리고, 아들은 가난하고 아버지는 부유하니, 비록 그가 진짜 아들일지라도 자기의 부친으로 감히 인정하지 않는다. 부친은 그래도 지혜가 있는 분이라, 방편법으로 그를 아들이라고 인식하게 한다. 만약 당시 그에게 '내가 바로 너의 아버지다'라고 말을 했다면 가난한 아들은 믿지 않았을 것이다. 왜냐하면 서로의 상황이 너무나 차이가 났기 때문이다.

우리가 지금 설명하는 '가난한 아들'은 누구인가? 바로 모든 이승인과 일체중생이다. 그들은 모두 비유하면 가난한 아들과 같은 것이다. 자기의 부친을 인식하지 못하고 밖으로 나가 생사에 유랑한다. 부처님은 우리에게 어떻게 하면 생사를 그치게 하는가를 가르친다. 부처님은 또 갖가지의 방편법으로 우리에게 생사를 이해하게 한다. 어떻게 태어나고 어떻게 죽는지를 알게 한다. 이 사람은 어째서 그렇게 부귀하고, 저 사람은 왜 그렇게 가난한가? 이 사람은 생긴 것이 이렇게 아름답고, 저 사람은 그렇게 추하게 생겼는가? 이것은 무슨 도리인가? 누가 이러한 모습을 안배하였는가? 어떤 사람은 부모가 그렇게 만들었다고 말한다. 그러나 부모도 이 아이가 아름답거나 추하게 태어나는 것을 모른다. 이것은 각자의 서로 다른 인연, 또는 이전 업의 관계이다. 또한 무명으로부터 이러한 행위를 짓게 하고, 행위로 말미암아 명색이 나오고, 십이인연의 순환이 이루어진다.

따라서 부처님은 중생의 이러한 미혹한 꿈을 불러 깨우는 것이다. 이것은 가난한 아들에게 자기가 본래의 부친이라는 것을 인식시키는 것이다. 일체중생은 모두 부처님의 자식이다. 하지만 집을 나간 시간이 너무 오래되어 가난한 아들이 되기를 원하고 돌아오려고 하지 않는다.

이제 부처님이 가난한 아들을 찾아오려고 하니, 이 아들은 놀라 혼절하였으며 또한 부친을 인식하지 못한다. 이것은 정말로 어려운 일이다. 너희는 어떻게 하겠는가?

다) 방편으로 아들을 데려오다

즉시 방편으로 다시 다른 사람을 파견하여
애꾸눈에 앉은뱅이 위덕 없는 모습으로 보내
너는 그에게 말하여라. 그대를 고용하여
더러운 똥을 치우면 두 배의 노임을 줄 것이네.
가난한 아들 그 말을 듣고 기뻐하며 따라와서
더러운 똥 치우고 모든 방사를 깨끗이 청소하네.
장자는 창문으로 항상 그의 아들을 바라보며
어리석어 비루한 일 좋아함을 생각하였네.
그래서 장자는 해지고 때 묻은 옷을 입고
똥 치우는 도구 들고 아들 있는 곳으로 가서
방편으로 접근하여 부지런히 일하라 말하네.
두 배의 노임을 주고 발에 기름도 발라 주며
충분한 음식과 따뜻한 잠자리 마련해 주리라.
이런 말로 부지런히 일하라고 타이르며
부드러운 말로 내 아들과 같다고 말하였네.

卽以方便　更遣餘人　眇目矬陋　無威德者
汝可語之　云當相雇　除諸糞穢　倍與汝價
窮子聞之　歡喜隨來　爲除糞穢　淨諸房舍

長者於牖 常見其子 念子愚劣 樂爲鄙事
於是長者 著弊垢衣 執除糞器 往到子所
方便附近 語令勤作 旣益汝價 幷塗足油
飮食充足 薦席厚煖 如是苦言 汝當勤作
又以軟語 若如我子

위제분예(爲除糞穢) 정제방사(淨諸房舍) 여기서 똥을 치우는 것은 견혹과 사혹을 제거한다는 뜻이고, 방(房)은 우리의 육근(六根)을 가리키며, 사(舍: 집)는 우리의 오음(五陰)을 가리킨다. 즉 육근의 방과 오음의 사를 청정하게 한다는 것이다. 육근을 청정하게 한다는 것은 경계에 움직이지 않고 경계를 움직이는[能轉境界] 것이다.

방편부근(方便附近) 어령근작(語令勤作) 갑자기 아들 앞에 나타나면 안 되기 때문에 갖가지의 방편을 써서 비로소 이승인에게 접근하게 되었다는 뜻이다. 여기서 어(語)는 사념처(四念處)를 포함하며, 영근작(令勤作)은 사정근(四正勤)을 나타낸다.

기익여가(旣益汝價) 병도족유(幷塗足油) 두 배의 노임을 더 준다[旣益汝價]는 것은 사여의족(四如意足)을 비유한다. 아울러 발에 기름을 발라준다[幷塗足油]는 것은 기름을 바르면 바람을 막으므로 선정을 나타내며, 또한 기름을 바르면 물을 건너가는 데 이로우므로 신통을 나타낸다.

천석후난(薦席厚煖) 천석(薦席)이란 잠자는 침상이며, 후난(厚

煖)은 이불이 두꺼우며 따뜻하다는 것이다. 이것은 갖가지의 관(觀)을 닦아 훈습하여 선정을 연마하는 것을 비유한다.

라) 아들에게 가업을 물려주다

장자는 지혜 있어 점차 아들을 출입하게 하여
이십 년이 지나 모든 집안일을 관리하게 하였네.
그 집안의 금은과 진주, 파리 등 보배와
모든 재물의 출납을 아들이 알게 하였지만
아들은 여전히 문밖의 초암에 거주하면서
자기는 가난하여 재물이 없다고 생각하네.
부친은 아들 마음이 점차 커짐을 알고
모든 재물 물려주려고 친족을 소집하였네.
국왕과 대신, 찰제리와 거사들 모아놓고
이들에게 저 애는 내 아들이라고 말하였네.
나를 버리고 다른 곳에서 오십 년을 지냈으며
내가 아들 만난 지는 이미 이십 년이 되었네.
이전에 어떤 도시에서 이 아들을 잃어버리고
두루 도처로 찾다가 마침내 이곳에 이르렀네.
나의 모든 집과 사람을 넘겨주어 뜻에 맡겼네.
아들은 이전에 빈궁하여 뜻이 하열하였으나
부친의 집에서 진기한 보물을 크게 얻었으며
아울러 집과 일체의 재물도 얻어
이전에 없던 즐거움을 얻고 매우 기뻐하였네.

長者有智　漸令入出　經二十年　執作家事
示其金銀　眞珠玻璃　諸物出入　皆使令知
猶處門外　止宿草菴　自念貧事　我無此物
父知子心　漸已廣大　欲與財物　卽聚親族
國王大臣　刹利居士　於此大衆　說是我子
捨我他行　經五十歲　自見子來　已二十年
昔於某城　而失是子　周行求索　遂來至此
凡我所有　舍宅人民　悉以付之　恣其所用
子念昔貧　志意下劣　今於父所　大獲珍寶
幷及舍宅　一切財物　甚大歡喜　得未曾有

마) 일불승에 대한 찬탄

(1) 방편법문을 궁극의 법으로 잘못 이해하다

부처님도 또한 이와 같이
저희들이 소승법 좋아함을 아시고
너희가 성불하리라는 말씀은 안 하시지만
부처님은 저희들이 모든 무루 얻어
소승을 성취한 성문 제자라고 말씀하셨네.
부처님은 저희에게 명하시어
최상의 도를 설하라고, 이것을 수습하는 자는
마땅히 부처를 이루리라고 하셨나이다.
저희들 부처님의 가르침 받아 대보살을 위해
모든 인연과 갖가지의 비유와

약간의 언사로써 무상의 도를 연설하였네.
모든 불자들은 저희에게서 불법을 듣고
주야로 사유하고 부지런히 정진하고 수습하면
이때 시방제불께서는 그에게 수기 주시기를
너는 미래세에 마땅히 부처를 이룰 것이라고.
일체 제불의 비밀한 법보는
오직 보살 위해 그러한 진실을 연설하시고
저희들 위해서는 진실한 법 설하지 않으셨네.

佛亦如是　知我樂小　未曾說言　汝等作佛
而說我等　得諸無漏　成就小乘　聲聞弟子
佛敕我等　說最上道　修習此者　當得成佛
我承佛教　爲大菩薩　以諸因緣　種種譬喩
若干言辭　說無上道　諸佛子等　從我聞法
日夜思惟　精勤修習　是時諸佛　卽授其記
汝於來世　當得作佛　一切諸佛　祕藏之法
但爲菩薩　演其實事　而不爲我　說斯眞要

마치 저 아들과 같이 그의 부친을 친근하게 되어
모든 재물을 알지라도 가지려고 바라지 않듯이
저희들도 비록 불법의 보물 창고를
취하려는 뜻이 없다고 말하는 것도 이와 같네.
저희들은 안으로 번뇌 소멸하여 스스로 만족하며
오직 이 일을 마치면 다른 일이 없다고 생각했네.
저희들이 만약 불국토를 청정하게 하고

중생 교화를 들어도 모두 즐거운 흥취 없었으니
무슨 까닭인가 하면 일체의 모든 법은
모두 공적하고 생하지도 않고 멸하지도 않으며
크지도 작지도 않으며 새지도 않고 조작함도 없어
이와 같이 사유하면 기쁨과 즐거움이 생하지 않네.
저희들은 장구한 세월 동안 부처님의 지혜에 대하여
탐하지도 집착하지도 않으며 다시는 뜻함이 없어
스스로 이 법에 대하여 궁극이라고 말하면서
저희들은 오랜 시간 공적한 법을 수행하였네.
삼계의 번뇌와 고뇌의 걱정에서 벗어나
최후의 몸을 얻어 유여열반에 머물면서
부처님의 교화로 얻은 도 허망하지 않고
이미 부처님 은혜를 갚은 것으로 생각하였네.

如彼窮子　得近其父　雖知諸物　心不希取
我等雖說　佛法寶藏　自無志願　亦復如是
我等內滅　自謂爲足　唯了此事　更無餘事
我等若聞　淨佛國土　敎化衆生　都無欣樂
所以者何　一切諸法　皆悉空寂　無生無滅
無大無小　無漏無爲　如是思惟　不生喜樂
我等長夜　於佛智慧　無貪無著　無復志願
而自於法　謂是究竟　我等長夜　修習空法
得脫三界　苦惱之患　住最後身　有餘涅槃
佛所敎化　得道不虛　則爲已得　報佛之恩

아등내멸(我等內滅) 자위위족(自謂爲足)• 이승의 불법을 수행하는 마하가섭을 비롯한 제자는 이미 안으로의 망상이 없어졌다. 그래서 자기는 이미 충분하다고 생각한다. 자기는 망상을 내지 않기 때문에 항상 선정 가운데 있다. 망상이 없는 것을 여기서는 내멸(內滅)이라고 하였다. 이른바 "한 생각도 나지 않으니 전체가 드러나네.[一念不生全體現]"라고 하듯이, 일념이 생하지 않는 경계상에서 일체의 망상을 짓지 않는다.

도무흔낙(都無欣樂)• 이승인은 불국토를 청정하게 하고 중생을 교화하는 일에 대해서는 흥취가 없다. 우리의 마음속에서는 이러한 일은 모두 쓸데없다고 생각한다. 자기의 수행을 이루면 그만이지, 어째서 다시 다른 사람을 교화하러 가야 하는가? 이것은 정말로 일이 없는데 일을 찾는 것이라고 느낀다. 그래서 그는 즐거움이 없다. 이승인은 자기만 생각하는 사람이기 때문이다. 그렇게 많은 중생에게 관여하지 않겠다는 것이다. 이승인은 불법을 정진 수행하여 유여열반의 경계를 얻을 수 있다. 지금 그는 더 이상 나아가지 않고 게으름을 부린다. 이미 충분하다고 생각하는 것이다.

저희들은 비록 모든 불자를 위하여
보살법을 설하여 불도를 구하게 하였지만
이 법에 대하여 길이 원하고 즐거워 하지 않았으니
부처님께서 저희들 마음을 관찰하신 까닭으로
처음엔 나아감 권하지 않고 실리를 설하셨네.
마치 장자가 아들의 뜻이 하열한 것을 알고

방편력으로 그 마음을 부드럽게 조복시키고
그런 후에 모든 재물 아들에게 넘겨주었듯이
부처님도 이와 같이 희유한 일을 드러내어
소승법을 좋아하는 것 아시고 방편력으로
그 마음 조복한 후 큰 지혜를 가르치시네.

我等雖爲 諸佛子等 說菩薩法 以求佛道
而於是法 永無願樂 導師見捨 觀我心故
初不勸進 說有實利 如富長者 知子志劣
以方便力 柔伏其心 然後乃付 一切財物
佛亦如是 現希有事 知樂小者 以方便力
調伏其心 乃教大智

도사견사(導師見捨) 도사(導師)는 즉 부처님이다. 소승인은 대승의 불법을 닦기를 원하지 않기 때문에 부처님은 소승인의 뜻과 원에 대승의 생각이 없는 것을 아신다. 그러므로 소승인에게 대승의 불법을 설해 주지 않으신 것이다.

초불권진(初不勸進) 설유실리(說有實利) 우리 이승인의 마음은 소승의 법을 좋아하므로 최초에 우리에게 법을 설하실 때 단지 사성제와 십이인연법을 설하셨다. 우리에게 육바라밀과 보살도를 행하면 불과를 성취할 수 있다고 권하지 않으셨으며, 단지 진정한 실재의 이익을 얻는 것을 설하셨다. 우리가 초과, 이과, 삼과, 사과의 아라한을 얻는 것이 즉 실재의 이익을 얻는[說有實利] 것이다.

(2) 일불승의 부처님 지혜를 이해하다

저희들은 오늘 이전에 얻지 못했던 법 얻었으며
이전에 바라지 않았던 것 오늘 저절로 얻은 것은
마치 저 가난한 아들이 무량한 보물 얻음과 같네.
세존이시여, 저희들은 오늘 위없는 도과를 얻어
무루법에 대하여 청정한 불안(佛眼)을 얻었으며
저희들 오랫동안 부처님의 청정 계율 지니다가
비로소 오늘에 그 진정한 과보를 얻었으니
법왕의 불법 속에서 오래도록 청정 범행 닦아
오늘 비로소 무루의 위없는 과위를 얻었네.
저희들은 이제야 진정한 성문이 되었으며
불도의 음성으로 일체중생이 듣게 하여
저희들 이제야 진정한 아라한이 되었으며
모든 세간의 천상, 인간, 마왕, 범천들로부터
널리 그 가운데서 공양을 받을 수 있게 되었네.

我等今日　得未曾有　非先所望　而今自得
如彼窮子　得無量寶　世尊我今　得道得果
於無漏法　得淸淨眼　我等長夜　持佛淨戒
始於今日　得其果報　法王法中　久修梵行
今得無漏　無上大果　我等今者　眞是聲聞
以佛道聲　令一切聞　我等今者　眞阿羅漢
於諸世間　天人魔梵　普於其中　應受供養

(3) 부처님의 은혜를 찬탄하다

세존의 큰 은혜는 가장 희유한 일로써
중생을 연민하고 교화해 저희들을 이롭게 하시네.
무량억겁 동안 누가 은혜를 갚을 수 있겠는가?
손발로 공급하고 머리로 부처님을 공경 예배하며
모든 것을 공양해도 은혜를 다 갚을 수 없네.
만약 머리에 이거나 양 어깨에 올려
항하사 겁 동안 마음을 다하여 공경하고
다시 맛있는 음식과 무량한 보배의 옷과
잠잘 때 사용하는 모든 물건과 갖가지 탕약과
우두산의 전단향과 모든 진기한 보배와
탑과 절을 지어 보배천으로 땅에 깔거나
이와 같은 갖가지의 일로써 공양하기를
항하사 겁 동안 해도 부처님 은혜 갚을 수 없네.

世尊大恩• 以希有事 憐愍教化 利益我等
無量億劫 誰能報者 手足供給 頭頂禮敬
一切供養 皆不能報 若以頂戴 兩肩荷負
於恒沙劫 盡心恭敬 又以美膳 無量寶衣
及諸臥具 種種湯藥 牛頭栴檀 及諸珍寶
以起塔廟 寶衣布地 如斯等事 以用供養
於恒沙劫 亦不能報

세존대은(世尊大恩)• 부처님께서는 처음에는 대자비심으로 일체중생이 고통을 벗어나 즐거움을 얻는 법문을 하셔서 육도중생의 고통을 뽑아주시고, 중생에게 사성제를 닦게 하여 도를 증득하는 즐거움을 주셨다. 그리고 십법계 속에서 일체중생이 보리심을 발하여 사홍서원으로 들어가 위없는 깨달음의 묘과를 성취하게 하셨다. 이러한 은혜는 가장 큰 것이다.

과거생 가운데서 부처님은 대승법으로 우리의 중생을 교화하셨다. 그러나 우리 중생은 시간이 오래 경과함에 따라 이러한 대승법문을 모두 잊어버리고 괴로움을 즐거움으로 여겼다. 그러나 원력과 대승의 종자는 잃어버리지 않았다. 따라서 지금 대자(大慈)로써 일체중생에게 즐거움을 주어 청량함과 따스함을 얻게 하신 것이 부처님의 은혜이다. 더욱이 마치 어린아이가 힘들 때 부친을 찾듯이, 중생은 괴로움을 받을 때 벗어날 방법이 없으므로 불법을 찾아 육도만행을 닦아 장래 부처를 이룬다.

부처님께서 성불하신 후 본래 적멸의 즐거움을 누리면서 모든 일을 하지 않아야 하나, 부처님께서는 중생을 버리지 않으시기 때문에 권교방편의 법문으로 중생을 교화하여 오계와 십선을 가르쳐 수행하게 하셨다. 부처님은 대자비심으로 『화엄경』을 설하셨지만 중생의 근기가 얕고 기연이 성숙되지 않았기 때문에, 부처님은 큰 것을 감추고 작은 것을 드러내어 비구의 모습으로 낡은 옷을 입고 중생에게 가까이 가신 것이다. 이것도 부처님의 대자비의 은혜이다. 중생을 가까이하여 중생은 점점 부처님과 친숙하게 되니 믿는 마음을 내게 되었다. 이것도 부처님의 큰 은혜의 하나이다.

부처님은 모든 재산을 이승인에게 넘겨 여래의 가업을 짊어지게 하였다. 이것은 부처님께서 설하신 법을 이승인이 받아들여 장래 부처가 될 수 있다는 것이다. 이것도 큰 은혜의 하나이다.

제불께서는 희유하고 무량무변하며
불가사의한 대신통력을 가지시며
무루와 무위 증득하여 모든 법의 왕이시나
하열한 자를 위해 이러한 일을 참으시고
범부의 상을 취하여 근기 따라 설하시네.
諸佛希有　無量無邊　不可思議　大神通力
無漏無爲　諸法之王　能爲下劣　忍于斯事
取相凡夫• 隨宜爲說

취상범부(取相凡夫)• 범부에게서 상을 취한다고 하는 것이 무엇인가? 이는 범부가 무엇을 좋아하면 이를 사용하여 제도하는 것을 말한다. 범부가 단 것을 좋아하면 단 것을 주고, 쓴 것을 좋아하면 쓴 것을 주는 것이다. 부처님은 괴로운 법으로 제도할 중생에게는 괴로운 법을 설하시고, 즐거운 법으로 제도할 중생에게는 즐거운 법을 설하신다.

제불께서는 법에서 가장 자재함을 얻어
모든 중생의 갖가지 좋아하는 것을 아시고
그의 뜻하는 힘으로 감당하는 능력에 따라
수많은 비유로써 중생에게 법을 설하시네.
모든 중생의 숙세 선근을 따르고
또한 중생 선근의 성숙되고 안 됨을 아시며
갖가지로 헤아려 분별하여 근성을 아셔서
일불승 도에서 기연 따라 삼승을 설하시네.
諸佛於法　得最自在　知諸衆生　種種欲樂

及其志力　隨所堪任　以無量喩　而爲說法
隨諸衆生　宿世善根　又知成熟　未成熟者
種種籌量　分別知已　於一乘道　隨宜說三

妙法蓮華經卷第二

五

약초유품

(藥草喩品)

약초의 비유

약은 병을 치료하는 약재이며, 초는 초목이며, 또한 삼승(三乘)의 중생을 비유한다. 약은 사람의 병을 치료하지만, 증상에 따라 약을 내려야 비로소 병을 치료할 수 있다. 만약 증상에 맞지 않으면 병을 치료할 수 없을 뿐 아니라 도리어 병을 가중시킬 수 있다. 따라서 부처님께서는 이 품에서 약초로써 비유를 삼아 중생의 몸과 마음의 병을 치료하신다.

가. 여래의 지혜

1) 여래는 일체의 지혜를 설한다

그때 세존께서는 마하가섭과 모든 큰 제자들에게 말씀하셨다. "훌륭하고 훌륭하구나! 가섭은 여래의 진실한 공덕을 잘 말하였다. 그대가 말한 바와 같이 여래에게는 다시 한량없고 가없는 아승기의 공덕이 있으니, 그대들이 만약 무량한 억겁 동안 말해도 다 말할 수 없을 것이다.

가섭은 마땅히 알아야 한다. 여래는 제법의 왕이며, 설한 말씀은 모두 허망하지 않고 진실하다. 일체법에 대하여 지혜의 방편으로 모든 법을 연설한다. 여래가 말씀한 법은 모두 가장 깊은 일체지혜의 경지에 이르렀다. 여래는 일체제법이 돌아가는 곳을 관찰하여 알며, 또한 일체중생의 깊은 마음이 생각하는 것을 알아 걸림 없이 명백하게 이해한다. 또한 제법에 대하여 다 궁구(窮究)하여 밝게 깨달으며, 모든 중생에게 이러한 일체의 지혜를 설한다."

爾時, 世尊告摩訶迦葉及諸大弟子。善哉善哉。迦葉善說如來眞實功德。誠如所言, 如來復有無量無邊阿僧祇功德。汝等若於無量億劫, 說不能盡。迦葉當知。如來是諸法之王, 若有所說, 皆不虛也。於一切法, 以智方便而演說之。其所說法, 皆悉到於一切智地。如來觀知一切諸法之所歸趣, 亦知一切衆生深心所行通達無礙。又於諸法究盡明了, 示諸衆生一切智慧。

기소설법(其所說法) 개실도어일체지지(皆悉到於一切智地) 여래가 설하신 법은 모두 가장 깊은 바라밀의 그곳에 도달하였다. 여래에게는 세 가지의 지혜가 있는데, 도종지(道種智), 일체지(一切智), 일체종지(一切種智)를 말한다. 그리고 일체지지(一切智地)는 일체지혜의 정도에 이르렀다는 것이다.

여래관지일체제법지소귀취(如來觀知一切諸法之所歸趣) 여래는 이러한 지혜로써 관찰하여 일체제법을 아신다. 그러면 일체제법은 어디로 돌아가는가? 부처님께서 일체법을 설하시는데, 일체의 마음을 떠나지 않는다. 일체 제법이 생하는 것은 오직 마음의 나타남이니, 즉 중생의 마음으로부터 일체제법이 나타나는 것이다. 그러므로 일체제법은 중생의 마음으로 돌아간다.

2) 약초의 비유

가) 초목은 크기에 따라 비를 받아들인다

"가섭이여, 비유하면 삼천대천세계의 산과 하천, 계곡, 토지에서 자라는 화초와 나무, 총림과 모든 약초들이 많은 종류가 있으며 이름과 색상이 각각 다른 것과 같다.
허공에 짙은 구름이 가득하여 삼천대천세계를 두루 덮고 동시에 같은 양의 비가 내려 화초와 나무, 총림과 모든 약초들을 두루 윤택하게 한다면, 작은 뿌리와 작은 줄기, 작은 가지와 작은 잎의 작은 나무가 있고, 중간의 뿌리와 줄기, 중간의 가지와 잎의 중간 크기의 나무가 있으며, 큰 뿌리와 줄기, 큰 가지와 잎의 큰 나무가 있는데, 모든 나무의 크고 작은 것에 따라 각각 비를 받아들인다.
한 구름에서 내리는 비로 그 나무의 종류와 성질에 따라 각각 생장하고 꽃이 피며 열매를 맺고 열매가 성숙된다. 비록 하나의 땅 위에서 자라고 같은 비로 적시더라도, 모든 초목이 받아들이는 비의 양은 각각 차이가 있다."

迦葉。譬如三千大千世界, 山川 · 谿谷 · 土地, 所生卉木叢林及諸藥草, 種類若干, 名色各異。密雲彌布, 遍覆三千大千世界, 一時等澍, 其澤普洽卉木叢林及諸藥草。小根小莖 · 小枝小葉, 中根中莖 · 中枝中葉, 大根大莖 · 大枝大葉。諸樹大小, 隨上中下, 各有所受。一雲所雨, 稱其種性, 而得生長華果敷實。雖一地所生, 一雨所潤, 而諸草木, 各有差別。

나) 여래는 근기에 따라 법을 설한다

"가섭은 마땅히 알아야 한다. 여래도 이와 같이 세간에 출현하여 중생을 교화하는 것이 마치 큰 구름이 일어나는 것과 같으며, 큰 음성으로 세계의 천상과 인간, 아수라들에게 알리는 것은 마치 큰 구름이 삼천대천국토를 두루 덮는 것과 같다.
대중들 가운데서 이러한 말을 한다. '나는 여래, 응공, 정변지, 명행족, 선서, 세간해, 무상사, 조어장부, 천인사, 불, 세존이다. 제도하지 못한 자를 제도하고, 이해하지 못한 자를 이해하게 하며, 안락을 얻지 못한 자를 안락하게 하고, 열반을 얻지 못한 자로 하여금 열반을 얻게 한다. 현재세와 미래세를 여실하게 안다. 나는 일체를 아는 자이고, 일체를 보는 자이며, 도를 아는 자이고, 도를 여는 자이며, 도를 설하는 자이다. 너희들 천상, 인간, 아수라의 대중들은 모두 마땅히 법을 듣기 위해 이곳에 와야 한다.' 그때 무수한 천만억 종류의 중생들이 부처님 계신 곳으로 와서 법을 들었다."

迦葉當知。如來亦復如是, 出現於世, 如大雲起。以大音聲·普遍世界天·人·阿修羅, 如彼大雲遍覆三千大千國土。於大衆中·而唱是言。我是如來·應供·正遍知·明行足·善逝·世間解·無上士·調御丈夫·天人師·佛·世尊。未度者令度, 未解者令解, 未安者令安, 未涅槃者令得涅槃。今世後世, 如實知之。我是一切知者·一切見者·知道者·開道者·說道者。汝等天·人·阿修羅衆皆應到此, 爲聽法故。爾時, 無數千萬億種衆生, 來至佛所而聽法。

"여래는 이때 중생의 모든 근기가 날카롭거나 둔하거나, 정진하거나 게으른 것을 관찰하여 그들이 받아들일 수 있는 정도에 따라 법을 설한다. 부처님의 갖가지 설법은 무량하여 모두를 즐겁게 하고 빨리 좋은 이익을 얻게 한다.
이 모든 중생들은 이 법을 들으면 현세에서는 안락하고 평온하며, 내세에는 좋은 곳에 태어나 도를 닦아 즐거움을 얻으며 또한 불법을 듣게 된다. 이미 법을 들으면 모든 장애를 떠나며, 모든 법 가운데서 자기의 능력으로 할 수 있는 바를 따라 점차 도에 들어간다. 이것은 마치 저 큰 구름이 비를 내려 일체의 화초와 수목, 총림과 모든 약초를 적셔서 그 종류의 성질에 따라 다 같이 윤택함을 입어 각각 생장하는 것과 같은 것이다. 여래의 설법은 일상(一相)이고 일미(一味)이니, 이른바 중생이 해탈하는 모습, 괴로움을 떠나는 모습, 번뇌를 소멸하는 모습으로서 궁극에는 부처의 일체종지에 이르게 한다."

如來於時, 觀是衆生諸根利鈍, 精進懈怠, 隨其所堪, 而爲說法。種種無量, 皆令歡喜, 快得善利。是諸衆生聞是法已, 現世安隱, 後生善處, 以道受樂, 亦得聞法。旣聞法已, 離諸障礙, 於諸法中, 任力所能, 漸得入道。如彼大雲, 雨於一切卉木叢林及諸藥草•, 如其種性, 具足蒙潤, 各得生長。如來說法, 一相一味•。所謂解脫相·離相·滅相, 究竟至於一切種智•。

우어일체훼목총림급제약초(雨於一切卉木叢林及諸藥草)•
비가 내려 모든 화초, 수목, 총림과 모든 약초를 자윤(滋潤)시킨다. 이 화초, 수목, 총림, 약초는 일체의 중생을 비유한다. 일체중생 속에는 보살, 성문, 연각, 천상, 인간, 축생, 아귀, 지옥이 있다.

여래설법(如來說法) 일상일미(一相一味)• 일상(一相)이란 일체중생의 심성(心性), 진여상(眞如相)이다. 이 진여상은 곧 하나의 땅[一地]을 비유한다. 한 맛[一味]이란 일승의 불법이며, 이미 일승의 진리를 증득한 것이 일승은 곧 한 번의 비[一雨]를 비유한다. 하나의 땅과 한 번의 비[一地一雨]가 즉 일상일미(一相一味)이다.

소위해탈상(所謂解脫相) 이상(離相) 멸상(滅相) 구경지어일체종지(究竟至於一切種智)• 해탈을 얻지 못한 모든 중생이 해탈을 얻게 한다. 아직 선근을 심지 못한 중생은 선근을 심게 하고, 이미 선근을 심은 중생은 선근이 자라게 하며, 이미 선근이 자란 중생은 성숙하게 하고, 이미 성숙한 중생은 곧 해탈한다. 해탈을 얻으면 고뇌의 모습과 생멸의 모습을 떠날 수 있다. 또한 일체의 번뇌를 소멸한다. 그리하여 궁극에는 부처의 지혜에 이르게 된다. 부처의 지혜란 일체종지를 말한다. 어떤 중생이든지를 막론하고, 모두 장래에 부처의 지혜를 얻기를 바란다.

다) 오직 여래만이 여실하게 안다

"어떤 중생이 여래의 법을 듣고 만약 수지하여 경전을 독송하면서 말씀한 대로 수행하면 얻게 되는 공덕을 그 스스로는 느끼지 못하고 알지 못한다. 무슨 까닭인가?

오직 여래만이 이러한 중생의 종자[種], 모습[相], 신체[體], 성품(性)을 안다. 무엇을 염하고, 무엇을 생각하며, 무엇을 닦는지를 안다. 어떻게 염하고, 어떻게 생각하며, 어떻게 닦는지를 안다. 무슨 법으로 염하고, 무슨 법으로 생각하며, 무슨 법으로 닦고, 무슨 법으로 어떤 법을 얻는지를 안다. 중생이 비록 갖가지의 경계에 머물지만, 오직 여래는 여실하게 보며 걸림 없이 투철하게 이해한다. 이것은 마치 저 화초와 수목, 총림과 모든 약초와 같이 그 스스로는 상, 중, 하의 성질을 모른다."

其有衆生, 聞如來法, 若持讀誦, 如說修行, 所得功德, 不自覺知。所以者何。唯有如來, 知此衆生種相體性, 念何事·思何事·修何事·云何念·云何思·云何修。以何法念·以何法思·以何法修, 以何法得何法。衆生住於種種之地, 唯有如來如實見之, 明了無礙。如彼卉木叢林諸藥草等, 而不自知上中下性。

소득공덕(所得功德) 부자각지(不自覺知) 부처님이 설하신 법에 의거하여 수행하면 얻게 되는 과보와 공덕을 그 스스로는 아직 모른다. 지금 이곳에서 불법을 듣는 사람도 이전과는 크게 다르지만, 완전히 바뀌어도 자기는 아직 어떻게 바뀐 것인지 모른다. 어떻게 자라나는가? 어떻게 잘못이 모두 없어졌는가? 이 결점들은 어디로 달아났는가? 지금 다시 결점을 찾으려고 해도 찾을 수 없다. 이것도 즉 '스스로 느끼지 못하고 알지 못하는[不自覺知]' 것이다.

지차중생종상체성(知此衆生種相體性) 종(種)이란 불종이다. 즉 중생 본래 몸의 종자를 뜻한다. 너희는 어떤 종자인가를 본다. 부처의 종자, 보살의 종자, 성문의 종자, 천상인의 종자, 인간의 종자, 축생의 종자, 아귀의 종자, 지옥의 종자인가를 보는 것이다. 이 십법계의 종자 가운데 너희의 종자는 어느 계에 속하는가에 따라 그 계로 가서 난다. 이것이 바로 종이다. 상(相)은 바깥으로 나타난 모습으로서 외적(外的)

인 것에 속한다. 체(體)는 신체로서 주지(主旨)에 속하는데, 신체는 모두 주재(主宰)하는 것이 있다. 성(性)이란 내적인 것에 속한다. 이것이 네 가지의 법[四法]이다.

염하사(念何事) 사하사(思何事) 수하사(修何事)• 염이란 마음을 써서 염하는 것이다. 무슨 일을 염하는가? 부처의 일[佛事]을 염한다. 무슨 일을 생각하는가? 법의 일[法事]을 생각한다. 무슨 일을 닦는가? 승의 일[僧事]을 닦는다. 즉 염불·염법·염승이며, 사불·사법·사승이며, 수불(修佛)·수법(修法)·수승(修僧)이다.

운하념(云何念) 운하사(云何思) 운하수(云何修)• 어떻게 염하고, 어떻게 생각하며, 어떻게 닦는가? 바로 언제나 염하면서 불·법·승을 잊지 않는 것이다. 어떻게 법을 생각하는가를 알아야 한다. 마음을 가라앉히고 감정에 사로잡히지 않아야 하며, 망상을 짓지 않아야 한다. 즉 부처님과 법과 승의 도리를 사유하는 것이다. 그런 연후에 불법승의 법문을 닦아야 한다.

이하법념(以何法念) 이하법사(以何法思) 이하법수(以何法修) 이하법득하법(以何法得何法)• 무슨 법으로 염하는가? 정법(正法)으로 염한다. 무슨 법으로 생각하는가? 정법으로 생각한다. 무슨 법으로 닦는가? 정법으로 닦는다. 너희가 어떤 법으로 닦으면 곧 그 법을 얻게 된다. 불법을 닦으면 불법을 얻고, 마의 법[魔法]을 닦으면 마의 법을 얻게 된다. 따라서 너희가 어떤 법을 닦으면 그것을 얻는 것은, 이와 같은 인으로 이와 같은 과를 얻는[如是因 如是果] 것이다.

명료무애(明了無礙)• 명료(明了)란 바로 처음도 통하고 마지막도 통하며, 안도 투철하고 밖도 투철한 것이다. 투철하다는 것은 철오(徹悟: 환하게 깨닫다), 대철대오(大徹大悟)이며, 철저하게 이해하는 것이다. 철오란 다시 힘들이지 않고 완전히 이해하며, 일을 마친 것이다. 시작과 끝, 안과 밖의 생사의 일체를 명백히 이해하는 것이다. 이해하지 못하면 곧 장애가 있다. 너희가 이해하면 곧 장애가 없다. 따라서 오직 부처님이라야 비로소 진정으로 이해할 수 있고, 진정으로 장애가 없게 된다.

"여래는 일상이며 일미인 법을 아시므로 해탈상, 떠나는 상[離相], 소멸하는 상[滅相]과 궁극의 열반, 상적멸상을 설하여 마침내 공(空)으로 돌아가게 한다. 부처는 이것을 아시고 중생의 마음이 원하는 것을 관하여 그것을 보호하기 위한 까닭으로 일체종지를 즉시 설하지 않은 것이다. 그대들 가섭 등은 매우 드물게도 여래가 중생의 근기에 따라 법을 설하는 것을 알고, 믿고 받아들일 수 있었다. 무슨 까닭인가? 제불세존이 중생의 근기에 따라 설하는 법은 이해하기 어렵고 알기 어렵기 때문이다."

如來知是一相一味之法•, 所謂解脫相·離相·滅相•, 究竟涅槃, 常寂滅相, 終歸於空•。佛知是已, 觀衆生心欲而將護之•, 是故不卽爲說一切種智•。汝等迦葉, 甚爲希有, 能知如來隨宜說法, 能信能受。所以者何。諸佛世尊隨宜說法, 難解難知。

여래지시일상일미지법(如來知是一相一味之法)• 여래는 중생의 심성이 본래 진여실상을 갖추고 있다는 것을 안다. 이 일승의 법은 수행하여 증득하는 묘한 이치가 같으므로 한 맛[一味]의 법이라고 한다.

소위해탈상(所謂解脫相) 이상(離相) 멸상(滅相) 이른바 해탈상은 본래 해탈상이 없으며, 이상도 없고, 멸상도 없다. 그럼에도 중생의 집착 때문에 해탈상, 이상, 멸상을 말하는 것이다. 이미 해탈하였는데 어째서 상이 남을 것인가? 상이 있으면 해탈을 논할 수 없다. 이미 상을 떠났으면 상을 떠난다는 것조차도 마땅히 없어야 한다. 무엇 때문에 또 떠나는 상[離相]을 말하는가? 만약 떠나는 상을 말하지 않고 본래 상이 없는 것이라고 말하면, 중생은 믿지 않기 때문에 떠나는 상을 말하는 것이다. 멸상이란 또한 상이 없는 것이다. 이것은 일체의 법을 쓸어버리고, 일체의 상을 떠난 것이다. 즉 한 법도 세울 수 없고, 한 법도 없다.

구경열반(究竟涅槃) 상적멸상(常寂滅相) 종귀어공(終歸於空) 궁극적으로 어디로 가는가? 열반의 상락아정에 이른다. 적멸상도 상이 없는 것이다. 만약 상이 있으면 적멸이 아니다. 하나의 멸하는 것조차도 없다. 따라서 마지막에는 공으로 돌아간다[終歸於空]고 하였다. 즉 공한 모습조차도 없으며, 공도 없다는 것이다.

관중생심욕이장호지(觀衆生心欲而將護之) 본래 말할 법도 없고, 얻을 상도 없다. 하지만 중생의 마음속에는 아직 탐욕이 있다. 만약 처음부터 중생에게, 아무것도 없고 한 법도 세울 수 없으며 만법이 모두 공하다고 말하면, 중생은 이 법을 믿지 않을 것이다. 믿지 않을 뿐만 아니라 불법을 비방할 것이다. 따라서 부처님은 일체중생의 욕심을 관하여, 진실한 법을 설하면 그들이 받아들일 수 없을 것을 아신 것이다. 중생에게는 많은 습기와 결점이 있기 때문에 반드시 점차적으로 그 결점을 제거해 나가도록 해야 비로소 믿을 것이다. 너희가 만약 그들에게 단번에 이 모든 결점을 제거하여 공으로 돌아가게 하려 한다면, 그것은 불가능한 일이다. 따라서 한편으로는 진실한 불법을 보호하기 위함이고, 다른 한편으로는 중생을 보호하여 비방하는 마음을 내지 않게 하기 위함이다.

시고부즉위설일체종지(是故不卽爲說一切種智)• 이러한 까닭으로 부처님은 즉시 진실한 실상법을 설하지 않았다. 일체종지는 또한 실상의 반야를 가리킨다. 실상의 반야지혜가 일체종지이다.

나. 여래의 일불승에 대한 게송

1) 여래는 중생의 욕구에 따라 법을 설한다

그때 세존께서는 이러한 뜻을 거듭 선설하시고자 게송을 설하셨다.

존재를 깨뜨린 법왕께서 세간에 출현하여
중생의 욕구 따라 갖가지 법을 설하시네.
여래는 불법 존중하여 지혜가 깊고 원대하며
오랫동안 묵묵히 긴요한 법 빨리 설하지 않았네.
지혜로운 사람이 들으면 믿고 이해할 수 있지만
지혜 없는 사람은 의혹하여 영원히 부처 종자 잃네.

그러므로 가섭이여, 여래는 방편 힘 따라 설하여
갖가지 인연으로 일체중생이 정견을 얻게 하시네.

爾時世尊, 欲重宣此義, 而說偈言.

破有法王• 出現世間 隨衆生欲 種種說法
如來尊重 智慧深遠 久默斯要 不務速說
有智若聞 則能信解 無智疑悔 則爲永失
是故迦葉 隨力爲說 以種種緣 令得正見

파유법왕(破有法王)• 무엇이 유(有)인가? 인과가 없어지지 않는 것이 유이다. 하지만 부처는 인과를 깨뜨릴 수 있다. 어떻게 깨뜨리는가? 너희가 불법을 배운다면, 너희는 이전에 심은 갖가지의 인과를 정지시킬 수 있다. 착한 원인을 심으면 착한 결과를 얻고, 악한 원인을 심으면 악한 결과를 얻는다. 중생의 경계상에서 말하자면, 인과는 언제나 있는 것이다. 너희가 지금 불법을 수행하여 부처의 과를 이룬 후에는 인과를 초월할 수 있다. 다시는 인과가 없다. 성불한 후에는 인도 없고 과도 없어, 이전에는 정지시킬 수 없었던 이러한 인과를 타파할 수 있다. 이렇게 인과를 정지시킬 수 있는 것을 파유(破有)라고 한다.

2) 약초는 크기에 따라 윤택함을 얻는다

가섭은 알아야 하네. 비유하면 큰 구름이
세간에 일어나 일체를 두루 덮는 것과 같이
지혜 구름은 비를 머금고 번개가 번쩍이며

천둥소리 멀리 진동하여 중생을 즐겁게 하네.
햇빛을 가려서 땅 위는 청량하며
구름이 드리워져 마치 손에 잡힐 것 같이
그 비가 널리 사방에 두루 내리며
내리는 비는 무량한 대지를 적시니
산과 하천, 깊은 계곡 그늘진 곳에 자라는
꽃과 나무, 약초와 크고 작은 모든 나무와
백곡과 농작물, 감자와 포도 등의 과일이
비의 적심을 받아 풍족하지 않음이 없네.
마른 땅 널리 적셔져 약초와 나무 무성하고
그 구름에서 나온 한 맛의 빗물로 인하여
초목과 총림이 분수 따라 윤택함을 받은
일체의 상·중·하 모든 나무들은
그 크기에 알맞게 빗물 받아 각각 생장하네.
뿌리, 줄기, 가지, 잎, 꽃과 열매의 빛깔은
빗물 받아 모두 신선하고 윤택함 얻게 되네.
마치 초목의 크기, 모습, 성분의 크기에 따라
윤택해짐은 같으나 각각 자라고 무성해지듯.

迦葉當知　譬如大雲　起於世間　遍覆一切
慧雲含潤　電光晃曜　雷聲遠震　令衆悅豫
日光掩蔽　地上清涼　靉靆垂布　如可承攬
其雨普等　四方俱下　流澍無量　率土充洽
山川險谷　幽邃所生　卉木藥草　大小諸樹
百穀苗稼　甘蔗蒲萄　雨之所潤　無不豐足

乾地普洽　藥木竝茂　其雲所出　一味之水
草木叢林　隨分受潤　一切諸樹　上中下等
稱其大小　各得生長　根莖枝葉　華果光色
一雨所及　皆得鮮澤　如其體相　性分大小
所潤是一　而各滋茂

◉ 우리가 지금 이곳에서 경전의 강의를 듣는 것은 마치 큰 구름이 큰 비를 내리는 것과 같다. 강의를 듣는 사람은 도리를 이해하게 되는데, 어떤 사람은 강의를 들은 후 많은 도리를 얻게 된다. 이것은 즉 하나를 들으면 둘을 알거나, 혹은 하나를 들으면 열을 아는 것과 같다. 어떤 사람은 강의를 들은 후 자기의 작은 결점을 제거하여 작은 이익을 얻게 되고, 어떤 사람은 큰 결점을 제거하여 큰 이익을 얻게 된다. 이와 같이 자기의 결점을 없애어 이익을 얻는 것은 같은 것이다. 그래서 "윤택해지는 것은 같으며[所潤之一]"라고 한 것이다. 이 법을 너희가 듣고 이해한 것은 비가 내려 당신을 적시는 것과 같아서, 각자는 자라고 무성해진다. "자라고 무성해진다[滋茂]"는 것은 즉 자기의 습기와 결점을 제거하면 너희의 법신혜명이 증장하고 너희의 지혜가 밝아지고 광명이 나오는 것이다.

3) 여래는 중생을 윤택하게 한다

부처도 이와 같이 세간에 출현한 것은
큰 구름이 모든 만물 두루 덮는 것같이
세상에 나와 모든 중생을 위하여

제법의 진실을 분별하여 연설하시네.
큰 성인 세존은 모든 천상과 인간세계에서
모든 대중에게 이렇게 말하네.
나는 여래이고, 복과 지혜 갖춘 양족존 되어
세간에 출현한 것은 마치 큰 구름과 같이
일체의 메마른 중생을 윤택하게 하여
모두 괴로움에서 벗어나 안온한 즐거움과
세간의 즐거움, 열반의 즐거움을 얻게 하네.
모든 천상과 인간들은 일심으로 잘 듣고
이곳에 와서 위없는 부처님 친견해야 하리.
나는 세존이 되어 능히 비할 사람이 없으며
중생을 안온하게 하려고 세간에 나타나
대중을 위하여 감로의 청정한 법을 설하네.
그 법은 한 맛으로 해탈, 열반 이르게 하고
하나의 묘음으로 이러한 뜻 연설하여
항상 대승의 불법 위해 갖가지 인연 짓네.

佛亦如是 出現於世 譬如大雲 普覆一切
旣出于世 爲諸衆生 分別演說 諸法之實
大聖世尊 於諸天人 一切衆中 而宣是言
我爲如來 兩足之尊 出于世間 猶如大雲
充潤一切 枯槁衆生 皆令離苦 得安隱樂
世間之樂 及涅槃樂 諸天人衆 一心善聽
皆應到此 覲無上尊 我爲世尊 無能及者
安隱衆生 故現於世 爲大衆說 甘露淨法

其法一味　解脫涅槃　以一妙音　演暢斯義
常爲大乘　而作因緣

4) 여래는 평등하게 법의 비를 내린다

나는 일체중생을 두루 모두 평등하게 보아
피차에 사랑하고 미워하는 마음이 없네.
나는 탐착도 없고 또한 한도와 장애가 없으며
항상 일체중생 위하여 평등하게 법을 설하네.
마치 한 사람 위하듯 많은 사람에게도 그러하며
항상 불법을 연설하는 것은 다른 일이 아니네.
행주좌와에 법 설하는 것 끝내 피곤하지 않고
세간을 충족시킴은 비가 널리 적심과 같네.
귀천과 상하, 계를 지니고 범하는 중생과
위의를 갖추고 갖추지 않는 중생과
정견과 사견, 이근과 둔근의 중생들 모두에게
평등하게 법의 비 내리고 또한 게으름이 없네.

我觀一切　普皆平等　無有彼此　愛憎之心
我無貪著　亦無限礙　恒爲一切　平等說法
如爲一人　衆多亦然　常演說法　曾無他事
去來坐立　終不疲厭　充足世間　如雨普潤
貴賤上下　持戒毁戒　威儀具足　及不具足
正見邪見　利根鈍根　等雨法雨　而無懈倦

5) 중생은 능력에 따라 이익을 얻는다

일체중생 가운데 나의 법을 듣는 자는
능력에 따라 이익 받고 각자의 경지에 머무네.
혹은 인간과 천상에 머물며 전륜성왕과
제석천왕, 범천왕 등은 작은 약초에 속하네.
무루의 법을 알고 열반을 증득할 수 있으며
여섯 가지의 신통을 일으키고 삼명을 얻으며
홀로 산림에 머물면서 항상 선정을 수행하여
연각을 증득하는 자는 중등의 약초에 속하네.
세존 계신 곳에 와서 장래 부처 되기 위하여
정진과 선정 수행하는 자는 상등의 약초에 속하네.
또한 여러 불자는 전심으로 불도를 수행하여
항상 자비 행하고 스스로 부처 될 수 있음에
조금의 의심도 없는 자는 작은 나무라고 하네.
신통에 안주하여 불퇴의 법륜을 굴리면서
무량한 백천만억의 중생을 제도하는
이와 같은 보살은 큰 나무라고 이름하네.

一切衆生　聞我法者　隨力所受　住於諸地
或處人天　轉輪聖王　釋梵諸王　是小藥草
知無漏法　能得涅槃　起六神通　及得三明
獨處山林　常行禪定　得緣覺證　是中藥草
求世尊處　我當作佛　行精進定　是上藥草
又諸佛子　專心佛道　常行慈悲　自知作佛

決定無疑 是名小樹 安住神通 轉不退輪
度無量億 百千衆生 如是菩薩 名爲大樹

시명소수(是名小樹) 작은 나무는 통교(通敎)의 보살을 가리킨다.

명위대수(名爲大樹) 큰 나무는 별교(別敎)의 보살을 가리킨다.

6) 여래는 평등하게 일승의 묘법을 설한다

부처님이 평등하게 일승법 설하는 것은
마치 한 맛의 비를 내리는 것과 같지만
중생의 근성 따라 받아들임 같지 않네.
저 초목이 흡수하는 비의 양 다르듯이.
부처님은 이런 비유와 권교방편의 법과
갖가지의 언사로 일승의 묘법 설하시네.
부처님 지혜에선 바다의 한 방울 물 같네.
나는 법비 내려 세간을 충만하게 윤택하니
일승법을 중생 각자의 힘에 따라 수행함은
마치 저 총림과 약초와 모든 나무들이
그 크기에 따라 점차 무성하게 자람과 같네.
모든 부처의 법도 항상 일승의 한 맛으로
모든 세간 중생이 널리 구족하게 하고
점차 수행하여 모두 도과를 얻게 하네.

성문과 연각이 산림 속에 거처하면서
최후 몸에 머물러 법 듣고 과를 증득함은
약초가 각각 증장함 얻는다고 이름하네.
만약 모든 보살들이 지혜가 견고하여
삼계를 이해하고 통달하여 최상승 구함은
작은 나무가 각각 증장함 얻는다고 이름하네.
다시 어떤 보살이 선정에 머물고 신통력 얻어
제법이 공함을 듣고 크게 즐거운 마음을 내며
무수한 광명 발하여 많은 중생을 제도함은
큰 나무가 각각 증장함 얻는다고 이름하네.

佛平等說　如一味雨　隨衆生性　所受不同
如彼草木　所稟各異　佛以此喩　方便開示
種種言辭　演說一法　於佛智慧　如海一渧
我雨法雨　充滿世間　一味之法　隨力修行
如彼叢林　藥草諸樹　隨其大小　漸增茂好
諸佛之法　常以一味　令諸世間　普得具足
漸次修行　皆得道果　聲聞緣覺　處於山林
住最後身　聞法得果　是名藥草　各得增長
若諸菩薩　智慧堅固　了達三界　求最上乘
是名小樹　而得增長　復有住禪　得神通力
聞諸法空　心大歡喜　放無數光　度諸衆生
是名大樹　而得增長

7) 성문은 진정한 열반을 얻은 것이 아니다

이와 같이 가섭이여, 부처가 설하는 법은
마치 큰 구름이 한 맛의 비를 내리는 것과 같이
사람의 꽃 윤택하게 하여 각각 열매 맺게 하네.
가섭이여 알아야 하네. 이러한 모든 인연과
갖가지 비유로써 성불의 도를 가르치는 것은
나의 방편이며, 모든 부처님도 또한 그러하네.
지금 그대들을 위해 가장 진실한 도리 설하니
모든 성문은 진정한 열반을 얻은 것 아니며
그대들이 행하는 것이 보살도이므로
점차 수행하면 장래 모두 부처를 이루리라.

如是迦葉　佛所說法　譬如大雲　以一味雨
潤於人華　各得成實　迦葉當知　以諸因緣
種種譬喩　開示佛道　是我方便　諸佛亦然
今爲汝等　說最實事　諸聲聞衆　皆非滅度
汝等所行　是菩薩道　漸漸修學　悉當成佛

六

수기품
(授記品)

대제자들에게 수기를 주다

제6품은 「수기품(授記品)」이다. 수기란 수별(授別)이라고도 하고, 수결(授決)이라고도 한다. 이 수(授)는 또한 접수하다(接受: 받아들이다)의 수(受)로도 사용할 수 있다. 부처님께서 먼저 너희가 장래 어느 때, 어느 국토에서 성불할 것이며, 명호는 무엇이고, 국토는 어떠할 것이며, 부처의 수명은 얼마이고, 정법과 상법이 머무는 시간은 얼마라는 것을 미리 알려주는 것이다. 너희가 일단 이러한 기별(記莂)을 받아들이는 것을 '수기를 받는다'고 한다. 이것은 너희가 부처님의 수기를 받는 것이다. 주다[授]를 사용하면 부처님께서 너희에게 수기를 주는 것으로서 '수기를 주다'라고 한다. 따라서 주다와 받다 두 글자를 모두 사용하여 설명할 수 있다.

어째서 수별(授別)이라고 하는가? 별이란 분별하는 것으로서 다른 부처님과 구별하는 것이다. 또한 특별하다는 뜻으로서 오직 너희의 부처님 명호는 너희 자신만이 가지는 것이며, 다른 부처님의 명호와는 같지 않다는 것이다. 어째서 수결(授決)이라고 하는가? 결이란 결정한다는 뜻이다. 너희가 부처를 이룰 것이라는 것을 결정하며, 의심의 여지가 없다는 것이다. 너희에게 수기를 주면 이것은 너희가 장래 반드시 성불할 수 있다는 것을 말한다. 이 수기는 누가 주는 것인가? 부처님이라야 비로소 줄 수 있으며, 다른 사람은 줄 자격이 없다.

가. 마하가섭 존자의 수기(受記)

그때 세존께서 이러한 게송을 설하신 후 큰 소리로 대중들에게 다음과 같이 말씀하셨다. "나의 제자 마하가섭은 미래세에 마땅히 삼백만억 제불세존을 뵙고 공양하고 공경하며, 존중하고 찬탄하며 제불의 무량한 대법을 널리 선양할 것이며, 최후의 몸에서 성불할 것이다. 그 부처님 명호는 광명여래, 응공, 정변지, 명행족, 선서, 세간해, 무상사, 조어장부, 천인사, 불, 세존이라고 할 것이며, 그 나라의 이름은 광덕이고, 겁의 이름은 대장엄이라고 할 것이다. 부처님의 수명은 십이 소겁이고, 정법은 이십 소겁 동안 세상에 머물 것이며, 상법도 이십 소겁 동안 머물 것이다.
그 나라의 국토는 매우 장엄하고 아름다우며, 모든 더러움과 악업이 없고, 기와와 벽돌과 가시가 없으며, 대소변의 부정함이 없을 것이다. 그 국토는 평평하고 바르며, 높고 낮음과 구덩이, 언덕, 산, 계곡이 없으며, 유리로 땅이 되고 보배나무가 줄을 지어 늘어서며, 황금으로 줄이 되어 길옆의 경계로 삼고, 항상 많은 보배꽃을 뿌리고, 온갖 곳이 모두 청정할 것이다. 그 나라의 보살은 무량한 천억이고 모든 성문대중 또한 수량을 알 수 없을 정도로 많으며, 마의 일이 없을 것이며, 비록 마와 마의 백성이 있을지라도 모두 불법을 보호할 것이다."

爾時世尊, 說是偈已, 告諸大衆, 唱如是言。我此弟子摩訶迦葉, 於未來世, 當得奉覲三百萬億諸佛世尊, 供養恭敬, 尊重讚歎, 廣宣諸佛無量大法。於最後身得成爲佛, 名曰光明如來 · 應供 · 正遍知 · 明行足 · 善逝 · 世間解 · 無上士 · 調御丈夫 · 天人師 · 佛 · 世尊。國名光德, 劫名大莊嚴, 佛壽十二小劫。正法住世二十小劫, 像法亦住二十小劫。國界嚴飾, 無諸穢惡 · 瓦礫荊棘 · 便利不淨。其土平正, 無有高下 · 坑坎堆阜。琉璃爲地, 寶樹行列, 黃金爲繩, 以界道側, 散諸寶華, 周遍淸淨。其國菩薩無量千億, 諸聲聞衆亦復無數。無有魔事, 雖有魔及魔民, 皆護佛法。

그때 세존께서는 이러한 뜻을 거듭 선설하시고자 게송을 설하셨다.

모든 비구들에게 알리노니
내 불안으로 살펴보니 마하가섭은 미래세에
무수한 겁을 지나 마땅히 부처가 될 것이네.
미래세에 삼백만억의 제불세존을
공양 공경하며 친견하여 불지혜 이루고자
청정한 범행을 닦을 것이며
최상의 양족존을 공양한 후에
일체의 위없는 지혜를 닦고 익혀
최후의 몸에서 부처를 이룰 것이네.
그 국토는 청정하여 유리로 땅이 되고
많은 보배 나무가 줄을 지어 길옆에 늘어서며
금줄이 길의 경계 되어 보는 자 즐거워하네.
항상 좋은 향기가 나오고 많은 꽃들을 뿌리며
갖가지 기묘한 향과 꽃으로 국토를 장엄하네.
그 땅은 평탄하고 구릉과 구덩이가 없으리.
모든 보살들 수를 셀 수 없을 정도로 많으며
그 마음은 조화롭고 유연하며 큰 신통 얻고
모든 부처의 대승경전을 받들어 지니고
모든 성문들은 최후의 무루 몸을 얻으며
법왕의 아들 되는 자는 수를 셀 수 없으며
천안으로 살펴도 그들의 수를 셀 수 없구나.
그 부처님의 수명은 십이 소겁이고
정법이 세상에 머무는 시간은 이십 소겁이며

상법도 역시 이십 소겁을 세상에 머물 것이니
광명세존의 일은 이와 같을 것이네.

爾時世尊, 欲重宣此義, 而說偈言。

告諸比丘　我以佛眼　見是迦葉　於未來世
過無數劫　當得作佛　而於來世　供養奉覲
三百萬億　諸佛世尊　爲佛智慧　淨修梵行
供養最上　二足尊已　修習一切　無上之慧
於最後身　得成爲佛　其土清淨　琉璃爲地
多諸寶樹　行列道側　金繩界道　見者歡喜
常出好香　散衆名華　種種奇妙　以爲莊嚴
其地平正　無有丘坑　諸菩薩衆　不可稱計
其心調柔　逮大神通　奉持諸佛　大乘經典
諸聲聞衆　無漏後身　法王之子　亦不可計
乃以天眼　不能數知　其佛當壽　十二小劫
正法住世　二十小劫　像法亦住　二十小劫
光明世尊　其事如是

나. 대제자 3인이 수기를 청하다

그때 대목건련, 수보리, 마하가전연 등은 모두 두려워하며 일심으로 합장하고 부처님의 얼굴을 우러러보면서 눈을 잠시도 떼지 못한 채, 즉시 공동으로 소리를 내어 게송을 설하였다.

대영웅이신 세존은 모든 석가족의 법왕이시니
저희들을 연민하여 부처님 음성을 내려주시네.
만약 저희의 깊은 마음을 아시어 수기 주심 본다면
마치 감로물로 열뇌 제거하여 청량함 얻은 것 같네.
배고픈 나라에서 와서 갑자기 대왕의 음식 만남 같이
마음은 의심 품고 두려워 감히 즉시 먹지 못하다가
대왕의 지시 다시 받은 후 먹을 수 있는 것과 같네.
저희들도 이와 같아 각자는 소승의 근성으로서
어찌해야 부처의 위없는 지혜 얻을지를 모르네.
비록 부처가 될 수 있다는 부처님 말씀 들었어도
마음으로는 오히려 걱정과 두려움 품는 것은
마치 대왕의 음식을 곧 감히 먹지 못함과 같으니
만약 부처님 수기 받으면 곧 즐겁고 안락하리라.
대영웅 세존께서는 항상 세간을 안락하게 하시니
저희들에게 수기 내려주실 것을 원하오니
배고픈 사람에게 즉시 밥을 먹게 분부함과 같네.

爾時, 大目犍連·須菩提·摩訶迦栴延等, 皆悉悚慄, 一心合掌, 瞻仰尊顏, 目不暫捨, 卽共同聲, 而說偈言。

大雄猛世尊　諸釋之法王　哀愍我等故　而賜佛音聲
若知我深心　見爲授記者　如以甘露灑　除熱得淸涼
如從饑國來　忽遇大王膳　心猶懷疑懼　未敢卽便食
若復得王教　然後乃敢食　我等亦如是　每惟小乘過
不知當云何　得佛無上慧　雖聞佛音聲　言我等作佛

心尙懷憂懼 如未敢便食 若蒙佛授記 爾乃快安樂
大雄猛世尊 常欲安世間 願賜我等記 如飢須敎食

다. 수보리 존자의 수기(受記)

그때 세존께서는 모든 대제자들이 마음으로 생각하는 것을 아시고 모든 비구들에게 말씀하였다. "수보리는 미래세에 삼백만억 나유타 수의 부처님을 뵙고, 공양하고 공경하며 존중하고 찬탄하며, 항상 범행을 닦고 보살도를 갖추어서 최후의 몸에서 부처를 이룰 것이다. 그 명호는 명상(名相)여래, 응공, 정변지, 명행족, 선서, 세간해, 무상사, 조어장부, 천인사, 불, 세존이라고 할 것이며, 겁의 이름은 유보이고, 나라의 이름은 보생이라고 할 것이다.

그 국토는 평평하고 바르며, 파리로 땅이 되고 보배 나무가 국토를 장엄하며, 모든 구릉과 구덩이, 모래와 자갈, 가시 있는 나무가 없고, 대소변의 더러움이 없으며, 보배의 꽃이 온 땅에 피고 온갖 곳이 두루 청정할 것이다. 그 국토의 인민은 모두 보대와 보배의 누각에 거주할 것이다. 성문의 제자는 무량하고 무변하여 산수로 비유하여 알 수 없을 정도이며, 모든 보살들도 무수한 천만억 나유타 수일 것이다. 부처님의 수명은 십이 소겁이며, 정법은 이십 소겁 동안 세상에 머물 것이며, 상법도 이십 소겁 동안 머물 것이다. 그 부처님은 항상 허공에 머물면서 대중을 위하여 법을 설하여, 무량한 보살과 성문들을 제도할 것이다."

爾時世尊, 知諸大弟子心之所念, 告諸比丘。是須菩提, 於當來世, 奉覲三百萬億那由他佛, 供養恭敬, 尊重讚歎, 常修梵行, 具菩薩道。於最後身 · 得成爲佛, 號曰名相如來 · 應供 · 正遍知 · 明行足 · 善逝 · 世間解 · 無上士 · 調御丈夫 · 天人師 · 佛 · 世尊。劫名有寶, 國名寶生, 其土平正, 玻璃爲地, 寶樹莊嚴, 無諸丘坑 · 沙礫 · 荊棘 · 便利之穢。寶華覆地, 周遍淸淨。其土人民, 皆處寶臺 · 珍妙樓閣。聲聞弟子, 無量無邊, 算數譬喩所不能知。諸菩薩衆, 無數千萬億那由他。佛壽十二小劫, 正法住世二十小劫, 像法亦住二十小劫。其佛常處虛空, 爲衆說法, 度脫無量菩薩及聲聞衆。

그때 세존께서는 이러한 뜻을 거듭 선설하시고자 게송을 설하셨다.

모든 비구들이여, 지금 그대들에게 알리노니
모두 마땅히 일심으로 나의 말을 들어라.
나의 대제자인 수보리는 미래에
부처가 되어 명호를 명상이라고 하리라.
무수한 만억의 부처님을 공양하고
부처님 따라 수행하여 점차 큰 도 갖추어
최후의 몸으로 삼십이상을 얻어
단정하고 아름답기가 마치 보배산과 같으리.
그 불국토는 장엄하고 청정함이 제일이며
보는 중생마다 좋아하고 즐거워하지 않음 없네.
부처님은 그 가운데서 무량한 중생을 제도하고
그 부처님의 법 가운데는 보살들이 많으며
모두 총명한 근기로써 불퇴의 법륜을 굴리니

그 나라는 항상 보살들로 불국토를 장엄하고
성문대중 수를 셀 수 없을 정도로 많으며
모두 삼명을 얻고 육신통을 갖출 것이며
팔해탈에 머물고 큰 위덕을 가질 것이네.
그 부처님은 설법하시면서 무량한 신통변화를
나타냄이 불가사의하여 항하사수 천상과 인간이
모두 합장하고 부처님 말씀을 듣고 받아들이리.
그 부처님의 수명은 십이 소겁이고
정법이 세상에 머무는 기간은 이십 소겁이며
상법도 이십 소겁 동안 세상에 머물 것이네.

爾時世尊, 欲重宣此義, 而說偈言。

諸比丘衆　今告汝等　皆當一心　聽我所說
我大弟子　須菩提者　當得作佛　號曰名相
當供無數　萬億諸佛　隨佛所行　漸具大道
最後身得　三十二相　端正姝妙　猶如寶山
其佛國土　嚴淨第一　衆生見者　無不愛樂
佛於其中　度無量衆　其佛法中　多諸菩薩
皆悉利根　轉不退輪　彼國常以　菩薩莊嚴
諸聲聞衆　不可稱數　皆得三明　具六神通
住八解脫　有大威德　其佛說法　現於無量
神通變化　不可思議　諸天人民　數如恒沙
皆共合掌　聽受佛語　其佛當壽　十二小劫
正法住世　二十小劫　像法亦住　二十小劫

라. 마하가전연 존자의 수기(受記)

그때 세존께서는 다시 모든 비구들에게 말씀하셨다. "나는 이제 그대들에게 말하노니, 마하가전연은 미래세에 모든 공양물로써 팔천억 부처님께 공양하고 받들어 섬기며, 공경하고 존중할 것이다. 그러한 모든 부처님들이 멸도하신 후에 각각 탑과 절을 세울 것이며, 그것의 높이는 천 유순, 넓이는 가로 세로가 같이 오백 유순이 될 것이다. 모두 금, 은, 유리, 자거, 마노, 진주, 매괴(붉은 옥) 등 칠보를 사용하여 지으며, 갖가지의 꽃과 영락, 칠하는 향·가루 향·태우는 향, 비단으로 만든 보개와 당번으로 탑과 절에 공양할 것이다. 이러한 긴 시간을 경과한 후에 다시 이만억의 부처님을 공양하는 것도 이와 같이 할 것이며, 이러한 모든 부처님을 공양한 후에 그는 보살도를 구족하여 성불할 것이다. 그 부처님의 명호는 염부나제금광여래, 응공, 정변지, 명행족, 선서, 세간해, 무상사, 조어장부, 천인사, 불, 세존이라고 할 것이다.
그 국토는 평평하고 바르며, 파리로 땅이 되고 보배나무가 국토를 장엄하며, 황금으로 줄이 되어 길옆의 경계로 삼으며, 미묘한 꽃이 땅에 가득 피어나고 모든 땅이 청정하여 보는 자는 즐거워할 것이다. 네 가지의 악도, 즉 지옥, 아귀, 축생, 아수라가 없으며, 많은 천상인과 인간들이 있으며, 한량없는 만억의 성문과 보살들이 그 불국토를 장엄할 것이다. 그 부처님의 수명은 십이 소겁이며, 정법이 세상에 머무는 기간은 이십 소겁이고, 상법도 역시 이십 소겁을 머물 것이다."

爾時世尊, 復告諸比丘衆。我今語汝, 是大迦旃延, 於當來世。以諸供具, 供養奉事八千億佛, 恭敬尊重。諸佛滅後, 各起塔廟, 高千由旬, 縱廣正等五百由旬, 皆以金·銀·琉璃·硨磲, 瑪瑙·眞珠·玫瑰·七寶合成, 衆華·瓔珞·塗香·末香·燒香·繒蓋·幢幡, 供養塔廟。過是已後, 當復供養二萬億佛, 亦復如是。供養是諸佛已, 具菩薩道。當得作佛, 號曰閻浮那提金光如來·應供·正遍知·明行足·善逝·世間解·無上士·調御丈夫·天人師·佛·世尊。其土平正, 玻璃爲地, 寶樹莊嚴, 黃金爲繩, 以界道側。妙華覆地, 周遍淸淨, 見者歡喜。無四惡道, 地獄·餓鬼·畜生·阿修羅道。多有天·人·諸聲聞衆, 及諸菩薩, 無量萬億, 莊嚴其國。佛壽十二小劫, 正法住世二十小劫, 像法亦住二十小劫。

그때 세존께서는 그러한 뜻을 거듭 선설하시고자 게송을 설하셨다.

모든 비구들이여, 모두 일심으로 들어라.
내가 설하는 법은 진실하고 다름이 없으니
이 가전연은 장래 갖가지의 미묘하고 좋은
공양구로써 많은 부처님을 공양할 것이며
제불께서 열반에 드신 후 칠보의 탑과 절을 세워
꽃과 향으로 사리에 공양할 것이며
그 최후의 몸으로 부처 지혜 얻어 성불하리라.
국토는 청정하고 무량한 만억 중생 제도하여
시방의 중생들이 모두 공양할 것이네.
그 부처님의 광명을 능가할 분이 없으며
그 부처님의 명호는 염부금광이라 하리라.
보살과 성문은 일체의 윤회를 끊을 것이며
무량하고 무수한 그들이 그 국토 장엄하리라.

爾時世尊, 欲重宣此義, 而說偈言。

諸比丘衆　皆一心聽　如我所說
眞實無異　是迦栴延　當以種種
妙好供具　供養諸佛　諸佛滅後
起七寶塔　亦以華香　供養舍利
其最後身　得佛智慧　成等正覺
國土清淨　度脫無量　萬億衆生
皆爲十方　之所供養　佛之光明
無能勝者　其佛號曰　閻浮金光
菩薩聲聞　斷一切有　無量無數
莊嚴其國

◉ 시간이 정말로 빨리 지나간다. 10월도 이미 21일이 지났다. 이달 25일, 다음 주 수요일이면 다섯 명의 출가자가 대만으로 구족계를 받으러 간다. 미국인 다섯 명이 대승불법을 배우고 구족계를 받는 것은 처음일 것이다. 항상 처음은 쉽지 않다. 아마 마장(魔障)도 많을 것이다. 그러므로 다섯 사람은 굳건하고[堅], 정성스럽고[誠], 변하지 않는[恒] 마음을 가져야 한다. 굳건한 마음이란 다이아몬드 같은 마음이다. 그런 마음이라야 천마외도를 깨뜨릴 수 있다. 정성스런 마음이란 지성스럽고 간절한 마음이다. 그리고 영원히 변하지 않는 마음을 가져야 한다.

출가에는 많은 시험과 마장이 있을 것이다. 마는 무엇인가? 반대편에서 당신을 도와주는 것이다. 그는 곧 너희가 수행하지 않는 것을 두려워하기 때문에 너희로 하여금 수행하게 한다. 어떤 마는 친구 가운데도 있을 것이다. 본래 친한 친구였는데 너희가 출가하려고 하는 것을 보고 화를 내며 온갖 방법으로 너희를 시험하려고 한다. 너희는 이때 알아채지 못하고 '아, 나는 그대와 이렇게 좋은 친구인데, 어째서 지금 나를 이렇게 대하는가?' 한다. 하지만 그는 반대편에서 너희를 돕는다.

어떤 사람은 병이 나기도 한다. 수도하기 이전에는 아무런 병이 없었는데, 수도한 이후에는 머리가 어지럽거나 눈이 잘 보이지 않거나 귀가 잘 들리지 않거나 이빨이 아프기도 하면서 병이 생긴다. 너희가 잘 견디는지, 견디지 못하는지를 보라. '이 몸은 냄새나는 가죽 주머니이며 거짓으로 이루어진 몸이니, 그것이 아프면 아프라지, 나의 자성은 아픈 것이 없어.' 이렇게 생각하고 참으면 이러한 마의 시험은 지나간다. 어떤 사람에게는 가난한 마가 온다. 돈이 없어 양말 하나, 수건 하나도 살 돈이 없을 정도로 그렇게 가난하다. '출가하면 아무런 재미도 없어! 출가하면 쓸 돈도 없고 무엇을 사는 것도 편리하지 않아.' 이렇게 생각하면서 출가할 생각을 바꾸는 것이다. 어쨌든 무슨 마든지 올 수 있다. 재마(財魔), 색마(色魔), 인마(人魔), 귀신마, 천마(天魔), 지마(地魔) 등 이러한 마는 그래도 중요하지 않다.

가장 중요한 것은 자심마(自心魔)를 일으키지 않는 것이다. 자기 마음속의 마가 이렇게 생각한다. '너무 어리석은 짓이야! 출가하려고? 남들이 고기를 먹지 않으니, 나도 고기를 먹으면 안 되잖아. 이것도 먹지 못하고 저것도 먹지 못하고, 많은 걸 할 수가 없으니 너무 불편해!' 그래서 보리심에서 물러난다. 따라서 자심의 마가 가장 해로운 것이다.

너희가 이번에 대만에 가서 계를 구함에 있어 계에 지배되지 않아야 할 것이다. 즉 계는 계이고, 나는 나이다. 무엇이 계이며 무엇이 율인지 모른다고 생각하면서, 돌아와서도 여전히 이전과 같이 웃을 때 여전히 이전과 같이 웃고, 울 때 여전히 이전과 같이 울며, 길을 걸어갈 때 여전히 이전과 같이 그렇게 뛰면서 가는 것이다. 마승(馬勝) 비구처럼 그렇지 못한 것이다. 마승 비구는 위의가 있어 고요하고 엄정하였다. 그래서 사리불과 목건련이 마승 비구의 그러한 모습을 한 번 보고 곧 믿게 되었다. '아, 이러한 사문의 모습이면 우리도 빨리 출가하자!' 너희가 계를 받고 돌아와서 여전히 그렇게 뛰어다니듯 걸어가면 마치 태풍이 부는 것과 같아서 한 시간이면 백리도 뛰어갈 것이다. 그러면 믿는 사람이 없을 것이다. 돌아와서는 반드시 특별한 모습을 가져야 한다. 특별한 모습이란 어떤 모습인가? 너희가 돌아오면 곧 알게 될 것이다. 지금은 볼 수 없으니 어떤 모습인지 알 수가 없다.

마. 마하목건련 존자의 수기(受記)

그때 세존께서는 다시 대중들에게 말씀하셨다. "내가 지금 너희에게 말하노니, 대목건련은 마땅히 갖가지의 공양구로써 팔천의 많은 부처님을 공양하며, 공경하고 존중할 것이다. 그러한 많은 부처님들이 열반에 드신 후에 각각 탑과 절을 세울 것이며, 높이는 천 유순 넓이는 가로와 세로가 같이 오백 유순이 될 것이며, 모두 금, 은, 유리, 자거, 마노, 진주, 매괴 등 칠보를 섞어 지을 것이며, 갖가지의 꽃과 영락, 칠하는 향·가루 향·태우는 향, 비단으로 만든 보개와 당번으로 탑과 절에 공양할 것이다. 이러한 긴 시간을 경과한 후에 마땅히 다시 이백만억의 부처님을 공양하는 것도 역시 이와 같이 하고 성불할 것이며, 그 부처님의 명호는 다마라발전단향여래, 응공, 정변지, 명행족, 선서, 세간해, 무상사, 조어장부, 천인사, 불, 세존이라고 할 것이다. 겁의 이름은 희만이고, 나라의 이름은 의락이라고 할 것이다.
그 국토는 평평하고 바르며, 파리로 땅이 되고 보배나무가 국토를 장엄하며, 진주의 꽃을 항상 뿌릴 것이며, 모든 땅이 청정하여 보는 자는 즐거워할 것이다. 많은 천상인과 인간이 있으며 성문과 보살들의 수는 무량할 것이다. 그 부처님의 수명은 이십사 소겁이며, 정법이 세상에 머무는 기간은 사십 소겁이고, 상법도 역시 사십 소겁을 머물 것이다."

爾時世尊, 復告大衆。我今語汝, 是大目犍連, 當以種種供具, 供養八千諸佛, 恭敬尊重。諸佛滅後, 各起塔廟, 高千由旬, 縱廣正等五百由旬, 皆以金·銀·琉璃·硨磲·瑪瑙·眞珠·玫瑰·七寶合成, 衆華·瓔珞·塗香·末香·燒香·繒蓋·幢幡, 以用供養。過是已後, 當復供養, 二百萬億諸佛, 亦復如是。當得成佛, 號曰多摩羅跋栴檀香如來·應供·正遍知·明行足·善逝·世間解·無上士·調御丈夫·天人師·佛·世尊。劫名喜滿, 國名意樂, 其土平正, 玻璃爲地, 寶樹莊嚴, 散眞珠華, 周遍淸淨, 見者歡喜。多諸天·人·菩薩·聲聞其數無量。佛壽二十四小劫, 正法住世四十小劫, 像法亦住四十小劫。

그때 세존께서는 이러한 뜻을 거듭 선설하시고자 게송을 설하셨다.

나의 이 제자 대목건련은
금생의 이 몸을 버린 후 팔천의 부처님과
이백만억의 많은 부처님 세존을 친견하고
부처의 도를 위해 공양하고 공경하며
모든 부처님이 계신 곳에서 항상 범행 닦아

무량한 겁 동안 세세생생 불법 받들어 지니며
제불께서 열반에 드신 후에 칠보의 탑 세우고
금으로 불국토 장엄하고 꽃과 향과 기악으로
모든 부처님의 탑과 절에 공양할 것이네.
점차적으로 보살도를 구족한 후에
의락(意樂)이라는 국토에서 부처 될 것이며
명호를 다마라발전단향이라고 할 것이네.
그 부처님의 수명은 이십사 겁으로서
항상 천상과 인간을 위하여 불도를 연설하니
성문은 항하사와 같이 무량할 것이며
삼명과 육신통을 얻고 큰 위덕을 가지리라.
무수한 보살들도 뜻이 견고하고 정진하여
부처의 지혜에서 모두 물러나지 않으리.
부처님이 열반에 드신 후에 정법이 세상에
사십 소겁 머물며, 상법도 이와 같을 것이네.
나의 제자 가운데 위덕을 구족한 제자는
그 수가 오백 명이며 모두 수기를 줄 것이네.
그들은 미래세에 모두 성불할 것이네.
나와 그대들의 숙세 인연을 내 지금 설하리니
그대들은 잘 들어라.

爾時世尊, 欲重宣此義, 而說偈言.

我此弟子　大目犍連　捨是身已
得見八千　二百萬億　諸佛世尊
爲佛道故　供養恭敬　於諸佛所

常修梵行 於無量劫 奉持佛法
諸佛滅後 起七寶塔 長表金刹
華香伎樂 而以供養 諸佛塔廟
漸漸具足 菩薩道已 於意樂國
而得作佛 號多摩羅 栴檀之香
其佛壽命 二十四劫 常爲天人
演說佛道 聲聞無量 如恒河沙
三明六通 有大威德 菩薩無數
志固精進 於佛智慧 皆不退轉
佛滅度後 正法當住 四十小劫
像法亦爾 我諸弟子 威德具足
其數五百 皆當授記 於未來世
咸得成佛 我及汝等 宿世因緣
吾今當說 汝等善聽

◉ 석가모니 부처님이 영산에서 법을 설하실 때 우리는 법을 들을 기회가 없었다. 그러나 지금 모든 조사의 상을 우리는 볼 수 있다. 한 분 한 분의 조사의 모습을 보면 모두 같지 않으며, 각각 존귀한 모습을 지니고 있다.

여러분은 한산(寒山)과 습득(拾得)의 모습이 우습게 생겼다고 보면 안 될 것이다. 그러한 모습은 보살이 일종의 기이하고 특별한 모습으로 나타나신 것이다. 이렇게 우리는 각각의 조사를 친견할 수 있는데, 이러한 기회는 영산법회보다 더욱 수승하다고 생각하지 않는가! 영산법회 당시 석가모니 부처님께서는 그곳에서 법을 설하시고 오십 가지의 법을 수습하셨다. 우리는 지금 석가모니 부처님과 각각의 조사를 모두

한 장소에 모아 서로 알 수 있게 하였다. 어떻게 너희는 그를 아는가? 그와 숙세에 인연이 있기 때문이다. 어떻게 그는 너희를 아는가? 이 또한 그가 너희와 숙세의 인연이 있기 때문이다. 따라서 모두는 인연이 있으면 조만간 함께 모이게 될 것이다.

말법시대에 이렇게 많은 조사를 볼 수 있는 것에 큰 환희심을 내어야 할 것이다. '그건 단지 한 장의 조사상일 뿐이지!'라고 생각하면 안 된다. 그 형상[像]도 바로 성품[性]이다. 너희가 만약 그와 정말로 알게 된다면 그는 와서 너희와 만날 것이다. 하지만 너희는 일종의 정성스런 마음[誠心]을 가져야 한다.

이러한 말을 하니 생각나는 일이 하나 있다. 홍콩에 있을 때 6, 7세 되는 어떤 아이가 심장병이 걸렸다. 심장이 하루하루 커지는 병이었다. 의사는 말하기를 "아이구, 너의 이 병은 심각해, 치료하기가 쉽지 않아. 네가 이 병을 회복하려고 생각하면 학교에 갈 수 없으며, 걷지 말고 매일 침대에 누워 잠을 자는 것이야. 최소한 5년은 잠을 자야 돼. 침대에 있을 때에도 침상에서 침대 끝으로 걸어가는 것도 하면 안 돼. 5년은 그렇게 해야 돼."

그래서 이 아이는 의사의 말대로 집에서 잠을 잤다. 그러나 하루, 이틀, 혹은 오일 간은 잠을 잘 수 있지만 매일 그렇게 잠을 잘 수는 없었다. 잠을 자지 못하면 망상을 하게 된다. 걸을 수 없으니 날아가는 망상을 하게 된다. 어느 날 아이는 어떤 책을 보았는데, 책 앞부분에 스님 한 분의 사진이 있었다. 가족에게 이 스님이 누구인가 물어보니, 그분의 이름은 도륜(度輪) 스님이라고 하였다. 일반적인 불교신자는 모두 "나무아미타불"을 염하는데 이 아이는 이상하게도 그렇게 하지 않고 "나무도륜법사, 나무도륜법사…."라고 염하였다.

처음에는 염해도 그리 재미가 없었다. 매일 침상에서 이렇게 염하는 것이 한편으로는 마치 시시한 놀이를 하는 것 같았으며, 곧잘 망상을 피우곤 하였다. 하지만 이 스님의 이름을 염하기를 대략 70여 일 정도 지나자 이상한 일이 일어났다. 어떤 이상한 일인가? 아이는 책을 대하고 염하였는데, 염하다 보니 책 속의 그 스님이 나오는 것이 아닌가. 책 속에서 나와서는 아이의 머리를 만지면서 무슨 이야기를 하였다. 그로부터 아이의 심장병은 약을 먹지 않고 나은 것이다. 병이 나은 후 의사에게 진찰을 받아보니 의사가 말하기를 "너는 지금 병이 다 나았어!" 그래서 아이는 이 스님을 염한 것이 약간의 감응이 있었다는 것을 알게 되었다. 그래서 아이는 나의 서락원으로 오게 되었다.

아이는 처음에는 서락원이 아니라 지련정원(志蓮淨苑)에 왔었다. 그때 나는 그곳에서 『지장경』을 강의하고 있었는데, 아이를 처음 보았을 때 매우 낯이 익은 것 같았다. 아이는 나를 만난 후 발심하여 삼보에 귀의하고 나서 항상 통역을 하였다. 이 아이는 매우 총명하였는데, 그에게 이름을 물으면 "어린이"라고 대답하였다. 그도 남들과 알기를 원하지 않았다. 너희들도 그를 알 기회가 없는데, 장래 기회가 되면 다시 이야기하겠다. 그래서 이 아이는 귀의한 후에 큰 지혜가 열렸다. 어떤 큰 지혜가 열렸는가? 아이는 병에 걸리기 전에는 공부에 썩 소질이 없었는데 귀의한 후에는 계속 공부를 하여 눈으로 한 번 훑어보면 잊지 않았다. 그래서 아이는 3년 동안 다섯 번이나 월반을 하였다.

아이는 남들이 놀 때 좌선을 하거나, 혹은 산으로 올라가 바위 위에서 좌선을 하거나, 화장실에 가서 좌선을 하는 것이다. 마치 루오루오가 화장실에서 정(定)에 든 것과 같이 그도 그러하였다. 이러한 경계는 매우 불가사의한 경계이다.

七

화성유품
(化城喩品)

임시의 열반성을 만들다

『법화경』 앞부분 여섯 품의 설명을 마쳤다. 이 『법화경』은 7권 28품인데, 지금 계속 3개월 이전에 설명했던 부분을 강의하고자 한다. 왜냐하면 9월 19일 관세음보살 출가일 후 본 절에서 5명의 발심자가 대만으로 계를 구하러 갔기 때문에 『법화경』의 강의를 3개월간 정지하였다. 오늘은 계속해서 일곱 번째 「화성유품(化城喩品)」을 설명할 것이다.

화(化)는 있음으로부터 없음으로 변화하거나, 없음으로부터 있음으로 변화하기도 한다. 이것은 곧 사람이 이해하지 못하는 도리가 존재한다는 것이다. 어떤 도리인가? 바로 불가사의한 도리로서, 너희의 마음으로는 생각할 수 없고 너희의 말로는 표현할 수 없는 것을 "화(化)"라고 한다. 성(城)이란 큰 도시를 뜻한다. 무엇 때문에 이러한 도시가 필요한가? 규칙을 지키지 않는 사람의 침범을 방비하고 적을 막기 위함이다. 내가 이곳에서 방비를 하면 적이 이 도시를 공격하여 진입할 방법이 없는 것이다. 유(喩)란 비유를 뜻하고, 품이란 품류(品類)를 말한다.

어째서 변화[化]가 있는가? 이것은 부처님의 신통으로 변화된 것이다. 신통으로 변화되었기 때문에 없는 데서 있는 것으로 변화되었다. 본래 이 성은 없었는데 지금 이러한 성이 나타난 것이므로 그것을 변화[化]라고 이름한 것이다. 악인과 도리를 따지지 않는 사람을 방비하여 적을 막는 것을 성(城)이라고 이름한 것이다. 이 둘을 합하여 화성(化城)이라고 부른다. 이 변화된 도시[化城]를 우리는 먼저 이해해야 한다. 이러한 성은 본래 없는 것인데 변화로 나타난 거짓의 성[假城]이다. 거짓의 성은 또한 방편의 성이며, 방편의 성은 또한 방편법이다. 방편법으로 제도된 사람은 곧 방편인이다.

그러나 이것은 완전히 모두 거짓된 것임을 알아야 한다. 방편인도 거짓이고, 방편법도 거짓이며, 방편의 성도 거짓된 것이다. 거짓된 것은 무슨 소용이 있는가? 이 거짓된 것이 없으면 너희는 참된 것을 찾을 수 없다. 이 화성은 보배의 장소[寶所]를 위한 예비적인 것이다. 화성은 방편[權]이고, 보배의 장소는 진실[實]이다. 따라서 이 화성은 본래 없는 것이다. 만약 이 화성이 있다면 변화된 성이라고 부르지 않고 그냥 성(城)이라고 부를 것이다.

화성은 이승(二乘), 즉 성문승과 연각승을 비유한다. 이승이란 있는 것인가? 없는 것이다. 그러면 이승이 없는데 어째서 이승이라고 말하는가? 없기 때문에 비로소 이승을 말하려는 것이다. 만약 있는 것이라면 말할 필요가 없을 것이다. 이승은 방편법이라고 말하는데, 따라서 화성은 즉 이승의 열반을 비유한다. 본래 생함[生]이 없는데 어째서 소멸[滅]이 있을 수 있는가? 생함이 없으면 소멸도 없고, 소멸이 없으면 또한 생함도 없다. 이 이승의 열반은 권교방편의 지혜로 말하는 것으로서 방편법이다. 부처님께서는 권교방편의 지혜로써 이승(二乘)의 법을 설하신 것이다.

왜 이승법을 설하려고 하는가? 너희는 공부를 하는데 왜 소학교에 가는가? 처음 시작부터 대학에 가면 되지 않는가? 공부해서 10세에 박사를 얻으면 좋지 않은가? 소학교, 중학교(중국에서는 중·고등학교를 포함하여 중학교라고 함)를 거치지 않고 바로 대학에 가는 것이 가능한가? 가능하지 않다. 이승은 바로 소학교이고, 보살은 중학교이며, 불승이 바로 대학에 해당하는 것이다. 내가 이전에 홍콩에서 사람들에게 말하기를, 내가 가르치는 대상은 대학생이지 소학교의 학생이 아니라고 하였다. 소학교의 학생에게는 재미있는 이야기를 해주어서 그들로 하여금 환희심이 일어나게 해야 비로소 공부를 할 수 있고 진보할 수 있다. 중학생에게는 약간의 도리를 가르쳐야 하며, 대학에 들어가면 반드시 그들이 진정으로 무엇을 배우게 해야 하며, 그런 연후에 합격할 수 있다. 이승법도 이와 같은 것이다.

본래 이승은 없는데 부처님께서는 이승을 만들었으며, 본래 소학교가 필요하지 않지만 학생이 너무 어려 소학교를 설립한 것이다. 사람이 성장함에 따라 중학교를 만들고 19세가 되면 대학에 들어간다. 대학은 가장 높은 학위로서 그 가운데는 학사, 석사, 박사로 나뉜다. 따라서 이승도 소학교와 같은 것으로서 성불을 배우려면 우선 소학교에 입학하고, 그런 연후에 중학교에 진학하게 된다. 중학교는 즉 보살도를 행하는 것이며, 대학은 성불을 하려는 것이다. 이제 이 화성(化城)에 대하여 이해하게 될 것이다. 여러분도 공부를 하는 학생으로서 이러한 제도를 알 것이기 때문이다. 아, 원래 이승은 바로 소학교이구나! 그러나 다시 이것에 집착하면 안 된다. 이것은 비유이다.

불교에서 가장 중요한 것은 성불이다. 하지만 사람들에게 갑자기 "그대는 와서 불교를 배우면 성불할 수 있어요!"라고 하면, 그는 곧 두려워할 것이다. '부처는 무엇이지? 왜 성불을 해야 하지?'라고 생각하면서 그는 이해하지 못한다. 그래서 하나의 소학교를 설립한 것이다. 어린이에게 처음부터 박사학위를 주려고 하면 그는 박사가 무엇인지 모른다. 나이가 어려 아직 지식이 열리지 않았기 때문이다. 너희가 갑자기 그에게 최고의 학위를 주려고 하면 그도 이해하지 못하는 것이다. 따라서 화성은 이승의 권교방편의 지혜이며, 이승의 열반을 비유한다. 그러나 근본적으로 이러한 명칭은 없는 것인데, 권교방편의 힘으로 "없는 것을 있다고 말하는" 것이다.

따라서 이 화성은 원교(圓敎)의 도리에 근거하여 이름을 세운 것이다. 삼장교(三藏敎)와 통교(通敎)의 관점에서는 이승의 열반을 궁극에 이르렀다고 생각하므로 화성이 아니며, 별교(別敎)의 보살은 이러한 경계도 궁극의 경지에 이른 것이 아니라고 생각하므로 화성이 아니다. 이것은 보살의 경계이다. 원교는 부처님의 경계로서 이러한 이승의 열반의 경계는 궁극의 경지가 아니며, 일종의 변화된 성[化城]이라고 말하는 것이다.

가. 무량한 과거 대통지승불의 인연

1) 여래는 과거의 일을 여실하게 본다

부처님께서 모든 비구들에게 말씀하셨다. "과거 무량하고 무변하며 불가사의한 아승기겁 이전에 부처님이 계셨는데, 명호는 대통지승여래, 응공, 정변지, 선서, 세간해, 무상사, 조어장부, 천인사, 불, 세존이라고 하였다. 그 나라의 이름은 호성이고, 겁의 이름은 대상이었다. 여러 비구들이여, 저 부처님이 열반에 드신 지는 너무나 오래된 멀고 먼 과거이다. 비유하면 삼천대천세계의 모든 흙먼지를 어떤 사람이 갈아서 먹물로 만들어 동방으로 일천 국토를 지나면 먼지만 한 크기의 점 하나를 찍고, 다시 일천 국토를 지나면 또 하나의 점을 찍는데, 이와 같이 흙먼지 먹물이 다할 때까지 한다면, 그대들 생각은 어떠한가? 산술을 잘하는 스승과 그의 제자가 이 모든 국토의 수를 계산하여 알 수 있겠는가?"

"아닙니다, 세존이시여."

"여러 비구들이여, 이 사람이 지나는 국토에 점을 찍었든지 안 찍었든지, 그 모든 국토를 갈아서 먼지로 만들어 하나의 먼지를 일 겁으로 계산하면, 저 부처님께서 열반에 드신 지는 다시 이 숫자를 초과한, 무량하고 무변한 백천만억 아승기겁이 되었느니라. 나는 여래의 지견의 힘으로 관하기 때문에 저 구원겁 이전을 마치 오늘처럼 본다."

佛告諸比丘, 乃往過去無量無邊不可思議阿僧祇劫, 爾時有佛, 名大通智勝如來·應供·正遍知·明行足·善逝·世間解·無上士·調御丈夫·天人師·佛·世尊。其國名好成, 劫名大相。諸比丘, 彼佛滅度已來, 甚大久遠。譬如三千大千世界所有地種。假使有人磨以爲墨, 過於東方千國土, 乃下一點, 大如微塵。又過千國土, 復下一點。如是展轉盡地種墨, 於汝等意云何。是諸國土, 若算師, 若算師弟子, 能得邊際, 知其數不。不也, 世尊。諸比丘。是人所經國土, 若點不點, 盡抹爲塵, 一塵一劫, 彼佛滅度已來, 復過是數, 無量無邊百千萬億阿僧祇劫。我以如來知見力故, 觀彼久遠, 猶若今日。

그때 세존께서는 이러한 뜻을 거듭 선설하시고자 게송을 설하셨다.

내가 과거세 무량하고 무변한 이전 생각해 보니
대통지승여래라 이름하신 부처님 양족존 계셨네.
마치 어떤 사람이 삼천대천세계 국토를 갈아서
그 모든 흙먼지가 다하도록 모두 먹물로 만들어
천 국토를 지날 때마다 하나의 작은 점을 찍어
이와 같이 모든 먹물 다하도록 점을 찍어 간다면
이와 같은 점을 찍거나 안 찍은 모든 국토를
다시 모두 갈아서 먼지로 만들어
하나의 먼지를 일 겁으로 계산한다 해도

저 여래 성불의 겁수는 이 미진의 수 초과하니
저 부처님 열반하신 지는 이렇게 무량한 겁이네.
여래는 걸림 없는 지혜로 저 부처님 열반과
성문, 보살들 알기를 지금 열반 보는 듯하네.
모든 비구들은 마땅히 알아야 하리.
부처님의 지혜는 청정하고 미묘하여
무루와 걸림 없음으로 무량한 겁 통달하네.

爾時世尊, 欲重宣此義, 而說偈言。

我念過去世　無量無邊劫　有佛兩足尊　名大通智勝
如人以力磨　三千大千土　盡此諸地種　皆悉以爲墨
過於千國土　乃下一塵點　如是展轉點　盡此諸塵墨
如是諸國土　點與不點等　復盡抹爲塵　一塵爲一劫
此諸微塵數　其劫復過是　彼佛滅度來　如是無量劫
如來無礙智　知彼佛滅度　及聲聞菩薩　如見今滅度
諸比丘當知　佛智淨微妙　無漏無所礙　通達無量劫

2) 대통지승불의 수명과 성불 인연

부처님께서 모든 비구들에게 말씀하셨다. "대통지승불의 수명은 오백 사십만억 나유타 겁이었으며, 그 부처님은 본래 도량에 앉아 마군을 깨뜨리신 후에 곧 무상정등정각의 과위를 얻으려고 하였으나, 모든 부처의 법이 그의 앞에 나타나지 않았다. 그래서 이와 같이 일 소겁 내지 십 소겁이 지나도록 결가부좌로 앉아서 몸과 마음이 움직이지 않았으나, 모든 부처의 법이 여전히 나타나지 않아 부처의 과위를 증득하지 못하였다.
그때 도리천의 천인들이 먼저 그 부처님을 위하여 보리수 아래에 높이가 일 유순인 사자좌를 마련하였으며, 부처님께서는 그 사자좌에서 무상정등정각의 불과(佛果)를 증득하시게 하였다. 마침 이 사자좌에 앉으시니 그때 여러 범천의 왕은 갖가지 천상의 꽃을 뿌렸으며 그 주위가 백 유순이었다. 향기로운 바람이 불어와서 시든 꽃들은 날려 버리고 다시 새로운 꽃들이 내려왔다. 이렇게 십 소겁이 모두 지날 때까지 끊이지 않고 부처님께 공양하였으며, 나아가 그 부처님께서 열반에 이르실 때까지 항상 그러한 꽃을 뿌렸다.
사천왕천의 천인은 부처님께 공양하기 위하여 항상 천상의 북을 울렸으며, 그 밖의 다른 천인들은 항상 천상의 음악을 연주하기를 십 소겁 동안 지속하였으며, 나아가 열반에 이르실 때까지 이와 같이 공양하였다. 여러 비구들이여, 대통지승불은 십 소겁이 지나 마침내 모든 부처의 법이 현전하여 무상정등정각의 과위를 이루었다."

佛告諸比丘。大通智勝佛, 壽五百四十萬億那由他劫。其佛本坐道場, 破魔軍已, 垂得阿耨多羅三藐三菩提, 而諸佛法不現在前。如是一小劫, 乃至十小劫, 結加趺坐, 身心不動, 而諸佛法猶不在前。爾時忉利諸天, 先爲彼佛, 於菩提樹下敷師子座。高一由旬, 佛於此座, 當得阿耨多羅三藐三菩提。適坐此座時, 諸梵天王, 雨衆天華, 面百由旬, 香風時來, 吹去萎華, 更雨新者。如是不絶, 滿十小劫, 供養於佛, 乃至滅度, 常雨此華。四王諸天, 爲供養佛, 常擊天鼓, 其餘諸天, 作天伎樂, 滿十小劫, 至于滅度, 亦復如是。諸比丘, 大通智勝佛過十小劫, 諸佛之法, 乃現在前, 成阿耨多羅三藐三菩提。

3) 대통지승불 출가 전 16명의 아들

가) 대통지승불의 성불을 찬탄하다

그 부처님께서 아직 출가하시기 전에 열여섯 명의 아들이 있었다. 첫째 아들의 이름은 지적이었으며, 모든 아들은 갖가지의 진귀한 장난감을 가지고 있었으나, 아버지가 무상정등정각의 과위를 얻었다는 소식을 듣고 모두 진귀한 장난감을 다 버리고 부처님이 계신 곳으로 찾아가니, 아들들의 어머니들도 울면서 그들을 전송하였다.

그들의 조부는 전륜성왕으로서 일백의 대신과 백천만억의 백성들과 더불어 모두 함께 둘러싸고 도량에 이르렀으며, 모두 대통지승여래를 친근하려고 공양하고 공경하며 존중하고 찬탄하였다. 도량에 도착하여 오체투지로 부처님의 발에 절하고 세 번을 돈 후 일심으로 합장하고 세존을 우러러보며 게송을 설하였다.

其佛未出家時, 有十六子。其第一者, 名曰智積。諸子各有種種珍異玩好之具, 聞父得成阿耨多羅三藐三菩提, 皆捨所珍, 往詣佛所。諸母涕泣而隨送之。其祖轉輪聖王, 與一百大臣, 及餘百千萬億人民, 皆共圍繞, 隨至道場。咸欲親近大通智勝如來, 供養恭敬, 尊重讚歎。到已頭面禮足, 繞佛畢已, 一心合掌, 瞻仰世尊, 以偈頌曰。

큰 위덕의 세존은 중생을 제도하기 위하여
무량한 겁 동안 수행하여 부처를 이루었네.
모든 서원 구족하여 좋구나, 최상의 길상함이여!
세존께서는 매우 희유하여 십 겁 동안 앉으셨네.

신체와 수족은 적연하여 편안히 움직이지 않으시고
그 마음 항상 담박하고 아직 산란함이 없으시니
궁극의 영원한 적멸을 얻어 무루법에 안주하셨네.
지금 세존을 보니 안온하게 불도를 이루시어
저희들 좋은 이익 얻으니 경축하고 크게 즐거워하네.
중생은 항상 고뇌하고 눈멀어 어두운데 안내자 없으니
괴로움 벗어날 길 알지 못하고 해탈 구할 줄 몰라
오랜 밤 동안 악도는 늘고 천상의 무리는 줄어드네.
어둠에서 어둠으로 들어가 부처님 명호 듣지 못하다가
이제 부처님께서 최상의 안온한 무루의 도 얻었으니
저희들과 인간, 천상은 가장 큰 이로움 얻으며
그래서 모두 머리 숙여 위없는 세존께 귀명합니다.

大威德世尊　爲度衆生故　於無量億劫　爾乃得成佛
諸願已具足•　善哉吉無上　世尊甚希有　一坐十小劫
身體及手足　靜然安不動　其心常淡泊　未曾有散亂
究竟永寂滅　安住無漏法　今者見世尊　安隱成佛道
我等得善利　稱慶大歡喜　衆生常苦惱　盲瞑無導師
不識苦盡道　不知求解脫　長夜增惡趣　減損諸天衆
從冥入於冥　永不聞佛名　今佛得最上　安隱無漏道
我等及天人　爲得最大利　是故咸稽首　歸命無上尊

제원이구족(諸願已具足)• 불법을 배우는 사람은 반드시 원(願)을 발해야 한다. 12월 8일은 석가모니 부처님의 성도일(成道日)이다. 나는 여러분이 각자 이날에 원을 발하기를 바란다. 모든 부처님이 성불을 하시는데 무엇으로 부처를 이루는가? 원으로 이룬다. 그가 만약 원력을 발하지 않았다면 부처를 이룰 수 없다. 우리는 무엇 때문에 수행을 하려고 하면서 정진을 하지 못하는가? 이틀 반이나 정진하다가 셋째 날에는 정진하지 않는 것은 무엇 때문인가? 왜냐하면 발원을 하지 않기 때문이다.

우리가 항상 가지는 마음은 모두 사사롭고 이기적이며, 나한과 같은 소승의 마음을 가지고 있다. 오로지 자기만 생각하고 다른 사람은 생각하지 않는 것이다. 자기의 수행만 이루면 그만이라고 생각하며, 다른 사람이 수행을 하든지 안 하든지 관여하지 않는다. 심지어 자기의 행동 하나하나는 모두 자기를 위해서 착안하며 중생을 위해서는 착안하지 않는다. 이것을 자료한(自了漢: 자기만 생사를 마치면 그만이라고 생각하는 사람)이라고 한다. 왜 자료한이 되는가? 바로 원을 발한 적이 없기 때문이다.

나) 16왕자가 법륜 굴리기를 청하다

그때 열여섯 명의 왕자는 게송으로 부처님을 찬탄한 후 세존께 법륜 굴리실 것을 권청하려고 모두 이러한 말을 하였다. "세존이시여, 법을 설하셔서 많은 천상과 인간을 안온하게 하시고, 불쌍하게 여겨서 이로움을 주십시오."

그러한 뜻을 거듭 게송으로 말하였다.

세상의 비할 바 없는 영웅 온갖 복 장엄하시고
위없는 지혜를 얻었으니 세간 위하여 설하소서.
저희와 중생 제도하여 생사에서 벗어나게 하시고

분별하여 설하시어 부처의 지혜를 얻게 하소서.
만약 저희들 불도 얻으면 중생도 또한 그러하리.
세존께서 중생이 생각하는 깊은 마음을 아시며
또한 중생이 행하는 도와 지혜의 힘을 아시며
중생 욕구와 즐김, 닦은 복과 전생에 행한 업을
세존께선 모두 아시니 위없는 법륜을 굴리소서.

爾時十六王子, 偈讚佛已, 勸請世尊轉於法輪•, 咸作是言。世尊說法, 多所安隱·憐愍·饒益諸天人民。重說偈言。

世雄無等倫　百福自莊嚴　得無上智慧　願爲世間說
度脫於我等　及諸衆生類　爲分別顯示　令得是智慧
若我等得佛　衆生亦復然　世尊知衆生　深心之所念
亦知所行道　又知智慧力　欲樂及修福　宿命所行業
世尊悉知已　當轉無上輪

권청세존전어법륜(勸請世尊轉於法輪)• 부처님께서 법을 설하실 때는 법을 청하는 사람이 있어야 한다. 만약 법을 청하는 사람이 없으면 설하시지 않는 것이 일반적이다. 왜냐하면 "법은 홀로 일어나지 않고 경계를 의지하여 비로소 생기며, 도는 헛되이 행하지 않으며 인연을 만나야 응한다."고 하기 때문이다. 따라서 법을 설함에는 반드시 인연이 있어야 한다. 만약 인연이 없으면 법을 설할 수 없다. 우리가 지금 경을 강의하는 것도 법을 청하는 사람이 있기 때문이다. 법을 청하는 것도 중생을 제도하는 것이다. 너희 자신이 법을 설할 줄 모르면 남을 청하여 법을 설하게 해야 한다.

따라서 중국에서는 어떤 재주(齋主: 법회를 청하여 여는 시주자)가 모 법사가 경을 잘 강의한다는 것을 알면 곧 그 법사를 청하여 경을 강의하게 한다. 재주는 법사에게 많은 돈으로 공양한다. 법사가 이곳에서 경을 강의하고 법을 설하게 하면, 이 공덕은 모두 재주의 것이다. 재주는 바로 법을 청하는 사람이다. 경을 강의하는 것은 법사인데 어째서 법을 청하는 사람의 공덕이 되는가? 왜냐하면 법을 청하는 사람은 경건하고 정성스런 마음으로 법사를 청하여 모두에게 법을 설하게 함으로써 중생을 이익되게 하고, 또한 그는 법사를 공양하기 때문에 그의 공덕이 특별히 큰 것이다. 공덕이 클 뿐만 아니라 미래에 총명한 과보를 얻게 된다.

여러분은 총명하기를 원하는가? 그러면 경을 많이 보고 많이 읽고, 사람을 청하여 경을 많이 강의하게 해야 할 것이다. 보라. 총명한 사람은 모두 이러한 일을 지었으며, 이러한 원인을 심었기 때문에 총명한 것이다. 여러분이 매일 법을 청하게 되면 장래 반드시 총명하게 되고 반야의 지혜가 생길 것이다.

법륜을 굴리는 것은 바로 대법륜을 굴리는 것이다. 어떤 것이 대법륜을 굴리는 것인가? 바로 경을 강의하고 법을 설하는 것이다. 너희가 무릇 불교 안에서 갖가지의 일을 하는 것은 모두 법륜을 굴리는 것이라고 할 수 있다. 법륜을 굴리는 것은 한 종류가 아니라 많은 종류가 있다. 예를 들면 삼보를 보호한다든가, 삼보를 제창하는 것이다. 도처에 가서 삼보를 선양하면서 불교는 가장 좋으며 미신이 아님을 선전하는 것이다.

예를 들어 누군가 유언비어를 퍼뜨려 어떤 법사를 파괴하려고 한다면, 그 사람은 무엇 때문에 그 법사를 파괴하려고 하는가? 그는 일종의 질투하고 장애하려는 마음을 가지고 있기 때문에 그의 도량을 파괴하려고 하는 것이다. 그러면 너희가 그것을 반박하면서 말하기를 "아닙니다. 이것은 완전히 날조해서 하는 말입니다. 완전히 삼보를 파괴하려는 것입니다." 이러한 정의감으로 삼보를 파괴하려는 사람의 헛된 말을 깨끗하게 해야 한다. 그러한 일이 없는데 지어내어 그런 일이 있는 것처럼 하는 말이 헛소문, 유언비어이다. 예를 들면 그는 어떤 법사가 고기를 먹는 것을 본 적이 없는데도 모모 법사는 고기를 먹는다고 말하는 것이다. 너희가 만약 직접 눈으로 그가 고기를 먹는 것을 보았으면 말할 수는 있다. 그러나 보지도 않고 남들이 그렇게 말하니 따라 말하는 것이다. 이러한 경우 너희가 마땅히 삼보를 보호하면 이것도 법륜을 굴리는 것이다. 경전을 번역하는 것도 법륜을 굴리는 것이며, 경을 강의하고 법을 설하는 것도 법륜을 굴리는 것이며, 강의 녹음테이프를 듣는 것도 법륜을 굴리는 것이다. 우리는 이곳에서 지금 매일 법륜을 굴리고 있다.

◉ 모두 공동으로 불법을 연구하는데, 만약 하나를 알게 되면 하나를 행해야 할 것이며, 알면서도 행하지 않으면 안 될 것이다. 너희가 알면서도 행하지 않는 것은 모르는 것보다도 못하다. 너희가 모르면서 수행을 하지 않는 것은 너희가 모르기 때문이다. 하지만 불법을 알면 반드시 실제로 수행을 해야 한다. 마치 한 걸음을 걸으면 하나의 발자국이 생기는 것과 같이 수행하는 것이다. 수행에서 가장 중요한 것은 남을 이롭게 하는 것이며, 남을 돕는다는 것은 자기를 돕지 않고 자기를 잊는 것이다. 하나하나의 행위마다 모두 남을 돕고 자기를 생각하지 않는 것이 바로 수행을 하는 것이다.

가장 중요한 것은 질투하는 마음, 장애하는 마음, 번뇌를 가져서는 안 되는 것이다. 번뇌를 반드시 끊어야 한다. 너희가 번뇌를 끊지 못하면 생사를 그칠 수 없을 것이다. 이른바 번뇌를 끊어 제거하는 것은 너희를 변화시키는 것으로서, 번뇌를 보리(菩提)로 변화시키는 것이다. 보리란 항상 지혜를 내고 어리석지 않은 것이다. 번뇌란 항상 어리석고 지혜가 없는 것이다. 우리는 아주 작은 일을 위하여 번뇌를 내지 말아야 하며, 질투와 장애의 마음을 가져서는 안 된다. 이것이 가장 중요한 것이다. 그래서 우리가 매일 불법을 연구하고 행하며 지니는 것이다. 아무리 말하는 것이 좋고 묘하여도 실행하지 않으면 도가 없는 것이다. 깨달으려면 남을 이롭게 하려는 마음을 닦고 자기를 잊어야 한다.

수행은 먼저 참아야 하며, 무엇이든 모두 참아야 한다. 이 참을 인(忍) 자에 대하여 너희에게 말하노니, 가난을 참아야 하며, 가난할수록 더욱 좋다. 돈이 없으면 가장 깨끗하니, 나는 그것을 참는다. 스님들은 자기를 지칭할 때 빈도(貧道)라고 하는데, 도를 닦기 위해서는 가난해야 한다. 돈이 있으면 곧 귀찮음이 생기고, 돈이 있게 되면 수행을 할 수 없게 된다. 그리고 배고픔을 참아야 한다. 먹을 밥이 없는가? 내일 있게 될 것이다. 오늘 없는 것은 괜찮다. 입을 옷이 없는 것도 참아야 하고, 추운 것도 참아야 하며, 바람도 참아야 하고 비도 참아야 한다.

이 모두가 수도인이 마땅히 가져야 할 것이니, 무엇이든 두려워하지 않아야 한다. 가장 어려우니 내가 비로소 하려고 하며, 가장 괴로우니 비로소 내가 닦으려고 하는 것이다. 나는 괴로움과 투생하고 곤란과 투쟁하여 그 관문을 타파하려고 한다. 이 관문을 타파하면 너희는 곧 성공한다. 너희가 만약 이 관문을 타파하지 못한다면 성공할 수 없다. 따라서 말만 하는 것은 소용이 없다. 행해야 한다. 너희가 한 장(丈)을 말하는 것은 한 척(尺)을 가는 것만 못하다. 따라서 나는 지금 사람마다 실천에 힘쓰고, 구두선(口頭禪)에 치중하지 않기를 바란다.

4) 시방세계 범천왕들의 청법

부처님께서 모든 비구들에게 말씀하셨다. "대통지승불께서 무상정등정각을 얻을 때 시방으로 각각 오백만억의 제불세계가 여섯 가지로 진동하였으며, 그 많은 세계 중간의 어두운 곳은 해와 달의 빛도 비칠 수 없었으나 모두 크게 밝아졌다. 그리하여 그 가운데의 중생들은 각각 서로 볼 수 있게 되자 모두 이러한 말을 하였다. '이 가운데서 어찌하여 갑자기 중생이 생겼는가?' 그리고 그 국토 안의 모든 천상의 궁전과 내지 범천의 궁전이 여섯 가지로 진동하고, 큰 광명이 널리 비춰서 그 세계에 가득하였으니 모든 천상의 광명보다 뛰어났다."

佛告諸比丘。大通智勝佛得阿耨多羅三藐三菩提時，十方各五百萬億諸佛世界，六種震動，其國中間幽冥之處，日月威光所不能照，而皆大明。其中衆生，各得相見，咸作是言。此中云何忽生衆生。又其國界·諸天宮殿· 乃至梵宮，六種震動，大光普照，遍滿世界，勝諸天光。

가) 동방세계 범천왕들의 운집

그때 동방의 오백만억 모든 국토에 있는 범천의 궁전에 평소보다 배나 밝은 광명이 밝게 비치자, 모든 범천왕은 각각 이렇게 생각하였다. '지금 비친 궁전의 광명은 이전에 보지 못한 것이다. 무슨 인연으로 이러한 상서로운 모습이 나타났는가?' 이에 모든 범천왕들은 즉시 서로 함께 모여 이 일을 의논하였다. 그 당시 저 범천왕들 가운데 구일체라는 이름의 대범천왕이 모든 범천왕들을 위해 게송을 설하였다.

爾時東方五百萬億諸國土中，梵天宮殿，光明照曜，倍於常明。諸梵天王各作是念。今者宮殿光明，昔所未有。以何因緣，而現此相。是時諸梵天王，卽各相詣，共議此事。時彼衆中，有一大梵天王，名救一切，爲諸梵衆，而說偈言。

우리들 모든 궁전에 이전에 없던 광명 비치니
이것이 무슨 인연인지 각자 알아보아야 하리.
큰 덕의 천신이 났든지 부처님께서 출현하셔서
이러한 큰 광명이 시방세계에 널리 비추는가.
我等諸宮殿　光明昔未有　此是何因緣　宜各共求之
爲大德天生　爲佛出世間　而此大光明　遍照於十方

그때 동방 오백만억 국토의 모든 범천왕은 궁전과 함께 각각 옷의 주머니에 많은 천상의 꽃을 가득 담고 함께 서방으로 향해 가면서 광명이 온 곳을 찾았다. 그리하여 대통지승여래께서 어떤 도량의 보리수 아래 사자좌에 앉아 계신 것을 보게 되었다. 많은 천상, 용왕, 건달바, 긴나라, 마후라가, 사람과 사람 아닌 중생들이 부처님을 공경하며 둘러싸고 있었으며, 아울러 열여섯 명의 왕자가 부처님께 법륜 굴릴 것을 청하는 모습을 보았다.
그래서 즉시 모든 범천왕들은 오체투지로 부처님께 절을 하고 백천 번을 부처님 주위를 돈 후 즉시 천상의 꽃을 부처님 위에 뿌렸다. 뿌려진 꽃들은 수미산처럼 컸으며, 아울러 부처님의 보리수에도 공양하였는데 그 보리수는 높이가 십 유순이었다. 꽃을 공양한 후 각각은 타고 온 궁전을 부처님께 받들어 올리면서 이렇게 말하였다. '저희를 불쌍히 여기시고 은혜를 내려서 이롭게 하시오니, 저희가 바친 궁전을 자비로 받아 주소서.' 이때 모든 범천왕은 즉시 부처님 앞에서 일심으로 같이 소리 내어 게송을 설하였다.

爾時五百萬億國土諸梵天王, 與宮殿俱, 各以衣裓盛諸天華, 共詣西方, 推尋是相。見大通智勝如來, 處於道場菩提樹下, 坐師子座。諸天·龍王·乾闥婆·緊那羅·摩睺羅伽·人非人等, 恭敬圍繞, 及見十六王子, 請佛轉法輪。卽時諸梵天王, 頭面禮佛, 繞百千匝, 卽以天華而散佛上。其所散華, 如須彌山, 幷以供養佛菩提樹。其菩提樹, 高十由旬。華供養已, 各以宮殿, 奉上彼佛, 而作是言。唯見哀愍, 饒益我等, 所獻宮殿, 願垂納處, 時諸梵天王, 卽於佛前, 一心同聲, 以偈頌曰。

세존은 매우 희유하시며, 만나기 어려우며
무량한 공덕을 갖춰서 일체중생 구호하시네.
천·인의 대도사로서 세간을 불쌍히 여기시니
시방의 모든 중생 두루 모두 이익 받습니다.
저희들이 오백만억 국토에서 이곳에 온 것은
선정의 즐거움 버리고 부처님께 공양함이네.
저희들 과거 복으로 궁전 장엄하고 아름다우니
지금 세존께 올리니 불쌍히 여겨서 받아 주소서.

世尊甚希有　難可得値遇　具無量功德　能救護一切
天人之大師　哀愍於世間　十方諸衆生　普皆蒙饒益
我等所從來　五百萬億國　捨深禪定樂　爲供養佛故
我等先世福　宮殿甚嚴飾　今以奉世尊　唯願哀納受

사심선정락(捨深禪定樂)• 사람이 도를 닦을 때 만약 선정의 즐거운 경계를 얻지 못하면, 수행은 언제나 깊게 빠져들지 못하고 대충하게 된다. 그러나 너희가 만약 선정의 즐거움을 얻게 되면, 수행하지 못하게 해도 안 된다. 마치 어린아이가 사탕을 먹는 것과 같아서 하나를 먹고 나면 또 먹으려고 한다. 그날 과용(果容)의 친구가 어린애를 데리고 왔는데, 내가 사탕 몇 개를 가지고 손바닥에 놓자, 그는 와서 하나를 가지더니 다른 손으로 남은 두 개를 가져가버렸다. 보라, 어린아이는 사탕을 좋아해서 사탕을 보면 무엇이든 잊어버린다. 수도하는 사람이 만약 선정의 즐거움을 얻으면 매일 좌선을 하려고 한다. 도무지 앉지 않을 수 없는 것이다. 그는 이러한 재미를 너무나 좋아하여, 심지어 밥은 먹지 않아도 되지만 좌선하지 못하게 하는 것은 안 되는 것이다.

다시 하나의 비유를 들겠다. 본래 이런 비유는 좋지 않은 것이지만, 내가 이런 비유를 말해야 너희들이 선정의 즐거운 맛을 이해할 수 있을 것이다. 마치 아편을 피우는 것과 같아서 피우지 않으면 이미 중독이 되어 다시 피우려고 한다. 좌선도 이러한 상황과 비슷하다. 하지만 너희가 얻지 못했으면 아랑곳없다. 너희가 만약 그 가운데의 즐거움을 얻으면 그것은 세간의 어떤 것보다도 즐거울 것이다.

따라서 천상인은 이러한 선정의 즐거움에 집착하여 하루 종일 선정을 얻어 자리에서 일어나지 않는다. 그런데 지금 광명을 보고 그 광명이 온 곳을 모르기 때문에, 선정의 즐거움마저 버리고 신통을 사용하여 동방의 오백만억 국토로부터 서방으로 광명의 온 곳을 찾으려고 온 것이다.

그때 모든 범천왕들이 부처님을 찬탄하는 게송을 설한 후 각각 이와 같이 말하였다. '오직 원하오니 세존께서는 법륜을 굴리셔서 일체중생을 제도하고 열반의 길을 여십시오.' 이때 모든 범천왕들은 일심으로 같이 소리 내어 게송을 설하였다.

세상의 영웅 양족존이시여, 오직 법을 설하소서.
큰 자비의 힘으로 고뇌에 찬 중생을 제도하소서.

이때 대통지승여래께서는 말없이 그것을 허락하셨다.

爾時諸梵天王, 偈讚佛已, 各作是言。唯願世尊轉於法輪, 度脫衆生, 開涅槃道。時諸梵天王, 一心同聲, 而說偈言。

世雄兩足尊　唯願演說法　以大慈悲力　度苦惱衆生

爾時大通智勝如來, 默然許之。

나) 동남방 세계 범천왕들의 운집

그리고 비구들이여, 동남방 오백만억 국토의 모든 대범천왕은 각자의 궁전에 매우 밝은 광명이 빛나는 것을 보고 이전에 보지 못하였던 것이라 뛸 듯이 즐거워하면서 희유한 마음을 내었다. 즉시 왕들은 한곳에 모여 공동으로 이러한 일을 의논하였다. 이때 그 대중 가운데 대비라고 이름하는 대범천왕이 모든 범천왕을 위하여 게송으로 말하였다.

이것은 무슨 인연으로 이러한 모습 나타나는가.
우리들 모든 궁전에 이전에 못 보던 광명 나타남은
큰 덕의 천신 났거나 부처님께서 출현하였음이라.
이전에 못 보던 서상이니 모두 일심으로 구하여
천만억 국토 지나서라도 광명 찾아 함께 밝히리.

아마 부처님께서 출현하여 고뇌 중생 제도함이리.

又諸比丘, 東南方五百萬億國土, 諸大梵王, 各自見宮殿光明照曜, 昔所未有。歡喜踊躍, 生希有心。卽各相詣, 共議此事。時彼衆中, 有一大梵天王, 名曰大悲, 爲諸梵衆, 而說偈言。

是事何因緣　而現如此相　我等諸宮殿　光明昔未有
爲大德天生　爲佛出世間　未曾見此相　當共一心求
過千萬億土　尋光共推之　多是佛出世　度脫苦衆生

그때 동남방 오백만억 국토의 범천왕들은 궁전과 함께 각각 옷의 주머니에 많은 천상의 꽃을 가득 담고, 함께 서북방으로 향해 가면서 광명이 온 곳을 찾았다. 그리하여 대통지승여래께서 어떤 도량의 보리수 아래 사자좌에 앉아 계신 것을 보게 되었다. 많은 천상, 용왕, 건달바, 긴나라, 마후라가, 사람과 사람 아닌 중생들이 부처님을 공경하며 둘러싸고 있었으며, 아울러 열여섯 명의 왕자가 부처님께 법륜을 굴릴 것을 청하는 모습을 보았다.

이때 모든 범천왕들은 오체투지로 부처님께 절을 하고, 백천 번을 부처님 주위를 돈 후 즉시 천상의 꽃을 부처님 위에 뿌렸다. 뿌려진 꽃들은 수미산처럼 컸으며, 아울러 부처님의 보리수에도 공양하였다. 꽃을 공양한 후 각자는 타고 온 궁전을 부처님께 받들어 올리면서 이와 같이 말하였다. '저희를 불쌍히 여기시고 은혜를 내려서 이롭게 하시고자, 저희가 바친 궁전을 자비로 받아 주소서.' 이때 모든 범천왕은 즉시 부처님 앞에서 일심으로 같이 소리 내어 게송을 설하였다.

爾時五百萬億諸梵天王, 與宮殿俱, 各以衣裓盛諸天華, 共詣西北方, 推尋是相。見大通智勝如來, 處於道場菩提樹下, 坐師子座。諸天·龍王·乾闥婆·緊那羅·摩睺羅伽·人非人等，恭敬圍繞。及見十六王子，請佛轉法輪，時諸梵天王，頭面禮佛，繞百千匝，卽以天華，而散佛上。所散之華，如須彌山，并以供養佛菩提樹。華供養已，各以宮殿，奉上彼佛，而作是言。唯見哀愍，饒益我等，所獻宮殿，願垂納受。爾時諸梵天王，卽於佛前，一心同聲，以偈頌曰。

성주이며 천상 중의 왕이시여, 가릉빈가 음성으로
중생을 연민하시는 부처님께 저희들 지금 경례하네.
세존은 매우 희유하셔 장구한 세월에 한 번 출현하시며
백팔십 겁 동안 부처님 나타나지 않고 지나갔으니
삼악도는 가득 차고 모든 천상인들 감소하였네.
이제 부처님 세상에 출현하시어 중생의 안목 되었으니
세간의 중생이 귀의할 곳으로 일체를 구호하시며
중생의 아버지 되어 연민하여 이익을 주시는 분이네.
저희들은 숙세 복의 경사로 지금 세존을 뵙게 되었네.

聖主天中王　迦陵頻伽聲　哀愍衆生者　我等今敬禮
世尊甚希有　久遠乃一現　一百八十劫　空過無有佛
三惡道充滿　諸天衆減少　今佛出於世　爲衆生作眼
世間所歸趣　救護於一切　爲衆生之父　哀愍饒益者
我等宿福慶　今得値世尊

그때 모든 범천왕들이 부처님을 찬탄하는 게송을 설한 후 각각 이와 같이 말하였다. '오직 원하오니 세존께서는 법륜을 굴리셔서 일체중생을 제도하여 주소서.' 그리고 모든 범천왕들은 일심으로 같이 소리 내어 게송을 설하였다.

대성인 세존께서 법륜 굴리시어 제법실상 드러내어
고뇌에 찬 중생을 제도하여 큰 즐거움 얻게 하소서.
중생은 이러한 법을 듣고 도를 얻어 천상에 나리니
악도 중생은 줄고 참고 선한 자는 증가할 것이네.

이때 대통지승여래께서는 말없이 그것을 허락하셨다.

爾時諸梵天王, 偈讚佛已, 各作是言。唯願世尊, 哀愍一切, 轉於法輪, 度脫衆生。時諸梵天王, 一心同聲, 而說偈言。

大聖轉法輪　顯示諸法相　度苦惱衆生　令得大歡喜
衆生聞此法　得道若生天　諸惡道減少　忍善者增益

爾時大通智勝如來, 默然許之。

다) 남방세계 범천왕들의 운집

그리고 비구들이여, 남방 오백만억 국토의 모든 대범천왕은 각자의 궁전에 매우 밝은 광명이 빛나는 것을 보고 이전에 보지 못하였던 것이라 뛸 듯이 즐거워하면서 희유한 마음을 내었다. 즉시 왕들은 한곳에 모여 공동으로 이러한 일을 의논하였다. 이때 그 대중 가운데 묘법이라고 이름하는 대범천왕이 모든 범천왕을 위하여 게송으로 말하였다.

又諸比丘, 南方五百萬億國土, 諸大梵王, 各自見宮殿光明照曜, 昔所未有。歡喜踊躍, 生希有心。卽各相詣, 共議此事。以何因緣, 我等宮殿, 有此光曜。時彼衆中, 有一大梵天王, 名曰妙法, 爲諸梵衆, 而說偈言。

우리들 모든 궁전에 매우 밝은 광명이 비쳤으니
이것은 인연 없는 것이 아니니 그것을 찾아야 하리.
백천 겁이 지나도록 이러한 모습을 보지 못했으니
큰 덕의 천신 났거나 부처님이 출현하였음이라.

我等諸宮殿　光明甚威曜　此非無因緣　是相宜求之
過於百千劫　未曾見是相　爲大德天生　爲佛出世間

그때 남방 오백만억 국토의 범천왕은 궁전과 함께 각각 옷의 주머니에 많은 천상의 꽃을 가득 담고, 함께 북방으로 향해 가면서 광명이 온 곳을 찾았다. 그리하여 대통지승여래께서 어떤 도량의 보리수 아래 사자좌에 앉아 계신 것을 보게 되었다. 많은 천상, 용왕, 건달바, 긴나라, 마후라가, 사람과 사람 아닌 중생들이 부처님을 공경하며 둘러싸고 있었으며, 아울러 열여섯 명의 왕자가 부처님께 법륜을 굴릴 것을 청하는 모습을 보았다.

이때 모든 범천왕들은 오체투지로 부처님께 절을 하고, 백천 번을 부처님 주위를 돈 후 즉시 천상의 꽃을 부처님 위에 뿌렸다. 뿌려진 꽃들은 수미산처럼 컸으며, 아울러 부처님의 보리수에도 공양하였다. 꽃을 공양한 후 각자는 타고 온 궁전을 부처님께 받들어 올리면서 이와 같이 말하였다. '저희를 불쌍히 여기시고 은혜를 내려서 이롭게 하시오니, 저희가 바친 궁전을 자비로 받아 주소서.' 이때 모든 범천왕은 즉시 부처님 앞에서 일심으로 같이 소리 내어 게송을 설하였다.

爾時五百萬億諸梵天王, 與宮殿俱, 各以衣裓盛諸天華, 共詣北方, 推尋是相。見大通智勝如來, 處於道場菩提樹下, 坐師子座。諸天 · 龍王 · 乾闥婆 · 緊那羅 · 摩睺羅伽 · 人非人等, 恭敬圍繞。及見十六王子, 請佛轉法輪。時諸梵天王, 頭面禮佛, 繞百千匝, 卽以天華而散佛上。所散之華, 如須彌山, 幷以供養佛菩提樹。華供養已, 各以宮殿, 奉上彼佛, 而作是言。唯見哀愍, 饒益我等, 所獻宮殿, 願垂納受。爾時諸梵天王, 卽於佛前, 一心同聲, 以偈頌曰。

세존은 매우 뵙기 어려우며 모든 번뇌 제거하신 분으로
백삼십 겁이 지나서야 비로소 지금 한 번 뵙게 되었네.
목마르고 배고픈 모든 중생에게 법의 비로 충족시키며
이전에는 보지 못한 무량한 지혜를 갖춘 분을
마치 우담발화와 같이 오늘 비로소 만나게 되었네.
저희의 모든 궁전은 광명 입어 장엄하고 아름다우니
세존께서는 대자비로 부디 저희 공양을 받아 주소서.
世尊甚難見　破諸煩惱者　過百三十劫　今乃得一見
諸飢渴衆生　以法雨充滿　昔所未曾見　無量智慧者
如優曇鉢花　今日乃值遇　我等諸宮殿　蒙光故嚴飾
世尊大慈悲　唯願垂納受

그때 모든 범천왕들이 부처님을 찬탄하는 게송을 설한 후 각각 이와 같이 말하였다. '오직 원하오니 세존께서는 법륜을 굴리셔서 일체 세간의 중생, 모든 천상, 마, 범천, 사문, 바라문들로 하여금 모두 안온함을 얻게 하고, 제도하여 생사를 벗어나게 하십시오.' 그리고 모든 범천왕들은 일심으로 같이 소리 내어 게송을 설하였다.

천상과 인간의 존귀하신 분, 위없는 법륜 굴리시어
큰 법의 북을 치고 큰 법의 소라를 부시며

　널리 큰 법의 비 내려서 무량한 중생을 제도하소서.
　저희들 귀의하여 청하오니 심원한 법음 연설하소서.

이때 대통지승여래께서는 말없이 그것을 허락하셨다. 서남방 내지 하방세계도 또한 이와 같았다.

爾時諸梵天王, 偈讚佛已, 各作是言。唯願世尊, 轉於法輪, 令一切世間, 諸天·魔·梵·沙門·婆羅門, 皆獲安隱, 而得度脫。時諸梵天王, 一心同聲, 以偈頌曰。

　唯願天人尊　轉無上法輪
　擊于大法鼓　而吹大法螺
　普雨大法雨　度無量衆生
　我等咸歸請　當演深遠音

爾時大通智勝如來。默然許之。西南方乃至下方亦復如是。

라) 상방세계 범천왕들의 운집

그때 상방 오백만억 국토의 모든 대범천왕은 자기가 머무는 궁전에 매우 밝은 광명이 빛나는 것을 보고 이전에 보지 못하였던 것이라 뛸 듯이 즐거워하면서 희유한 마음을 내었다. 즉시 왕들은 한곳에 모여 공동으로 이러한 일을 의논하였다. 무슨 인연으로 우리의 궁전에 이러한 광명이 빛나는가? 이때 그 대중 가운데 시기라고 이름하는 대범천왕이 모든 범천왕을 위하여 게송으로 말하였다.

爾時上方五百萬億國土, 諸大梵王, 皆悉自睹所止宮殿, 光明威曜, 昔所未有。歡喜踊躍, 生希有心。卽各相詣, 共議此事。以何因緣, 我等宮殿, 有斯光明。時彼衆中, 有一大梵天王, 名曰尸棄, 爲諸梵衆。而說偈言。

지금 무슨 인연으로 우리들의 모든 궁전에
위덕의 광명 비쳐 장엄함이 이전에 못 보던 것이네.
이러한 미묘한 모습은 지금까지 보지도 못하였으니
큰 덕의 천신 났거나 부처님 세간에 출현하였으리라.
今以何因緣 我等諸宮殿 威德光明曜 嚴飾未曾有
如是之妙相 昔所未聞見 爲大德天生 爲佛出世間

그때 상방 오백만억 국토의 범천왕들은 궁전과 함께 각각 옷의 주머니에 많은 천상의 꽃을 가득 담고, 함께 하방으로 향해 가면서 광명이 온 곳을 찾았다. 그리하여 대통지승여래께서 어떤 도량의 보리수 아래 사자좌에 앉아 계신 것을 보게 되었다. 많은 천상, 용왕, 건달바, 긴나라, 마후라가, 사람과 사람 아닌 중생들이 부처님을 공경하며 둘러싸고 있었으며, 아울러 열여섯 명의 왕자가 부처님께 법륜을 굴릴 것을 청하는 모습을 보았다.
이때 모든 범천왕들은 오체투지로 부처님께 절을 하고, 백천 번을 부처님 주위를 돈 후 즉시 천상의 꽃을 부처님 위에 뿌렸다. 뿌려진 꽃들은 수미산처럼 컸으며, 아울러 부처님의 보리수에도 공양하였다. 꽃을 공양한 후 각자는 타고 온 궁전을 부처님께 받들어 올리면서 이와 같이 말하였다. '저희들을 불쌍히 여기시고 은혜를 내려서 이롭게 하시오니, 저희가 바친 궁전을 자비로 받아 주소서.' 이때 모든 범천왕은 즉시 부처님 앞에서 일심으로 같이 소리 내어 게송을 설하였다.
爾時五百萬億諸梵天王, 與宮殿俱, 各以衣裓盛諸天華。共詣下方,推尋是相。見大通智勝如來，處於道場菩提樹下，坐師子座，諸天·龍王·乾闥婆·緊那羅·摩睺羅伽·人非人等，恭敬圍繞。及見十六王子請佛轉法輪。時諸梵天王，頭面禮佛，繞百千匝，卽以天華，而散佛上。所散之花，如須彌山，幷以供養佛菩提樹。花供養已，各以宮殿，奉上彼佛，而作是言。唯見哀愍，饒益我等，所獻宮殿，願垂納處。時諸梵天王，卽於佛前，一心同聲，以偈頌曰。

좋구나, 모든 부처님 뵈니, 세상 구하시는 성스런 세존
삼계의 감옥에서 능히 일체중생을 벗어나게 하시네.
두루 지혜 가진 인천의 세존께선 중생을 불쌍히 여겨
감로의 법문을 열어 널리 일체중생을 제도하십니다.
과거 무량한 겁 동안 부처님 없이 헛되이 지나갔으니
세존께서 출현 않을 때 시방세계 항상 어둠속에 있어
삼악도 중생은 늘어나고 아수라도 또한 치성하였으며
모든 천상 무리 감소하고 죽어 많이 악도에 떨어졌네.
부처님으로부터 법 듣지 못해 항상 불선한 일 행하여
신체의 힘과 지혜가 모두 갈수록 감소했으며
죄업의 인연 때문에 즐거움과 즐거움의 생각 잃고
사견의 법에 머물러 선한 규범도 알지 못했으며
부처님 교화를 받지 못하여 항상 악도에 떨어졌네.
세간의 눈인 부처님께서 오랜 시간 지나 출현하시니
모든 중생 연민하신 까닭으로 세간에 나타나셔서
초월하여 정각을 이루시니 저희들은 매우 기뻐하고
다른 모든 중생도 미증유라고 기뻐하고 찬탄하네.

저희들 궁전은 광명 입어 아름답게 장식되었으니
지금 세존께 궁전을 바치오니 부디 받아 주소서.
이러한 모든 공덕 널리 일체중생에게 회향하오니
저희들과 중생들 모두 함께 불도 이루길 원합니다.

善哉見諸佛　救世之聖尊　能於三界獄　勉出諸衆生
普智天人尊　哀愍群萌類　能開甘露門　廣度於一切
於昔無量劫　空過無有佛　世尊未出時　十方常暗冥
三惡道增長　阿修羅亦盛　諸天衆轉減　死多墮惡道
不從佛聞法　常行不善事　色力及智慧　斯等皆減少
罪業因緣故　失樂及樂想　住於邪見法　不識善儀則
不蒙佛所化　常墮於惡道　佛爲世間眼　久遠時乃出
哀愍諸衆生　故現於世間　超出成正覺　我等甚欣慶
及餘一切衆　喜歎未曾有　我等諸宮殿　蒙光故嚴飾
今以奉世尊　唯垂哀納受　願以此功德　普及於一切
我等與衆生　皆共成佛道

그때 오백만억의 모든 범천왕은 게송으로 부처님을 찬탄한 후 각각 부처님께 말하였다. '오직 원하오니 세존께서는 법륜을 굴리셔서 일체중생을 안온하게 하시고, 제도하여 생사를 벗어나게 하십시오.' 그리고 모든 범천왕들은 게송을 설하였다.

爾時五百萬億諸梵天王, 偈讚佛已, 各白佛言。唯願世尊, 轉於法輪, 多所安隱, 多所度脫。時諸梵天王, 而說偈言。

세존께서 법륜 굴리시고 감로의 법고를 치시어

고뇌에 빠진 중생 제도하시고 열반의 길 열어 주소서.
원하오니 저희들의 청 받아들여 크고 미묘한 법음으로
불쌍히 여겨 무량한 겁 동안 닦으신 법을 연설하소서.

世尊轉法輪　擊甘露法鼓
度苦惱衆生　開示涅槃道
唯願受我請　以大微妙音
哀愍而敷演　無量劫習法

5) 대통지승여래의 전법륜(轉法輪)

가) 사제법과 십이인연법

그때 대통지승여래께서는 시방의 모든 범천왕과 열여섯 명 왕자의 청을 받아들여 즉시 십이행(十二行)의 법륜을 세 번 굴리셨으며, 이러한 법륜은 사문, 바라문, 천상인, 마, 범천과 다른 세간의 사람은 굴릴 수 없는 것이었다.

부처님께서 다음과 같이 말씀하셨다. '이것은 괴로움이며, 괴로움의 원인이며, 괴로움의 소멸이며, 괴로움을 소멸하는 길이다.'

그리고 십이인연법을 널리 설하셨다. '무명으로 인하여 행이 생기고, 행으로 인하여 식이 생기며, 식으로 인하여 명색이 생기고, 명색으로 인하여 육입이 생기며, 육입으로 인하여 감촉이 생기고, 감촉으로 인하여 느낌이 생기며, 느낌으로 인하여 애착이 생기고, 애착으로 인하여 취함이 생기며, 취함으로 인하여 존재가 생기고, 존재로 인하여 생함이 생기며, 생함으로 인하여 늙음 · 죽음과 근심 · 슬픔 · 고뇌가 생긴다. 무명이 소멸하면 행이 소멸하고, 행이 소멸하면 식이 소멸하며, 식이 소멸하면 명색이 소멸하고, 명색이 소멸하면 육입이 소멸하며, 육입이 소멸하면 감촉이 소멸하고, 감촉이 소멸하면 느낌이 소멸하며, 느낌이 소멸하면 애착이 소멸하고, 애착이 소멸하면 취함이 소멸하며, 취함이 소멸하면 존재가 소멸하고, 존재가 소멸하면 생함이 소멸하며, 생함이 소멸하면 늙음 · 죽음과 근심 · 슬픔 · 고뇌가 소멸한다.'

爾時大通智勝如來，受十方諸梵天王及十六王子請。卽時三轉十二行法輪•，若沙門·婆羅門•·若天·魔·梵，及餘世間，所不能轉。謂是苦，是苦集，是苦滅，是苦滅道。及廣說十二因緣法•，無明緣行，行緣識，識緣名色，名色緣六入，六入緣觸，觸緣受，受緣愛，愛緣取，取緣有，有緣生，生緣老死憂悲苦惱。無明滅則行滅，行滅則識滅，識滅則名色滅，名色滅則六入滅，六入滅則觸滅，觸滅則受滅，受滅則愛滅，愛滅則取滅，取滅則有滅，有滅則生滅，生滅則老死憂悲苦惱滅。

즉시삼전십이행법륜(卽時三轉十二行法輪)• 부처님께서는 먼저 사제(四諦: 苦集滅道) 법문을 설하였다. 이것을 세 번에 걸쳐 설하였기 때문에 모두 12번 굴린 것이 된다. 그래서 삼전·사제·십이행법륜(三轉四諦十二行法輪)이라고 한다. 부처님은 성불하면 모두 먼저 사제법륜을 굴리시고, 그런 연후에 십이인연(十二因緣)을 설하시며, 그 다음에는 육바라밀을 설하신다. 이것이 부처님께서 성도하신 후 법륜을 굴리시는 순서이다.

첫 번째의 설법을 시전(示轉)이라고 한다. 시(示)란 지시하다, 알리다는 뜻이다. 즉 우리에게 고, 집, 멸, 도의 네 가지 모습을 알리는 것이다. "이것은 괴로움이고 핍박하는 성질을 가지고 있다. 이것은 괴로움의 원인이며 불러오고 느끼는 성질을 가지고 있다. 이것은 괴로움을 소멸하는 것이며 증득할 수 있는 성질이다. 이것은 괴로움을 소멸하는 길이며 닦을 수 있는 성질이다.[此是苦 逼迫性 此是集 招感性 此是滅 可證性 此是道 可修性]"

이 괴로움[苦]은 너희를 핍박해서 숨도 쉬지 못하게 한다. 비유하면 마치 너희가 화내는 것을 좋아하면 이 화가 너희를 핍박하여 편안하지 못하게 하는 것과 같다. 이러한 것이 바로 핍박성이다. 집(集)이란 무엇인가? 번뇌는 모여서 이루어지는 것을 말하며, 이것은 불러와서 느끼는 것이다. 비유하면 내가 손을 흔들어 너희를 부르면 너희가 오는 것과 같다. 너희에게 번뇌가 있는 것은 마치 손을 흔들어 부르는 것과 같아서 바깥의 번뇌를 불러온다는 것이다. 너희에게 원래 성미가 있으면 바깥의 경계가 와서 곧 너희로 하여금 화를 내게 한다. 이것이 바로 초감성(招感性)이다. 그리고 번뇌를 소멸하는 것은 증득할 수 있으므로 가증성(可證性)이라고 하며, 도란 닦을 수 있으므로 가수성(可修性)이다.

두 번째의 설법은 권전(勸轉)이라고 한다. 권이란 권장한다는 뜻이다. 이것은 우리가 마땅히 알아야 할 뿐만 아니라 또한 실천해야 한다는 것을 말한다. 너희가 괴로움을 알면 곧 괴로움을 멈추게 해야 한다는 것이다. 괴로움을 그치게 하려면 먼저 번뇌가 없어야 한다. 번뇌가 있으면 곧 괴로움이 있고 번뇌가 없으면 이 괴로움은 그치게 된다. 그리고 괴로움의 원인을 끊어야 하며[斷集], 괴로움의 소멸을 원해야 하며[慕滅], 괴로움이 소멸하는 도를 닦아야 한다[修道]. 이 두 번째의 설법은 우리에게 수행을 하고 가르침에 따라 실천해야 하는 것을 알리는 것이다.

세 번째의 설법은 증전(證轉)이라고 한다. 증이란 증명하다, 증득하다는 뜻이다. 증전이란 우리가 이미 괴로움을 알면 다시 알 것이 없고, 괴로움의 원인을 이미 끊었으면 다시 끊을 것이 없고, 괴로움의 소멸을 이미 증득하였으면 다시 증득할 것이 없으며, 괴로움을 소멸하는 도를 이미 닦았으면 다시는 닦을 것이 없다는 것을 뜻한다.

약사문(若沙門) 바라문(婆羅門)• 사문이란 범어로서 근식(勤息)이라고도 하는데, 부지런히 계·정·혜를 닦아서 탐·진·치를 소멸한다[勤修戒定慧 息滅貪瞋癡]는 뜻이다. 출가인은 모두 사문이라고 부르는데, 사문이라면 부지런히 계·정·혜를 닦아서 탐·진·치를 소멸해야 한다. 이것이 사문의 본분사라는 것을 알므로 나는 매일 부처님께 절하고, 경을 독송하며, 예불하며 참회하고, 혹은 경전에 절을 하면서 부지런히 계·정·혜를 닦는다고 말한다면, 그것은 틀리지 않다.

그러나 계·정·혜를 부지런히 닦는 것은 쉬우나, 탐·진·치를 소멸하는 것은 쉽지 않다. 특히 돈을 탐하는 것은 더더욱 끊기 어렵다. 돈은 만능으로서, 무슨 일이든지 돈이 있으면 할 수 있다. 사람의 목숨은 돈으로 살릴 수 없다고 말하지만, 어떤 때는 돈이 있으면 살릴 수도 있다. 예를 들면 어떤 사람이 죽을죄를 범하여 사형과 같은 법률의 처벌을 받아야 하지만, 법관에게 죽지 않게 판결을 받을 수도 있을 것이다.

돈을 탐하지 않아도 색을 탐할 수 있다. 색(色)이란 반드시 여인을 의미하지는 않는다. 무릇 좋은 색깔은 색이라고 부른다. 혹은 너희가 아름다운 옷을 좋아하거나, 자기를 아름답게 꾸미거나 하는 것도 색을 탐하는 것이다. 색을 탐하지는 않아도 먹는 것을 탐할 수 있다. 먹을 때 언제나 영양이 있는 것을 가장 좋은 것이라고 생각하며 먹으려고 한다. 식사를 많이 하고도 영양제를 찾아 먹는데, 이것도 탐에 속한다. 의복과 음식, 모든 환경에 대하여 눈으로 색을 보아도 마음에는 없으며, 귀로 소리를 들어도 마음으로는 알지 못해야 비로소 탐함이 없다고 할 수 있을 것이다.

화를 내지 않는 것은 매우 어렵다. 원래 '나는 화를 내지 않을 거야! 나는 스승의 말씀을 잘 듣고, 효순할 것이다'라고 마음속으로 발원해도, 느끼지 못하는 사이에 성미가 다시 뚫고 나온다. 마치 쥐가 구멍 속에 있을 때는 보이지 않는 것과 같다. 성미는 바로 쥐와 같다. 성미는 그림자 없는 동굴에 머물고 있다가 언제 뛰쳐나올지 모른다.

어리석음이란 흐리멍덩한 일을 많이 하는 것이다. 어떤 일이 옳지 않고 법에 부합하지 않다는 것을 잘 알면서 반드시 하려고 하는 것을 어리석음이라고 한다.

급광설십이인연법(及廣說十二因緣法)• 부처님께서는 처음에는 사제법을 세 번 설하시고, 그 다음에는 십이인연법을 설하신다. 이것에는 순생문(順生門)과 환멸문(還滅門)이 있다. 순생문이란 무명으로부터 행이 일어나는 것과 같이 순서대로 진행되어 생사가 발생하는 것이다. 중생은 그것을 따라 나고 죽고, 죽고 나는 것을 되풀이 한다. 환멸문이란 무명이 없으면 행이 없어지고, 또한 생사도 없어지는 것을 말한다. 이 십이인연법은 연각이 닦는 법이다.

나) 법을 듣고 도를 얻다

부처님께서 천상과 인간의 대중들에게 이 법을 설하실 때 육백만억 나유타 수의 사람이 일체법을 받아들이지 않은 까닭으로 모두 번뇌[漏]에서 마음으로 해탈을 얻었다. 모두 깊고 미묘한 선정과 삼명, 육통을 얻었으며, 여덟 가지의 해탈을 갖추었다. 두 번째, 세 번째, 네 번째 설법하실 때 천만억 항하사 나유타 수의 중생이 또한 일체법을 받아들이지 않은 까닭으로 모든 번뇌에서 마음으로 해탈을 얻었다. 이 이후로부터 성문의 대중들은 무량하고 무변하여 수를 셀 수 없을 정도로 많아졌다.
佛於天人大衆之中, 說是法時, 六百萬億那由他人, 以不受一切法故•, 而於諸漏心得解脫•。皆得深妙禪定•, 三明·六通•, 具八解脫•。第二·第三·第四說法時, 千萬億恒河沙那由他等衆生, 亦以不受一切法故, 而於諸漏心得解脫。從是已後, 諸聲聞衆無量無邊, 不可稱數。

이불수일체법고(以不受一切法故)• 만약 일체의 법을 받아들이지 않으면, 어떻게 일체의 법을 이해할 수 있는가? 일체법을 받아들이지 않는다는 것은 일체의 악법을 받아들이지 않는다는 것이지, 일체의 선법을 받아들이지 않는 것이 아니다.

마치 사리불의 외삼촌이 부처님과 논쟁할 때 "받아들이지 않는[不受]" 것을 종지로 삼는다고 말한 것과 같다. 부처님께서 그에게 물었다. "그대는 여전히 '받아들이지 않는다'는 견해를 받아들인 것이 아닌가?" 사리불의 외삼촌은 생각하기를, 자기가 세운 종지가 바로 하나의 견해이니 견해가 없다고 말할 수 없음을 알게 되었다. 그래서 그는 논쟁에서 패하였다.

이어제루심득해탈(而於諸漏心得解脫)• 모든 새는 것에서 마음이 해탈을 얻었다는 뜻이다. 무엇이 새는 것[漏]인가? 너희가 만약 무엇이 새는 것인가를 알려면, 너희는 마땅히 먼저 무엇이 새지 않는 것[不漏]인가를 알아야 한다. 무엇이 새지 않는 것인가를 안다면, 곧 무엇이 새는 것인가를 알 것이다. 이 찻잔은 지금 새는가, 새지 않는가? 지금 새지 않으며, 따라서 찻물을 담을 수 있다. 만약 샌다면 찻물을 담을 수 없을 것이다.

우리의 신체는 새는 것이 있는가, 없는가? 이 신체는 찻잔과 같이 사용할 수 없다. 이 신체는 바닥이 없는 구덩이와 같아서, 오늘 그것을 가득 채워도 내일이면 또 비게 되며, 다시 채워 넣어야 한다. 내일 채우면 그 다음날 다시 채워야 한다. 이 신체는 언제나 새는 것이 있다. 외관상으로 말하자면 대소변의 새는 것이 있는데, 무엇 때문인가? 보존을 하지 못하기 때문이다. 너희에게는 구멍이 있으므로 새게 된다. 우리 몸의 아홉 개의 구멍 모두 새는 것이다. 눈에는 눈물이 흐르고, 귀에는 때가 끼고, 코에서는 콧물이 나온다. 이러한 것은 보통의 새는 것으로서 그렇게 중요하지 않다. 가장 크게 새는 것은 무엇인가? 너희가 모르는 것으로서 바로 탐·진·치이다. 탐욕, 분노, 어리석음, 교만, 의심 등 이러한 새는 것은 채우기가 쉽지 않다.

탐욕의 새는 것은 하나를 얻으면 다시 하나 더 얻고 싶으며, 하나를 더 얻으면 또다시 더 많이 얻고 싶어 하는 것이다. 탐하여 싫어할 줄을 모르는 것이다. 분노(성내는 마음)란 너희가 탐하여 만약 얻지 못하면 번뇌가 생기고 무명이 동하는 것이다. 무명이 동하면 우치와 결합하여 힘써 어리석은 일을 하게 된다. 세간인은 왜 어리석은 일을 짓는가? 바로 성내는 마음이 있기 때문이다. 성내는 마음은 어디에서 오는가? 탐심에서 온다. 탐욕, 분노, 우치의 삼독은 바로 우리 각자의 새는 것이다.

우리에게 만약 탐·진·치가 없으면 새지 않을 것이다. 그리고 번뇌도 없고 무명도 없으면, 이것도 새는 것이 없다. 마치 수양이 있는 사람은 그를 욕하거나 때려도 화를 내지 않는 것과 같다. 그에게 화가 없는 것이 아니라, 화를 사용할 줄 모르는 것이다. 성미는 누구나 가지고 있다. 사람뿐 아니라 보살도 성미를 가지고 있고, 무명을 가지고 있다. 등각의 보살은 다시 한 단계 올라가야 묘각의 부처가 된다. 등각의 보살도 한 분량의 성미가 있으며, 이 성미는 하나의 머리카락같이 아주 미세하다. 그가 미세한 이런 무명을 깨뜨리면 곧 부처를 이룬다. 하지만 이 무명을 깨뜨리지 못하기 때문에 아직 부처를 이루지 못하는 것이다. 무명을 깨뜨린다는 것은 곧 무명이 파괴되는 것이다. 너희가 무명을 깨뜨리는 것은 그것을 변화시키는 것이며, 변화시켜 지혜를 이루는 것이다. 무명은 바로 지혜의 근원이며, 또한 근본의 어리석음이다. 너희가 만약 변하면 반야의 지혜가 생기게 되어 무명이 없어진다. 반야의 지혜는 바로 무명으로부터 변화되어 오는 것이다.

그러므로 이 모든 루(漏)는 축소하여 말하자면, 탐·진·치의 세 종류이지만, 확대하여 말하면 팔만사천 가지나 된다. 이 새는 것이 바로 우리의 번뇌이다. 너희에게 한 분량의 번뇌가 있으면 곧 한 분량의 새는 것이 있으며, 열 분량의 번뇌가 있으면 열 분량의 새는 것이 있는 것이다. 지금 이 루(漏)를 없애려면 간단하다. 바로 화를 내지 않고 번뇌가 없는 것이다. 말하는 것은 쉽지만, 행할 수 없다. 너희가 할 수 있으면 쉬운 것이며, 할 수 없으면 매우 어려운 것이다.

누구나 번뇌는 좋지 않다는 것을 알지만, 사람마다 모두 그것을 밥 먹듯이 생각한다. 하루 번뇌가 생하지 않으면 마치 하루 밥을 먹지 않은 것처럼 매우 배고프다고 생각한다. 번뇌를 마치 먹는 밥같이 생각해서 한 끼를 먹고 또 한 끼를 먹듯이 번뇌를 생하는 것이다. 무슨 일이 있으면 그러한 번뇌가 있고, 무슨 번뇌가 있으면 곧 그 무엇을 놓지 못한다. 그러나 반드시 놓아야 한다. 놓지 못해도 놓아야 한다. 이때 스스로 생각해 봐라. 번뇌는 아직 배가 부르지 않아 내생에 다시 먹으려고 하며, 그의 내생에 다시 번뇌로써 자기의 음식을 삼는다. 이것이 바로 루(漏: 새는 것)이다.

모든 루(漏)에서 마음의 해탈을 얻었지만 몸은 아직 해탈을 얻지 못하였다. 몸이 해탈을 얻어도 마음은 또 해탈을 얻지 못한다. 지금은 "마음의 해탈[心解脫]"을 말하며, 몸의 해탈을 말하지 않는다. 왜냐하면 그는 아직 신체를 가지고 있기 때문에 어떻게 해탈을 얻을 수 있는가? 마음이 해탈을 얻으면 그는 무심(無心)하다, 즉 마음이 없다. 이 무심은 번뇌심이 없다는 것이다. 너희가 만약 번뇌심이 없으면, 그것은 바로 해탈을 얻은 것이다. 사조(四祖) 도신 스님께서 삼조(三祖) 승찬 스님을 뵙고 물었다. 삼조 스님이 말하였다.

"당신은 무엇 하러 왔는가?"

"저는 해탈을 구하려고 하는데 스님께서 도와주십시오."

"누가 그대를 묶었던가?"

삼조의 이 말에 사조는 활연히 깨달았다.

'아, 나는 자유자재하며 아무도 나를 묶지 않았어! 기왕 나를 묶은 사람이 없는데, 나는 왜 해탈을 구하는가?' 그래서 그는 확철대오한 것이다.

이 마음의 해탈은 마음속에 번뇌가 없는 것이며, 탐·진·치가 없는 것이다. 이렇게 되는 것은 쉽지 않다. 너희가 만약 할 수 있으면 너희도 해탈한 것이다. 그렇게 할 수 없기 때문에 지금 해탈을 얻지 못한 것이다. 몸도 해탈을 얻지 못하고, 마음도 해탈을 얻지 못한다.

개득심묘선정(皆得深妙禪定)• 심묘한 선정은 어떻게 얻는가? 반야심경에서 말씀하였다. "지혜도 없고, 얻음도 없다.[無智亦無得]" 기왕 지혜가 없으므로 얻음도 없는 것이다. 만약 지혜가 있으면 얻을 것이 있을 것이다. 왜 지금 "모두 심묘한 선정을 얻었다.[皆得深妙禪定]"고 말하는가? 왜냐하면 지혜가 있기 때문이다.

어떻게 지혜를 가질 수 있는가? 무명이 없는 것이다. 즉 번뇌가 없으면 지혜가 있다. 번뇌를 한쪽으로 보내면 지혜를 가지고 오는 것이다. 따라서 번뇌가 없으면 지혜조차도 없다. 번뇌가 바로 지혜이다. 너희가 그것을 쓸 수 없으면 그것은 번뇌로 변하고, 쓸 수 있으면 그것이 바로 지혜이다. 그러므로 번뇌가 보리이며, 생사가 열반이라고 말하는 것이다. 너희가 번뇌 상에서 만약 이 번뇌를 깨달을 수 있으면, 번뇌는 보리로 변한다. 바로 이 생사 위에 열반이 있다. 생사를 떠나 다른 곳에 열반이 있는 것이 아니다. 또한 번뇌를 떠나 다른 곳에 보리가 있는 것이 아니다. 이전에 『육조단경』을 강의하면서 불태(佛駄)와 야사(耶舍)를 설명할 때 말하지 않았던가? 달마 조사의 두 제자가 혜원 대사에게 말하였다.

"손을 쥐면 주먹이 되고, 주먹을 펴면 손이 된다. 이것이 빠르지 않은가?"

"매우 빠릅니다." 혜원 대사가 말하였다.

"번뇌가 즉 보리이고, 생사가 즉 열반이다. 이 또한 이렇게 빠르다."

'아, 보리와 번뇌는 원래 나눌 수가 없구나! 보리가 바로 번뇌이며, 번뇌가 즉 보리로구나.' 그래서 언하(言下)에 바로 깨달았다.

따라서 너희는 번뇌가 보리와 십만 팔천 리나 떨어져 있다고 생각하지 말고, 또한 생사가 열반과 십만 팔천 리나 떨어져 있다고 생각하지 않아야 한다. 지금 바로 이 자리가 바로 그것이다.

너희가 무명을 끊으면 무명이 변하여 지혜가 된다. 이것이 심묘한 선정이다. 심이란 반야심경의 "깊은 반야바라밀다를 행할 때[行深般若波羅密多時]"의 심(深)이며, 묘는 미묘하다는 뜻이다. 심묘선정(深妙禪定)이란 매우 깊고 또한 미묘한 선정을 말한다. 이러한 선정의 공부는 자성이 스스로 깨닫고, 자성이 스스로 제도하며, 자성이 스스로 닦아 마친다. 따라서 밖으로 향하여 구하지 말아야 한다. 우리의 본지풍광(本地風光), 본래 갖춘 지혜는 모두 각자의 자성 속에 있으며, 바깥에 없다. 이른바 선정이란 바로 정려(靜慮)의 장점을 얻는다. 선이란 선나(禪那)라고 말하며, 이것은 정려 또는 사유수(思惟修)라고도 한다. 이러한 공부는 너희가 직접 실천하며 수행해야 하는 것이다.

삼명(三明) 육통(六通)• 깊고 미묘한 선정을 얻어야 비로소 삼명과 육신통을 구족할 수 있다. 삼명이란 천안명(天眼明), 숙명명(宿命明), 누진명(漏盡明)이다.

천안명은 천안통(天眼通)이 있는 것이다. 무엇 때문에 명(明)이라고 하는가? 일체의 모습을 볼 수 있기 때문에 명이라고 한다. 숙명명은 과거세를 아는 것이다. 한 생의 일을 알 수 있을 뿐 아니라 과거 세세생생을 모두 알 수 있다. 어떤 생에 무엇을 했는지 모두 안다. 과거생에 중생을 교화하기를 발원하였으면, 현재생에서도 다시 중생교화를 발원한다.

누진명은 바로 모든 결점과 습기가 없는 것이다. 새는 것이 다하였다는 것이다. 가장 중요한 것은 너희에게 선정력이 있다는 것이며, 선정력이 있으면 새지 않을 수 있다. 새는 것이 있으면 곧 지옥, 아귀, 축생의 원인이 있는 것이다. 너희가 만약 새는 것이 없으면 이러한 삼악도의 문은 닫힌다.

육신통이란 천안통, 천이통, 타심통, 숙명통, 신족통, 누진통을 말한다. 만약 너희가 여섯 종류의 신통을 얻으면, 마음과 뜻에 따라 행동할 수 있으며 그 변화가 무궁하다. 천안통을 얻는 것은 쉽지 않다. 보통 사람으로 말하자면, 오백 대겁을 닦아야 비로소 여섯 종류의 신통을 얻을 수 있다. 만약 너희가 숙세의 선근이 심후(深厚)하고, 즉 전생에 심은 선근이 많고, 또한 선지식을 만나 너희에게 특별한 법문을 가르치면 너희도 오백 대겁을 지나지 않고도 여섯 종류의 신통을 얻을 수 있다.

우리는 수도하면서 왜 이러한 신통을 얻지 못하는가? 바로 닦는 공덕이 짓는 죄업보다 많지 않기 때문이다. 짓는 죄업이 공덕보다 많으므로 이러한 여섯 가지의 신통을 얻지 못할 뿐 아니라, 또한 얻어도 곧 잃게 된다. 우리 각자는 스스로 계산해 볼 수 있다. 아침부터 저녁까지 너희가 일으키는 망상이 많은가, 정념(正念)이 많은가? 짓는 망상이 많은가, 도를 닦는 생각이 많은가? 너희가 계산해 보면 곧 알 수 있을 것이다. 만약 너희가 일심으로 수도하여 공덕이 죄업보다 많으면, 어떤 사람은 한 번 닦아서 곧 오안 육신통을 얻는다. 바로 망상이 적고, 수행하는 정념이 전일하고 많기 때문이다.

지금 우리의 불교강당에서는 많은 사람이 곧 오안(五眼)을 얻으려고 한다. 무엇 때문인가? 천수천안법(千手千眼法)을 닦아서 그늘에게 눈과 손이 증가하도록 하려는 것이다. 두 개의 눈으로는 부족하기 때문에 눈을 많이 자라게 하려는 것이다. 이것은 우스갯소리가 아니다. 따라서 이곳에서 비록 좌선을 하지만, 바깥의 무슨 일이든지 다 안다. 이것은 망상인가? 범부의 분상에서 말하지만, 이것은 망상이 아니다. 그러나 만약 보살의 분상에서 말하자면, 이것은 여전히 망상이다. 또 범부에서는 망상이라도 귀신세계에서는 망상이 아니다. 그러면 어떤 생각인가? 그것은 나쁜 생각이라고 한다.

귀신은 힘써 나쁜 생각을 낸다. 마치 이곳에서 조용하게 정좌하면서 바깥으로 가는 것은 범부에게는 망상이 아니지만, 나한에게는 또 망상이라고 한다. 나한은 항상 선정 가운데 있어야 하는데, 너희가 선정 중에 밖으로 달려가지 않고 어느 곳에 무슨 일이 있는가를 보면서 그러한 쓸데없는 일에 관여하지 않는다. 아라한에게 그의 망상은 일종의 끊지 못한 남은 습기다. 즉 다겁생의 습기를 끊지 못한 것이다. 그래서 범부에게는 망상이 아니지만, 아라한에게는 망상이라고 하는 것이다. 아라한에게는 망상이 아니지만, 보살에게는 또 망상이라고 한다.

따라서 너희는 망상이 모두 망상이라고 생각하면 안 된다. 망상도 갖가지의 다름이 있다. 보살에게는 망상이 아니지만, 부처의 경계에서 말하자면 그것은 또 망상이다. 따라서 내가 여러분에게 불법을 가르치면, 여러분은 자기가 대략 선정을 얻은 것이라고 생각하지만 내가 보기에는 너희는 여전히 망상이다. 이것은 분석하기가 쉽지 않은 것이지만, 너희가 만약 이해하면 또한 쉬운 것이다.

◉ 이 육신통의 묘용은 무궁하다. 따라서 어떤 사람은 도를 닦아 육신통을 얻고 싶어 한다. 그러나 너희가 얻지 못할 때는 신통을 무조건 좋은 것으로 생각하지만, 너희가 얻은 후에는 또한 귀찮은 일이 많이 생긴다. 이것은 정말이다. '아, 이 사람은 지금 내가 그를 구하러 가야겠군, 때가 이르렀어! 나는 그를 제도할 방법을 생각해야겠어.' 이런 생각이 들 것이다. 만약 제도하지 않으면 기회를 잃고 말 것이며, 제도하려면 많은 일이 생기게 될 것이다.

따라서 육신통을 얻으면 많은 일이 생긴다. 나는 지금 좌선을 하고 싶은데 시간이 부족하다. 언제나 해야 할 많은 일이 생기며, 하루 종일 해도 다 못한다. 너희는 지금 육신통을 얻지 못했을 때 할 일이 많을 것으로 생각하지만, 얻고 나면 더욱 바쁘다. 얻지 못한 것보다 못하다고 생각할 수도 있을 것이다. 얻지 못해도 괜찮다. 하지만 수행에서 이것은 반드시 거쳐야 하는 길이다.

사람마다 모두 육신통을 얻어야 비로소 중생을 교화할 수 있다. 따라서 너희는 일이 많다고 두려워하지 않아야 한다. 일이 많으면 성공할 수 있고, 너희의 공덕도 많아진다. 너희가 일이 적으면 너희의 공덕도 적다. 약간 바쁜 것은 언제나 누워 잠자는 것보다는 좋다. 따라서 수도하는 사람은 귀찮음을 두려워하지 말고, 바쁜 것을 겁내지 말고, 중생을 제도하기 어렵다고 무서워하지 말아야 한다. 중생을 제도하기가 어려울수록 너희는 더욱 그를 제도하려고 해야 한다. 어느 중생에게 무엇을 말해도 듣지 않으면, 너희는 그에게 더욱 많이 말해주어야 한다. 귀찮음을 두려워하지 말라.

구팔해탈(具八解脫)• 여덟 종류의 해탈은 다음과 같다.

① 내유색상(內有色想), 관외색해탈(觀外色解脫) : 안으로는 형질(색상)에 집착하지만 구상관(九想觀)의 정을 닦아 해탈을 얻는다. 만약 무슨 집착이 있으면 선정력이 없는 것이다. 너희가 만약 해탈하면, 선정력이 집착의 힘보다 뛰어난 것이다. 이 여덟 가지의 해탈은 먼저 선정력이 있어야 한다. 선정력이 있으면 해탈할 수 있으며, 선정력이 없으면 해탈할 수 없다. 해탈할 수 없으면 어떻게 되는가? 바로 다시 묶이게 된다.

누가 너희를 묶는가? 너희 자신이 너희를 묶는 것이다.

② 내무색상(內無色想), 관외색해탈(觀外色解脫) : 안으로 형질(색상)에 대한 집착이 없다. 또한 집착할 욕념도 없다. 그러나 바깥으로는 여전히 색상(色想)이 있다. 안으로는 비록 공하지만, 바깥으로부터 경계가 오면 여전히 공하지 못하다. 마치 사람이 평소에는 조금의 욕심이 생기지 않는 것과 같아서 탐심, 분노, 어리석은 마음이 없으며, 무슨 마음도 없는 것을 내무색상(內無色想)이라고 한다. 안으로는 청정하고 명료하다. 이것은 외부의 경계가 너희를 어지럽게 하지 않을 때는 그러하다.

그러나 한 번 외부의 경계가 너희를 어지럽히면, 너희는 경계를 따라 간다. 경계를 따라 가면 해탈을 얻을 수 없다. 해탈을 얻지 못한 것은 또한 너희의 선정력이 구족되지 못한 것이다. 너희가 이러한 경계를 보고도 여여부동하고 또렷하여 항상 밝으면, 너희는 경계를 따라 구르지 않는다. 예를 들어 사람을 많이 만나면 마음속으로 귀찮게 느껴질 때가 있을 것이다. '아, 나 홀로 산에 가서 누구도 만나지 않는 것만 못하구나. 배고프면 밥 먹고, 졸리면 잠자고, 좌선하고 싶으면 좌선하고, 경을 읽고 싶으면 경을 읽고, 얼마나 좋으냐! 이렇게 사람을 만나는 것보다 좋을 것이야.' 이렇게 생각하면 아직 해탈을 얻지 못한 것이다. 그는 이것이 해탈이라고 생각하겠지만, 실제로는 집착하는 것이며 경계에 움직이는 것이다. 너희가 만약 경계에 움직이지 않으면 어떠한가? 일을 만나든 만나지 않든 모두 깨달음이며, 해탈이다.

③ 정해탈신(淨解脫身), 작증구족주해탈(作證具足住解脫) : 정해탈신은 안도 없고 밖도 없는 것이다. 이러한 경계도 선정을 닦는 공부이며, 사선

(四禪)의 경계에 이르러 단련 중에 있다.

④ 공무변처해탈(空無邊處解脫) : 이것은 네 공처[四空處]로서 이 공은 공의 끝을 찾을 수 없다. 너희가 공의 가장자리를 찾지 못하며, 찾지 않으니 해탈이다. 너희가 만약 여전히 공의 끝을 찾으려고 하면 그것은 여전히 집착이 있는 것이다.

⑤ 식무변처해탈(識無邊處解脫) : 이 식은 매우 미세한 것으로서 또한 끝이 없다. 해탈을 얻어 집착하지 않는다.

⑥ 무소유처해탈(無所有處解脫) : 이것도 해탈을 얻는다.

⑦ 비상비비상처해탈(非想非非想處解脫)

⑧ 멸수상정신(滅受想定身), 작증구족주해탈(作證具足住解脫) : 이것은 멸수상정의 해탈이다.

이것이 여덟 가지의 해탈신(身)이다. 너희가 이것을 얻으면 또한 "여덟 가지의 대자재한 나[八大自在我]"라고 하며, 또한 여덟 종류의 해탈지혜를 얻을 수 있다.

다) 열여섯 왕자의 구도(求道)

그때 열여섯 명의 왕자는 모두 동자로서 출가하여 사미가 되었다. 그들은 모든 육근이 통하고 예리하며 지혜가 밝았고, 이미 일찍이 백천만억의 부처님께 공양한 적이 있었으며, 청정하게 범행을 닦아 무상정등정각을 구하였다. 그들이 함께 부처님께 말하였다. '세존이시여, 이러한 모든 무량한 천만억의 큰 덕을 갖춘 성문들은 모두 이미 성문의 과를 성취하였습니다. 세존이시여, 또한 마땅히 저희를 위하여 무상정등정각의 법을 설하여 주십시오. 저희는 듣고 나서 모두 함께 닦고 배우려고 합니다. 세존이시여, 저희가 뜻으로 원하는 것은 여래의 지견이며, 저희가 깊은 마음으로 생각하는 바를 부처님께서는 스스로 잘 아실 것입니다.'

爾時十六王子, 皆以童子出家, 而爲沙彌。諸根通利, 智慧明了, 已曾供養百千萬億諸佛。淨修梵行, 求阿耨多羅三藐三菩提, 俱白佛言。世尊, 是諸無量千萬億大德聲聞, 皆已成就。世尊, 亦當爲我等說阿耨多羅三藐三菩提法•, 我等聞已, 皆共修學。世尊, 我等志願, 如來知見, 深心所念, 佛自證知•。

역당위아등설아뇩다라삼먁삼보리법(亦當爲我等說阿耨多羅三藐三菩提法)• 아뇩다라삼먁삼보리는 범어로서, 번역하면 무상정등정각(無上正等正覺)이다. 어떻게 해야 비로소 이러한 과위에 도달할 수 있는가? 반드시 방법이 있어야 한다. 이 방법을 바로 설명하는 사람이 있어야 할 것이다. 설명하는 사람이 없으면 너희는 이 방법을 이해하지 못한다. 따라서 열여섯 명의 왕자는 인간과 천상, 대중을 위하여 법을 청하는 것이다. 무상정등정각의 법을 청한다. 그들은 이미 이해하지만 중생을 대표하여 법을 청하는 것이며, 결코 그들이 이해하지 못한 것은 아니다.

무상은 이것보다 더 높은 것은 없다는 것이다. 바로 부처의 과위를 가리킨다. 무엇이 정각인가? 정각은 범부의 깨닫지 못한 것과는 구별된다. 범부는 깨닫지 못하여 무엇을 설해 주어도 깨닫지 못한다. 그에게 참된 것을 가르쳐주어도 그는 거짓으로 생각한다. 그에게 거짓을 가르쳐주면 진짜라고 생각한다. 범부는 이러한 모양이다. 심지어 그에게 참된 것을 가르쳐주어도 그는 듣기를 두려워한다. '나는 참된 것은 듣고 싶지 않아. 내가 만약 이러한 참된 것을 얻으면, 나는 어떻게 하나?' 그는 방법이 없다고 생각하므로 참된 것을 원하지 않는다. 가끔 어떤 이들은 이곳에 와서 우리가 설명하는 것을 듣다가는 말이 다 끝나지도 않았는데 도망간다. 무엇 때문인가? 그는 참된 것을 원하지 않기 때문이다. 그는 거짓된 것은 원하지 않는다고 말하지만, 매일 거짓된 사람을 모시고 다니면서 거짓된 것을 버리지 못한다. 따라서 법을 이해하지 못하는 것이다. 이해하지 못하면 바로 깨닫지 못한 것이다.

이승인(二乘人)은 불법을 한 번 들으면, '아, 이러한 것이로구나, 이 법은 정말로 맞아!' 하고 곧 깨닫는다. 깨닫고는 이 법에 따라 수행한다. 그들에게 모든 것을 놓아버리라고 말하면, 그들은 곧 놓아버린다. 모든 것을 간파하라고 하면 그는 곧 간파한다. 일체의 집착을 간파하고, 일체의 결점을 놓아버린다. 그래서 자유자재함을 얻는다. 자유자재함을 얻으면 바로 깨달음이다. 이것이 이승인들이 얻는 깨달음이다.

정각은 삿된 깨달음이 아니다. 춤을 추러 가거나 혹은 다른 오락을 찾아 놀러가서 깨닫는 것이 아니다. 이 정각은 바로 무상정등정각의 정각이다. 이승인의 깨달음은 정등(正等)이 아니다. 정등이란 부처님과 같다, 또는 부처님과 비슷하다는 것이다. 이것은 보살의 깨달음이다. 보살은 스스로 깨닫고[自覺], 바르게 깨달을[正覺] 뿐 아니라, 또한 다른 사람을 깨닫게 할[覺他] 수 있다.

그는 이 길로 걸어왔으니 다른 사람을 만나면 말한다. "그대는 다른 길로는 가지 말고, 이 길로 나를 따라 오면 반드시 성공할 것이다. 그대가 만약 성불하려고 생각하면 반드시 이 길을 따라 가야 한다. 다른 길로 가면 부처의 과위에 이르지 못한다." 비록 모든 길은 로마로 통한다고 말하지만, 어떤 사람은 일생 로마에 도달하지 못한다. 이것이 바로 불법을 이해하지 못한 것이다. 성불을 하려고 생각하여 이리 가고 저리 가지만, 부처의 과위에 도달할 수 없다. 그래서 그는 '맞아! 오랜 세월 동안 다른 길로 가봤지만, 하나의 깨달음도 얻지 못했어. 나는 이 보살의 가르침을 따라 가보자!'라고 생각한다. 이것은 보살도를 따라 수행하여 보살과 같은 경지를 얻는 것이다. 따라서 이것을 또한 '정등'이라고 한다. 보살과 정등하다는 것이며, 또한 부처와 정등하다고 말할 수 있다. 이미 성취한 보살은 부처와 정등하며, 아직 성취하지 못한 보살은 보살과 정등하다. 그러면 보살과 정등한 보살은 또한 부처와 정등한 것이 아닌가? 보살과 정등하면 당연히 또한 부처와 정등하다. 이것에 무슨 의문이 있는가?

보살이 비록 부처와 정등하지만, 무상(無上)이라고 할 수 없다. 보살은 여전히 보살이며, 부처의 과위에 도달하지 못하였다. 따라서 부처를 무상사(無上士)라고 하며, 보살은 유상사(有上士)이다. 그의 위에는 아직 부처가 있는 것이다. 지금 열여섯 명의 왕자는 무량한 백천만억의 사람이 모두 아라한을 이루는 것을 보았으나, 영원히 아라한의 과위에 머물 수 없기 때문에 지금 대승의 근성이 움직여 모두 무상정등정각의 법문을 청하는 것이다.

심심소념(深心所念) 불자증지(佛自證知)• 어째서 깊은 마음(深心)이라고 하는가? 마음에 깊고 얕음이 있는가? 깊으면 얼마나 깊고, 얕으면 얼마나 얕은가? 여기서 깊은 마음이라고 한 것은 바로 이런 마음을 간직한 것이 오래되고 오래되었다는 것을 뜻한다. 매우 오랫동안 이러한 법을 청할 것을 생각하였다는 것이다. 무슨 법인가? 성불의 법, 즉 무상정등정각의 법이다.

이것은 도대체 어떤 법으로 닦아야 하는가? 너희의 자비심, 희사심(喜捨心), 무외심(無畏心), 무염착심(無染着心)을 사용해야 한다. 가장 중요한 것은 바로 무염착심이다. 너희는 이러한 욕념을 가져서는 안 된다. 욕념이 있으면 곧 오염되고 집착하는 것이 있다. 염착하는 바가 있으면 너희는 자유자재함을 얻지 못한다. 그리고 다시 무슨 법이 있는가? 육바라밀의 만행과 십이인연, 사제(四諦), 삼십칠조도품(三十七助道品) 모두 성불의 법이다.

그리고 또한 매우 빠르게 삼대아승기겁을 거치지 않고 성불할 수 있는 법이 있다. 어떤 법인가? 바로 우리가 매일 독송하는 능엄주(楞嚴呪)다. 너희는 아난이 말한 "지금 과위를 얻어 보왕을 이루고, 아승기겁을 거치지 않고 법신을 얻기를 원합니다.[願今得果成寶王 不歷僧祇獲法身]."를 들어보지 않았는가? 성불하여 무엇을 하려는가? 여전히 중생을 제도하러 갈 것이다.

너희가 만약 항상 능엄신주를 지송하면, 반드시 빨리 성불할 것이다. 어떤 이는 "능엄주는 매우 길어 한 번 읽는 것도 20분이나 걸린다."고 말한다. 너희는 매일 밥을 먹는 데는 20분도 더 걸릴 것이다. 어째서 너희는 밥 먹는 시간은 길다고 하지 않는가? 또 잠자는 시간은 길다고 말하지 않는가? 20분간의 능엄주 독송이 길다고 반대한다면, 나는 너희가 무슨 불법을 배우는지 정말 모르겠다. 너희는 20분의 시간도 없는가?

그리고 대비주사십이수안(大悲呪四十二手眼)법이 있다. 이것은 가장 묘한 성불의 법이다. 만약 이 법을 수행하면 빨리 오안육통(五眼六通)을 얻는다. 그러나 너희는 귀찮음을 두려워하지 않아야 한다. 오안육통을 얻은 후 너무 귀찮다고 말해서는 안 될 것이다. 그때는 후회해도 안 된다. 왜냐하면 이미 얻었기 때문이다. 귀찮음이 겁나더라도 귀찮음을 견뎌내야 한다. 그러한 것을 좋아해야 한다. 나는 평소 남에게 강요하지 않는다. 각자의 능력에 따라 스스로 발전하는 것이다. 자기가 원하는 일을 하는 것이다. 원하지 않는 일은 할 필요가 없다.

무상정등정각의 이 방법은 바로 내가 지금 너희에게 가르치는 방법이다. 오늘 누군가 이곳에 와서 "우리에게 이렇게 많은 법을 가르치시는데 닦으려고 해도 다 닦을 수 없으니, 어떤 것이 좋은지 모르겠다. 만약 오로지 하나의 법만 수행한다면 아주 빨리 성취할 수 있지 않겠는가?"라고 말하였다. 물론 내가 지금 가르치는 법 가운데 하나의 전일(專一)한 법이 있다. 그러면 왜 그러한 전일한 법을 가르치지 않고 많은 법을 가르치는가? 이것도 마치 학교 공부와 같은 것이다. 너희가 한 권의 책을 읽어도 그 가운데 시험의 제목은 단지 하나이며, 심지어 한 글자, 한 구절이다. 하지만 너희는 책 전체를 읽어 이해해야 한다. 그래야 어떤 문제가 나와도 풀 수 있다. '아, 맞아! 이것은 내가 읽은 적이 있어!' 그러나 책을 열고 보면서 시험을 치는 것이 아니다.

불법은 한 법도 세우지 않는다[一法不立]. 한 법도 세우지 않는데 너희가 책을 가지고 와서 시험을 볼 수는 없다. 내가 지금 여러분에게 이렇게 많은 것을 가르치지만, 그 가운데는 반드시 성불하는 하나의 법이 있다. 너희가 만약 모든 법을 수행하면 반드시 성불할 것이다. 너희가 만약 이러한 많은 법은 싫다고 한다면, 매일 밥 먹는 것은 왜 싫어하지 않는가? 매일 잠을 그렇게 많이 자는 것은 왜 두렵지 않은가? 불법을 수행하는 것이 많다고 겁이 난다고? 이것은 정말 불가사의한 경계로구나!

라) 『묘법연화경』을 설하다

그때 전륜성왕이 거느리고 있던 대중 가운데 팔만억의 사람들이 열여섯 명의 왕자가 출가하는 것을 보고 그들도 출가하려고 하자 왕은 즉시 허락하였다. 그때 저 부처님께서는 사미들의 청을 받은 후 이만 겁이 지나 사부대중 가운데서 묘법연화경이라는 대승경전을 설하셨는데, 이 경은 보살을 가르치는 법이며 일체 제불께서 보호하시는 경이다.
부처님께서 이 경을 설하신 후 열여섯 명의 사미들은 무상정등정각을 구하기 위해 모두 함께 묘법연화경을 수지하여 유창하게 독송하였다.
부처님께서 이 경을 설하실 때 열여섯 명의 보살 사미는 모두 믿고 받아들였으며, 성문의 대중 가운데도 믿고 이해하는 사람들이 있었으나, 그 밖의 천만억이나 많은 중생들은 모두 의혹하는 마음을 내었다.
부처님께서 이 경을 팔천 겁 동안 설하시면서 휴식하거나 멈추지 않으셨으며, 이 경을 모두 설하신 후에는 조용한 방에 들어가 팔만 사천 겁 동안 선정에 머무셨다.

爾時轉輪聖王所將衆中八萬億人, 見十六王子出家, 亦求出家, 王卽聽許。爾時彼佛, 受沙彌請, 過二萬劫已, 乃於四衆之中, 說是大乘經, 名妙法蓮華, 敎菩薩法, 佛所護念。說是經已, 十六沙彌, 爲阿耨多羅三藐三菩提故, 皆共受持, 諷誦通利。說是經時, 十六菩薩沙彌, 皆悉信受。聲聞衆中, 亦有信解, 其餘衆生, 千萬億種, 皆生疑惑。佛說是經，於八千劫，未曾休廢。說此經已，卽入靜室，住於禪定八萬四千劫。

마) 열여섯 명 사미의 중생교화

이때 열여섯 분의 보살 사미는 부처님께서 방에 들어가 고요히 선정에 드신 것을 알고, 각각 법좌에 올라 팔만 사천 겁 동안 사부대중을 위하여 널리 묘법연화경을 분별하여 설하였다. 그들 각각은 모두 육백만억 나유타 항하사수의 중생을 가르치고 교화하며, 이익을 주어 즐겁게 하면서 제도하여 무상정등정각의 마음을 발하게 하였다.

대통지승불께서는 팔만 사천 겁이 지난 후 삼매에서 일어나 법좌가 있는 곳으로 와서 편안하게 법좌에 앉아, 널리 대중들에게 말씀하셨다. '이 열여섯 분의 보살 사미는 매우 희유하며, 모든 육근이 서로 통하고 예리하며 반야의 지혜가 있어 일체법을 통달하였으며, 이전에 이미 무량한 천만억이나 많은 수의 부처님을 공양하였다. 그들은 그 모든 부처님 계신 곳에서 항상 청정한 행을 수행하고 부처의 지혜를 수지하여 중생에게 가르쳐 부처의 지혜로 들어가게 하였다. 그대들은 모두 마땅히 항상 그들을 친근하고 공양해야 할 것이다. 무엇 때문인가? 만약 성문, 벽지불, 모든 보살들이 이 열여섯 분 보살이 설하는 경법을 믿고 수지하여 훼방하지 않는다면 모두 무상정등정각인 부처의 지혜를 얻을 것이기 때문이다.'

是時十六菩薩沙彌知佛入室，寂然禪定，各昇法座，亦於八萬四千劫，爲四部衆廣說分別妙法華經。一一皆度六百萬億那由他恒河沙等衆生，示教利喜，令發阿耨多羅三藐三菩提心。大通智勝佛過八萬四千劫已, 從三昧起, 往詣法座, 安詳而坐, 普告大衆。是十六菩薩沙彌甚爲希有, 諸根通利, 智慧明了。已曾供養無量千萬億數諸佛。於諸佛所, 常修梵行, 受持佛智, 開示衆生, 令入其中。汝等皆當數數親近而供養之, 所以者何。若聲聞·辟支佛, 及諸菩薩, 能信是十六菩薩所說經法。受持不毁者, 是人皆當得阿耨多羅三藐三菩提·如來之慧。

부처님께서 모든 비구들에게 말씀하셨다. "이 열여섯 분의 보살은 항상 묘법연화경 설하기를 즐겨 하였으며, 각각의 보살이 교화한 육백만억 나유타 항하사수의 중생들은 세세생생 이 보살과 함께하여 그 보살로부터 법을 듣고 모두 믿고 이해하였다. 이러한 인연으로 사백만억의 많은 부처님을 만나게 되었으며, 지금까지도 다하지 않았다."
佛告諸比丘。是十六菩薩常樂說是妙法蓮華經, 一一菩薩所化六百萬億那由他恒河沙等衆生, 世世所生, 與菩薩俱, 從其聞法, 悉皆信解。以此因緣, 得值四百萬億諸佛世尊, 於今不盡。

바) 열여섯 명 사미의 성불

"모든 비구들이여, 내가 지금 그대들에게 말하노니, 저 대통지승 부처님의 제자인 열여섯 분의 사미는 지금 모두 시방의 국토에서 무상정등정각을 얻어 현재 법을 설하고 계시며, 무량한 백천만억의 보살과 성문들이 부처님의 권속이 되었다. 그 가운데 두 분의 사미는 동방에서 부처가 되었으며, 한 분은 아촉불로서 환희국에 계시며, 다른 한 분은 수미정불이다. 두 분은 동남방에서 부처가 되었으며, 한 분은 사자음불이고, 다른 한 분은 사자상불이다. 두 분은 남방에서 부처가 되었으며, 한 분은 허공주불이고, 다른 한 분은 상멸불이다. 두 분은 서남방에서 부처가 되었으며, 한 분은 제상불이고, 다른 한 분은 범상불이다. 두 분은 서방에서 부처가 되었으며, 한 분은 아미타불이고, 다른 한 분은 도일체세간고뇌불이다. 두 분은 서북방에서 부처가 되었으며, 한 분은 다마라발전단향신통불이고, 다른 한 분은 수미상불이다. 두 분은 북방에서 부처가 되었으며, 한 분은 운자재불이고, 다른 한 분은 운자재왕불이다. 한 분의 사미는 동북방에서 부처가 되었으며, 명호는 괴일체세간포외불이며, 열여섯 번째의 사미는 나 석가모니불이며, 사바국토에서 무상정등정각을 이루었다."

諸比丘, 我今語汝, 彼佛弟子十六沙彌, 今皆得阿耨多羅三藐三菩提, 於十方國土, 現在說法, 有無量百千萬億菩薩·聲聞, 以爲眷屬。其二沙彌東方作佛, 一名阿閦在歡喜國, 二名須彌頂。東南方二佛, 一名師子音。二名師子相。南方二佛, 一名虛空住, 二名常滅。西南方二佛, 一名帝相, 二名梵相。西方二佛, 一名阿彌陀, 二名度一切世間苦惱。西北方二佛, 一名多摩羅跋栴檀香神通, 二名須彌相。北方二佛, 一名雲自在, 二名雲自在王。東北方佛, 名壞一切世間怖畏。第十六我釋迦牟尼佛, 於娑婆國土, 成阿耨多羅三藐三菩提。

"모든 비구들이여, 우리들이 사미가 되었을 때 각자는 무량한 백천만억 항하사수의 중생을 교화하였으며, 그들은 나의 법을 듣고 무상정등정각을 위하여 수행하였다. 이들 모든 중생들은 지금 성문의 과위에 머물고 있어 나는 항상 그들을 교화하여 무상정등정각의 법을 닦게 하였으며,

이러한 모든 사람들은 마땅히 이러한 법으로써 점차 불도에 들어간다. 무엇 때문인가? 여래의 지혜는 믿기 어렵고 이해하기 어렵기 때문이다."

諸比丘, 我等爲沙彌時, 各各教化無量百千萬億恒河沙等衆生, 從我聞法, 爲阿耨多羅三藐三菩提。此諸衆生, 於今有住聲聞地者, 我常教化阿耨多羅三藐三菩提。是諸人等, 應以是法, 漸入佛道。所以者何。如來智慧, 難信難解。

"그때 우리가 교화한 무량한 항하사수의 중생은 바로 그대들 모든 비구들이며, 아울러 내가 열반에 든 후 미래세 가운데 성문승의 제자들이다. 내가 열반에 든 후 다시 어떤 제자는 이 묘법연화경을 듣지 못하였기 때문에 보살이 행하는 도를 알지 못하고 깨닫지 못하여 자기가 얻은 공덕에 대하여 스스로 열반을 얻었다는 생각을 내어 열반에 들어갈 것이다. 나는 타방의 국토에서 부처가 될 것이며, 명호는 다를 것이다. 이 성문의 사람은 비록 열반이라는 생각을 내어 열반에 들어가지만, 저 타방의 국토에서 부처의 지혜를 구하기 위하여 이 묘법연화경을 듣게 될 것이다. 오직 불승으로 열반을 얻어야 하며, 모든 여래의 방편설법을 제외하고는, 더욱 다른 승(乘)으로는 열반을 얻을 수 없다."

爾時所化無量恒河沙等衆生者, 汝等諸比丘, 及我滅度後未來世中聲聞弟子是也。我滅度後, 復有弟子, 不聞是經, 不知不覺菩薩所行, 自於所得功德, 生滅度想, 當入涅槃。我於餘國作佛, 更有異名, 是人雖生滅度之想, 入於涅槃, 而於彼土, 求佛智慧, 得聞是經, 唯以佛乘而得滅度, 更無餘乘, 除諸如來方便說法。

자어소득공덕(自於所得功德) 생멸도상(生滅度想) 당입

열반(當入涅槃)• 그들은 수행하여 일종의 경계를 얻게 된다. 여기서 공덕은 그가 얻은 경계이다. 그는 스스로 '아, 나는 이미 열반에 들어갔어!'라고 생각한다. 아무런 생각도 일어나지 않으니 마땅히 열반에 들어가려고 하며, 열반의 과위에 도달했다고 생각한다.

이어피토(而於彼土) 구불지혜(求佛智慧) 득문시경(得聞是經)• 그러나 열반을 얻었다고 생각하는 성문승의 사람이 석가모니불이 다른 세계에서 부처가 된 국토에서 다시 부처의 큰 지혜를 구하기 위해 『법화경』을 듣는다는 뜻이다.

6) 진정한 열반

"모든 비구들이여, 만약 여래가 스스로 열반의 시기가 이르렀다는 것을 알고, 대중들도 청정하고 믿음과 이해가 견고하며 일체의 법이 공함을 깨닫고 통달하여 선정에 깊이 들어가면, 곧 모든 보살과 성문의 대중을 소집하여 이 묘법연화경을 설할 것이다. 이 세간에서 이승(二乘)으로는 열반을 얻을 수 없으며, 오직 일불승으로만 열반을 얻을 수 있다. 비구들은 마땅히 알아야 한다. 여래는 방편으로 중생의 근성에 깊이 들어가, 그들의 마음이 작은 법을 좋아하고 오욕에 깊이 탐착하는 것을 알고 그들을 위하는 까닭으로 이승의 열반을 설하는 것이며, 이러한 사람들은 만약 이승의 법을 들으면 곧 믿고 받아들인다."

諸比丘, 若如來自知涅槃時到, 衆又清淨·信解堅固·了達空法·深入禪定, 便集諸菩薩及聲聞衆, 爲說是經。世間無有二乘而得滅度,唯一佛乘得滅度耳。比丘當知, 如來方便, 深入衆生之性, 知其志樂小法, 深著五欲, 爲是等故, 說於涅槃, 是人若聞, 則便信受。

심착오욕(深著五欲) 오욕은 재물욕, 색욕, 식욕, 명예욕, 수면욕을 말한다. 이것은 중생이 집착하는 것들이다. 이 다섯 가지가 없으면 안 되는 것으로 생각한다. 돈 전(錢) 자는 두 개의 창(戈) 옆에 금(金)이 있다. 금을 앞에 놓고 서로 창을 들어 다투는 것이다. 돈이 있으면 또한 많은 귀찮음이 생긴다. 그러나 사람마다 모두 돈을 가지려고 하며, 귀찮음을 두려워하지 않는다. 이 돈은 쓸 줄을 알면 복을 지을 수 있지만, 쓸 줄을 모르면 죄를 지을 수 있다.

어느 날 어떤 사람이 와서 하나의 문제를 청하였다. "당신은 경을 강의하면서 이렇게 많은 도리를 설명하고 많은 방법을 설하는데, 도대체 당신은 이 세상에 얼마나 많은 사람이 있는지 아십니까? 만약 안다면 당신에게 귀의하여 당신을 스승으로 모시겠습니다. 당신은 확실한 숫자를 가지고 있습니까?"

내가 말하였다. "그대는 나에게 귀의하고 싶은가? 나는 근본적으로 당신의 문제에 대답하지 않을 것이다. 무엇 때문인가? 당신은 문제가 있어 귀의하려고 하는데, 나는 그러한 제자는 받아들일 수 없다. 그대는 귀의를 하지 않으면 문제가 있지만, 귀의를 한 후에 문제는 더욱 많을 것이다. 나는 지금 당신에게 이 세계에 얼마의 사람이 있는지 말할 수 있다. 이 세계에는 두 사람이 있다. 하나는 남자이고, 하나는 여자이다. 당신이 어느 곳으로 가든지 모두 남자와 여자뿐이다. 또한 두 종류의 사람이 있다. 하나는 이름을 구하는 사람이고, 하나는 이익을 구하는 사람이다. 이 세계에는 이 두 사람만 있다. 그대가 다시 세 번째의 사람을 찾아봐라."

그가 말하였다. "이러한 말에 나는 매우 동의합니다. 나는 지금 당신에게 귀의하고자 합니다."

내가 말하였다. "나는 그대를 받아들일 수 없다."

그리하여 이 사람은 문 밖으로 쫓겨났다. 이름(명예)을 구하는 사람은 온갖 방법으로 이름을 구하려고 한다. 명예를 구하는 사람은 곧 불에 타 죽는다. 명예는 불[火]에 속하기 때문에 불에 타 죽는 것이다. 불에 들어가면 타지 않을 수 없다. 너희가 명예에 집착하지 않으면, 이것은 불에 들어가도 타지 않는 것이다. 불도 너희를 태울 수 없다.

이익을 구하는 것은 더욱 말할 필요도 없다. 이익을 구하기 위하여 갖가지의 범법행위를 저지른다. 마약, 아편을 팔거나 무엇을 해서라도 이익을 구하려고 한다. 이익은 물[水]에 속하기 때문에 이익을 심하게 구하면 곧 물에 빠져죽을 것이다.

나. 변화의 성[化城]의 비유

1) 인도자의 방편 - 변화의 성

"비유하면 오백 유순의 험난한 나쁜 길에 사람이 없이 텅 비고 끊어져 두려운데, 많은 사람들이 이 길을 지나 진기한 보배가 있는 곳으로 가려고 하는 것과 같다. 한 분의 인도하는 사람이 총명하고 지혜가 있으며 그 길에 대하여 밝게 통달하여 위험한 길의 통하고 막힌 곳을 잘 아는데, 그는 많은 사람들을 인도하여 이 험난한 길을 지나가려고 한다.
그런데 같이 길을 가던 사람들이 중도에서 게으른 마음이 나서 돌아가려고 인도자에게 말하였다. '우리는 매우 피로하고 또한 두려워서 더 이상 나아갈 수가 없습니다. 앞으로 가야 할 길이 너무 멀어 지금 돌아가려고 합니다.'
인도자는 많은 방편을 가지고 있으므로 이러한 생각을 하였다. '이들은 가련하구나, 어찌하여 많은 진기한 보배를 버리고 돌아가려고 하는가?'
이렇게 생각한 후에 방편의 힘으로 위험한 길 중간의 삼백 유순이 지난 곳에 변화로 하나의 성을 만들어 대중에게 말하였다. '여러분은 두려워하지 말고 돌아가지 마십시오! 지금 이 큰 성에서 머물면서 마음대로 할 수 있습니다. 만약 이 성에 들어가면 빨리 안온함을 얻을 수 있습니다. 만약 보배가 있는 곳으로 가려고 하면 또한 다시 갈 수 있습니다.'
이때 매우 지친 대중들은 마음으로 크게 기뻐하고 이전에 없던 일이라고 찬탄하였다. 우리가 지금 이러한 나쁜 길을 벗어나 빨리 안온함을 얻게 되었다고 생각하였다. 그래서 대중들은 앞으로 나아가 변화로 만든 성에 들어가서 이미 위험을 건넜다는 생각과 안온하다는 생각을 내었다.
이때 인도자는 이 사람들이 이미 휴식하여 다시 피곤함이 없다는 것을 알고, 즉시 변화로 만든 성을 소멸하고 대중들에게 말하였다. '여러분은 보배가 있는 곳에 가까이 왔습니다. 여러분이 머물던 큰 성은 내가 변화로 만들었으며, 여러분이 머물면서 쉬게 하기 위한 것이었습니다.'"
譬如五百由旬險難惡道, 曠絶無人·怖畏之處, 若有多衆, 欲過此道至珍寶處。有一導師, 聰慧明達, 善知險道通塞之相, 將導衆人, 欲過此難。所將人衆, 中路懈退, 白導師言。我等疲極, 而復怖畏, 不能復進，前路猶遠，今欲退還。導師多諸方便，而作是念。此等可愍，云何捨大珍寶而欲退還。作是念已，以方便力，於險道中，過三百由旬•，化作一城，告衆人言。汝等勿怖，莫得退還。今此大城，可於中止，隨意所作，若入是城，快得安隱。若能前至寶所，亦可得去。是時疲極之衆，心大歡喜，歎未曾有。我等今者，免斯惡道，快得安隱。於是衆人前入化城，生已度想·生安隱想。爾時導師，知此人衆既得止息，無復疲惓，卽滅化城，語衆人言。汝等去來，寶處在近，向者大城，我所化作，爲止息耳。

과삼백유순(過三百由旬)• 삼백 유순을 지났다는 것은 무엇인가? 이것은 모두 수행의 단계를 비유한 것이다. 범부로부터 욕계천(欲界天)을 초월하면 일백 유순을 지난 것이고, 욕계천에서 색계천을 초월하면 이백 유순을 지난 것이며, 색계에서 다시 무색계를 초월하면 이것이 바로 삼백 유순을 지난 것이며 삼계를 벗어난 것이다. 삼계 밖의 보살에 이르면 그는 모래같이 많은 미혹을 항복시키고 제거하는데, 이것은 방편유여토(方便有餘土)에 이른 것이라고 한다. 방편유여토에 이르면 사백 유순을 지난 것이다. 그가 무명의 혹을 타파하면 실보장엄토(實報莊嚴土)에 머물게 되는데, 이때가 바로 오백 유순을 지난 것이다.

2) 부처님의 방편 – 두 가지의 열반

"모든 비구들이여, 여래도 또한 이와 같이 지금 그대들의 큰 인도자가 되어, 모든 생사와 번뇌의 나쁜 길은 위험하고 곤란하며 매우 멀다는 것을 알므로 중생이 가는 곳에 따라 중생을 제도하는 것이다. 내가 만약 중생에게 오직 일불승의 법문만 설한다면, 중생은 부처를 보려고도 하지 않고 친근하려고도 하지 않으면서 곧 이러한 생각을 할 것이다. '성불의 길은 길고 멀며, 오랫동안 부지런히 괴로운 수행을 해야 비로소 이룰 수 있을 것이다.'
부처는 중생의 겁약하고 하열한 마음을 알기 때문에 방편의 힘으로 중도에서 머물러 쉬게 하기 위한 까닭으로 두 가지의 열반을 설하는 것이다. 만약 중생이 두 가지의 열반에 머물면, 여래는 이때 즉시 그들을 위하여 말한다. '그대들은 수행을 아직 다 마치지 못하였다. 그대들이 머무는 경지는 부처의 지혜와 가까우니, 마땅히 관찰하고 사량하여라. 그대들이 얻은 열반은 진정한 열반이 아니니다. 그러나 여래의 방편의 힘은 일불승에서 삼승법으로 분별하여 설한다.' 마치 길을 인도하는 사람이 지친 사람들을 머물고 휴식케 하기 위하여 변화로 큰 성을 만들고, 그들이 휴식한 것을 안 뒤에는 그들에게 '보배가 있는 곳은 가까우며, 이 도시는 진실한 것이 아니라 내가 변화로 만들어 낸 것이다.'라고 말한 것과 같다."

諸比丘, 如來亦復如是, 今爲汝等作大導師, 知諸生死煩惱惡道, 險難長遠, 應去應度。若衆生但聞一佛乘者, 則不欲見佛, 不欲親近。便作是念, 佛道長遠, 久受勤苦, 乃可得成, 佛知是心怯弱下劣, 以方便力, 而於中道爲止息故, 說二涅槃。若衆生住於二地, 如來爾時卽便爲說, 汝等所作未辦, 汝所住地, 近於佛慧, 當觀察籌量, 所得涅槃, 非眞實也。但是如來方便之力, 於一佛乘, 分別說三。如彼導師, 爲止息故, 化作大城。旣知息已, 而告之言, 寶處在近, 此城非實, 我化作耳。

이어중도위지식고(而於中道爲止息故) 설이열반(說二涅槃)• 여기서 중도란 바로 삼백 유순이 지난 곳을 뜻한다. 부처님은 모든 수행인이 이곳에서 휴식을 하게 하기 위하여 두 종류의 열반을 설한다. 즉 유여열반과 무여열반이다. 수행하여 초과의 아라한을 증득하면 견혹과 사혹을 끊는다. 그러나 그는 아직 신체가 존재한다. 이것이 유여열반이다. 무여열반은 삼매의 참된 불로 자기를 불태울 수 있다. 외부의 불을 사용할 필요가 없다. 이것을 "몸과 지혜가 함께 소멸되는[身智俱泯]" 경계라고 한다.

다. 대통지승불과 화성(化城)에 대한 게송

1) 대통지승불의 성불

그때 세존께서는 이러한 뜻을 거듭 선설하시고자 게송을 설하셨다.

대통지승불은 십 겁 동안 도량에 앉으셨지만
불법이 현전하지 않아 부처를 이루지 못하셨네.
많은 천신과 용왕, 아수라 등 호법신장들은
항상 천상 꽃 뿌리면서 저 부처님께 공양하였으며
천신들은 천상 북을 치고 많은 음악을 연주하고
향풍이 시든 꽃 날려 버리면 다시 새로운 꽃 뿌렸네.
십 소겁이 지난 후 비로소 성불하시니

모든 천인과 세상 사람 모두 뛸 듯이 기뻐하였네.

저 부처님의 열여섯 명 아들은 모두 그의 권속과 함께

천만억이 둘러싸고 부처님 계신 곳으로 가서

부처님 발에 절하고 법륜 굴리기를 청하였네.

성스러운 사자후 법비 내려 일체중생 만족하소서.

爾時世尊欲重宣此義。而說偈言。

大通智勝佛　十劫坐道場　佛法不現前　不得成佛道

諸天神龍王　阿修羅衆等　常雨於天華　以供養彼佛

諸天擊天鼓　幷作衆伎樂　香風吹萎華　更雨新好者

過十小劫已　乃得成佛道　諸天及世人　心皆懷踊躍

彼佛十六子　皆與其眷屬　千萬億圍繞　俱行至佛所

頭面禮佛足　而請轉法輪　聖師子法雨　充我及一切

2) 시방세계 범천왕들의 청법

세존은 만나기 어려워 장구한 세월에 한 번 나타나며

뭇 중생 깨닫게 하고 일체중생을 진동시켜 깨우시네.

동방의 여러 세계, 오백만억 국토의 범천 궁전에

광명이 밝게 비춰 이전에 못 보던 것이라 생각하였네.

범천왕들 이 모습을 보고 찾아 부처님 처소에 이르러

꽃 뿌려 부처님께 공양하고 타고 온 궁전을 바치면서

부처님께 법륜 굴리시기를 청하고 게송으로 찬탄했지만

부처님께선 때 이르지 않았음을 아시고 말없이 앉아 계셨네.

다른 세 방향과 사유와 상하의 범천왕들도 또한 그렇게
꽃 뿌리고 궁전 바치며 부처님께 법륜 굴리시길 청하였네.
세존은 매우 만나기 어려우니 부처님께서는 큰 자비로써
널리 감로의 법문을 여셔서 위없는 법륜을 굴리소서.

世尊甚難值　久遠時一現　爲覺悟群生　震動於一切
東方諸世界　五百萬億國　梵宮殿光曜　昔所未曾有
諸梵見此相　尋來至佛所　散花以供養　幷奉上宮殿
請佛轉法輪　以偈而讚歎　佛知時未至　受請默然坐
三方及四維　上下亦復爾　散花奉宮殿　請佛轉法輪
世尊甚難值　願以大慈悲　廣開甘露門　轉無上法輪

3) 대통지승불의 설법

무량한 지혜를 갖추신 세존은 저들의 청을 받아
사제와 십이인연법 등 갖가지의 법을 설하셨네.
무명에서 노사(老死)에까지 모두 생하는 연으로 있으며
이런 많은 허물과 근심을 그대들은 마땅히 알아야 하네.
이러한 법을 선양하실 때 육백만억해의 중생이
모든 고의 변제가 다함을 얻어 모두 아라한 이루었고
두 번째 법을 설하실 때 천만억 항하사 수의 중생이
일체 나쁜 법 받지 않음으로써 또한 아라한을 얻었네.
이로부터 그 후 도를 얻은 중생의 수는 무량하여
만억의 겁 동안 계산하여도 그 수량을 알 수 없으리.

無量慧世尊　受彼衆人請　爲宣種種法　四諦十二緣
無明至老死　皆從生緣有　如是衆過患　汝等應當知
宣暢是法時　六百萬億垓　得盡諸苦際　皆成阿羅漢
第二說法時　千萬恒沙衆　於諸法不受　亦得阿羅漢
從是後得道　其數無有量　萬億劫算數　不能得其邊

4) 열여섯 명 왕자의 출가와 청법

이때 열여섯 명의 왕자는 출가하여 사미가 되었으며
모두 부처님께 대승의 불법 설하시길 청하였네.
저희들과 권속들은 모두 불도를 이루어서
세존 같은 지혜의 눈과 제일의 청정 얻기 원합니다.
부처님께서는 동자들 마음과 숙세의 행한 바 아시고
무량한 인연과 갖가지의 비유로써
여섯 가지의 바라밀과 모든 신통의 일을 설하고
진실한 불법과 보살의 행할 도를 분별하여 설하셨네.
항하사 수와 같이 많은 게송의 법화경을 설하셨으며
부처님은 경 설하신 후 고요한 방에서 선정 드시어
일심으로 한곳에서 팔만 사천 겁 동안 앉으셨네.
時十六王子　出家作沙彌　皆共請彼佛　演說大乘法
我等及營從　皆當成佛道　願得如世尊　慧眼第一淨
佛知童子心　宿世之所行　以無量因緣　種種諸譬喩
說六波羅蜜　及諸神通事　分別眞實法　菩薩所行道

說是法華經　如恒河沙偈　彼佛說經已　靜室入禪定
一心一處坐　八萬四千劫

5) 열여섯 명 사미의 법화경 설법

이 사미들은 부처님께서 선정에서 나오시지 않음 아시고
무량한 천만억의 중생 위해 위없는 부처의 지혜 설하며
각각의 법좌에서 이 대승의 법화경을 설하여
부처님께서 선정에 드신 후 불법의 선양과 교화를 도왔네.
각각의 사미들이 제도한 중생들은 육백만억 항하사 수이며
부처님께서 열반에 드신 후에 이 법을 들은 모든 중생은
제불의 국토에 항상 스승과 함께 태어나 법을 들었네.
是諸沙彌等　知佛禪未出　爲無量億衆　說佛無上慧
各各坐法座　說是大乘經　於佛宴寂後　宣揚助法化
一一沙彌等　所度諸衆生　有六百萬億　恒河沙等衆
彼佛滅度後　是諸聞法者　在在諸佛土　常與師俱生

6) 열여섯 명 사미의 성불

이 열여섯 분의 사미는 항상 불도를 행하고 구족하여
지금 현재 시방에서 각각 정각을 이루었네.
그때 법을 들은 자는 각자 제불의 처소에 같이 있으며

그중에 성문에 머물러 있는 자에게 점차 불도 가르치네.
나는 열여섯 번째에 속한다고 이전에 말한 적이 있네.
그래서 나는 방편으로 너희를 부처 지혜로 향하게 하며
이러한 본래의 인연으로 지금 법화경을 설하여
너희가 불도에 들게 하니 삼가 두려워하지 말라.

是十六沙彌　具足行佛道　今現在十方　各得成正覺
爾時聞法者　各在諸佛所　其有住聲聞　漸教以佛道
我在十六數　曾亦爲汝說　是故以方便　引汝趣佛慧
以是本因緣　今說法華經　令汝入佛道　愼勿懷驚懼

7) 변화의 성[化城]의 비유

가) 인도자의 방편

비유하면 험악한 길 멀고 인적 끊어져 독한 짐승 많고
또한 물과 풀도 없어 사람들이 두려워하는 곳에
무수한 천만 사람들이 험한 길 건너가려고 하는데
그 길은 매우 멀고 멀어 삼백 유순을 지났을 때
한 분의 인도자 있어 많이 기억하고 지혜가 있으며
깨달아 판단 잘하니 험로에서 중생의 고난 제도하네.

譬如險惡道　迥絶多毒獸　又復無水草　人所怖畏處
無數千萬衆　欲過此險道　其路甚曠遠　經五百由旬
時有一導師　强識有智慧　明了心決定　在險濟衆難

많은 사람들은 모두 지쳐서 인도자에게 말하였네.
우리들은 지금 피곤하여 이곳에서 돌아가려 합니다.
인도자는 생각하기를, 이들은 매우 가련하구나.
어찌하여 돌아가 크고 진기한 보배 잃으려고 하는가!
이때 방편을 생각하여 신통력으로 큰 성 만들어 내니
그 성곽의 모든 집들은 장엄하고 아름다웠네.
주위에는 정원과 숲이 있고 물 흐르며 목욕지가 있고
중첩된 문에 높은 누각 있고 그 안에 남녀가 가득하네.
이러한 변화 만들어 낸 후 대중을 위로하며 말하기를
두려워하지 말라! 여러분 성에 들어가 마음대로 즐겨라.

衆人皆疲惓 而白導師言 我等今頓乏 於此欲退還
導師作是念 此輩甚可愍 如何欲退還 而失大珍寶
尋時思方便 當設神通力 化作大城郭 莊嚴諸舍宅
周匝有園林 渠流及浴池 重門高樓閣 男女皆充滿
即作是化已 慰衆言勿懼 汝等入此城 各可隨所樂

중인개피권(衆人皆疲惓) 이 위험한 길에서 수행하기란 쉽지 않다. 수행을 돕는 인연은 적고, 수행을 막는 인연은 많다. 수행을 돕는 인연[助緣]이란 무엇인가? 비유하면 너희가 수행을 하는 데 어떤 선지식이 너희를 도와주는 것이다. 그리하여 너희로 하여금 잘못된 길로 가지 않도록, 청정하지 못한 생각을 갖지 않도록 지도하는 것이다. 너희가 이러한 방법에 따라 수행하면, 이것이 너희의 돕는 인연이다. 그리고 너희의 힘으로 할 수 없는 일을 호법의 신도들이 도와서 일을 성공시키는 것이다. 이것도 돕는 인연이다.

어떤 것이 거스르는 인연[逆緣]인가? 너희는 본래 수행을 하려고 생각하여 정말로 보리심을 발하였으나, 기어코 어떤 사람이 와서 갖가지의 방법으로 너희의 수행을 파괴하여 보리심을 발하지 못하게 하는 것이다. 본래 너희는 이러한 욕념이 없었는데, 그가 와서 이 욕념을 일으키도록 돕는 것이다. 본래 너희의 도심은 매우 견고하였으나, 그가 너희의 도심을 물러나도록 한다. 이 모두 거스르는 인연이다.

따라서 수행하기 쉽지 않은 길에서 어떤 때는 매우 피곤함을 느끼게 된다. 일 년을 수행해도 이루어지지 않고, 이 년을 수행해도 얻는 것이 없고, 삼 년이 지나면 자기의 몇 년간 공부가 헛된 것이 아닌가 하고 느낀다. 이것이 바로 도심이 물러나는 것이다. 이 모두 "피곤함"을 느끼는 것이라 한다.

여등입차성(汝等入此城) 각가수소락(各可隨所樂)• 사실 이 변화의 성은 바로 이승인이 닦는 유여열반(有餘涅槃)이다. 유여열반을 얻지 못했을 때 부처님은 소승법으로 성문의 사람을 받아들여, 너희가 사과(四果)의 아라한을 증득하면 생사를 마치고, 해야 할 일을 마치며, 뒤의 몸을 받지 않는다고 말씀하신다. 이미 진정한 열반을 얻었다고 말씀하시는 것이다. 그들이 아라한의 과를 증득한 연후에는 다시 그들에게, 앞을 향하여 더 수행하게 하여 보배가 있는 곳에 이르게 하시는 것이다. 이 화성은 이승인이 머무는 곳이다.

지금 법화회상에서 『법화경』은 방편을 열어 진실의 법을 드러내어 이승인을 인도하는 것이다. 따라서 부처님은 대중에게 이 화성은 궁극의 열반에 이르지 못했다고 설하지 않을 수 없는 것이다. 이러한 경계에 도달하지 못하면 너희는 이것이 아직 궁극이 아니라고 말할 수 없으나, 그들이 화성에 이르면 비로소 지금 방편을 열어 진실을 드러낼 수 있다.

사람들은 즉시 성에 들어가니 마음으로 크게 기뻐하며
모두 편안하다 생각 내어 스스로 생사 건넜다고 여겼으나
인도자는 휴식한 것을 안 후 대중을 모아 말하였네.
그대들은 마땅히 전진해야 하네, 이것은 변화의 성이네.
내 그대들이 매우 피곤하여 중도에서 돌아가려는 것 보고
그래서 권교방편으로써 이 성을 변화로 만든 것이니
그대들 부지런히 정진하여 보배의 곳에 이르러야 하네.
諸人旣入城　心皆大歡喜　皆生安隱想　自謂已得度
導師知息已　集衆而告言　汝等當前進　此是化城耳
我見汝疲極　中路欲退還　故以方便力　權化作此城
汝等勤精進　當共至寶所

나) 부처님의 방편

나도 이와 같이 일체중생의 인도자가 되어
많은 구도자들 중도에서 게으르고 그만두는 것 보네.
그러면 생사와 번뇌의 험난한 길 건널 수 없는 까닭으로
방편력으로 중간에서 휴식하게 하려고 열반을 말하였네.
그대들은 이미 괴로움 소멸하고 할 일을 다 마쳤으며
이미 열반에 이르고 모두 아라한 증득하였음을 아네.
我亦復如是　爲一切導師　見諸求道者　中路而懈廢

不能度生死 煩惱諸險道 故以方便力 爲息說涅槃
言汝等苦滅 所作皆已辦 旣知到涅槃 皆得阿羅漢

이때 부처는 대중을 소집하여 진실한 실상의 법 말하며
시방 제불은 방편의 힘으로 삼승을 분별하여 설하시나
오직 일불승이 있을 뿐, 휴식처에서 두 열반 말하였네.
이제 진실법 말하노니, 그대들 얻은 것은 적멸 아니니
부처의 일체종지 위해 마땅히 큰 정진을 발해야 하네.
그대들은 일체종지와 십력 등 제불의 법 증득해야 하리.
제불은 중생 인도자로서 휴식케 하기 위해 열반 말하며
이미 쉬었음을 아시므로 부처의 지혜로 인도하시네.
爾乃集大衆 爲說眞實法 諸佛方便力 分別說三乘
唯有一佛乘 息處故說二 今爲汝說實 汝所得非滅•
爲佛一切智 當發大精進 汝證一切智 十力等佛法•
具三十二相 乃是眞實滅 諸佛之導師 爲息說涅槃
旣知是息已 引入於佛慧

금위여설실(今爲汝說實) 여소득비멸(汝所得非滅)• 지금 이 화성(化城)은 마땅히 지나가야 한다. 따라서 나는 너희에게 이 진실법을 설하며, 진실한 불승을 설하는 것이다. 이전에 너희가 증득한 유여열반은 아직 성불을 하지 못한 것이며, 궁극의 경지가 아니다. 완전히 생사를 마친 것은 아니며, 아직 적멸의 즐거움을 얻지 못하였다. 왜 얻지 못하였는가? 왜냐하면 사과(四果)의 아라한은 분단생사(分段生死)는 없지만 변역생사(變易生死)는 아직 소멸하지 못했기 때문이다. 따라서 그것은 궁극의 법이 아니다. 분단생사란 각 사람이 한 분단씩 가지고 있는 것이다. 변역생사란 생각생각이 생멸하고 생각생각이 멈추지 않으며, 생각생각이 천류하는 것을 뜻한다. 이 생각[念]은 아직 궁극의 적멸을 얻지 못한 것이다.

십력등불법(十力等佛法)• 십력이란 모든 부처님이 갖추는 열 가지의 능력을 말한다.

① 불유지시처비처지력(佛有知是處非處智力) : 시처란 도리에 부합하는 것, 불법에 부합하는 것을 뜻하며, 비처란 불법에 부합되지 않는 것과 불법과 위배되는 것, 불합리한 법을 뜻한다. 부처님은 언제 어디서나, 어떤 법에 대하여 어떤 것이 옳고 옳지 않은지를 아는 능력을 가지고 있다.

② 불유지삼세업보지력(佛有知三世業報智力) : 우리는 삼세는 말할 것도 없고 삼 년, 즉 과거 1년, 현재 1년, 미래 1년을 이야기할 수 있으며, 3개월이나 3일은 이야기할 수 있을 것이다. 삼세를 이야기하면 너희는 믿지 못한다. '나는 금생이 있다는 것은 믿으나 과거생과 미래생은 증거가 없기 때문에 믿지 않는다.' 따라서 나는 3년이나 혹은 3개월, 혹은 3일로 바꾸어 말하는 것이다. 너희는 이것은 반대할 수 없을 것이다. 그러면 너희는 또한 삼세를 반대할 수 없을 것이다. 왜냐하면 3일, 3개월, 3년이 있으면, 곧 삼세가 있기 때문이다. 부처님은 과거생에 무슨 업을 지었는지 모두 아시며, 현재생에 너희가 무슨 인을 심어 장래 무슨 과를 맺을 것인지를 아시며, 미래에 무슨 과보를 받을 것인지를 모두 아신다.

③ 불유지제선해탈삼매지력(佛有知諸禪解脫三昧智力) : 제선이란 초선·이선·삼선·사선 네 가지 공처[四空處], 멸수상정(滅受想定), 이 아홉 가지의 차제정(次第定)을 말한다. 이렇게 많은 선정이 있기 때문에 여러 선[諸禪]이라고 한 것이다. 부처님은 모든 선정과 해탈과 삼매를 아는 지혜의 힘을 가지고 있다.

④ 불유지제근승렬지력(佛有知諸根勝劣智力) : 어떤 중생은 선근이 있고 어떤 중생은 선근이 없다는 것을 부처님은 한 번 보면 아신다.

⑤ 불유지종종해지력(佛有知種種解智力) : 부처님은 자기를 이해할 뿐 아니라 중생에 대하여 갖가지 이해하는 능력을 가지고 있다.

⑥ 불유지종종계지력(佛有知種種界智力) : 중생의 모든 경계에 대하여 아는 능력을 말한다. 너희가 만약 중생의 이러한 경계를 이해하지 못하면 중생을 교화할 수 없을 것이다. 십법계의 중생은 각각 그 종류를 따른다. 보살은 보살의 일을 하고, 사람은 사람의 일을 하며, 축생은 축생의 일을 한다. 중생이 각각 그 종류를 따르는 것을 아는 것도 경계를 아는 지혜의 힘이다.

⑦ 불유지일체지소도지력(佛有知一切至所道智力) : 지소도(至所道)란 어떤 뜻인가? 바로 너희가 오계를 지니고 십선을 닦으면 천상에 나고, 만약 모든 선정을 닦으면 과를 증득할 수 있으며, 육도만행을 행하면 성불할 수 있다는 것이다. 너희가 만약 죄업을 지으면 축생이나 아귀, 지옥에 들어갈 수 있다. 어떤 원인을 심으면 어떤 결과를 맺을 것인지를 아는

것이다. 부처님은 이러한 지혜의 힘을 가지고 있다.

⑧ 불유지천안무애지력(佛有知天眼無碍智力) : 천안은 걸림이 없는 경계라는 것을 아는 능력을 뜻한다.

⑨ 불유지숙명무루지력(佛有知宿命無漏智力) : 숙명과 무루를 아는 지혜의 힘을 가지고 있다.

⑩ 불유지영단일체습기지력(佛有知永斷一切習氣智力) : 영원히 일체의 습기를 끊는 지력을 가지고 있다.

妙法蓮華經卷第三

◉ 강설 선화 상인(宣化 上人, 1918~1995)

법명은 안자(安慈), 자는 도륜(度輪)이다. 중국 위앙종(潙仰宗)의 제9대 조사이며, 사호(賜號)는 선화(宣化)이다. 29세 되던 1947년 보타산에서 구족계를 받았다. 1949년 홍콩으로 건너가 선종, 교종, 율종, 밀종, 정토종의 다섯 종파를 고루 선양하며 문호파벌을 타파하였고, 서낙원사, 불교강당, 자흥선사 등을 건립하였다. 허운 선사(虛雲 禪師)가 1956년 운거산에서 석가모니 부처님께서 전승하신 법의 제46대, 중국 위앙종의 제9대 사법인(賜法人)으로 임명하고 '선화(宣化)'라는 호를 내렸다. 1962년 미국으로 건너가서 샌프란시스코에 불교학당을 설립하여 불법을 전했다. 1973년 국제역경원을 설립하여 역경의 인재를 배양하였고, 1974년 캘리포니아주 유키아에 만불성성(萬佛聖城)을 건립한 후 미국 등 세계 각지에 27개의 도량을 건립하였다.

◉ 편역 각산(覺山) 정원규(鄭源奎)

경남 진주에서 출생하여 경북대 중어중문학과를 졸업하였다. 경남도청에 근무하던 기간 중 중국 연수와 파견 근무를 하면서 접한 중국의 불서와 중국 고승의 법문에 감명을 받아 국내에 소개하고 있다. 불교에 입문한 이후 경전 연구, 염불, 능엄주 지송, 참선 등의 수행을 통해 마음을 밝혀 견성하기 위해 정진하고 있다. 옮긴 책으로 『오대산 노스님의 인과 이야기』,『염불, 모든 것을 이루는 힘』,『선화 상인 능엄신주 법문』,『선화 상인 능엄경 강설』(상, 하),『허공을 타파하여 마음을 밝히다』,『내 이름을 부르는 이 누구나 건너리』,『부처님 말씀 그대로 행하니』,『생사의 근본에서 주인이 되라』, 『불설대승무량수장엄청정평등각경』 등이 있다.

선화 상인
법화경 강설 上

2018년 11월 19일 초판 1쇄 발행

번역 구마라집
강설 선화 상인
편역 각산 정원규

발행인 박상근(至弘) • 편집인 류지호 • 상무 이영철
책임편집 이상근 • 편집 김선경, 양동민, 주성원, 김재호, 김소영
디자인 쿠담디자인 • 제작 김명환 • 마케팅 허성국, 김대현, 최창호, 양민호 • 관리 윤정안
펴낸 곳 불광출판사 (03150) 서울시 종로구 우정국로 45-13, 3층
대표전화 02) 420-3200 편집부 02) 420-3300 팩시밀리 02) 420-3400
출판등록 제300-2009-130호(1979. 10. 10.)

ISBN 978-89-7479-479-8(04220) 값 35,000원
978-89-7479-478-1(04220) 값 70,000원 (세트)

이 도서의 국립중앙도서관 출판예정도서목록(CIP)은
서지정보유통지원시스템 홈페이지(http://seoji.nl.go.kr)와
국가자료공동목록시스템(http://www.nl.go.kr/kolisnet)에서 이용하실 수 있습니다.
(CIP제어번호: CIP2018033455)

잘못된 책은 구입하신 서점에서 바꾸어 드립니다.
독자의 의견을 기다립니다. www.bulkwang.co.kr
불광출판사는 (주)불광미디어의 단행본 브랜드입니다.

이 도서는 세트로만 판매합니다.